SINE LEGE

ARTUR CONAN DOYLE
ALL SHERLOCK HOLMES

АРТУР
КОНАН ДОЙЛ

ВЕСЬ
ШЕРЛОК
ХОЛМС

ФИНАЛ

Санкт-Петербург
Лениздат
1994

Перевод с английского

Под общей редакцией
А. И. Белинского

К $\dfrac{4703010100-089}{M171(03)-94}$ без объявл.

ISBN 5-289-01800-X

ДОЛИНА СТРАХА

ЧАСТЬ ПЕРВАЯ
ТРАГЕДИЯ В БЕРЛСТОУНЕ

ГЛАВА ПЕРВАЯ
Предупреждение

— Не думаю...— начал было я.

— Да, уж если кому думать — так мне,— буркнул Холмс, не дослушав.— Пожалуй, я один из самых долготерпеливых смертных; но, должен признаться, меня задело это ехидное замечание.

— Послушайте, Холмс,— сказал я строго,— вы порой бываете невыносимы.

Но он был слишком погружен в собственные мысли, чтобы ответить мне. Он сидел перед нетронутым завтраком и изучал листок бумаги, только что извлеченный им из конверта.

Затем он взял сам конверт и проглядел его на свет изнутри и снаружи.

— Это от Порлока,— задумчиво проговорил он.— Не сомневаюсь, что от Порлока, хотя лишь дважды до этого получал его послания. Характерное греческое *е* с пышной завитушкой наверху. Но если это от него, то, должно быть, нечто величайшей важности.— Он говорил больше для себя самого, чем для меня. Но мое раздражение отступило перед интересом, вызванным его словами.

— Что за Порлок? — спросил я.

— Порлок — это условное имя, Уотсон, простое обозначение; но за этим обозначением скрывается хитрый и увертливый человек. В первом своем письме он честно меня предупредил, что пишет не под собственным именем, так что я никогда его не разыщу среди миллионного населения великого города. Порлок примечателен не сам по себе, а благодаря великому человеку, с которым он связан. Представьте рыбу-лоцмана рядом с акулой, шакала рядом со львом — что-либо, примечательное своей дружбой с грозным — не только грозным, Уотсон, но и зловещим, в высшей степени зловещим. Вот почему он попал в поле моего зрения. Вы слышали от меня о профессоре Мориарти?

— Знаменитый ученый-преступник, настолько же знаменитый среди нарушителей закона, насколько...

— Краснею, Уотсон,— пробормотал Холмс.

— Я только хотел сказать, насколько он неизвестен публике.

— Попадание! Прямое попадание! У вас, Уотсон, появилась несомненная и неожиданная нотка лукавого юмора, которого я еще не научился остерегаться. Однако же вы, назвав Мориарти преступником, можете ответить по закону за клевету — вот что всего прелестней! Величайший интриган всех времен, организатор всей чертовщины, мозг, управляющий преступным миром, мозг, способный играть судьбами наций,— таков этот человек! Но настолько далекий от подозрений, настолько недоступный для критики, так восхитительно осторожный и незаметный, что за сказанные вами слова он мог бы привлечь вас к суду и лишить вас годового дохода в качестве возмещения за поруганную репутацию. Разве он не уважаемый автор «Движения астероидов», книги, настолько воспаряющей к утонченнейшим высотам чистейшей математики, что, говорят, в научной печати не нашлось человека, способного дать ее разбор? Клевещущий доктор и оклеветанный профессор — вот как распределятся ваши роли.

Это гений, Уотсон. Но если меня не настигнут люди помельче, то и наш день обязательно придет.

— Хотелось бы увидеть это! — искренне отозвался я.— Но вы говорили об этом человеке, о Порлоке.

— Ах да, так называемый Порлок — это звено в цепи неподалеку от ее главного крепления. Между нами, не слишком крепкое звено. И единственный изъян в цепи, который мне удалось нащупать.

— Но ни одна цепь не прочнее своего слабейшего звена.

— Именно, мой дорогой Уотсон! И в этом — исключительная важность Порлока. Движимый некими рудиментами совести, да к тому же благоразумно подбадриваемый изредка десятифунтовой банкнотой, посылаемой ему окольным путем, он раз или два поставил мне своевременную информацию, имеющую ценность — высочайшую ценность,— предупредившую и предотвратившую более чем злонамеренное преступление. Не сомневаюсь, что, если бы у нас был шифр, мы прочли бы сообщение величайшей важности.

Холмс опять расправил бумажку над своей нетронутой тарелкой. Я привстал и, наклонившись над ним, уставился на странную надпись, выглядевшую так:

534 К2 13 127 36 4 17 21 41
ДУГЛАС 109 293 5 37 БЕРЛСТОУН
26 БЕРЛСТОУН-МАНОР 9 47171

— Что это такое, Холмс?

— Как видите, попытка передать секретную информацию.

— Но какой смысл в шифрованной записке без ключа?

— Пока что — никакого.

— Почему «пока что»?

— Потому что есть много шифров, которые я мог бы прочесть так же легко, как прочитываю апокрифы в колонках газетных объявлений: примитивные схемы, которые забавляют ум, не утомляя его. Но здесь другое. Это, несомненно, указания на слова со страницы какой-то книги. Пока я не знаю, что за страница и что за книга, я бессилен.

— Но почему «Дуглас» и «Берлстоун»?

— Конечно, потому, что этих слов не было на нужной странице.

— Почему же он тогда не обозначил книгу?

— Ваша природная проницательность, Уотсон, та врожденная прозорливость, которая приводит в восхищение ваших друзей, и вам бы не позволила отправлять шифр и ключ в одном конверте. Если все вместе попадет не по адресу — вы пропали. Однако вот-вот придет вторая почта, и я буду очень удивлен, если мы не получим ни письма с более полной информацией, ни, что более вероятно, того самого тома, к которому относятся эти значки.

Предположения Холмса подтвердились через несколько минут, когда Билли, слуга, принес ожидаемое нами письмо.

— Вот оно! — заметил Холмс, открывая конверт.— То, что нам нужно,— добавил он радостным голосом, развертывая записку.— Теперь мы сдвинемся с места, Уотсон.

Читая письмо, он помрачнел.

— М-да, какое разочарование! Я боюсь, Уотсон, что наши ожидания не оправдались. Надеюсь, Порлок не пострадает.

«Дорогой мистер Холмс! — говорилось в письме. — Я больше не занимаюсь этим делом. Слишком опасно. Он подозревает меня. Он тихо и неожиданно вошел как раз в то время, когда я только что надписал конверт, намереваясь отправить вам ключ. Я умудрился прикрыть конверт. Если бы он его увидел, все обернулось бы для меня очень плохо. Но я прочел подозрение в его глазах. Пожалуйста, сожгите шифрованную записку, от которой вам теперь нет никакой пользы.

Фред Порлок».

Холмс некоторое время сидел, вертя письмо в руках и хмуро уставясь в огонь.

— Однако же, — сказал он наконец, — ничего страшного могло и не произойти. Всего лишь игра больного воображения. Ему, знающему о собственной измене, могло почудиться подозрение в глазах другого.

— «Другой» — это профессор Мориарти?

— Ну да! Когда кто-то из них говорит «он», сразу можно понять, кого они имеют в виду. «Он» для них единствен и неповторим.

— Но что он может?

— Гм! В двух словах не ответишь. Когда у тебя один из лучших умов в Европе и все силы тьмы за спиной, возможности твои неограниченны. Во всяком случае, дружище Порлок явно выбит из колеи. Сравните почерк, которым надписан конверт, и почерк самого письма. Конверт надписан до зловещего визита. Почерк четкий. В письме — еле разборчив.

— Но почему он вообще написал? Почему простонапросто не оборвал связь с вами?

— Потому что боялся, что я начну его разыскивать и навлеку на него беду.

— Да-да, — кивнул я, взял в руки шифрованную записку и начал ее рассматривать, хмуря брови. — С ума можно сойти, как подумаешь, что здесь, на этом кусочке бумаги, сообщен важный секрет и человек не в силах проникнуть в него.

Холмс отодвинул так и не тронутый завтрак и раскурил свою отвратительную трубку, неизменную спутницу его глубочайших размышлений.

— И все-таки! — сказал он, откидываясь в кресле и глядя в потолок. — Возможно, здесь есть пункты, которые ускользнули от нашего макиавеллиевского интеллекта. Давайте рассмотрим проблему в свете чистого разума. Порлок использовал какую-то книгу. Вот отправная посылка.

— Что-то очень неопределенное.

— Посмотрим, не можем ли мы сузить наш круг. Сейчас, когда мой ум мобилизован, это кажется мне менее недоступным. Какие есть у нас приметы этой книги?

— Никаких.

— Ну-ну, все не так уж плохо. Шифр начинается с большого числа, 534, так? В качестве рабочей гипотезы мы можем принять, что 534 — та самая страница, которая содержит ключ. Следовательно, наша книга — большая книга, и это уже что-то. Есть ли еще указания на вид этой книги? Следующий значок — К2. Что вы думаете об этом, Уотсон?

— Колонка?..

— Великолепно, Уотсон! Сегодня вы в ударе. Если это не колонка, то я очень сильно заблуждаюсь. Итак, вы видите, перед нами начинает вырисовываться большая книга, напечатанная в две колонки, каждая из которых значительной длины, поскольку одно из слов в этом документе помечено числом 293. Дошли мы до пределов того, что можно узнать?

— Боюсь, что дошли.

— Вы наверняка несправедливы к себе. Еще одна искорка, дорогой Уотсон, еще одно движение мысли! Если бы этот том не был обыкновенным, он бы прислал мне его. Однако же, перед тем как его планы были нарушены, он намеревался прислать мне ключ в этом конверте. Он говорит об этом в записке. Это означает, что книга относится к таким, которые, как он думал, я смогу без труда найти. У него она есть. И он считал, что у меня она тоже есть. Итак, Уотсон, это обычная книга.

— То, что вы говорите, звучит весьма правдоподобно.

— Значит, наше поле поисков сужается до большой книги, напечатанной в две колонки и находящейся во всеобщем употреблении.

— Библия! — торжествующе вскричал я.

— Хорошо, Уотсон, хорошо! Но, если можно так сказать, недостаточно хорошо! Даже если я приму этот комплимент по отношению к себе, я вряд ли смогу назвать книгу, менее подходящую для того, чтобы лежать у локтя одного из помощников Мориарти. Кроме того, издания Священного Писания настолько многочисленны, что вряд ли можно предположить, будто два экземпляра будут иметь одну и ту же нумерацию страниц. Это, несомненно, стандартизированная книга. Он определенно знал, что его страница 534 наверняка совпадает с моей страницей 534.

— Но очень мало книг отвечают этому требованию.

— Разумеется. И в этом наше спасение. Наша задача сузилась до стандартных книг, которые, предположительно, есть у каждого.

— Брадшо!

— Здесь есть трудности, Уотсон. Словарь Брадшо точен и выразителен, но ограничен. Отбор слов вряд ли позволит составлять из них записки. Мы должны отвергнуть Брадшо. Словарь, боюсь, в нашем случае не годится. Что остается?

— Альманах!

— Великолепно, Уотсон! Я очень ошибусь, если вы не попали в цель. Альманах! Давайте посмотрим, насколько соответствует нашим требованиям Уитейкерский альманах. Он в общем употреблении. У него нужное нам количество страниц. Он печатается в две колонки. Будем держать в уме словарь, но наши поиски, если я угадал правильно, пришли к концу. — Он взял книгу со своего стола. — Вот страница 534, колонка 2. Что-то, насколько я вижу, о торговле и ресурсах Британской Индии. Записывайте, Уотсон! Номер тринадцать — «Махратта». Не слишком многообещающее начало. Номер сто двадцать семь — «правительство»; непохоже как-то, чтобы это имело отношение к нам и к профессору Мориарти. Но попробуем дальше. Чем это «правительство Махратты» занято? Увы! Следующие слова — «свиная щетина». Это поражение, дорогой Уотсон! Мы зашли в тупик.

Он говорил шутливым тоном, но подрагивание бровей выдавало его разочарование и раздражение. Я сидел, глядя на огонь с беспомощным и несчастным видом. Долгое молчание было нарушено внезапным возгласом Холмса, бросившегося к шкафу и доставшего другой том в желтой обложке.

— Мы расплачиваемся, Уотсон, за то, что слишком современны! Мы опережаем время — и несем заслуженное наказание! Сейчас седьмое января, и мы полезли в новый альманах. Но ведь, вероятней всего, Порлок составлял свою записку по прошлогоднему. Да-да, именно прошлогодний был бы указан в его письме. Теперь посмотрим, что нам предложит страница 534. Номер 13 — «внимание». Номер 127 — «опасность».— Глаза Холмса пылали от возбуждения, тонкие, нервные пальцы подергивались, отсчитывая слова.— «Опасность»!

11

Ха-ха! Превосходно! Записывайте, Уотсон. «Внимание — опасность — может — угрожать — очень — скоро — одному...» Здесь у нас имя: Дуглас. «Богатому — сельскому — джентльмену — Берлстоун-Хауз — Берлстоун-Манор — сообщение — строго — неотложно». Вот, Уотсон! Что вы думаете о чистом разуме и его плодах? Если у зеленщика найдется такая вещь, как лавровый венок, то стоило бы послать за ним Билли.

Я разглядывал странную записку, которую нацарапал на листке бумаги, лежавшем у меня на колене, пока Холмс расшифровывал слово за слово.

— Что за вывихнутая, нелепая манера выражения мыслей! — сказал я.

— Напротив, все сказано очень хорошо,— ответил Холмс.— Когда ты пользуешься только одной колонкой, отбирая подходящие по смыслу слова, то чем-то приходится жертвовать. Основное вполне понятно. Что-то дьявольское затевается против Дугласа, являющегося, как указано, «богатым сельским джентльменом». Порлок уверен, что это «неотложно». Вот результат — и он получен благодаря весьма искусному анализу!

Холмс радовался своей удаче бескорыстной радостью истинного художника, точно так же, как глубоко переживал он любое падение с того высокого уровня, к которому стремился. Он все еще наслаждался победой, когда Билли распахнул дверь и в комнату вошел инспектор Макдональд.

В то время, в конце восьмидесятых годов, Алек Макдональд был еще далек от национальной славы, достигнутой им в наши дни. Он был тогда молодым, но многообещающим работником Скотленд-Ярда, проявившим себя в нескольких порученных ему делах. Его высокая, ширококостная фигура говорила о необычайной физической силе, а большой череп и глубоко сидящие, сверкающие глаза давали не менее ясное представление о проницательном и остром уме. Был он молчалив и педантичен, с непреклонным характером. Его шотландское происхождение выдавал сильный абердинский акцент. Дважды Холмс помог ему добиться успеха, причем его собственной душевной наградой была интеллектуальная радость от решения проблемы. По этой причине уважение и почтение шотландца к своему коллеге-любителю были полными и проявлялись в искренности, с которой он обращался к Холмсу при всех трудностях. Посредственность не знает ничего выше себя самой; но талант всегда распознает гения, и Макдональд был достаточно талантлив в своей профессии, чтобы не видеть ничего унизительного в обращении за помощью к тому, кому не было равных в Европе ни по одаренности, ни по опыту. Холмс вообще-то был скуп на дружбу, но он симпатизировал рослому шотландцу и улыбнулся, увидев его.

— Вы ранняя пташка, Мак,— заметил он.— Желаю вам удачи в поисках корма. Боюсь только, это означает, что произошло что-то неприятное.

— Если бы вы сказали «надеюсь» вместо «боюсь», это бы больше соответствовало истине,— возразил Макдональд с понимающей улыбкой.— Да, может быть, небольшой глоточек выбьет из меня утреннюю сырую зябкость. Нет, курить не хочу, благодарю вас. Мне нельзя расслабляться и медлить. Первые часы после преступления — самые драгоценные, и никто этого не знает лучше, чем вы. Но... Но...

Он внезапно остановился и уставился в полном изумлении на бумажку, лежащую на столе. Это был тот листок, на котором я накорябал загадочную записку.

— Дуглас! — заикаясь проговорил он.— Берлстоун! Что это такое, мистер Холмс? Это колдовство! Ради всего святого, откуда вы взяли эти имена?

— Это шифр, который мы с доктором Уотсоном имели случай раскрыть. Но что такое в этих именах?

Инспектор, потрясенный, переводил взгляд с одного из нас на другого.

— Только то,— сказал он,— что мистер Дуглас из Берлстоун-Манор-Хауз был зверски убит вчера вечером!

ГЛАВА ВТОРАЯ
Шерлок Холмс разъясняет

Это был один из тех драматических моментов, для которых создан мой друг. Было бы слишком сказать, что он потрясен или даже взволнован удивительным сообщением. Ни следа ужаса, который испытал я сам после кошмарной новости; скорее его лицо приобрело спокойное и заинтересованное выражение химика, наблюдавшего образование кристаллов в насыщенном растворе.

— Замечательно! — сказал он.— Замечательно!

— Вы, кажется, не удивлены.

— Заинтересован, мистер Макдональд, но вряд ли удивлен. Почему я должен удивляться? Я получаю анонимное сообщение из источника, весьма, насколько мне известно, важного, о том, что такому-то человеку угрожает опасность. Менее чем через час я узнаю, что эта опасность материализовалась и данный человек мертв. Я заинтересован, но, как видите, не удивлен.

Он вкратце объяснил инспектору все факты насчет письма и шифра. Макдональд сел, уперев ладони в подбородок и наморщив свои огромные брови песочного цвета.

— Я как раз собирался отправиться в Берлстоун,— сказал он.— И хотел узнать, не отправитесь ли вы со мной — вы и ваш друг. Но теперь я вижу, что, наверное, лучше остаться для расследования в Лондоне.

— Думаю, что нет,— ответил Холмс.

— Но взвесьте все, мистер Холмс! — вскричал инспектор.— В газетах сообщение о загадке Берлстоуна появится только завтра или послезавтра; но где же загадка, если в Лондоне есть человек, знавший о преступлении еще до того, как оно было совершено? Мы должны только схватить этого человека, а все остальное приложится.

— Несомненно. Но как вы собираетесь добраться до так называемого Порлока?

Макдональд вертел в руках конверт, протянутый ему Холмсом.

— Отправлено из Камбервилля — это нам не очень поможет. Имя, вы говорите, не настоящее. Но вы же говорили, что посылали ему деньги?

— Дважды.

— И как?

— В банкнотах на камбервилльскую почту.

— Вы не пробовали выяснить, кто приходит за ними?

— Нет.

— Но почему?

— Потому что я всегда играю честно. Я обещал ему, когда он в первый раз написал мне, что не буду стараться выяснить, кто он такой.

— Вы думаете, за ним кто-то есть?

— И я знаю кто.

— Этот профессор, о котором я от вас уже слышал?

— Разумеется.

Инспектор Макдональд улыбнулся, и его веки дрогнули, когда он взглянул в мою сторону.

— Не скрою от вас, мистер Холмс, что мы в Скотленд-Ярде считаем вас немножко преувеличивающим, когда дело доходит до профессора. Я сам предпринял небольшое расследование. Он кажется мне очень респектабельным, образованным и талантливым человеком.

— Рад за вас, что вы сумели разглядеть талант.

— Господи, да кто же его не разглядит! Услышав вашу точку зрения, я счел долгом познакомиться с ним. Мы говорили об эклиптике. Как о ней зашел разговор, я вспомнить не могу; но он взял рефлекторный фонарь и глобус, и меньше чем за минуту мне все стало абсолютно ясно. Он одолжил мне книгу. Честно скажу, она оказалась мне не по зубам, хотя у меня хорошее абердинское воспитание. Он производит большое впечатление своим худым лицом и седыми волосами, торжественной манерой разговора. Когда во время нашего расставания он положил мне руку на плечо, это было как отцовское благословение перед выходом в холодный и жестокий мир.

Холмс усмехнулся, потирая руки:

— Великолепно! Великолепно! Скажите, Макдональд, эта приятная и волнующая беседа проходила, я полагаю, в профессорском кабинете?

— Точно так.

— Прекрасная комната, правда?

— Очень хорошая, разумеется, мистер Холмс.

— Вы сидели перед его письменным столом?

— Именно.

— Солнце вам в глаза, а его лицо в тени?

— Был уже вечер, но я припоминаю, что лампа была повернута на меня.

— Это уж несомненно. Вы, случайно, не заметили картину над головой профессора?

— Я пропустил немногое, мистер Холмс. Может быть, я научился этому от вас. Да, я видел картину — девушка, склонившая голову на руки, смотрящая на вас немножко искоса.

— Это работа Жана Батиста Греза.

Инспектор попытался изобразить заинтересованный вид.

— Жан Батист Грез,— продолжал Холмс, соединяя кончики пальцев и поудобнее откидываясь в кресле,— был французским художником второй половины восемнадцатого века. Я имею в виду, конечно, время его творческой карьеры, а не годы жизни. Современная критика более чем поддержала высокое мнение о нем его современников.

Взгляд инспектора сделался отвлеченным.

— Не лучше ли нам?..— начал он.

— Именно это мы и делаем,— перебил его Холмс.— Все, что я говорю, имеет самое непосредственное и живое отношение к тому, что вы назвали загадкой Берлстоуна. Собственно, в некотором смысле мы можем назвать это ее средоточием.

Инспектор слабо улыбнулся, вызывающе взглянув на меня:

— Ваши мысли движутся слишком быстро для меня, мистер Холмс. Вы опускаете звено или два, а пробел я не могу заполнить. Да что в целом свете может связывать работу умершего художника с происшествием в Берлстоуне?

— Всякое знание полезно для детектива,— ответил Холмс.— Даже тот тривиальный факт, что в 1865 году на Порталисской распродаже эта картина была оценена в один миллион двести тысяч франков. То есть больше чем в сорок тысяч фунтов стерлингов. Это не наводит вас на размышления? Могу напомнить вам, что жалованье профессора составляет семьсот фунтов в год.

— Но как тогда он мог ее купить?..

— Именно! Как он мог?

— Да, занятно,— задумчиво сказал инспектор.— Продолжайте, пожалуйста, мистер Холмс. Мне это начинает нравиться. Это здорово!

Холмс улыбнулся. Он всегда оттаивал перед искренним восхищением — черта настоящего мастера.

— А что с Берлстоуном? — спросил он.

— Еще есть время,— ответил инспектор, взглянув на часы.— Кеб ждет у двери, до вокзала Виктория нам ехать двадцать минут. Но об этой картине. Помнится, вы говорили, что никогда не видели профессора. Откуда ж вы знаете его комнаты?

— Ну, это совсем другое дело. Я трижды бывал у него. Дважды — сидя и дожидаясь его под различными предлогами и уходя перед самым его приходом. В третий раз — трудно вымолвить перед лицом официальным,— да, в последний раз я имел смелость порыться в его бумагах: с самыми неожиданными результатами.

— Вы что-нибудь нашли?

— Абсолютно ничего. Вот что меня изумило. Однако вы сами видели картину. Значит, он должен быть очень богат. Но откуда его богатства? Он не женат. Его младший брат — начальник железнодорожной станции на западе Англии. Его оклад — семьсот фунтов в год. И он владелец Греза?

— Так, и?..

— Объяснение напрашивается.

— Вы хотите сказать, у него огромные нелегальные доходы?

— Да. Разумеется, у меня есть и другие причины так думать — дюжины малозаметных нитей, косвенно приводящих к центру паутины, где затаилась в неподвижности ядовитая тварь. Если я заостряю внимание на Грезе — так это потому, что хочу лучше ознакомить вас с делом.

— Ладно, мистер Холмс, я согласен: все, что вы говорите, очень интересно. Даже более того — великолепно. Но проясните немного, если можно. Откуда эти деньги: что он, фальшивомонетчик, грабитель, мастер подлогов?

— Вы когда-нибудь читали о Джонатане Уайльде?

— Вроде имя звучит знакомо. Кто-то из романа, да? Я равнодушен к сыщикам из романов: все-то у них получается, а как и почему — они сами над этим не задумываются. Работают по вдохновению. Нет, это несерьезно.

— Джонатан Уайльд не был сыщиком, и он не из романа. Это великий преступник, и жил он в прошлом веке — в 1750-х годах или около того.

— Тогда не вижу в нем никакой пользы для себя. Я человек практичный.

— Мистер Мак, самой практичной вещью в вашей жизни было бы запереться от всех на три месяца и по двенадцать часов в день изучать анналы преступлений. Все движется по кругу — даже профессор Мориарти. Джонатан Уайльд был скрытой силой лондонских преступников, которым он продавал свой ум и свою организацию за пятнадцать процентов комиссионных. Теперь все вернулось на круги своя. Я расскажу вам одну или две вещи о профессоре Мориарти, которые будут небезынтересны для вас.

— Наверняка заинтересуют.

— Мне довелось узнать, кто же первое звено в этой цепочке — цепочке, на одном конце которой наш сбившийся с пути Наполеон, а на другой — сотни мелких задир, карманников, шантажистов, карточных шулеров со всеми видами преступлений посредине. Его начальник штаба — полковник Себастьян Моран, такой же незаметный, осторожный и недоступный для закона, как сам профессор. Как вы думаете, сколько Мориарти ему платит?

— Хотелось бы услышать.

— Шесть тысяч в год. Как вы понимаете, это плата за мозги — американский деловой принцип. Я узнал об этой детали по чистой случайности. Это больше, чем получает премьер-министр. И это даст вам представление о доходах Мориарти и о лестнице, которую он возвел. И затем я занялся охотой за чеками профессора — самыми обычными чеками, которыми он оплачивает домашние счета. Они были выписаны на шесть разных банков. Впечатляет?

— Еще бы! И что вы отсюда вывели?

— Что он избегает слухов о своем богатстве. Ни один человек не должен знать, что оно у него есть. Я не сомневаюсь, что у него штук двадцать банковских счетов; кто его знает, может, есть и заграничные вклады, где-нибудь в Немецком банке или в «Лионском кредите». Если у вас когда-нибудь освободятся год или два, советую вам попристальней изучить профессора Мориарти.

Чем дальше продолжался этот разговор, тем больше он производил впечатление на инспектора. Макдональд так увлекся, что забыл обо всем. Однако трезвый шотландский ум вернул его к реальности.

— Да, это может быть полезным,— сказал он.— Но своими интереснейшими историями вы увели нас в сторону, мистер Холмс. Что действительно имеет значение, так это ваше замечание о наличии какой-то связи между профессором и преступлением. То, что вы поняли из предупреждения, присланного этим Порлоком. Поможет ли это нам в настоящий момент хоть сколько-нибудь сдвинуться с места?

— Мы можем как-то определить мотивы преступления. Ведь они — я исхожу из ваших собственных слов — пока неизвестны. И тут скорей всего — допускается, что нами правильно угадан источник преступления,— одно из двух. Во-первых, чтобы вы знали, Мориарти правит своими людьми беспощадной рукой. Дисциплина у него железная. Есть только одно наказание в его кодексе. Это — смерть. Итак, первый вариант: убитый человек — этот Дуглас, чья грядущая судьба была известна одному из служителей архипреступника,— каким-то образом обманул своего шефа. Наказание последовало незамедлительно и с оповещением всех остальных — для того только, чтобы внушить им страх смерти.

— Первое предположение.

— Второе — что это обычное деловое мероприятие, организованное Мориарти. Там что-нибудь похищено?

18

— Этого я не знаю.

— Если так, то это, конечно, против первой гипотезы и в пользу второй. Мориарти мог быть приглашен для разработки плана, и ему могли обещать часть добычи, а возможно, стоял во главе операции, если плата была соответствующей. И то и другое вероятно. Но что бы там ни было, может, даже что-то третье, ответ мы должны искать в Берлстоуне. Я этого человека знаю слишком хорошо и не могу допустить, что он оставил в Лондоне следы, выводящие на него.

— Тогда мы должны двигаться в Берлстоун!— вскричал Макдональд, вскакивая со стула.— Господи! Сейчас позже, чем я думал. Я даю вам пять минут на сборы, джентльмены, не больше.

— И вполне достаточно для нас обоих,— сказал Холмс, быстро сменяя домашний халат на пиджак.— А по пути, мистер Мак, будьте любезны, расскажите все, что вы знаете об этом деле.

«Все» оказалось удручающе мало. Однако и этого хватило, чтобы дать нам понять, насколько здесь необходимо самое пристальное внимание знатока. Холмс светлел и потирал руки, выслушивая скупые, но впечатляющие детали.

Наконец появился подходящий объект для приложения этой необычайной силы, которая, как и любое особое дарование, тяготила своего владельца, пребывая без употребления. Этот острый ум от бездействия затуплялся и ржавел.

Глаза Холмса сверкали, бледные щеки немного порозовели, все его энергичное лицо светилось внутренним светом, появлявшимся при зове работы. В кебе он выслушал короткий рассказ Макдональда о проблемах, которые ждали нас в Суссексе. Сведения самого инспектора были ограничены короткой запиской, которую он получил сегодня с самым ранним поездом. Уайт Мейсон, тамошний полицейский, был его личным другом, и поэтому Макдональда вызвали быстрее, чем вызывается обычно Скотленд-Ярд, когда провинция нуждается в его помощи. В основном столичных экспертов приглашают на уже холодный след.

«Дорогой инспектор Макдональд!— говорилось в письме.— Официальный запрос на вас следует в отдельном конверте. Это же — вам лично. Телеграфируйте мне, каким поездом вы сможете сегодня утром прибыть в Берлстоун, и я вас встречу, или кто-нибудь встретит вас, если я буду слишком занят. Дело сногсшибательное.

Выезжайте, не теряя ни секунды. Если вы можете пригласить мистера Холмса, сделайте это, пожалуйста; он найдет тут кое-что в своем вкусе. Мы могли бы подумать, что вся эта штука поставлена ради театрального эффекта, если бы в центре ее не было покойника. Честное слово, это сногсшибательно!»

— Кажется, ваш друг не дурак,— заметил Холмс.

— Нет, сэр, Уайт Мейсон — очень толковый человек, если я хоть что-нибудь понимаю.

— Хорошо. Известно что-нибудь еще?

— Он все нам расскажет в деталях, когда мы встретимся.

— Откуда вы тогда знаете о мистере Дугласе и зверском убийстве?

— Из вложенного официального рапорта. Там не говорится «зверское» — это ведь неофициальный термин. Называется имя — Джек Дуглас. Сообщается, что раны были нанесены в голову выстрелом из ружья. Называется также час происшествия — около двенадцати ночи. Добавлено, что это — явное убийство, но никакого ареста не произведено, и все дело имеет странные и необычные очертания. Вот все, что у нас есть в настоящем, мистер Холмс.

— С вашего разрешения, мы это пока так и оставим, мистер Мак. Соблазн выстраивать преждевременные теории на основе недостаточных данных — отрава нашей профессии. Пока что только две вещи очевидны: великий ум в Лондоне и мертвец в Суссексе. Вот цепочка, по которой мы должны двигаться.

ГЛАВА ТРЕТЬЯ
Трагедия в Берлстоуне

Теперь я хотел бы на время удалить со сцены свою незначительную персону и описать события, обусловившие наш приезд в Суссекс и ставшие нам известными чуть позже. Только так я смогу дать читателю представление о людях, здесь затронутых, и о странной обстановке, в которой их настигла судьба.

Деревня Берлстоун — небольшая горстка очень старых деревянных домиков — расположена на северной границе графства Суссекс. Веками она оставалась неизменной; однако в последнее время ее живописный вид и местоположение привлекли внимание состоятельных людей — их виллы теперь выглядывают тут и там из окрестных лесов. Леса эти являются, по всей видимости, крайней кромкой великого Уэльдского леса, к северу становящегося все более разреженным и переходящего в меловые равнины. Нужды растущего населения вызвали к жизни несколько небольших магазинчиков, и вообще весьма вероятным представляется скорое превращение Берлстоуна из древней деревушки в современный город. Тем более что это центр значительной части местности, так как Танбридж-Уэлс, ближайший крупный населенный пункт, расположен десятью или двенадцатью милями восточнее, уже в пределах графства Кент.

В полумиле от Берлстоуна, в парке, знаменитом своими огромными грушевыми деревьями, расположено старинное владетельное здание — Берлстоун-Манор-Хауз. Часть этого почтенного строения датируется ни более ни менее как временем первого крестового похода, когда Гуго де Капус построил крепость в центре имения, пожалованного ему Красным Королем. Она была уничтожена пожаром в 1543 году, и некоторые из закопченных дымом краеугольных камней были использованы позднее, во времена Якова I, когда на руинах феодального замка поднялся кирпичный сельский дом.

Дом этот, с его многочисленными остроконечными крышами и небольшими ромбическими окнами, сохранился в основном таким, каким его оставил строитель семнадцатого века. Из двух наполненных водой рвов, охранявших когда-то его далекого воинственного владельца, внешний осушен и исполняет скромные обязанности огорода. Внутренний сохранился, составляет приблизительно футов сорок в ширину, а в глубину — не более нескольких футов и окружает весь дом. Небольшая речка снабжает его водой и потом продолжает свой путь, так что вода, хоть и мутная, никогда не бывает застоявшейся или нездоровой. Окна первого этажа находятся меньше чем в футе от поверхности воды.

К дому можно пройти только через подъемный мост, лебедки и цепи которого долгое время ржавели и разрушались. Последний арендатор Манор-Хауз, с энергией, для него характерной, привел мост в порядок, и мост не только получил возможность подниматься и опускаться, но и поднимался каждый вечер и опускался каждое утро. С возобновлением этой привычки старых феодальных дней Манор-Хауз стал превращаться в остров на всю ночь — факт, играющий важную роль в той загадочной истории, которая привлекла вскоре внимание всей Англии.

Дом простоял нежилым несколько лет и угрожал превратиться в живописные развалины, когда в него въехали Дугласы. Семья состояла из двух человек — Джека Дугласа и его жены. Дуглас был примечателен и по характеру, и по внешнему виду: примерно пятидесяти лет, с необыкновенно острым и проницательным взглядом серых глаз, с тяжелой челюстью, седыми усами и с жилистой, подтянутой фигурой, не утратившей ни юношеской подвижности, ни силы. Он был весел и приветлив со всеми, однако что-то вульгарное в его манерах говорило о том, что он повидал жизнь более низких слоев общества, чем те, с которыми общался теперь.

Но хотя он выглядел странноватым и ограниченным в глазах его более культурных соседей, он вскоре приобрел большую популярность среди местных жителей — с удовольствием вникал во все их заботы, принимал участие во многих развлечениях, где всегда был готов порадовать собравшихся прекрасной песней: у него был замечательный тенор. Был он человеком богатым — разбогатевшим, как говорили, на калифорнийских золотых приисках. Со слов его собственных и его жены было известно, что часть жизни он провел в Америке.

Хорошее впечатление, которое он производил своей щедростью и демократичными манерами, еще усиливалось приобретенной им репутацией смельчака. Хотя и плохой наездник, он всегда являлся на место охотничьих сборов и сносил самые головокружительные падения, в решимости проявить себя с лучшей стороны. Когда горел дом священника, он поразил всех полнейшим бесстрашием и безразличием к опасности, спасая имущество уже после того, как местная пожарная бригада признала это невозможным.

Его жена также была популярна среди тех, кто их знал; правда, гости у них бывали редко — следствие наших английских нравов, не позволяющих наносить визитов незнакомцу, который, обосновавшись в графстве, официально никому не представился. Это, однако, мало волновало ее, поскольку она, по общему впечатлению, была погружена в домашние хлопоты, в заботы о хозяйстве и муже — и это вполне соответствовало ее природным наклонностям. О ней было известно, что она англичанка и встретилась с Дугласом уже в Лондоне, когда тот стал вдовцом. Она была красивой женщиной, высокой, темноволосой и стройной, на двадцать лет моложе своего супруга; но разница в возрасте не мешала их семейному согласию.

Правда, те, кто их лучше знал, подметили, что между двумя членами этой семьи не было полной откровенности. То ли жена не желала говорить о прошлом своего мужа, то ли, что вернее, почти ничего не знала о нем. Не осталась без внимания некоторых наблюдательных людей и странная повышенная нервозность миссис Дуглас, особенно усиливавшаяся и доходившая до состояния нескрываемой острой тревоги, если муж, отлучившись, необычно запаздывал с возвращением домой. В тихой сельской местности, где у слухов и сплетен благодатная почва, эта слабость хозяйки Манор-Хауз не прошла незамеченной и с особой силой вспыхнула в людской памяти, когда разразились события, придавшие ей весьма определенное значение.

Был и еще один человек, чье присутствие во время странных происшествий требует представить его читателю. Это Сесил Джеймс Баркер из Халес-Лодж в Хэмпстеде.

К высокой, раскованной фигуре Сесила Баркера привыкла главная улица Берлстоуна, поскольку он был частым и желанным гостем в Манор-Хауз. Он должен быть отмечен также как единственный друг мистера Дугласа из его неизвестного прошлого. Сам он, несомненно, был англичанином; но по его замечаниям становилось понятно, что встретился он с Дугласом в Америке и там подружился с ним. Человек он был достаточно богатый и неисправимый холостяк.

Он был моложе Дугласа — самое большее, лет сорока пяти,— высокий, прямой, широкоплечий, чисто выбритый, с лицом боксера, густыми темными бровями и властными черными глазами, один взгляд которых мог бы проложить ему дорогу через враждебную толпу. «Добродушный и щедрый джентльмен,— говорил о нем Амис, дворецкий.— Но не хотел бы я оказаться у него на пути!» Он был сердечен и близок с Дугласом и не меньше с его женой — дружба, которая не однажды, казалось, вызывала беспокойство мужа, так что даже слуги могли заметить раздражение последнего. Таков был третий, находившийся вместе с супругами, когда произошла катастрофа.

Что до остальных обитателей старого здания, то прежде всего тут нужно выделить чопорного, респектабельного и умелого Амиса, а также миссис Аллен, живую и добродушную женщину, помогавшую вести хозяйство. Остальные шесть слуг не имеют отношения к событиям, происшедшим вечером шестого января.

Первый сигнал тревоги поступил на маленький местный полицейский пункт в одиннадцать сорок пять, во время дежурства сержанта Уилсона. Сильно взволнованный Сесил Баркер подлетел к двери и бешено зазвонил в колокольчик. «В Манор-Хауз произошла ужасная трагедия. Джек Дуглас убит»,— сообщил он задыхаясь. Он поспешил назад к дому, а спустя несколько минут, предупредив власти графства о серьезном происшествии, за ним последовал и сержант.

Подойдя к Манор-Хауз, сержант обнаружил мост опущенным, окна освещенными, а весь дом в состоянии страшного смятения и тревоги. Бледные слуги толпились в холле, перепуганный дворецкий заламывал руки в дверном проеме. Только Сесил Баркер держал себя в руках: он открыл ближайшую ко входу дверь и кивнул сержанту, чтобы тот последовал за ним. В этот момент подоспел доктор Вуд, проворный и способный врач, обслуживающий эту местность. Втроем мужчины вошли в роковую комнату, а за ними прошел перепуганный дворецкий, затворив за собой дверь, чтобы служанки не видели ужасного зрелища.

Мертвец лежал на спине в центре комнаты, широко раскинув руки и ноги. На нем была только ночная одежда, розовый халат и ковровые тапочки на голых ногах. Доктор встал на колени возле жертвы, держа лампу, взятую со стола. Одного взгляда было достаточно, чтобы понять: здесь не нужна медицинская помощь, человек жестоко изуродован. У него на груди лежало странное оружие — дробовик со стволом, спиленным так, что до курков оставался приблизительно фут. Выстрел, произведенный с очень близкого расстояния, проделал в голове огромную дыру, почти что разнес ее в куски. Курки были связаны между собой проволокой, чтобы сделать одновременный выстрел из обоих стволов более разрушительным.

Сельский полицейский был потрясен и взволнован: небывалая ответственность внезапно легла на него.

— Мы ничего не должны здесь трогать, пока не прибудет мое начальство,— проговорил он слабым голосом, не отводя взгляда от головы покойника.

— Здесь ничего не тронули,— сказал Сесил Баркер.— Я отвечаю за это. Вы видите все в точности таким, каким я это нашел.

— Когда это произошло? — Сержант извлек записную книжку.

— Как раз в половине двенадцатого. Я еще не начал раздеваться и сидел у камина в своей спальне, когда услышал звук выстрела. Он был не очень громким — казалось, что стреляли с глушителем. Я кинулся вниз. Думаю, не прошло и полминуты, как я оказался в комнате.

— Дверь была открыта?

— Да, открыта. Бедный Дуглас лежал так, как вы видите его. Его свеча горела на столе. Это я зажег чуть попозже лампу.

— Вы никого не видели?

— Нет, никого. Я услышал, что по лестнице спускается миссис Дуглас, и выбежал из комнаты остановить ее, чтобы она не увидела этого кошмарного зрелища. Миссис Аллен, экономка, увела ее. Тут подоспел Амис, и мы вместе вошли в комнату еще раз.

— Да, но ведь ваш мост бывает поднят всю ночь?

— Он был поднят, пока я не опустил его.

— Но как тогда убийца мог ускользнуть? Это невероятно! Больше всего похоже на самоубийство.

— Так и мы сначала подумали. Но смотрите! — Баркер отодвинул штору и показал, что ромбовидное окно за ней открыто настежь.— А теперь посмотрите на это! — Он взял лампу и осветил пятно крови на подоконнике, похожее на отпечаток подошвы ботинка.— Кто-то здесь вылезал наружу.

— Вы имеете в виду, что кто-то перебрался через ров?

— Конечно.

— Но если вы через полминуты оказались в комнате, он как раз должен был находиться в воде.

— Не сомневаюсь в этом. Господи Боже, если бы я подбежал к окну! Но оно было именно вот так закрыто шторой, мне и в голову не пришло заглянуть туда. А потом я услышал шаги миссис Дуглас, которую нельзя было пускать в комнату. Это было кошмарно!

— Достаточно кошмарно! — сказал доктор, разглядывая раздробленную голову и жуткие следы, которые ее окружали.— Я не видел таких ран с берлстоунской железнодорожной катастрофы.

— Но,— заметил сержант, наделенный медлительным сельским здравым смыслом и все еще размышляющий над открытым окном,— хоть вы и очень хорошо объяснили, как он убежал через ров, но как же он попал в дом, если мост был поднят?

— Да, это загадка,— сказал Баркер.

— В котором часу подняли мост?

— Около шести,— ответил Амис.

— Но я слышал,— сказал сержант,— что обычно он поднимается при заходе солнца. А в это время года темнеет в половине четвертого.

— У миссис Дуглас были гости к чаю,— ответил Амис.— И я не мог поднять мост, пока они не ушли. Затем я поднял его сам.

— Тогда мы приходим к следующему: если здесь был кто-то посторонний — если он здесь был,— то он должен был пройти по мосту до шести и оставаться в комнате до полдвенадцатого, пока в нее не вошел мистер Дуглас.

— Точно! Мистер Дуглас каждый вечер обходил дом, проверяя, все ли огни погашены. Вот почему он оказался здесь. Кто-то поджидал его и застрелил. Затем, оставив ружье, бежал через окно. Так я это понимаю; так складываются факты.

Сержант поднял карточку, лежавшую возле убитого на полу. На ней были грубо нацарапаны чернилами буквы «В. В.» и номер — 341.

— Что это такое? — спросил он.

Баркер поглядел на нее с удивлением:

— Я этого никогда не видел. Это, должно быть, обронил убийца.

— В. В. 341. Не представляю, что это значит.

Сержант вертел карточку в больших пальцах:

— Что такое В. В.? Может быть, чьи-то инициалы? Что вы там нашли, доктор Вуд?

Это был большой молоток, лежавший на коврике перед камином,— крепкий рабочий молоток. Сесил Баркер указал на коробку с медными гвоздями, стоявшую на каминной полочке:

— Вчера мистер Дуглас перевешивал картины. Я видел, как он стоял на стуле и поправлял одну из них. Вот откуда молоток.

— Лучше все оставить там, где было,— сказал сержант,— тут понадобятся лучшие мозги, чтобы распутать эту штуку. Это — работа для Лондона.— С лампой в руке он медленно кружил по комнате.— Эгей! — взволнованно воскликнул он, сдвигая в сторону штору.— В котором часу шторы были опущены?

— Когда зажгли лампы,— ответил дворецкий.— Чуть позже четырех.

— Кто-то здесь прятался, это точно.— Сержант опустил лампу, и стали видны следы грязных ботинок в углу.— Должен сказать, что это подтверждает вашу теорию, мистер Баркер. Похоже, человек проник в дом после четырех, когда шторы были опущены, и до шести, когда был поднят мост. Он пробрался в эту комнату — в первую, которую увидел. Не было другого места, где бы он мог спрятаться, поэтому он затаился за шторой. Все это кажется достаточно ясным. Он, видно, хотел ограбить дом; но мистер Дуглас случайно встретился с ним, поэтому он застрелил мистера Дугласа и скрылся.

— Так кажется и мне,— сказал Баркер.— Но разве мы не теряем драгоценное время? Не должны ли мы начать что-то делать и объявить по графству розыск этого человека, пока он не исчез?

Сержант секунду раздумывал:

— До шести утра поездов нет; так что уехать по железной дороге он не сможет. Если же он со своими промокшими ногами пойдет пешком, то его, так или иначе, кто-то заметит. К тому же я не могу уйти отсюда, пока меня не сменят. Но, я думаю, никто из нас не должен уходить, пока не станет ясно, в каком мы все положении.

Доктор взял лампу и тщательно осмотрел тело.

— Что это за знак? — спросил он.— Может он иметь какую-нибудь связь с преступлением?

Рукав халата на правой руке убитого задрался, обнажив ее до локтя. Примерно посередине, между запястьем и локтем, был странный коричневый рисунок — треугольник внутри круга, ярко проступающий на белой коже.

— Это не татуировка,— сказал доктор, глядя сквозь очки.— Никогда не видел ничего подобного. Это клеймо, наподобие клейма для скота. Что это значит?

— Признаться, не знаю,— ответил Сесил Баркер.— Но я много раз видел это у Дугласа за последние десять лет.

— И я тоже,— сказал дворецкий.— Много раз, когда хозяин закатывал рукава, я видел этот знак. И часто удивлялся: что бы это значило?

— Тогда, во всяком случае, это не имеет ничего общего с преступлением,— сказал сержант.— Но это как-то чудно́. Все в этом деле чудно́. Ладно, что там еще?

Дворецкий, издавший возглас удивления, указывал на откинутую руку убитого.

— Они забрали его обручальное кольцо! — задыхаясь проговорил он.

— Что?!

— Да, конечно. Хозяин всегда носил свое гладкое золотое обручальное кольцо на мизинце левой руки. Вот это кольцо с необработанным золотым самородком было над ним, а кольцо в виде свернувшейся змеи — на среднем пальце. Вот самородок, и вот змея, но обручальное кольцо исчезло.

— Он прав,— сказал Баркер.

— Вы хотите сказать,— переспросил сержант,— что обручальное кольцо было под другим?

— Всегда!

— И убийца, кто бы он ни был, сначала снял кольцо, которое вы называете кольцом с самородком, затем обручальное кольцо, а затем кольцо с самородком надел назад?

— Именно так!

Достопочтенный сельский полицейский потряс головой:

— Мне кажется, что чем скорее мы вызовем Лондон, тем лучше. Уайт Мейсон — толковый человек. Нет таких местных дел, которые были бы не по плечу Уайт Мейсону. Он вот-вот прибудет сюда нам на помощь. Но я полагаю, мы должны обратиться в Лондон, пока не промахнулись. Не постыжусь сказать, что это дело слишком трудное для таких, как я.

ГЛАВА ЧЕТВЕРТАЯ

Тьма

В три утра́ ведущий суссекский детектив, поднятый неотложным вызовом сержанта Уилсона из Берлстоуна, прикатил в небольшом двухколесном экипаже со взмыленной лошадью в упряжке. В пять сорок он отправил с утренним поездом свою записку в Скотленд-Ярд, а в двенадцать встречал нас на станции. Уайт Мейсон был спокойным, довольным человеком. В свободном твидовом костюме, чисто выбритый, с румяным лицом, плотно сбитый, на украшенных гетрами крепких кривых ногах — он выглядел скорее как фермер или лесник в отставке, но совсем не как уважаемый провинциальный полицейский офицер.

— Честное слово, сногсшибательно,— продолжал он повторять.— Репортеры, наверное, налетят как мухи, когда они поймут это. Я надеюсь, мы закончим свою работу до того, как они начнут совать сюда нос и запутают нам все следы. Я не могу припомнить ничего подобного. Здесь найдется кое-что и для вас, мистер Холмс, если не ошибаюсь. И для вас также, мистер Уотсон,— вы нам пригодитесь как медик. Ваши комнаты — в Вествиль Армз. Другого места здесь нет; но я слышал, что там чисто и хорошо. Человек отнесет ваши чемоданы. Пожалуйста, джентльмены, прошу.

Он оказался очень суетливым и живым, этот суссекский детектив. За десять минут мы разместились в наших апартаментах. Еще через десять минут мы сидели в зале гостиницы и выслушивали стремительный рассказ о тех событиях, которые изложены в предыдущей главе. Макдональд изредка делал записи; Холмс слушал увлеченно, с тем выражением удивления и благоговейного восхищения, с которым ботаник разглядывает редкий и прекрасный цветок.

— Замечательно! — сказал он, когда рассказ был закончен.— Замечательно! Вряд ли я припомню какое-нибудь дело, черты которого были бы так специфичны.

— Я не сомневался, что вы так отреагируете, мистер Холмс,— сказал Уайт Мейсон.— Я рассказал вам, как обстоит дело с того момента, когда я получил сообщение от сержанта Уилсона,— между тремя и четырьмя утра. Честное слово! Загнал я старую кобылу! Но оказалось, что мне не надо было так спешить, не было ничего такого, что я мог бы немедленно сделать. Сержант Уилсон собрал все факты. Я расставил их, поразмыслил над ними и, кажется, сумел к ним прибавить кое-что свое.

— Что именно? — жадно спросил Холмс.

— Ну, во-первых, я обследовал молоток. Доктор Вуд помогал мне. Мы не нашли на нем никаких следов насилия. Я надеялся, что Дуглас мог защищаться молотком и зацепить убийцу перед тем, как уронить молоток на ковер. Но не обнаружил ни пятнышка.

— Это еще ничего не значит,— заметил инспектор Макдональд.— Множество убийств было совершено при помощи молотка при полном отсутствии следов на молотке.

— Конечно, это не доказывает, что молоток не использовался. Но если бы на нем остались пятна, то это бы помогло нам. Затем мы обследовали ружье. Оно обрезано так, что составляет в длину не более двух футов и может быть спокойно пронесено под пальто. На нем нет полного имени изготовителя, но на выемке между стволами имеются печатные буквы «П-е-н», дальше ствол отпилен.

— Большое «П» с завитком над ним, «е» и «н» меньше? — спросил Холмс.

— Именно.

— «Пенсильванская компания ручного оружия» — хорошо известная американская фирма.

Уайт Мейсон поглядел на моего друга так, как сельский врач смотрит на специалиста с Харли-стрит, единым словом устраняющего трудности, смущавшие первого.

— Это нам очень поможет, мистер Холмс. Не сомневаюсь, что вы правы. Восхитительно! Вы что, помните имена всех производителей оружия?

Холмс взмахом руки покончил с этим вопросом.

— Это, несомненно, американское оружие, — продолжал Уайт Мейсон. — Я, помнится, читал, что обрезанные винтовки применяются в некоторых районах Америки. По-моему, очевидно, что человек, который проник в дом и убил владельца, был американцем.

Макдональд покачал головой:

— Слишком поспешный вывод. Не вижу ничего очевидного даже в том, что кто-то посторонний вообще побывал в доме.

— Открытое окно, кровь на подоконнике, странная карточка, следы ботинок в углу, ружье!

— Все это вполне объяснимо. Мистер Дуглас — американец либо долго жил в Америке. Так же, как мистер Баркер. Не надо привлекать постороннего американца, чтобы объяснить предметы американского происхождения.

— Амис, дворецкий...

— Что с ним, можно ему доверять?

— Десять лет у сэра Чарлза Чендоса — надежен как скала. Дугласу неотлучно служит с тех самых пор, как тот пять лет назад арендовал Манор-Хауз. Он никогда не видел в доме подобного ружья.

— Ружье могло быть спрятано. Поэтому и стволы обрезаны. Оно могло быть убрано в ящик. Как он может утверждать, что такого ружья не было в доме?

— Но, во всяком случае, он его никогда не видел.

Макдональд покачал своей упрямой шотландской головой.

— Я не уверен, что в доме был кто-то еще,— сказал он.— Я предлагаю вам поразмыслить (его шотландский акцент становился заметнее, когда он забывался, начиная приводить свои доводы), я предлагаю вам поразмыслить, что же это получится, если мы как-то допустим, что ружье было внесено в дом и что все эти странные вещи были совершены посторонним. Ох нет, это просто невообразимо! Это очевидно наперекор всякому здравому смыслу! Пожалуйста, мистер Холмс, предлагаю вам оценить это вместе со всем нами услышанным!

— Хорошо, изложите вашу точку зрения, мистер Мак,— сказал Холмс самым бесстрастным голосом.

— Наш человек не грабитель, если предположить, что он вообще существовал. Похищение кольца и карточка указывают на предумышленное убийство по личным мотивам. И это человек, который пробирается в дом с несомненным намерением совершить убийство. Он знает — если он знает хоть что-нибудь,— какие трудности его ожидают при бегстве, поскольку дом окружен водой. Какое же оружие он должен выбрать? Самое бесшумное в мире. Тогда он мог надеяться после совершения убийства быстро выбраться в окно, перебраться через ров и спокойно исчезнуть. Но как можно понять, что он, напротив, выбирает самое громкое оружие из всех, отлично понимая, что это привлечет к месту происшествия каждую живую душу, находящуюся в доме, и что он получит все шансы быть замеченным до того, как пересечет ров? Можно в это поверить, мистер Холмс?

— Звучит убедительно,— задумчиво ответил мой друг.— Все эти вещи нуждаются в объяснении. Скажите, мистер Уайт Мейсон, вы уже обследовали внешнюю сторону канала — там могли остаться следы человека, выбравшегося из воды?

— Никаких следов. Там каменные бортики, и вряд ли на них что-нибудь осталось.

— Ни отпечатков, ни иных уловимых знаков?

— Ничего.

— Гм! Вы не возражаете, мистер Уайт Мейсон, если мы для начала пройдем к дому? Там может найтись какая-нибудь маленькая, но не бесполезная зацепка.

— Я как раз собирался предложить это, мистер Холмс; но я думал перед этим ознакомить вас со всеми фактами. И если бы что-нибудь привлекло ваше внимание...— Уайт Мейсон с недоверием поглядел на моего друга.

— Я уже работал с мистером Холмсом,— сказал инспектор Макдональд.— Он играет по правилам.

— Ваше присутствие для нас — большая честь, и мы покажем вам все, что знаем,— сердито обратился к моему другу Уайт Мейсон.— Пойдемте, доктор Уотсон, и будем надеяться — для всех нас найдется место в вашей книжке, когда придет время.

Мы прошли по старинной деревенской улочке с рядами подстриженных вязов по обеим ее сторонам. Сразу за ней возвышались два древних каменных столба, пострадавших от непогод и покрытых пятнами лишайника, нечто бесформенное на их верхушках было когда-то стоящими на задних лапах львами Капуса Берлстоунского. Небольшой проход по продуваемой ветрами подъездной аллее, с теми газонами и дубами, которые можно увидеть только в сельской Англии, затем внезапный поворот, и перед нами предстал длинный и низкий якобитский дом, с закопченными, темно-каштанового цвета кирпичами и старомодным садиком с подстриженными тисами по обеим его сторонам. Подойдя ближе, мы увидели деревянный подъемный мост и красивый широкий ров, в холодном зимнем солнце такой же неподвижный и отсвечивающий, как ртуть.

Три столетия пронеслись над старым Манор-Хауз, столетия рождений и возвращений домой, сельских танцев и сборищ охотников на лисиц. И вот теперь темное преступление покрыло своей тенью эти почтенные стены! Однако эти странные островерхие скаты крыши с их необычными выдающимися вперед коньками выглядели подходящим прикрытием для мрачной и жестокой интриги. Глядя на темнеющие в глубине окна, на омываемые водой стены, я проникался мыслью, что не могло найтись более естественной сцены для разыгравшейся трагедии.

— Вон то окно,— сказал Уайт Мейсон.— Сразу справа от моста. Оно оставлено открытым с той ночи.

— Выглядит слишком узким для того, чтобы там пролез человек.

— Во всяком случае, не толстяк. Здесь не нужно ваших умозаключений, мистер Холмс, чтобы мы поняли это. Но вы или я вполне бы там пролезли.

Холмс подошел к краю канала и огляделся. Затем он внимательно осмотрел каменный бортик и травяной бордюр перед ним.

— Я тут все обшарил, мистер Холмс,— сказал Уайт Мейсон.— Здесь нет ничего, ни единой приметы, что кто-то вылезал на берег. Но с чего он должен был оставить эти приметы?

— Разумеется. С чего бы? А вода всегда мутная?

— Чаще всего приблизительно такого цвета. Течение несет глину.

— Какая здесь глубина?

— Около двух футов по бокам и фута три в середине.

— Так что мы должны оставить идею о том, что человек мог утонуть, перебираясь через канал?

— Нет, здесь не утонул бы и ребенок.

Мы пересекли мост и были впущены в дом странным, угловатым и высохшим человеком — дворецким Амисом. Бедный старик был бледен и дрожал от пережитого потрясения. Деревенский сержант, высокий, официальный, меланхоличный мужчина, до сих пор стоял на посту в комнате Судьбы. Доктор ушел.

— Ничего нового, Уилсон? — спросил Уайт Мейсон.

— Ничего, сэр.

— Тогда вы можете идти. С вас хватит. Мы пришлем за вами, если вы понадобитесь. Дворецкому лучше подождать снаружи. Скажите ему, пусть предупредит мистера Баркера, миссис Дуглас и экономку, что мы, может быть, захотим с ними переговорить. Теперь, джентльмены, вы позволите мне изложить свои предварительные взгляды? А вы тем временем придете с собственным.

Он потряс меня, этот провинциальный специалист. У него была основательная хватка на факты и холодный, ясный, здравый ум, необходимый в работе. Холмс внимательно его слушал, без малейшего признака той раздражительности, которую слишком часто вызывали в нем официальные лица.

— Самоубийство это или убийство — вот наш первый вопрос, джентльмены, не так ли? Если это самоубийство, то мы должны поверить, что этот человек сперва снял и спрятал свое обручальное кольцо, затем в халате спустился сюда, наследил в углу за шторой, чтобы создать видимость чьего-то присутствия, запачкал кровью...

— Мы наверняка можем это отвергнуть, — сказал Макдональд.

— Так думаю и я. Самоубийство исключается. Значит, это убийство. Теперь нам нужно определить, совершено оно посторонним лицом или нет.

— Хорошо, взвесим доводы.

— В обоих случаях мы сталкиваемся со значительными трудностями, однако ведь третьего не дано. Предположим сначала, что преступление совершено кем-то в этом доме. Значит, он подстерегал жертву здесь — в то время, когда в доме стояла тишина, но никто еще не спал. Затем он применил самое эксцентричное и громкое оружие, как будто желая оповестить всех о сделанном, причем оружия этого никто в доме до сих пор не видел. Непохоже на истину, правда?

— Непохоже.

— Ладно. Затем, согласно общим показаниям, прошло не более минуты после происшествия, а весь дом — не только мистер Баркер, который, как он утверждает, оказался здесь первым, но и Амис со всеми остальными — был тут. Скажите мне, мог ли за это время виновный оставить отпечатки ног в углу, открыть окно, запачкать кровью подоконник, снять с убитого обручальное кольцо и проделать еще все остальное? Это невозможно!

— Вы всё разобрали с предельной ясностью, — сказал Холмс. — Не могу не согласиться с вами.

— Хорошо, тогда вернемся к теории, предполагающей кого-то постороннего. Мы сталкиваемся с теми же трудностями, но теперь они вырастают до полной невозможности. Человек проникает в дом между четырьмя тридцатью и шестью, между началом сумерек и тем временем, когда был поднят мост. В это время у хозяев гости, дверь открыта; следовательно, ничто не могло ему помешать. Он мог быть обыкновенным грабителем, а мог по личным причинам иметь зуб на мистера Дугласа. Поскольку мистер Дуглас провел бóльшую часть своей жизни в Америке, а орудие убийства американского производства, личная вражда представляется более вероятной. Он проник в эту комнату — ближайшую от входа — и спрятался. Здесь он оставался до двенадцатого часа ночи. В комнату вошел мистер Дуглас. Объяснение было коротким, если оно вообще состоялось: миссис Дуглас показала, что муж покинул ее за несколько минут до того, как она услышала выстрел.

— Свеча это подтверждает, — сказал Холмс.

— Да. Новая свеча, сгоревшая не больше чем на полдюйма. Он, наверное, поставил ее на стол перед тем, как подвергся нападению: иначе бы она упала вместе с ним. Это показывает, что сразу на него не напали. Ведь, когда вошел мистер Баркер, свеча горела, а лампа нет.

— Это достаточно понятно.

— Хорошо, тогда попробуем восстановить события в соответствии с этим. Мистер Дуглас входит в комнату. Ставит свечу. Из-за шторы появляется человек. Он требует обручальное кольцо — один Бог знает зачем, но только так и может быть. Мистер Дуглас отдает кольцо. Затем хладнокровно либо во время борьбы — Дуглас мог схватить молоток, который был найден на коврике,— он вот так жестоко застреливает Дугласа, бросает свое ружье и, вероятно, подкидывает эту странную карточку — В. В. 341, что бы она ни значила,— а затем бежит через окно и через ров в тот самый момент, когда Сесил Баркер обнаруживает преступление. Как вам эта версия, мистер Холмс?

— Очень интересно, но немножко неубедительно.

— Да это ж полная чушь, если не что похуже! — взорвался Макдональд.— Кто-то убивает человека. И кто бы это ни был, но ведь понятно же, что он должен был это сделать как-то по-другому. Как это объяснить, когда он сам себе отрезает пути ухода, не позволяет самому себе нормально скрыться? Почему ружье, если тишина — единственный шанс ускользнуть? Нет, мистер Холмс, дайте уж нам свою версию, раз вы согласны, что теория мистера Уайт Мейсона неубедительна.

Холмс внимательно слушал этот долгий разговор, поводя в раздумье глазами влево и вправо, его лоб был наморщен.

— Мне нужно больше фактов для того, чтобы прибегнуть к теории,— сказал он, становясь на колени перед телом.— Господи Боже! Раны действительно устрашающи. Можно на минутку попросить дворецкого?..

Амис, насколько я понимаю, вы часто видели этот странный знак — треугольник внутри круга — на руке мистера Дугласа?

— Очень часто, сэр.

— Вы никогда не слышали от мистера Дугласа, что бы это могло быть?

— Нет, сэр.

— Когда его накладывали, должна была быть дикая боль. Знак, несомненно, выжжен. И еще, Амис, что это за кусочек пластыря на щеке мистера Дугласа? При жизни он был?

— Да, сэр, он порезался во время бритья вчера утром.

— И часто это с ним бывало?

— Очень редко, сэр.

— Наводит на размышления,— сказал Холмс.— Конечно, это может быть совпадением, а может быть и следствием нервозности,— и, значит, он предчувствовал опасность. Вы не заметили ничего необычного в его вчерашнем поведении, Амис?

— Он показался мне немного обеспокоенным и взволнованным, сэр.

— Гм! Нападение не было абсолютно неожиданным. Кажется, мы чуть сдвинулись с места, а? Может быть, вы хотите задать вопросы, мистер Мак?

— Нет-нет, дело в лучших руках, чем мои.

— Хорошо, тогда мы переходим к этой карточке — В. В. 341. Она из грубого картона. Вам не попадалось в доме ничего подобного?

— Вроде бы нет.

Холмс подошел к письменному столу и капнул по капле чернил из каждого пузырька на промокательную бумагу.

— Написано не здесь,— сказал он.— Здесь черные чернила, а там — фиолетовые. Здесь тонкие перья, а там написано толстым. Вы не видите какого-нибудь смысла в этой надписи, Амис?

— Нет, сэр, никакого.

— Что вы об этом думаете, мистер Мак?

— У меня впечатление, что это какое-то секретное общество; и клеймо на руке говорит о том же.

— Присоединяюсь,— сказал Уайт Мейсон.

— Хорошо, примем как рабочую гипотезу и посмотрим, насколько это облегчит наши трудности. Агент некоего общества проникает в дом, дожидается мистера Дугласа, стреляет ему в голову из этого оружия и бежит через канал, оставляя карточку, чтобы, когда о карточке упомянут в газетах, остальным членам общества стало ясно: месть состоялась. Но почему все-таки именно такое ружье?

— Действительно, почему?

— И при чем здесь кольцо?

— В самом деле, при чем?

— И почему никто не задержан? Сейчас уже больше двух. Я принимаю как само собой разумеющееся, что каждый констебль в окружности сорока миль высматривает промокшего незнакомца.

— Все так, мистер Холмс.

— Значит, если у него не было надежного укрытия или смены одежды под рукой, они вряд ли пропустили бы его.— Холмс подошел к окну и через лупу изучил

36

кровавый след на подоконнике.— Это конечно же отпечаток ботинка. Он примечательно широк и, я бы сказал, какой-то слишком плоский. Странно, однако, вот что: насколько можно разобрать следы в углу, подошвы кажутся более приятной формы. Правда, они очень смазанны и неясны. Что это там, под боковым столиком?

— Гантели мистера Дугласа,— ответил Амис.

— Гантель — она там только одна. А где же другая?

— Не знаю, мистер Холмс. Может быть, и одна. Я месяцами не обращал на них внимания.

— Одна гантель...— серьезно проговорил Холмс. Но его замечание было прервано внезапным стуком в дверь.

Перед нами предстал высокий, загорелый, чисто выбритый, приятного вида человек. Я сразу же понял, что это мистер Сесил Баркер, о котором мы уже слышали. Его властные глаза быстро окинули нас вопрошающим взглядом.

— Извините, что прерываю ваше совещание,— сказал он,— но вам нужно знать последние новости.

— Кто-то задержан?

— Нет, но найден его велосипед. Он его бросил. Идите и посмотрите. Это меньше чем в сотне ярдов от входной двери.

Конюхи и три-четыре бездельника стояли на подъездной аллее и разглядывали велосипед, извлеченный из поросли вечнозеленых кустарников, в которых он был запрятан: старый «Рудж-Уайтворт», забрызганный грязью, как после долгого путешествия. На нем подвесная сумка с гаечным ключом и масленкой, но ни единого намека на владельца.

— Он мог бы оказать большую помощь полиции,— сказал Макдональд,— если был бы зарегистрирован и имел номер. Но почему, ради всего святого, этот человек бросил его? И как он без него обошелся, когда удирал? Кажется, мы не уловили и проблеска света в этом деле, мистер Холмс.

— Правда? — задумчиво спросил мой друг.

ГЛАВА ПЯТАЯ

Персонажи драмы

— Вы осмотрели в кабинете все, что хотели? — спросил Уайт Мейсон, когда мы вернулись в дом.

— Пока что да,— ответил инспектор, и Холмс кивнул.

— Тогда, может быть, вы захотите услышать показания тех, кто находился в доме? Мы могли бы занять столовую. Амис! Пожалуйста, зайдите первым и расскажите нам, что вы знаете.

Сообщение дворецкого было простым, ясным и производило полное впечатление искренности. Он у мистера Дугласа служил пять лет. Знает, что мистер Дуглас — богатый джентльмен, сколотивший состояние в Америке. Он всегда был добрым и внимательным хозяином — правда, немножко шумным для Амиса, но не может же один человек обладать всеми достоинствами. Он никогда не замечал ни малейшего признака страха у мистера Дугласа; наоборот, ему не доводилось видеть более бесстрашного человека. Мистер Дуглас приказал поднимать мост на ночь, потому что это древняя традиция дома, а мистер Дуглас любил соблюдать обычаи старины.

Мистер Дуглас редко ездил в Лондон или покидал деревню. Но как раз накануне происшествия он ездил за покупками в Танбридж-Уэлс. Он, Амис, заметил какую-то обеспокоенность и взволнованность у хозяина в тот день; хозяин казался недовольным и раздражительным, что было непохоже на него. В тот вечер Амис еще не лег спать — он прибирал в буфетной столовое серебро, когда услышал бешеный звон колокольчика. Он не слышал выстрела, и вряд ли мог услышать, поскольку буфетная и кухня расположены в самом конце дома и его отделяли несколько закрытых дверей и длинный проход. Экономка вышла из своей комнаты, привлеченная тем же бешеным звоном колокольчика. В переднюю часть дома они прошли вместе.

У основания лестницы они встретили спускавшуюся миссис Дуглас. Нет, она не спешила; ему не показалось, что она была особенно взволнована. Едва она дошла до конца лестницы, как из кабинета выскочил мистер Баркер. Он остановился и попросил вернуться.

«Ради Бога, возвращайтесь в свою комнату! — вскричал он.— Бедный Джек мертв! Вы ничего не сможете сделать! Ради Бога, уйдите!»

После дальнейших уговоров миссис Дуглас ушла. Она не заплакала, не испустила ни вскрика, ни возгласа. Миссис Аллен, экономка, догнала ее на лестнице и осталась вместе с ней в ее спальне. Амис и мистер Баркер вернулись затем в кабинет, где обнаружили все в точности таким, каким это увидела полиция. Затем они выскочили в холл, Амис опустил мост, и мистер Баркер помчался на полицейский пункт.

Таковы вкратце были показания дворецкого.

Показания миссис Аллен, экономки, почти целиком совпадали с его показаниями. Ее комната ближе к передней части дома, чем буфетная, в которой работал Амис. Она собиралась лечь спать, когда громкий звон колокольчика привлек ее внимание. Она немного глуховата. Может быть, поэтому она не слышала выстрела; однако и кабинет далеко. Она вспоминает, что слышала какой-то звук, и решила, что хлопнула дверь. Нет, это было намного раньше — за полчаса до того, как зазвонил колокольчик. Прибежали они вместе с мистером Амисом. Она увидела мистера Баркера, очень бледного и взволнованного, выходящим из кабинета. Он преградил путь миссис Дуглас, спускавшейся по лестнице. Попросил ее вернуться, и она ответила ему, но так тихо, что ничего не было слышно.

«Идите с ней! И позаботьтесь о ней!» — сказал он миссис Аллен. Поэтому она поднялась с ней в спальню и постаралась успокоить ее. Миссис Дуглас была очень взволнована, ее всю трясло, но она больше не пыталась спуститься вниз. Она просто сидела в своем халате перед камином, опустив голову на руки. Миссис Аллен оставалась с ней почти всю ночь. Что до других слуг, то все они уже спали и тревога их не коснулась до прихода полиции. Все они располагались в самой дальней части дома и вряд ли что-нибудь слышали.

Больше экономка на перекрестном допросе добавить ничего не смогла, кроме жалоб и вздохов.

Сесил Баркер сменил миссис Аллен. Что до событий прошедшей ночи, он не мог сообщить о них почти ничего такого, чего бы уже не рассказал полиции. Он лично считал, что убийца бежал через окно. На это, по его мнению, указывало пятно крови. К тому же, поскольку мост был поднят, другой дороги не было. Он не может объяснить, что сталось с убийцей и почему тот не взял велосипед, если велосипед действительно его. Он никак не мог утонуть во рву, там нигде нет более трех футов глубины.

Сам он имел четкую версию относительно убийства. Дуглас был человеком скрытным и о кое-каких периодах своей жизни вообще не говорил. Он уехал в Америку совсем молодым. Там он процветал, и Баркер впервые встретился с ним в Калифорнии, где они стали партнерами и удачно застолбили золотоносный участок в местечке, называемом Бенито-Каньон. Дела у них шли очень хорошо, но Дуглас внезапно продал свой пай и уехал в Англию. В то время он был вдовцом. Баркер вскоре свернул дело и отправился в Лондон. Там они возобновили дружбу.

Дуглас производил впечатление человека, над головой которого нависла большая опасность, и он, Баркер, связывает с этим его внезапный отъезд из Калифорнии и аренду дома в таком тихом английском местечке. Он полагает, что какое-то секретное общество, какая-то беспощадная организация шла по следу Дугласа и не оставила его в покое, пока не покончила с ним. Некоторые реплики Дугласа заставляли его так думать, хотя Дуглас никогда не рассказывал ему, что это за организация и почему она ненавидит его.

— Как долго вы были вместе с Дугласом в Калифорнии? — спросил Макдональд.

— Вместе — пять лет.

— Он был холостяком, вы сказали?

— Вдовцом.

— Не знаете, откуда его первая жена?

— Нет, но припоминаю, что он говорил о ее немецком происхождении и показывал мне ее портрет. Она была прекрасна, но умерла от тифа за год до того, как я встретился с ним.

— Вы не связываете его прошлого с определенным регионом Америки?

— Я слышал, как он говорил о Чикаго. Он хорошо знал город и работал там. Упоминал в разговорах угольные и сталелитейные районы. Он немало путешествовал в свое время.

— Он не увлекался политикой? Может быть, секретное общество связано с политикой?

— Нет, к политике он был равнодушен.

— У вас есть основания думать, что он был преступником?

— Напротив, я в жизни не встречал человека порядочнее.

— Было что-нибудь странное в его калифорнийской жизни?

— Он больше всего любил оставаться и работать на нашем участке в горах. Он никогда не отправлялся туда, где были люди, если мог этого избежать. Тогда я впервые подумал, что он от кого-то скрывается. Когда затем он внезапно уехал в Европу, я убедился, что это так. Думаю, он получил некое предупреждение. Мень-

ше чем через неделю после его отъезда заявились с полдюжины людей расспрашивать о нем.

— Что за люди?

— Чрезвычайно неприятная толпа. Они добрались
до нашего участка, чтобы узнать, где Дуглас. Я сообщил им, что он уехал в Европу и что я не знаю, как его
найти. Нетрудно было понять, что их появление не сулило ему ничего хорошего.

— Эти люди американцы? Калифорнийцы?

— Насчет калифорнийцев не знаю. Но американцы,
это точно. Однако не золотоискатели. Не знаю, кем они
были, но я был очень рад увидеть их спины.

— Это было шесть лет назад?

— Около семи.

— И поскольку вы вместе провели в Калифорнии
пять лет, то вся история должна была произойти не менее одиннадцати лет назад?

— Да, так.

— Сильная ненависть, раз она сохраняется со всей
остротой такое долгое время. Что-то темное должно
быть в ее основе.

— Думаю, это тенью лежало на всей его жизни. Тяжелые мысли никогда не покидали его.

— Но если над человеком нависает опасность и он
знает об этом, разве не приходит ему в голову обратиться за защитой в полицию?

— Может быть, это была опасность, от которой он
не мог искать защиты. Вот о чем вам нужно знать: он
всегда был вооружен. Револьвер никогда не покидал его
кармана. Но, к несчастью, в тот вечер он спустился
вниз в халате, оставив револьвер в спальне. Я полагаю,
что он считал себя в безопасности, раз мост был поднят.

— Я хотел бы чуть уточнить даты,— сказал Макдональд.— Дуглас покинул Калифорнию шесть лет назад.
Вы последовали за ним через год, так?

— Так.

— А женат он пять лет. Вы должны были вернуться
приблизительно во время его женитьбы.

— За месяц до нее. Я был его шафером.

— Вы знали миссис Дуглас до свадьбы?

— Нет. Я провел вне Англии десять лет.

— Но потом вы с ней часто виделись.

Баркер сурово поглядел на детектива:

— Я часто виделся с ним. Если я видел ее, то не
может же человек навещать мужа, не навещая вместе
с тем и жену. Если вы подозреваете какую-то связь...

— Я ничего не имею в виду, мистер Баркер. Я обязан задать все вопросы, имеющие отношение к делу. В этом нет ничего оскорбительного.

— Некоторые вопросы звучат оскорбительно,— сердито ответил Баркер.

— Мы хотим знать только факты. В ваших же и общих интересах, чтобы все прояснилось. Мистер Дуглас полностью одобрял вашу дружбу с его женой?

Баркер побледнел и судорожно переплел пальцы своих больших сильных рук.

— Вы не имеете права задавать такой вопрос! — вскричал он.— Какое он имеет отношение к расследуемому делу?

— Я вынужден повторить вопрос.

— Тогда я отказываюсь отвечать.

— Вы можете отказаться отвечать, но вы должны осознавать, что ваше молчание само по себе является ответом, ведь вы бы не отказались, если бы вам нечего было скрывать.

Баркер стоял секунду с мрачным лицом, со сведенными в глубоком размышлении густыми черными бровями, затем с улыбкой взглянул на нас.

— Ладно, джентльмены, я полагаю, вы просто исполняете свои непосредственные обязанности, и не имею права мешать вам. Я бы только просил вас не беспокоить подобными вопросами миссис Дуглас, ведь на нее только что свалилось несчастье. Должен вам сказать, что у бедного Дугласа была только одна слабость — ревность. Он очень любил меня — ни один человек не мог бы больше любить друга. И все-таки, когда мы с его женой разговаривали или, казалось, между нами возникала какая-то симпатия, его захлестывала волна ревности, он выходил из себя и мог наговорить самых ужасных вещей в такой момент. Я из-за этого уезжал, и тогда он писал мне такие покаянные, умоляющие письма, что они полностью его извиняли. Но можете поверить мне, джентльмены, и это мое последнее слово: ни у одного человека не было более любящей и преданной жены и, уверяю, не было друга вернее меня!

Это было сказано со страстью и чувством, но инспектор Макдональд не мог еще закончить беседу.

— Вы ведь знаете,— спросил он,— что обручальное кольцо убитого было снято с пальца?

— Так выглядит,— ответил Баркер.

— Что вы имеете в виду под «выглядит»? Это же факт.

Баркер заметно смутился и заколебался:

— Когда я сказал «выглядит», я имел в виду, что, возможно, он сам снял кольцо с пальца.

— Но сам факт отсутствия кольца, кто бы ни снял его, может навести меня на мысль, что женитьба и трагедия связаны, разве нет?

Баркер пожал своими широкими плечами:

— Я не берусь сказать, что это значит. Но если вы хотите намекнуть, что это каким-то образом задевает честь леди,— его глаза сверкнули на мгновение, а затем он с видимым усилием подавил свои эмоции,— тогда вы на неверном пути, вот и все.

— В настоящее время у меня к вам больше нет вопросов,— холодно сказал Макдональд.

— Есть еще один пункт,— вмешался Шерлок Холмс.— Когда вы вошли в комнату, только свеча горела на столе, так?

— Да, так.

— И в ее свете вы увидели, что произошел ужасный инцидент?

— Разумеется.

— Вы сначала позвонили, зовя на помощь?

— Да.

— И помощь подоспела быстро?

— Где-то за минуту.

— И когда они вошли, то обнаружили, что свеча погашена, а горит лампа. Это несколько странно.

Баркер опять выказал признаки нерешительности.

— Не вижу ничего странного, мистер Холмс,— ответил он после паузы.— Свеча давала мало света. Моей первой мыслью было прибавить его. Лампа стояла на столе: я зажег ее.

— И затушили свечу?

— Конечно.

Холмс больше не задавал вопросов, и Баркер, обведя нас неторопливым и, как мне показалось, пренебрежительным взглядом, повернулся и вышел из комнаты.

Инспектор послал миссис Дуглас записку, извещая ее, что мог бы подняться к ней, но она ответила, что встретится с нами в столовой. Теперь она вошла, высокая и красивая женщина лет тридцати, в высшей степени обладающая выдержкой и самообладанием,— словом, ничего общего с той трагической и обезумевшей фигурой, которую нарисовало мое воображение. Правда, лицо ее было бледным и осунувшимся, как у того, кто перенес огромное потрясение; но манеры ее были сдержанными, а рука прекрасной формы, которую она положила на край стола, была так же тверда и спокойна, как моя. Взгляд ее печальных, трогательных глаз переходил с одного из нас на другого со странно любопытным выражением. Это вопрошающее молчание внезапно перешло в отрывистую речь.

— Вы еще ничего не нашли? — спросила она.

Почудилось мне, что в тоне ее голоса было больше страха, чем надежды?

— Мы предприняли все возможные шаги, миссис Дуглас,— ответил инспектор.— Вы можете быть уверены, что ничего не упущено.

— Не жалейте денег,— сказала она ровным, мертвым голосом.— Мое единственное желание — чтобы было предпринято все возможное.

— Может быть, вы расскажете нам что-то, что прольет немного света на это дело?

— Боюсь, что нет. Но все, что знаю, я вам сообщу.

— Насколько мы слышали от мистера Баркера, вы так и не видели... вас так и не было в комнате, где произошла трагедия?

— Нет, он на лестнице остановил меня. Он умолял меня вернуться в мою комнату.

— Да-да. Вы услышали выстрел и вышли из комнаты.

— Я надела халат и затем спустилась вниз.

— Сколько прошло времени с тех пор, как вы услышали выстрел, и до тех пор, как вы были остановлены на лестнице мистером Баркером?

— Наверное, не более двух минут. Как-то пропадает чувство времени в такой момент. Он умолял меня вернуться. Заверял, что мне там нечего делать. Миссис Аллен, экономка, помогла мне подняться наверх. Все это было как кошмарный сон.

— Имеете вы представление, сколько времени ваш муж провел внизу перед тем, как вы услышали выстрел?

— Не могу вам сказать. Я не заметила, как он вышел из своей туалетной комнаты. Он каждый вечер обходил весь дом, потому что боялся огня. Это единственное, чего он боялся.

— Это как раз то, к чему я хочу подойти, миссис Дуглас. Вы познакомились с вашим мужем только в Англии, да?

— Да, мы женаты пять лет.

— Вы слышали когда-нибудь, чтобы он говорил о

каком-либо происшествии в Америке, грозящем ему бедой?

Миссис Дуглас серьезно подумала, перед тем как ответить.

— Да,— сказала она наконец.— Я всегда чувствовала, что над ним нависла какая-то опасность. Он отказывался обсуждать это со мной. Не потому, что не доверял мне,— любовь и доверие между нами были полными,— а потому, что желал оградить меня от переживаний. Он полагал, что знание будет тяготить меня, поэтому молчал.

— Как же вы тогда узнали?

Быстрая улыбка осветила лицо миссис Дуглас.

— Может ли человек хранить свою тайну всю жизнь так, чтобы любящая его женщина ни о чем не заподозрила? Я догадывалась по его нежеланию говорить о некоторых эпизодах его жизни в Америке. Догадывалась по определенным мерам предосторожности, которые он принимал. Догадывалась по словам, которые он порой ронял. Догадывалась, видя, как он смотрит на неожиданных незнакомцев. Я была убеждена, что у него есть могущественные враги, раз он так уверен, что они идут по его следу, и всегда находится настороже. Я настолько в этом была убеждена все эти годы, что начинала волноваться, когда он возвращался домой позже, чем ожидалось.

— Можно спросить,— вступил в разговор Холмс,— что за слова привлекли ваше внимание?

— «Долина Страха»,— ответила леди.— Вот выражение, которое он употребил, когда я расспрашивала его. «Я был в Долине Страха. Я до сих пор не расстался с ней».— «Неужели мы никогда не выберемся из Долины Страха?» — спрашивала я его, когда видела, что он более серьезен, чем обычно. «Порой мне кажется, что никогда»,— отвечал он.

— Вы наверняка его спрашивали, что значит Долина Страха?

— Да, но его лицо мрачнело, и он качал головой. «Достаточно плохо, что один из нас оказался в ее тени. Не дай Бог, чтобы она коснулась тебя!» Это была какая-то реальная долина, в которой он жил и в которой с ним произошло нечто ужасное, в этом я уверена, но больше я вам ничего не могу рассказать.

— Он никогда не упоминал каких-либо имен?

— Однажды он бредил, когда года три назад лежал в горячке после случая на охоте. Тогда я запомнила, что одно и то же имя постоянно срывалось с его губ. Он произносил его с яростью и с оттенком страха. Макджинти — вот это имя. Геррмейстер Макджинти. Я спросила его об этом человеке, когда он выздоровел, но он только отшучивался, и я не смогла ничего добиться. Есть какая-то связь между Макджинти и Долиной Страха.

— И еще одно,— сказал инспектор Макдональд.— Вы встретились с мистером Дугласом в лондонском пансионе, правда, и там же были помолвлены с ним? Не было в связи со свадьбой чего-нибудь романтичного, какой-нибудь загадки или тайны?

— Романтичное было. Это всегда романтично. Но тайны — никакой.

— У него не было соперника?

— Нет, я была совершенно свободна.

— Вы, без сомнения, слышали об исчезновении обручального кольца. Это ничего не говорит вам? Предположим, что какой-то враг из его прежней жизни выследил его и совершил преступление, но зачем ему тогда забирать кольцо?

На мгновение мне показалось, что тончайшая тень улыбки промелькнула на губах леди.

— Я действительно не могу объяснить. Это, несомненно, самая необычайная вещь.

— Хорошо, мы не будем вас дольше задерживать, и простите за беспокойство, которое мы причинили вам в такое время,— сказал инспектор.— Без сомнения, найдется еще несколько вопросов, но мы сможем обратиться к вам, когда возникнет надобность.

Она встала, и я опять явственно ощутил быстрый вопрошающий взгляд, которым она обвела нас. «Какое впечатление произвели на вас мои показания?» — вопрос был настолько ясен, как будто он был произнесен. Затем она вышла из комнаты.

— Она красива, очень красива,— в размышлении проговорил Макдональд, когда за ней закрылась дверь.— Баркер здесь, разумеется, бывал очень часто. Это человек, который может привлечь внимание женщины. Он утверждает, что покойный был ревнив, и, может быть, сам отлично знает, какой повод он давал для ревности. Затем обручальное кольцо. Нельзя пройти мимо этого. Человек, похищающий у мертвого обручальное кольцо... Что вы на это скажете, мистер Холмс?

Мой друг сидел глубоко задумавшись, опустив голову на руки. Затем встал и позвонил в колокольчик.

— Амис,— сказал он, когда вошел дворецкий,— где сейчас мистер Баркер?

— Я погляжу, сэр.

Через секунду он вернулся и доложил, что мистер Баркер в саду.

— Вы не помните, Амис, что было на ногах у мистера Баркера, когда вы присоединились к нему в кабинете?

— Домашние тапочки, мистер Холмс. Я подал ему ботинки, когда он отправлялся за полицией.

— Где эти тапочки теперь?

— Все там же — под стулом в прихожей.

— Очень хорошо, Амис. Для нас ведь важно разобраться, какие следы оставил мистер Баркер, а какие — кто-то другой.

— Да, сэр. Я, кстати, заметил, что тапочки запачканы кровью — точно так же, как и мои.

— Учитывая состояние комнаты, это вполне естественно. Очень хорошо, Амис. Мы позвоним, если вы нам понадобитесь.

Через несколько минут мы были в кабинете. Холмс принес с собой из холла ковровые тапочки. Как заметил Амис, подошвы обеих были темными от крови.

— Странно! — пробормотал Холмс, стоя в свете окна и с минуту все рассматривая.— Очень странно!

Затем одним из своих быстрых кошачьих движений он приложил тапочку к кровавому отпечатку на подоконнике. Они полностью совпали. Он в молчании улыбнулся своим коллегам.

Инспектор был вне себя от возбуждения.

— Послушайте,— загрохотал он, его разом проявившийся акцент забарабанил, как трость по перилам,— да ведь нет же никаких сомнений! Баркер сам и припечатал это! Этот же намного шире, чем все остальные следы! Я вспоминаю, вы сказали, что отпечаток какой-то плоский, и вот вам объяснение! Но что тут за игра, мистер Холмс, что тут за игра?

— Да, что за игра? — задумчиво повторил мой друг.

Уайт Мейсон хмыкнул и потер свои толстенькие ручки с чувством профессионального удовлетворения:

— Я же говорил, что это сногсшибательно! И это действительно сногсшибательно!

ГЛАВА ШЕСТАЯ
Забрезжил свет

Три детектива должны были еще разобраться во множестве деталей, поэтому я один отправился в наши скромные апартаменты в деревенской гостинице. Но перед этим я совершил небольшую прогулку по парку, окаймлявшему дом. От парка этого веяло миром и безмятежностью. Ряды причудливо подстриженных старых тисов окружали чудесную продолговатую полянку с солнечными часами посередине. И все было пронизано такой тишиной и покоем, что мои взвинченные нервы начали понемногу приходить в порядок.

В этом мирном уголке можно было забыть — или вспоминать как о пригрезившемся кошмаре — о темном кабинете с окровавленной фигурой на полу. Но пока я гулял, успокаивая душу, произошло странное событие, вернувшее меня к трагедии и оставившее у меня зловещее впечатление.

Я уже сказал, что сад окружали тисы. В дальнем от дома конце они уплотнялись в длинную живую изгородь. За изгородью, укрытая от глаз со стороны дома, была каменная скамья. Когда я оказался на одном уровне с ней, я разобрал голоса: глубокий мужской голос и отвечавший ему серебристый женский смех.

Секундой позже я завернул за край изгороди, и — до того как они заметили меня — моим глазам открылись миссис Дуглас и Баркер. Ее вид меня потряс. В столовой она выглядела сдержанной и серьезной. Теперь же в ней не было и следа печали. Глаза ее сверкали радостью жизни, а губы все еще подрагивали, отвечая смехом на какое-то замечание собеседника. А он сидел перед ней, оперев скрещенные руки на колени, с ответной улыбкой на смелом, привлекательном лице. С мгновенным опозданием они заметили меня, и их лица превратились в прежние торжественные маски. Они быстро обменялись одним или двумя словами, а затем Баркер встал и подошел ко мне.

— Простите, сэр, — сказал он, — но я обращаюсь к доктору Уотсону?

Я поклонился с холодностью, которая, смею сказать, очень ясно выражала впечатление, ими на меня произведенное.

— Мы подумали, что это, скорее всего, вы, потому что ваша дружба с мистером Шерлоком Холмсом хорошо известна. Не могли бы вы подойти и минутку поговорить с миссис Дуглас?

Я последовал за ним с суровым лицом. Слишком ясно я видел мысленным взором фигуру, распростертую на полу. И вот здесь, через несколько часов после преступления, его жена и его ближайший друг вместе смеялись позади кустарника в саду, принадлежавшем ему. Я сдержанно поздоровался с леди. В гостиной я был тронут ее печалью. Теперь в моих глазах она не нашла ответа на свой умоляющий взгляд.

— Боюсь, вы считаете меня черствой и бессердечной,— сказала она.

— Это не мое дело,— пожал я плечами.

— Может быть, наступит день, когда вы меня простите. Если бы вы только знали...

— Доктору Уотсону нет необходимости знать,— быстро вмешался Баркер.— Как он сам сказал, это не его дело.

— Разумеется,— ответил я.— И прошу вашего разрешения покинуть вас и продолжить прогулку.

— Одну минутку, доктор Уотсон,— сказала она умоляющим голосом.— Есть один вопрос, на который вы можете ответить более авторитетно, чем кто-либо в мире. Вы знаете мистера Холмса и его отношения с полицией лучше, чем кто-либо другой. Предположим, дело будет открыто только ему,— при этом ему абсолютно необходимо посвятить во все других детективов?

— Да, вот что,— переспросил Баркер,— действует он сам по себе или целиком и полностью вместе с ними?

— Я действительно не знаю, имею ли я право обсуждать этот вопрос.

— Я прошу, я клянусь вам, что имеете, доктор Уотсон! Уверяю вас, что вы поможете нам, очень поможете мне, если просветите нас в этом вопросе.

В ее голосе было столько искренности, что я на миг забыл о ее легкомыслии и пошел ей навстречу.

— Мистер Холмс — независимый исследователь,— сказал я.— Он сам себе хозяин и руководствуется собственными понятиями о справедливости. В настоящее время он, естественно, лоялен по отношению к официальным лицам, которые работают над той же проблемой, и он не станет скрывать от них ничего, что может помочь им в розыске преступника. Кроме этого, я ничего не могу вам сказать, и я бы советовал вам обратиться к самому мистеру Холмсу, если вам нужна более полная информация.

Сказав так, я приподнял шляпу и пошел своей дорогой, оставив их сидеть за укрывшей их изгородью. Я оглянулся, когда огибал ее дальний конец, и, увидев, что они горячо обсуждают что-то, глядя мне вслед, понял, что предметом их спора были мои слова.

— Никаких конфиденциальных признаний,— сказал Холмс, когда я доложил ему о случившемся. Он провел день в Манор-Хауз в консультациях со своими коллегами и теперь с волчьим аппетитом приступил к ужину, который я для него заказал.— Никаких признаний, Уотсон, а то я могу оказаться в щекотливом положении, если дело дойдет до ареста за сговор и убийство.

— Вы думаете, может дойти до этого?

Он был в самом бодром и веселом настроении.

— Мой дорогой Уотсон, когда я покончу с четвертым яйцом, то буду готов обрисовать вам всю ситуацию. Не скажу, чтобы мы добрались до дна,— нет, до этого далеко,— но если бы мы нашли потерянную гантель...

— Гантель?!

— О Боже, Уотсон, неужели вы не осознали того факта, что все сводится к пропавшей гантели? Ладно-ладно, не впадайте в уныние; между нами, я думаю, что ни инспектор Мак, ни превосходный местный профессионал не осознали подавляющей важности этого пункта. Одна гантель, Уотсон! Вообразите атлета с одной гантелью! Представьте себе одностороннее развитие, непосредственную опасность искривления позвоночника. Невероятно, Уотсон, невероятно!

Рот его был забит гренками, глаза озорно сверкали. Само зрелище его прекрасного аппетита было показателем успеха,— я хорошо помнил дни и ночи без мысли о еде, когда его раздраженный ум спотыкался о какую-то проблему, когда его тонкие и острые черты лица еще больше истончались от аскетической и полной концентрации ума. Наконец он зажег свою трубку и, сидя перед камином деревенской гостиницы, начал говорить медленно, перескакивая с одного на другое, скорее как тот, кто думает вслух, чем как тот, кто рассказывает для других.

— Ложь, Уотсон, великая, огромная, очевидная, навязчивая, беззастенчивая ложь — вот что встретило нас на пороге! И вот от чего мы отталкиваемся. Вся история, рассказанная Баркером,— ложь. Но его история подтверждается показаниями миссис Дуглас. Следовательно, она тоже лжет. Они оба лгут, и лгут по сговору. Итак, теперь перед нами вполне определившаяся проблема. Почему они лгут и где правда, которую они так тщательно стараются скрыть? Давайте попробуем, Уотсон, вы и я, сможем ли мы за ложью восстановить правду?

Откуда я знаю, что они лгут? Потому что это неуклюжая подделка, которая не может быть правдой. Представьте! Согласно преподнесенной нам истории, убийца имел меньше минуты после преступления, чтобы забрать кольцо, находившееся под другим, надеть назад верхнее — чего он никогда бы не стал делать — и положить странную карточку возле жертвы. Нет, это совершенно невероятно.

Вы можете возразить — и тут я взываю к вашему чувству справедливости, Уотсон, полагая, что вы можете его проявить,— что кольцо было снято еще до убийства. То, что свеча горела очень недолго, показывает, что разговор был коротким. Был ли Дуглас, о бесстрашном характере которого мы слышали, человеком, который уступил бы свое обручальное кольцо после короткого требования, который вообще бы его отдал? Нет-нет, Уотсон, убийца был наедине с трупом некоторое время, пока горела лампа. В этом у меня нет никаких сомнений.

Но выстрел — очевидная причина смерти. Следовательно, он должен был быть произведен раньше, чем нам сказано. Однако спутать время выстрела нельзя. И значит, сейчас мы имеем дело с обдуманным сговором двух людей, а именно Баркера и миссис Дуглас. Когда в довершение к этому я добавлю, что, как я сумел доказать, кровавый отпечаток на подоконнике преднамеренно оставлен Баркером в расчете навести полицию на ложный след, вы должны согласиться, что все начинает складываться весьма мрачно для него.

Теперь мы должны спросить самих себя: когда же на самом деле произошло убийство? До половины одиннадцатого слуги сновали по дому — значит, позже этого времени. Без четверти одиннадцать все они разошлись по своим комнатам, кроме Амиса, который находился в буфетной. Я произвел несколько экспериментов после вашего ухода и установил, что никакой шум, производившийся Макдональдом, до буфетной не доходил, когда все двери были закрыты.

Иначе, однако, обстоит дело с комнатой экономки. Она расположена ближе по коридору, и из нее я мог смутно слышать голос, когда кричали очень громко. Ружейный выстрел в какой-то мере заглушается, когда стреляют в очень близкую цель, а в данном случае так и было. Выстрел не был очень громким, но в ночной тишине звук легко мог достичь комнаты миссис Аллен. Она, по ее собственным словам, немножко глуховата, тем не менее показала, что слышала что-то вроде хлопнувшей двери за полчаса до тревоги. Полчаса «до» — это без четверти одиннадцать. Я не сомневаюсь, что она слышала выстрел и что это истинное время убийства.

Теперь мы должны установить, что Баркер и миссис Дуглас, если убийство было совершено не ими, могли делать с без четверти одиннадцать, когда звук выстрела заставил их спуститься вниз, до четверти двенадцатого, когда они позвонили в колокольчик и подняли слуг. Что они делали и почему не подняли тревоги немедленно? Вот вопрос, который встает перед нами; и когда мы решим его, мы так или иначе решим проблему в целом.

— Я лично убежден,— сказал я,— что есть какое-то взаимопонимание между этими двумя людьми. Она должна быть бессердечным созданием, чтобы сидеть и смеяться над какой-то шуткой через несколько часов после убийства мужа.

— Разумеется. Она не блистала как жена и в своих показаниях. Я не восторженный поклонник женщин, Уотсон, но мой жизненный опыт научил меня, что очень немногие жены, испытывающие хоть каплю нежности к своим мужьям, позволили бы слову другого человека встать между ними и телом мертвого супруга. Если я когда-нибудь женюсь, Уотсон, то, надеюсь, внушу жене такое чувство, что она не удалится с экономкой, когда мой труп будет лежать в нескольких ярдах от нее. Это плохо поставлено, ведь даже самые неопытные следователи будут потрясены отсутствием обычных женских слез. Если бы даже иных сомнений не было, одно это заставило бы меня предположить предварительный сговор.

— Вы, значит, определенно уверены, что Баркер и миссис Дуглас виновны в убийстве?

— В ваших вопросах есть ужасающая прямота,— сказал Холмс, грозя мне трубкой.— Они летят в меня как пули. Если вы полагаете, что миссис Дуглас и Баркер знают правду об убийстве и сговорились скрывать ее, мой ответ будет утвердительным. Я уверен, что это так. Но ваше более страшное предположение не так очевидно. Давайте вкратце выделим трудности, с которыми мы здесь встречаемся.

Мы должны предположить, что эта пара была связана узами преступной любви и что они решили избавиться от человека, стоящего между ними. Допущение несколько вольное, поскольку осторожные расспросы среди слуг и прочих не дают достаточных оснований сделать такой вывод, напротив, мы имеем достаточно свидетельских показаний о том, что Дугласы были искренне привязаны друг к другу.

— Это, я уверен, неправда,— сказал я, вспоминая прекрасное смеющееся лицо в саду.

— По меньшей мере, таково впечатление. Ну ладно, предположим, что они были необычайно хитры и сумели всех обмануть и что они сговорились убить мужа. Он казался человеком, над головой которого нависла опасность...

— Мы знаем об этом только с их слов.

— Да, Уотсон, вы выдвигаете теорию, согласно которой все сказанное ими — ложь от начала и до конца. По вашему мнению, не было ни скрытой угрозы, ни секретного общества, ни Долины Страха, ни босса Мак-кого-то-там и ничего другого. Вы все отметаете своим обобщением. Посмотрим, куда же мы придем. Они придумывают эту теорию, решившись на преступление. Затем они подыгрывают этой идее, оставляя велосипед в парке, как доказательство присутствия некоего постороннего. То же должно внушить и пятно на подоконнике. То же — и карточка на теле, которая могла быть изготовлена и в доме. Все это укладывается в вашу гипотезу, Уотсон. Но теперь мы уткнемся в скверные, угловатые, непреклонные фактики, не желающие впихиваться в предназначенные места. Почему же тогда обрезанное ружье в качестве оружия, причем американское? Как они могли быть уверены, что звук выстрела никого не привлечет? Это же чистая случайность, что миссис Аллен не пошла поглядеть, что за дверь хлопнула. Могла ваша преступная пара совершить все это, Уотсон?

— Клянусь, у меня нет объяснений.

— Затем, опять же, если женщина и ее любовник сговорились убить мужа, стали бы они выпячивать свою вину нарочитым похищением кольца после его смерти? Это, по-вашему, вероятно, Уотсон?

— Пожалуй, нет.

— И потом, если они надеялись спрятанным велосипедом внушить мысль о постороннем, то стоило ли это затраченного труда? Ведь самый тупой детектив мог бы сразу сказать, что велосипед — первейшая вещь для преступника при его бегстве, это же и слепому ясно.

— Не могу предложить объяснения.

— Нет такой комбинации событий, для которой человеческий ум не мог бы подобрать объяснения. Просто как упражнение ума, без утверждений, что это истина, позвольте мне прочертить перед вами линию моих размышлений. Это, я согласен, всего лишь воображение, но сколько раз воображение становилось матерью правды!

Предположим, что была преступная тайна, действительно постыдная тайна в жизни Дугласа. Это привело к его убийству кем-то, кто был, скажем так, мстителем, человеком не из этого дома. Этот мститель по причине, которую я до сих пор не могу объяснить, забирает обручальное кольцо у мертвого. Возможно, вендетта берет начало во времена первой женитьбы мистера Дугласа и где-то там нужно искать причину похищения кольца.

Перед тем как мститель успевает скрыться, в комнате оказываются Баркер и жена убитого. Убийца убеждает их, что любая попытка его арестовать приведет к огласке чего-то позорного. Они проникаются этой мыслью и позволяют ему уйти. Для этой цели, возможно, они опускают мост, который может быть опущен и поднят почти бесшумно. Он удаляется и почему-то решает, что без велосипеда он будет в большей безопасности. Он, однако, прячет свою машину там, где ее не найдут, пока сам он благополучно не исчезнет. Пока что мы держимся в границах возможного, так ведь?

— Да, это, без сомнения, возможно,— сдержанно ответил я.

— Мы должны помнить, Уотсон, что в любом случае произошло нечто экстраординарное. Ладно, теперь пофантазируем дальше: эта пара — необязательно преступная пара — обнаруживает после ухода убийцы, что они поставили себя в положение, при котором им будет очень трудно доказать свою невиновность в убийстве или в подстрекательстве к нему. Тогда они действуют энергично и неуклюже. Баркер вымазанной кровью тапочкой оставляет отпечаток на подоконнике, чтобы навести на мысль об этом пути бегства. Понятно, именно они должны были первыми услышать выстрел из ружья, поэтому они поднимают тревогу сразу после того, как все сделано, но через добрых полчаса после события.

— И как вы предполагаете доказать все это?

— Гм, если там был кто-то посторонний, то он может быть выслежен и пойман. Это было бы самым эффективным из всех доказательств. Но если нет,— что ж, тогда ресурсы науки далеко не истощены. Думаю, что мне изрядно может помочь одинокий вечерок в том кабинете.

— Одинокий вечерок?!

— Предполагаю вскоре туда отправиться. Я договорился с почтенным Амисом, ни на йоту не расположенным к Баркеру. Посижу в той самой комнате и посмотрю, не подействует ли на меня вдохновляюще ее атмосфера. Я верю в гения места. Улыбаетесь, дружище Уотсон? Ладно, посмотрим. Да, кстати, ведь ваш большой зонтик при вас?

— Вот он.

— Хорошо, я одолжу его у вас, если можно.

— Пожалуйста, но что за никчемное оружие! Если есть опасность...

— Ничего серьезного, мой дорогой Уотсон, иначе я непременно попросил бы вас помочь. Но я возьму зонтик. Сейчас я дожидаюсь только возвращения наших коллег из Танбридж-Уэлса, где они заняты поисками вероятного владельца велосипеда.

Уже стемнело, когда инспектор Макдональд и Уайт Мейсон вернулись из своей экспедиции — и вернулись ликующими, с сообщением об огромном успехе своих поисков.

— Признаюсь, у меня были сомнения насчет того, существовал ли вообще кто-то посторонний,— сказал Макдональд.— Но теперь все в прошлом. Мы идентифицировали велосипед и получили описание этого человека; вот какой шаг вперед принесло нам наше путешествие.

— Звучит для меня как начало конца,— сказал Холмс.— Будьте уверены, я поздравляю вас без всякой задней мысли.

— Я исходил из факта, что мистер Дуглас был чем-то взволнован накануне, после того как побывал в Танбридж-Уэлсе. Это там он ощутил какую-то опасность. Было понятно, что если и существовал человек с велосипедом, то двигаться он мог только из Танбридж-Уэлса, раз он именно там был замечен. Мы взяли велосипед с собой и показывали его во всех гостиницах. Он был сразу опознан хозяином «Игл коммершиал», как принадлежащий человеку по имени Харгрейв, который снял комнату два дня назад. Весь его багаж состоял из велосипеда и саквояжа. Он зарегистрировался как прибывший из Лондона, но адреса не сообщил.

Саквояж лондонского производства и вещи в нем, кстати, английские, но владелец его, вне всяких сомнений, американец.

— Хорошо, хорошо,— весело сказал Холмс.— Вы проделали, конечно, основательную работу, пока я сидел здесь с моим другом и создавал теории! Это урок быть практичным, мистер Мак.

— О, и ничего более, мистер Холмс,— удовлетворенно ответил инспектор.

— Но все это укладывается в ваши теории,— заметил я.

— Может, укладывается, а может, нет. Но расскажите до конца, мистер Мак. Не было там ничего для установления личности?

— Так мало, что он наверняка остерегался этого. Не было ни писем, ни бумаг, ни меток на одежде. Велосипедная карта графства лежала у него на столе. Вчера утром, после завтрака, он на велосипеде покинул гостиницу, и никто больше не слышал о нем вплоть до наших розысков.

— И это меня смущает, мистер Холмс,— сказал Уайт Мейсон.— Если человек не хочет привлечь к себе внимание, то, по идее, он должен бы возвратиться и жить в отеле как безобидный турист. А так — должен же он знать, что владелец гостиницы сообщит о нем полиции и что его исчезновение будет связано с убийством.

— Мог бы сообразить. До сих пор, однако, он — по той или иной причине — не пойман, так что его поведение себя оправдывает. Но насчет описания — каков он?

Макдональд сверился со своей записной книжкой:

— Вот все, что они смогли сообщить. Они, в общем-то, не особенно приглядывались к нему, но и портье, и конторщики, и горничная в основном сходятся. Это человек около шести футов роста, приблизительно пятидесяти лет, волосы чуть поседевшие, седые усы, кривой нос — его лицо все описывают как неприятное и отталкивающее.

— Что ж, кроме выражения лица, все почти точь-в-точь подходит к самому Дугласу,— сказал Холмс.— Ему было чуть за пятьдесят, седеющие волосы и усы, приблизительно того же роста. Есть что-нибудь еще?

— На нем были плотный серый костюм с двубортным пиджаком, короткое желтое пальто и мягкая шляпа.

— Что о ружье?

— Оно меньше двух футов: спокойно могло уместиться в саквояже и без всяких трудностей пронесено под пальто.

— И как вы полагаете, все это связано с главным делом?

— Что ж, мистер Холмс,— сказал Макдональд,— когда мы его поймаем — а я разослал телеграммы с его приметами через пять минут после того, как их узнал,— мы сможем лучше обо всем судить. Но даже с тем, что есть, мы продвинулись очень далеко. Мы знаем, что американец, назвавший себя Харгрейвом, прибыл в Танбридж-Уэлс два дня назад с велосипедом и саквояжем. В последнем было обрезанное ружье, так что прибыл он с явно преступными намерениями. Вчера утром он выехал оттуда на велосипеде, с ружьем, спрятанным под пальто. В Берлстоуне его никто не видел, насколько мы смогли установить, но не нужно проезжать по деревне, чтобы достичь ворот парка, к тому же на дороге много велосипедистов. Скорей всего, он сперва спрятал велосипед среди кустарников, где тот и был найден, и, возможно, затаился там сам, наблюдая за домом и поджидая мистера Дугласа. Дробовик — странное оружие для употребления в доме, но если он собирался использовать его снаружи, то выгода тут очевидна: во-первых, никак не промахнешься, и, во-вторых, звук выстрела не привлек бы особенного внимания, поскольку он вполне обычен в этих охотничьих краях.

— Все это весьма логично,— сказал Холмс.

— Но мистер Дуглас не появился. Что же он тогда делает? Он оставляет свой велосипед и в сумерках пробирается к дому. Мост опущен, никого вокруг нет. Он использует свой шанс, приготовив наверняка отговорку на случай встречи с кем-нибудь. Но никто не встречается. Он проникает в первую комнату, которую заметил, и прячется за шторой. Оттуда он мог видеть, как поднимают мост, и понять, что бежать он может только через канал.

Он ждал до четверти двенадцатого, когда мистер Дуглас, совершая свой обычный вечерний обход, вошел в комнату. Он застрелил его и скрылся, как и задумывал. Он решил, что велосипед может быть описан служащими гостиницы и навести на его след, поэтому он бросил его и направился, передумав, в Лондон или в какое-то укромное место, которое он заранее заготовил. Как вы на это смотрите, мистер Холмс?

— Что ж, мистер Мак, все это очень убедительно. Таков ваш последний вывод. Мой последний вывод — преступление было совершено на полчаса раньше, миссис Дуглас и Баркер в сговоре и что-то скрывают, они способствовали бегству убийцы — или, по меньшей мере, попали в комнату перед тем, как он бежал,— и они сфабриковали видимость его бегства через окно, в то время как, по всей вероятности, они сами его выпустили, опустив мост. Такова моя трактовка первой части.

Оба детектива покачали головой.

— Но, мистер Холмс, если это правда, мы только сменяем одну тайну на другую,— сказал инспектор.

— И кое в чем на худшую,— добавил Уайт Мейсон.— Леди никогда не была в Америке. Что такого могло связывать ее с убийцей американцем, чтобы укрыть его?

— Я отлично осознаю трудности,— сказал Холмс.— Я собираюсь предпринять сегодня собственное небольшое расследование и, весьма вероятно, нащупаю нечто такое, что позволит установить общую причину.

— Можем мы помочь вам, мистер Холмс?

— Нет-нет! Темнота и зонтик доктора Уотсона — вот что мне нужно. И Амис, верный Амис, который наверняка подготовит мне место. Все мои размышления, без вариантов, возвращают меня к одному главному вопросу: почему явно спортивный человек совершенствовал свое телосложение, пользуясь таким ненатуральным приспособлением, как одна гантель?

Была уже поздняя ночь, когда Холмс вернулся из своей одинокой экскурсии. Мы разместились в комнате с двумя кроватями — лучшей, которую смогли предоставить нам в деревенской гостинице. Я уже спал, когда был разбужен его приходом.

— Ну что, Холмс? — пробормотал я.— Нашли что-нибудь?

Он остановился позади меня в молчании, со свечой в руке. Затем его длинная, худая фигура наклонилась ко мне.

— Скажите, Уотсон,— прошептал он,— вы не боитесь спать в одной комнате с лунатиком, с человеком, страдающим размягчением мозгов, с идиотом, растерявшим все свои умственные способности?

— Ни в малейшей степени,— с изумлением ответил я.

— А, это приятно,— сказал он и больше не проронил ни слова в ту ночь.

ГЛАВА СЕДЬМАЯ
Отгадка

На следующее утро, после завтрака, мы нашли инспектора Макдональда и Уайт Мейсона в небольшой приемной местного сержанта полиции. Весь стол был завален письмами и телеграммами, которые тщательно разбирались и помечались. Три сообщения были отложены в сторону.

— Все еще в поисках исчезнувшего велосипедиста? — весело спросил Холмс.— Есть новости об этом негодяе?

Макдональд уныло показал на кипу корреспонденции:

— Он уже опознан в Лейстере, Ноттингеме, Саутгемптоне, Дерби, Ист-Хэме, Ричмонде и в четырнадцати других местах. В трех из них — Ист-Хэме, Лейстере и Ливерпуле — он уже арестован. Кажется, страна переполнена беглецами в желтых пальто.

— Господи! — сочувствующе проговорил Холмс.— Послушайте, мистер Мак, и вы, мистер Уайт Мейсон, я хочу дать вам самый искренний совет. Как вы, конечно, помните, мы условились, начиная расследование, что я не буду предлагать полудоказанных теорий, но воздержусь от всяких сообщений, пока не проработаю свои идеи настолько, чтобы быть уверенным в их правильности. По этой причине я не могу сейчас рассказать вам обо всем, до чего я дошел. С другой стороны, я обещаю вести с вами честную игру, а было бы нечестно позволить вам впустую растрачивать энергию, мучаясь над бесполезной задачей. Поэтому я здесь, чтобы дать вам совет, и заключается он в трех словах: оставьте это занятие.

Макдональд и Уайт Мейсон в изумлении уставились на своего прославленного коллегу.

— Вы считаете все безнадежным? — выдохнул инспектор.

— Я считаю ваше занятие безнадежным. Я не считаю, что невозможно добраться до правды.

— Но этот велосипедист? Он не выдумка. У нас есть его описание, его велосипед, его саквояж. Почему мы не должны искать его?

— Да-да, без сомнения, он существует, и, без сомнения, мы должны искать его. Но я не хочу, чтобы вы растрачивали энергию на Ист-Хэм и Ливерпуль. Я убежден, что успешные поиски должны вестись намного ближе.

— Вы чего-то недоговариваете. Вряд ли это хорошо с вашей стороны, мистер Холмс,— с неудовольствием сказал инспектор.

— Вы знаете мои методы работы, мистер Мак. Я надеюсь все открыть вам в самое ближайшее время. Я только хотел бы определенным — и очень несложным — путем уточнить детали. А затем я откланяюсь и вернусь в Лондон, предоставив все результаты полностью к вашим услугам. После этого на вас свалится много работы; я не могу припомнить такого странного и интересного дела за всю мою жизнь.

— Это выше моего понимания, мистер Холмс. Мы виделись с вами, когда вернулись из Танбридж-Уэлса вчера вечером, и вы, в общем, были согласны с нашими результатами. Что же произошло с тех пор, заставившее вас пересмотреть свои взгляды?

— После этого я провел, как и собирался, несколько часов в Манор-Хауз.

— Да, но что произошло?

— Знаете, пока я бы мог ответить вам только в самых общих чертах. Кстати, я прочел короткое, но ясное и интересное описание старого дома, которое я за скромную сумму в один пенс купил в здешней мелочной лавке.

И Холмс достал из кармана жилета небольшую книжечку с грубой гравюрой, изображавшей Манор-Хауз, на обложке.

— Интерес к историческому прошлому может в огромной мере сдобрить вкус расследования, мой дорогой мистер Мак. Не смотрите так раздраженно. Должен заверить вас, что даже такая убогая книжица пробуждает в уме картины прошедшего. Позвольте привести вам пример: «Основанный в пятый год правления короля Якова I, Манор-Хауз возведен на фундаменте более старого здания и представляет собой один из прекраснейших сохранившихся образцов окруженной рвом якобитской резиденции...»

— Вы держите нас за дураков, мистер Холмс!

— Ай-я-яй! Мистер Мак, впервые пеняю вам за несдержанность. Ладно, не буду читать все дословно, раз вы так уж против этого. Но когда я скажу, что это место избрал парламентский полковник в 1644 году, что здесь несколько дней скрывался Карл Первый во время гражданской войны и, наконец, что здесь побывал Георг II, то, согласитесь, в связи с этим старинным зданием возникают различные интересные ассоциации.

— Несомненно, мистер Холмс, но это не наше дело.

— Разве? Разве? Широта взглядов, мой дорогой мистер Мак,— краеугольный камень нашей профессии. Взаимосвязь идей, опора на окольные знания часто приносят огромную пользу. Вы должны простить эту нотацию тому, кто пусть и не раскрыл преступление, но все же старше и, возможно, опытнее вас.

— Я это первым признаю,— охотно отозвался инспектор.— Как и признаю, что вы идете к цели, но что за чертов окольный путь вы выбрали?

— Хорошо-хорошо, опущу все причины и перейду к тем следствиям, которые необходимы нам на данный момент. Я провел эту ночь, как уже сказал вам, в Манор-Хауз. Я не видел ни Баркера, ни миссис Дуглас, но я рад был услышать, что леди не настолько подавлена, чтобы не заказать себе превосходный обед. Мой визит был предпринят специально к доброму мистеру Амису: мы обменялись любезностями, и кончилось тем, что он, не говоря никому ни слова, позволил мне посидеть одному в кабинете некоторое время.

— Как? С этим трупом!..— воскликнул я.

— Нет-нет, все было уже в порядке. Вы ведь разрешили убрать труп, мистер Мак, насколько я знаю. Комната была в нормальном состоянии, и я провел в ней очень поучительные четверть часа.

— Но что вы делали?

— Не буду превращать в загадку такую простую вещь. Я искал исчезнувшую гантель. Я с самого начала считал это пунктом первостепенной важности. В конце концов я ее нашел.

— Где?

— Гм, здесь мы уже подходим к границе неисследованного. Дайте мне пройти чуть-чуть дальше, совсем чуть-чуть, и я обещаю поделиться с вами всем, что знаю сам.

— Ладно, нам ничего не остается, как принять ваши условия,— сказал инспектор.— Но раз уж дошло до совета все бросить, почему, ради всего святого, мы должны бросать дело?

— По той простой причине, мой дорогой мистер Мак, что вы не представляете себе, что же вы расследуете.

— Мы расследуем убийство мистера Джека Дугласа из Берлстоун-Манор.

— Все так, все так. Но не напрягайтесь, ловя таинственного джентльмена на велосипеде. Клянусь, это вам не поможет.

— Но что же вы предлагаете делать?

— Я как раз собирался вам об этом сказать, если вы не против.

— Что ж, должен сказать, всегда выяснялось в итоге, что ваши самые странные пути имеют причину. Я сделаю то, что вы посоветуете.

— А вы, мистер Уайт Мейсон?

Местный детектив беспомощно переводил взгляд с одного на другого. Холмс и его методы были в новинку для него.

— Ну что же, если это достаточно хорошо для инспектора, то достаточно хорошо и для меня,— сказал он наконец.

— Отлично! — сказал Холмс.— Тогда я предложил бы вам пока что приятную, бодрящую прогулку по окрестностям. Говорят, что с Берлстоунского гребня открываются чудесные виды на Уэльдский лес. Мы наверняка сможем перекусить в одной из тамошних гостиниц, хотя из-за незнания местности я не могу рекомендовать ни одной. Вечером усталые, но счастливые...

— Черт! Что за неуместные шутки! — вскочил со стула инспектор Макдональд.

— Ладно-ладно, проводите день как пожелаете,— дружелюбно похлопал его Холмс по плечу.— Делайте что хотите, идите куда хотите, но перед наступлением темноты будьте здесь, и без опоздания. Без опоздания, мистер Мак.

— Это звучит намного разумнее.

— И все остальное было превосходным советом. Но не буду настаивать, только будьте здесь в нужное время. А теперь, перед тем как мы разойдемся, я хочу, чтобы вы написали записку мистеру Баркеру.

— Да?

— Я продиктую ее, если хотите. Готовы?

«Дорогой сэр!

Мне пришло в голову, что моя прямая обязанность — осушить канал в надежде, что мы найдем...»

— Это невозможно,— сказал инспектор.— Я наводил справки.

— Тише, тише. Дорогой сэр, пожалуйста, делайте то, что я прошу.

— Ладно, продолжайте.

— «...найдем что-то, что продвинет расследование. Я

уже распорядился, и рабочие приступят к отводу воды завтра с раннего утра...»

— Невозможно!

— «...с раннего утра. Поэтому я подумал, что лучше предупредить вас заранее».

Теперь распишитесь и отправьте с посыльным около четырех часов вечера. В четыре мы опять встретимся в этой комнате. До того каждый волен делать что хочет, потому что, могу вас заверить, в расследовании наступила определенная пауза.

Уже спускался вечер, когда мы вновь собрались. Холмс держался очень серьезно, я тоже, но оба детектива были настроены недоверчиво и раздраженно.

— Итак, джентльмены,— решительно начал Холмс,— я прошу вас теперь присоединиться к моему эксперименту, и вы сами сможете судить, совпадут ли наши наблюдения с выводами, к которым я пришел. Вечер холодный, а я не знаю, сколько продлится наша экспедиция. Так что я прошу вас надеть самые теплые пальто. Очень важно, чтобы мы оказались на месте до темноты. Поэтому, с вашего разрешения, мы сейчас тронемся в путь.

Мы прошли вдоль границ парка, окружавшего Манор-Хауз, и через дыру в заборе проникли внутрь. Затем вслед за Холмсом в сгущающихся сумерках добрались до кустарника, росшего напротив главного входа и подъемного моста. Мост еще не был поднят. Холмс пригнулся, прячась за густыми ветками, и мы последовали его примеру.

— Так, что ж мы будем делать дальше? — недовольно прохрипел Макдональд.

— Вооружим наши души терпением и будем производить как можно меньше шума,— ответил Холмс.

— Зачем мы вообще здесь? Думается мне, вы могли бы все открыть нам и без этих фокусов.

Холмс рассмеялся:

— Уотсон подтвердит вам, что я люблю драматизировать действительность. Наклонности художника не дают мне покоя, неотвязно требуя постановки хороших спектаклей. Да, наша профессия, мистер Мак, была бы убогой и жалкой, если бы мы порой не возводили подмостков, чтобы приукрасить свои результаты. Тяжеловесные обвинения, грубое хватание за плечо — что можно извлечь из такой развязки? Но быстрые умозаключения, тонкие ловушки, предвидение событий, триумфальные подтверждения смелых теорий — разве не в этом гордость и удовлетворение от нашей работы? Сейчас вы взбудоражены очарованием ситуации и предчувствием охоты. Что бы осталось от этого трепета, если бы я был сух и точен, как расписание? Подождите немножко, мистер Мак, и все станет ясным для вас.

— Ладно, надеюсь, гордость, удовлетворение и все прочее подоспеют раньше, чем смерть от холода,— с комичной покорностью отозвался лондонский детектив.

Мы все могли бы вполне присоединиться к этому пожеланию; наше бдение тянулось бесконечно долго. Медленно сгущались тени над длинным мрачным фасадом старого дома. Холодные и влажные испарения рва проморозили нас до костей, до лязга зубов. Над входом в дом горела одинокая лампочка, да в окне рокового кабинета виднелся светлый шар. Весь остальной дом был темен и тих.

— Долго еще? — спросил наконец инспектор.— И чего мы, собственно, ждем?

— Насколько это затянется, я знаю не лучше вас,— чуть сердито ответил Холмс.— Если бы преступники действовали по графику, как поезда, то для нас это было бы, конечно, намного удобней. Поскольку же мы... Вот, вот чего мы ждали!

Пока он говорил, кто-то заслонил источник света в кабинете своей фигурой. Кусты, в которых мы прятались, находились прямо напротив окна, на расстоянии не более ста футов от него. Окно, скрипнув петлями, распахнулось, и мы различили силуэт мужчины, вглядывавшегося в темноту. Несколько минут он опасливо осматривался, как будто желая удостовериться, что за ним никто не следит. Затем наклонился вперед, и в полной тишине до нас донесся мягкий всплеск потревоженной воды. Он вроде бы шарил в канале чем-то. Затем потянул вверх, как рыболов рыбу, какой-то большой круглый предмет, полностью закрывший оконный проем.

— Вперед! — вскочил Холмс.— Пора!

Мы поднялись и неуверенно двинулись за ним на закоченевших ногах. А он уже быстро перебежал через мост и яростно зазвонил в колокольчик. Послышалось лязганье затворов, и перед нами предстал изумленный Амис. Холмс отстранил его, не говоря ни слова, и влетел в комнату, где находился увиденный нами снаружи человек.

Свет, который мы видели в окне, испускала стоявшая

64

на столе масляная лампа. Теперь она была в руке мистера Баркера, повернувшегося к нам, когда мы вошли. Она осветила его сильное, волевое лицо и разгневанные глаза.

— Какого дьявола? — заорал он.— Что вам вообще тут надо?

Холмс быстро огляделся и вытащил из-под стола запиханный туда вымокший узел, обвязанный веревкой.

— Нам нужно вот это, мистер Баркер. Утяжеленный гантелью узел, который вы только что извлекли со дна.

Баркер с изумлением воззрился на Холмса:

— Откуда, черт вас раздери, вы это знаете?

— Потому только, что я сам его туда положил.

— Вы положили? Вы?!

— Вернее сказать: положил обратно. Вы помните, инспектор Макдональд, что я был несколько смущен исчезновением гантели? Я обратил на это ваше внимание, но вы из-за обилия всего другого не нашли времени сделать надлежащих выводов. Когда рядом с водой пропадает тяжелый предмет, то предположить, что он утоплен в этой воде, не слишком абсурдно. Идея требовала, по меньшей мере, проверки, поэтому вчера с помощью Амиса, впустившего меня в комнату, и ручки зонтика доктора Уотсона я выудил и изучил этот узел.

Однако было необыкновенно важно установить, кто же положил его туда. И мы этого добились, сообщив, что канал будут осушать завтра утром. Ведь, конечно, теперь тот, кто спрятал сверток, должен был попытаться извлечь его, как только позволит темнота. Четыре свидетеля не без пользы наблюдали за этим снаружи, и теперь, мистер Баркер, я думаю, слово за вами.

Шерлок Холмс поставил мокрый узел на стол рядом с лампой и разорвал веревку, которой тот был обвязан. Он извлек оттуда гантель и отшвырнул ее в угол, где лежал ее близнец. Потом он вытащил пару ботинок.

— Американские, замечаете? — сказал он, указывая на пятки.

Потом он выложил на стол длинный смертоносный нож в ножнах. Под конец он распутал клубок одежды, содержавший полный комплект нижнего белья, носки, серый твидовый костюм и желтое пальто.

— Одежда ничего не значащая,— заметил он,— кроме пальто, подходящего нам по всем приметам.— Он аккуратно повернул пальто к свету.— Здесь, как вы видите, есть внутренний карман, вытянутый в длину так, чтобы было достаточно места для обрезанного охотничьего ружья. Под воротником — петелька с маркой портного: «Нил, поставщик, Вермисса, США». Днем я побывал в библиотеке приходского священника и пополнил свои знания, выяснив, что Вермисса — цветущий маленький городок в центре Вермисской долины, одного из самых известных угольных и сталелитейных районов Соединенных Штатов. Я храню некое воспоминание, мистер Баркер, что вы связывали угольные районы с первой женой мистера Дугласа, и, конечно, не совсем беспочвенным будет вывод, что В. Д. на карточке должно означать Вермисса, Вермисская долина, и что эта долина, засылающая агентов-убийц, и есть та самая Долина Страха, о которой мы слышали. Тут все вполне понятно. А дальше, мистер Баркер, лучше будет, я думаю, послушать ваши объяснения.

Надо было видеть выразительное лицо Баркера во время объяснений великого детектива! Гнев, изумление, ужас, колебания сменяли друг друга. Наконец он замкнулся в ядовитой иронии.

— Вы знаете так много, мистер Холмс; может, лучше будет, если вы расскажете остальное,— ухмыльнулся он.

— Я, без сомнения, мог бы рассказать намного больше, мистер Баркер; но, наоборот, было бы любезней с вашей стороны...

— О, вы так думаете? Хорошо, здесь не моя тайна, и я не тот человек, который ее выдаст.

— Но если вы занимаете такую позицию, мистер Баркер,— мягко сказал инспектор,— мы должны не упускать вас из виду, пока не получим ордер на арест и не задержим вас.

— Делайте что вам будет угодно,— упрямо сказал Баркер.

Казалось, мы зашли в тупик: достаточно было взглянуть на каменное лицо Баркера, чтобы понять — ни страх, ни сила, ни время не сломят его решительности. Но тут раздался женский голос, сдвинувший дело с мертвой точки:

— Вы сделали достаточно, Сесил.— В комнату вошла миссис Дуглас, до этого слушавшая наш разговор, стоя у приоткрытой двери.— Что бы дальше ни случилось, вы сделали достаточно.

— Достаточно, и даже более,— серьезно заметил Холмс.— Я полностью с вами согласен, мадам, и я бы настоятельно советовал вам правильно оценить ваше положение и добровольно поверить полиции все ваши тайны. Может быть, я сам допустил промах, не восприняв намека, который вы передали мне через доктора Уотсона; но в то время у меня были все причины полагать, что вы основательно замешаны в преступлении. Сейчас я убежден, что это не так. И теперь, когда еще остается так много необъясненного, я бы убедительно рекомендовал вам попросить самого мистера Дугласа поделиться с нами его собственной историей.

Миссис Дуглас вскрикнула от удивления, услышав слова Холмса. Мы откликнулись эхом, когда осознали, что некий человек будто бы возник из стены и выступил к нам из темного угла, в котором он появился. Миссис Дуглас обернулась и на миг обвила руками его шею. Баркер вцепился в его вытянутую руку.

— Это лучше всего, Джек,— повторила его жена.— Я знаю, так лучше всего.

— Разумеется, мистер Дуглас,— сказал Шерлок Холмс.— Уверен, что и сами вы сочтете это за лучшее.

Дуглас глядел на нас, моргая, как человек, который вышел из темноты на свет. У него было примечательное лицо: смелые серые глаза, густые коротко стриженные седые усы, квадратный выступающий подбородок и выразительный рот. Он оглядел всех нас и затем, к моему изумлению, протянул мне бумажный сверток.

— Я слышал о вас.— Выговор его, весьма приятный, не был ни американским, ни английским.— Вы летописец вашего друга. Что ж, доктор Уотсон, вам еще ни разу не попадалась история, подобная этой, готов поспорить на последний доллар. Расскажите ее сами. Но здесь есть факты, которые вы недолго будете скрывать от публики. Я провел взаперти два дня и в дневные часы, ловя каждую светлую минуту в этой крысиной норе, писал вот эти записки. Они понравятся вам — вам и вашим читателям. Это история Долины Страха.

— Все это прошлое, мистер Дуглас,— спокойно сказал Холмс.— А нам бы хотелось услышать нынешнюю историю.

— И вы ее услышите. Только можно я сперва закурю? Благодарю вас, мистер Холмс. Вы, если не ошибаюсь, сами курильщик и можете себе представить, каково это — сидеть два дня с табаком в кармане, в страхе, что запах тебя выдаст.— Дуглас наклонился к горящему камину и жадно раскурил сигару, предложенную ему Холмсом.— Я слышал о вас, мистер Холмс. Никогда не думал, что мне придется с вами встретиться. Но даже перед тем как вы ознакомитесь с этим,— он указал на бумаги,— вы подтвердите, что я преподнес вам нечто новенькое.

Инспектор Макдональд глядел на незнакомца с величайшим изумлением. Наконец он обрел дар речи:

— Нет, это невероятно! Если вы мистер Дуглас из Берлстоун-Манор, чью смерть мы расследуем два дня, то где ж вы до этого были? Вы выпрыгнули прямо-таки как чертик из коробки!

— Ах, мистер Мак,— сказал Холмс, укоризненно покачивая указательным пальцем,— вы так и не ознакомились с рассказиком о том, как здесь прятался Карл Первый. В те времена люди прятались только в надежных укрытиях, а любое надежное укрытие может быть использовано снова. Я был уверен, что мы найдем мистера Дугласа под этой крышей.

— И долго вы водили нас за нос, мистер Холмс? — сердито спросил инспектор.— Долго вы позволяли нам заниматься поисками, о которых уже знали, что они абсурдны?

— Ни единого момента, инспектор. Только вчера ночью мои взгляды на дело определились. Но вплоть до нынешнего вечера не было окончательных доказательств. Я пригласил вас и вашего коллегу приятно провести день. Помилуйте, что я еще мог сделать? Когда я нашел во рву этот узел, мне стало ясно, что убит вовсе не мистер Дуглас, а этот велосипедист из Танбридж-Уэлса. Иной вывод невозможен. Но мне надо было установить, где же мистер Дуглас. Самым вероятным было, конечно, что с помощью жены и друга он прячется в доме, имеющем множество укромных мест, и собирается окончательно исчезнуть, когда уляжется тревога.

— Все точно,— одобрительно сказал Дуглас.— Я задумывал обмануть ваш английский закон и потому, что не знал, как он на меня посмотрит, и потому, что видел хороший шанс навсегда сбить псов с моего следа. Поверьте мне, от начала и до конца я не сделал ничего постыдного и ничего, чего бы я не сделал опять. Но вы сами сможете судить об этом, когда узнаете мою историю. Не надо предупреждать меня, инспектор,— я готов говорить правду, и только правду.

Не будем начинать сначала. Все это там,— он указал на бумажный сверток,— и все это будет для вас чрезвычайно любопытным. Итак, есть люди, у которых был веский повод ненавидеть меня и которые отдали бы последний доллар, чтобы меня настигнуть. Пока я жив и они живы, для меня нет безопасного места во всем мире. Они охотились за мной от Чикаго до Калифорнии; охотились вне пределов Америки. Но когда я женился и осел в этом тихом местечке, я думал, что безмятежно доживу свои последние годы.

Я ни о чем не рассказывал жене. Зачем мне нужно было ее втягивать? У нее бы не стало после этого спокойной минуты, ей бы всюду мерещились угрозы. Может, она что-то знала: я иногда упускал словечко тут или там. Но истинного положения дела она не представляла даже еще вчера, когда говорила с вами, джентльмены. И она и Баркер рассказали вам все, что знали; в тот вечер было слишком мало времени для объяснений. Теперь она знает все, и, может, разумней было бы, если бы я поделился с ней раньше. Это трудный вопрос, дорогая,— он на секунду задержал ее руку в своей,— я-то старался сделать как лучше.

Итак, джентльмены, за день до всех событий я был в Танбридж-Уэлсе и мельком заметил человека на улице. Только мельком, но реакция у меня быстрая, и я ни на миг не сомневался, кто это такой. Это был мой злейший враг; все эти годы он гонялся за мной, как голодный волк за карибу. Я понял, что пришла беда, и приготовился ее встретить, когда вернулся домой. Я полагал, что преодолею ее собственными силами,— моя удача вошла в пословицу в Штатах в 1876 году. Я не сомневался, что и теперь она меня не оставит.

Весь следующий день я был настороже и ни разу не вышел в парк. Иначе бы он подстрелил меня до того, как я успел бы приблизиться к нему. Потом мост подняли,— а я всегда чувствовал себя спокойней, когда мост поднимали по вечерам,— и я выкинул все из головы. Мне и не снилось, что он может проникнуть в дом и поджидать меня. Но когда я по привычке в халате обходил дом, то почуял опасность, как только вошел в кабинет. Наверное, когда человек перенес за жизнь многое, у него появляется какое-то шестое чувство, отмахивающее ему красным флажком. Я увидел этот сигнал совершенно ясно, хотя и не мог бы объяснить как и почему. В следующее мгновение я заметил торчащий из-за шторы ботинок, и мне стало все понятно.

В самой комнате горела только свеча, которую я держал, но лампа в холле давала через открытую дверь достаточно света. Я поставил свечу на стол и прыгнул к камину за молотком. В ту же секунду он бросился на меня. Сверкнул нож; я ударил молотком. Я попал по нему, и нож звякнул об пол. Быстро, как угорь, он скользнул вокруг стола и выхватил дробовик из-под пальто. Я услышал, как он взводит курки, но успел ухватить ствол до того, как он выстрелил. Минуту или больше мы боролись. Разжать пальцы означало для любого из нас верную смерть.

Нет, он не ослабил хватки, но на мгновение дольше, чем нужно, задержал руку на нижней части приклада. Может, это я нажал курки. Может, мы просто в борьбе зацепили их. Но оба ствола выпалили ему в лицо. И вот я смотрел на то, что осталось от Теда Болдуина. Я узнал его еще в городе и снова узнал, когда он прыгнул на меня, но в таком виде его бы даже родная мать не узнала. Я человек не из слабых. Но мне стало дурно от одного взгляда.

Я стоял, держась за край стола, когда вбежал Баркер. Потом я услышал, как спускается жена, и бросился к двери, чтобы остановить ее. Это было зрелище не для женских глаз. Я пообещал ей, что скоро к ней поднимусь. Потом сказал два слова Баркеру — он все понял с единого взгляда, — и мы стали ждать, когда подоспеют остальные. Но никто не появился. Нам стало ясно, что никто ничего не слышал и только мы знаем обо всем происшедшем.

Тогда-то меня и осенила идея. Я был прямо-таки ослеплен ею. Рукав убитого задрался, и была видна коричневая выжженная метка ложи, треугольник внутри круга, точно такая же, как у меня. — Человек, которого мы знали под именем Дугласа, задрал рукав, и мы увидели на его руке точно такой же знак, как и на руке мертвеца. — Только я взглянул, как ясно представил себе все остальное. Мы были одного роста, телосложения и цвета волос. Лица его никто бы не разобрал. В четверть часа мы с Баркером сорвали с него всю одежду, нарядили в мой халат и положили так, как вы нашли его. Все его вещи мы увязали в узел, утяжеленный единственной тяжестью, которую я смог найти, и вышвырнули в окно. Карточка, которую он собирался положить возле моего тела, была положена возле его собственного.

На его пальцы мы надели мои кольца. Но когда дошло до обручального кольца... — Он вытянул вперед свою мускулистую руку. — Сами видите, снять его нельзя. Я не снимал его со дня свадьбы, и теперь его можно только распилить, иначе оно не слезет. Я, правда, не думал, что это привлечет внимание, но, если б и так, я бы при всем желании не стянул его. Поэтому мы в данном случае положились на волю судьбы. С другой стороны, я налепил убитому кусочек пластыря на то же место, которое и у меня было залеплено в тот день. Вы проглядели это, мистер Холмс, при всем вашем уме: ведь если бы вы сняли пластырь, то не нашли бы под ним никакого пореза.

Так это было. Если бы я смог тихо отсидеться, а потом уехать и встретиться со своей «вдовой», то мы могли бы надеяться провести остаток нашей жизни в покое. Эти дьяволы не оставили бы меня, пока я хожу по земле. Но если бы они прочли в газетах, что Болдуин со мной покончил, это стало бы концом всех моих тревог. У меня не было времени для доскональных объяснений Баркеру и жене; но они поняли достаточно, чтобы мне помочь. Я знал о потайном укрытии. Знал и Амис, но ему ни разу не пришло в голову связать его с происшествием. Я удалился туда, а Баркер доделал остальное.

Вы и сами понимаете, что́ он сделал. Открыл окно, оставил след на подоконнике, чтобы подсказать путь бегства убийцы. Да, бежать таким образом — задача нелегкая; но раз мост был поднят, то другого пути быть не могло. Затем, когда все было готово, он изо всех сил зазвонил в колокольчик. Что произошло потом, вы знаете. А теперь, джентльмены, поступайте как вам угодно. Я рассказал вам правду, и только правду, так что суди меня Бог! Одно я хотел бы знать: что со мной теперь будет по английским законам?

Наступило молчание, прерванное Шерлоком Холмсом:

— С вами не поступят хуже, чем вы заслуживаете, мистер Дуглас. Но мне хотелось бы выяснить, как этому человеку стало известно, где вы живете, и как проникнуть в ваш дом, где спрятаться, чтобы убить вас.

— Ничего об этом не знаю.

— Тогда, боюсь, история еще не кончена,— сказал Холмс с сильно побледневшим и посуровевшим лицом.— Вас ждет опасность пострашнее английского закона или даже ваших врагов в Америке. Я боюсь за вас, мистер Дуглас. Послушайтесь моего совета, будьте всегда начеку.

А теперь, мои долготерпеливые читатели, давайте перенесемся на какое-то время далеко от берлстоунского поместья в Суссексе и в не меньшую даль от года отсроченной расплаты, в котором мы совершили полное событий путешествие, закончившееся странной историей человека, известного нам как Джон Дуглас. Мы совершим путешествие на двадцать лет назад и на несколько тысяч миль западнее, чтобы я мог развернуть перед вами единственное в своем роде и страшное повествование — настолько уникальное и страшное, что вам будет трудно в него поверить, даже если я заверю вас, что все это правда.

Не думайте, что я навязываю вам одну историю, не кончив другой. Прочтя, вы поймете, что это не так. А когда я подробней поведаю вам о далеких событиях и раскроется тайна прошлого, мы с вами встретимся в тех самых комнатах на Бейкер-стрит, где этот удивительный случай, как и многие другие, подойдет к концу.

ЧАСТЬ ВТОРАЯ
СКАУРЕРЫ

ГЛАВА ПЕРВАЯ
Молодой человек

Это произошло в феврале 1875 года. Была суровая зима, и глубокий снег заполнил ущелья Гильмертонских гор. Однако железная дорога благодаря снегоуборочному паровозу функционировала, и вечерний поезд, соединяющий дальние угольные копи и железоделательный завод, натруженно вздыхая, проделывал свой путь вверх по крутым склонам, ведущим из равнинного Стэгвилля к Вермиссе, центральному городу долины Вермисса. От этой точки железная дорога скользила вниз к Бартон-Кроссингу, Хелмдейлу и к сельскохозяйственному району Мертона. Это была простая одноколейная железная дорога, однако стоящие на каждом из многочисленных запасных путей вагоны, нагруженные доверху железной рудой и углем, говорили о таящихся богатствах, которые привели сюда множество простых людей и породили буйную жизнь в этом самом отдаленном уголке Соединенных Штатов.

До чего же это было дикое место! Первопроходцы и представить себе не могли, что прекраснейшие прерии и самые сочные пастбища ни гроша не стоили по сравнению с этой мрачной землей черных скал и густых лесов. Склоны, покрытые темными непроходимыми лесами, венчались снежными зубчатыми вершинами, образуя длинную извилистую долину в центре. Вот туда-то и пробирался маленький поезд.

Керосиновые лампы уже были зажжены в головном пассажирском вагоне, где ехало около 20 пассажиров. В большинстве своем это были рабочие, возвращавшиеся после трудового дня из нижней части долины. По крайней мере человек двенадцать из них были шахтерами, о чем свидетельствовали их прокопченные лица и фонари, которые они с собой носили. Сидели они отдельно, курили и разговаривали вполголоса, поглядывая время от времени на двух человек в противоположной стороне вагона, чьи мундиры и значки обнаруживали в них полицейских. Еще было несколько женщин из рабочих семей и один-два владельца местных лавочек. Исключение составлял молодой человек, сидевший в углу без попутчиков. Именно этот человек нас и интересует. Приглядимся к нему хорошенько, он того стоит.

Это был крепко сбитый молодой человек среднего роста, как можно догадаться, на пороге четвертого десятилетия. В его пронзительных, насмешливых серых глазах светился огонек любопытства в то время, как он оглядывал сквозь очки пассажиров. Легко было заметить, что он по натуре общителен, непосредствен и дружелюбно настроен, всегда готов к шутке и улыбке. Однако, если приглядеться более пристально, можно было заметить определенную твердость подбородка и крепко сжатых губ, которые предупреждают о тайных глубинах и о том, что этот приятный шатенистый ирландец может оставить после себя добрый или злой след в любом обществе.

Сделав одну-две попытки заговорить с ближайшим соседом-шахтером и получив лишь односложные ответы, путешественник погрузился в непривычную для себя тишину, уныло разглядывая чернеющий в сумерках пейзаж.

Вид открывался далеко не ободряющий. В надвигающемся мраке пульсировал багровый жар печей на склонах гор. Проглядывали смутные очертания громадных насыпей шлака и кучи золы с возвышающимися над ними мачтами угольных копей. Беспорядочные нагромождения низких деревянных домиков с освещенными окнами были разбросаны здесь и там вдоль линии, а их черные от копоти обитатели толпились на многочисленных стоянках.

Железорудные и угольные шахты долины Вермисса не были предназначены ни для бездельников, ни для культурных людей. Везде давали о себе знать суровые знаки жестокой борьбы за существование и тяжелой, каторжной работы.

Молодой путешественник наблюдал эту безрадостную страну со смешанным выражением неприязни и любопытства. Обстановка была явно незнакома ему. Время от времени он вынимал из кармана объемистое письмо и нацарапывал какие-то заметки на его полях. Однажды он вытащил из-за пояса нечто совсем не подобающее для столь благодушного молодого человека. Это был морской револьвер большого размера. Когда он повернул его к свету, яркий блик скользнул по гильзам медных патронов в полностью заряженном барабане. Он быстро убрал его назад в потайной карман, но не раньше, чем это заметил рабочий, сидящий на соседней скамье.

— Привет, парень! — сказал он. — Ты, кажется, вооружен до зубов.

Молодой человек смущенно улыбнулся.

— Да, — сказал он, — там, откуда я еду, это иногда было необходимо.

— И где же такое может быть?

— Я из Чикаго.

— Первый раз в этих местах?

— Да.

— Может, ты обнаружишь, что здесь это тоже пригодится, — сказал рабочий.

— Неужели? — Молодой человек явно оживился.

— Ты что, ничего не слышал о том, что здесь делается?

— Ничего особенного.

— А я думал, вся страна только об этом и говорит. Но ты скоро услышишь. А что тебя заставило приехать сюда?

— Я слышал, здесь всегда есть работа для желающих.

— Ты член профсоюза?

— Конечно.

— Тогда, я думаю, ты получишь работу. У тебя есть друзья?

— Пока нет. Но у меня есть способ их завести.

— И что это за способ?

— Я член древнего ордена фрименов [1]. Нет города, где бы не было нашей ложи, а где есть ложа, там я найду друзей.

Эта реплика произвела впечатление на собеседника. Он бросил подозрительный взгляд на других пассажиров. Шахтеры все еще полушепотом переговаривались между собой. Два полицейских офицера дремали. Он встал и пересел поближе к молодому путешественнику и протянул ему руку.

— Вот вам моя рука, — сказал он.

Двое пожали друг другу руки.

— Я вижу, ты говоришь правду, — сказал рабочий. — Но лучше все-таки убедиться до конца. — Он поднял

---

[1] От англ. freeman — свободный человек, свободный гражданин.

правую руку к правой брови. Путешественник тут же поднял левую руку к левой брови.

— Темной ночью неприятно...— сказал рабочий.

— В одиночку путешествовать...— ответил молодой человек.

— Этого вполне хватит. Меня зовут брат Сканлан, ложа 341, Долина Вермисса. Рад вас приветствовать в здешних местах.

— Спасибо, меня зовут брат Джон Макмердо, ложа 29, Чикаго, геррмейстер Дж. Х. Скотт. Мне повезло, что я нашел брата так скоро.

— Нас здесь очень много. Вы не найдете места в Штатах, где орден процветал бы более, чем в Вермисской долине. Нам нужны такие парни, как ты. Но странно, что такой прыткий молодой человек не мог найти работу в Чикаго.

— У меня было много работы,— сказал Макмердо.

— Тогда почему ты уехал?

Макмердо кивнул в сторону полицейских и улыбнулся.

— Я думаю, эти парни будут счастливы узнать,— сказал он.

Сканлан сочувственно промычал.

— Неприятности? — спросил он шепотом.

— Да, серьезные.

— Исправительные работы?

— И все остальное.

— Неужели убийство?

— Пока еще рано говорить об этом,— сказал Макмердо с видом человека, который недоволен, что сказал слишком много.— У меня есть личные основания, чтобы уехать из Чикаго, и этого вполне достаточно. Кто вы, чтобы спрашивать о таких вещах? — Его серые глаза блеснули сквозь очки внезапным и опасным гневом.

— Хорошо, парень, никто не хотел тебя обидеть. Ребята не будут думать ничего плохого, что бы ты ни сделал. Куда теперь направляешься?

— В Вермиссу.

— Это третья остановка на линии. Где ты собираешься остановиться?

Макмердо достал конверт и близко поднес его к мерцающей керосинке.

— У меня есть адрес — Джекоб Шафтер, улица Шеридана. Это постоялый двор, который мне рекомендовал один знакомый в Чикаго.

— Я не знаю этого дома. Я плохо знаю Вермиссу. Я живу в Хобсон-Пэтч. Теперь послушай, я дам тебе один совет перед тем, как расстаться. Если ты попадешь в беду в Вермиссе, иди прямо к хозяину Макджинти. Он геррмейстер вермисской ложи. В наших местах ничего не может случиться без его ведома. Ну, пока, парень! Может, мы встретимся на днях на собрании. И помни: если у тебя неприятности, иди к Макджинти.

Сканлан сошел, и Макмердо опять остался наедине со своими мыслями. Спустилась ночь, во тьме прыгало и гудело пламя в печах. На его адском фоне черные фигурки наклонялись и выпрямлялись, поворачивались и сгибались, как лебедки или маховые колеса, в ритме постоянного грохота и рева.

— Наверно, вот так выглядит ад,— послышался голос.

Макмердо обернулся и увидел, что один из полицейских переместился ближе к окну и наблюдал эту огненную пустошь.

— Я даже могу утверждать, что ад непременно так и должен выглядеть,— сказал другой полицейский.— Если там окажутся дьяволы похуже, чем некоторые, которых мы знаем здесь, то это превзойдет все мои самые смелые ожидания. Мне кажется, вы новичок в наших краях, молодой человек?

— Ну и что из того? — грубо ответил Макмердо.

— Ничего, просто я посоветовал бы вам быть более разборчивым, выбирая друзей. Я бы на вашем месте не начинал с Майка Сканлана и его шайки.

— Какого дьявола вы беспокоитесь о моих друзьях? — огрызнулся Макмердо так, что весь вагон обернулся, чтобы засвидетельствовать скандал.— Я что, спрашивал у вас совета, или вы принимаете меня за молокососа, который и шагу не может ступить без спроса? Будете давать советы, когда вас спросят, и, клянусь Богом, что касается меня, то вам придется порядком подождать.— И он растянул лицо в улыбке, как оскалившаяся собака.

Оба полицейских, неподвижные и простодушные, были ошарашены необычайной яростью, с которой были встречены их дружеские реплики.

— Не обижайся, незнакомец,— сказал первый.— Мы предупредили тебя ради твоего же блага, ты же новичок.

— Мне незнакомо место, но зато мне хорошо знакомы такие, как вы,— ответил Макмердо в ледяной ярости.— Вы везде одинаково пытаетесь всучить свой совет, когда его никто не просит.

— Должно быть, мы скоро поближе познакомимся,— сказал один из полицейских с усмешкой,— ты горячий парень, насколько я могу судить.

— Я тоже об этом подумал. Скоро мы снова встретимся,— добавил другой.

— Только не думайте, что я вас испугался! — вскричал Макмердо.— Меня зовут Джек Макмердо. Ясно? Если я вам понадоблюсь, я буду у Джекоба Шафтера на улице Шеридана в Вермиссе, я не прячусь от вас, не правда ли? Можете не иметь никаких сомнений на мой счет. Я готов с вами встретиться лицом к лицу в любое время дня и ночи!

Среди шахтеров прошел гул одобрения, в то время как двое полицейских, пожав плечами, возобновили разговор между собой.

Несколькими минутами позже поезд подошел к плохо освещенной станции, и вагон начал пустеть, поскольку Вермисса была самой крупной станцией на линии. Макмердо подхватил свой кожаный саквояж и уже собирался шагнуть в темноту, когда к нему обратился один шахтер.

— Черт возьми, парень! Ты умеешь разговаривать с ищейками,— сказал он с благоговением.— Слушать тебя было просто удовольствие. Давай-ка я понесу твой саквояж и покажу тебе дорогу. Дом Шафтера как раз на пути к моему.

Их провожал хор дружественных пожеланий доброй ночи, когда они проходили по платформе мимо шахтеров. Еще не успев ступить на эту землю, неистовый Макмердо стал притчей во языцех в Вермиссе.

Местность эта была олицетворением ужаса, но вид самого города был еще более подавляющим. В доменных огнях и дымовых облаках было какое-то величие: трудолюбие и мощь человека увековечивали себя, чудовищными экскаваторами ровняя горы с землей. Город демонстрировал самую последнюю степень уродства и убожества. Колеи широкой улицы были разбиты и превратились в месиво из грязного снега. Пешеходные дорожки были узки и кривы. Многочисленные газовые лампы служили лишь затем, чтобы освещать ряд деревянных домов с грязными, неухоженными верандами, обращенными к улице.

Пейзаж несколько оживился, когда они подошли к центру города, с ярко освещенными витринами магазинов, трактирами и игорными домиками, где шахтеры оставляли свои заработки, добытые тяжелым трудом.

— Здесь хозяин — Макджинти,— сказал рабочий, показывая на кабак, который по своей значимости мог сравниться с гостиницей.

— Что он за человек? — спросил Макмердо.

— Как? Ты ничего не слышал о хозяине?

— Как же я мог слышать о нем, если я, как вы знаете, здесь впервые?

— Я думал, о нем знает вся страна. Его имя часто бывает в газетах.

— В связи с чем?

— В связи с происшествиями,— понизил голос шахтер.

— Какими происшествиями?

— Боже мой! Ты меня удивляешь, чтобы не сказать больше. Есть только один род происшествий в этих краях — дела скауреров.

— Да, я читал что-то о скауререрах в Чикаго. Шайка убийц, не так ли?

— Тише, заклинаю тебя! — воскликнул шахтер, застыв от страха и удивленно уставившись на собеседника.— Ты не проживешь долго в этом месте, если будешь говорить обо всем так открыто. Из многих вышибли дух и за меньшие провинности.

— Да, я ничего не знаю о них, кроме того, что читал в газете.

— А я и не говорю, что то, что ты прочел,— неправда.— Шахтер нервно оглядывался, пытаясь различить в тенях скрывающуюся в засаде опасность.— Но не вздумай и во сне произнести имя Джека Макджинти в связи с убийствами, потому что каждое даже шепотом произнесенное слово возвращается к нему, и не похоже, что он пропускает что-либо мимо ушей. Вот тот дом, который ты ищешь,— в глубине улицы. Ты скоро поймешь, что старик Джекоб Шафтер, владелец этого дома,— самый порядочный человек в городе.

— Благодарю за все,— сказал Макмердо и обменялся рукопожатием со своим новым знакомым. Затем он взял саквояж и потащил его по тропинке к гостинице, в дверь которой затем громко постучал.

Дверь открылась, и он увидел нечто совершенно отличное от своих ожиданий. Это была девушка, молодая и на редкость красивая. Внешность ее была германского типа. Белолицая и светловолосая, с неожиданно темными глазами, которые придавали ей особую пикантность. Она изучала незнакомца с удивлением и приятным смущением, которое залило краской ее бледное лицо. Обрамленное ярким светом в дверном проеме, оно показалось Макмердо самым прекрасным из когда-либо виденных. И тем больше была его притягательная сила, чем грязнее и мрачнее были окружающие пейзажи. Нежная фиалочка на вершине черной горы из шлака не вызвала бы такого восторга. Он был так поражен, что смотрел на нее, широко открыв глаза и не проронив ни слова. Ей самой пришлось нарушить тишину.

— Я думала, что это отец пришел,— произнесла она с легким немецким акцентом, придававшим приятную особенность ее речи.— Вы к нему пришли? Он в городе и вот-вот должен вернуться.

Макмердо продолжал смотреть на нее с нескрываемым восхищением, пока она не опустила глаза в замешательстве под пожирающим ее взглядом.

— Нет, мисс,— проговорил он наконец.— Я не спешу его увидеть. Мне рекомендовали остановиться в вашем доме. Я не знал, подойдет ли он мне, теперь же я в этом уверен.

— Вы поспешны в выводах,— сказала она с улыбкой.

— Это сделал бы любой мужчина, если он не окончательно слеп,— ответил молодой человек.

Девушка встретила комплимент смехом.

— Входите, сэр. Меня зовут Этти Шафтер, я дочь мистера Шафтера. Моя мама умерла, и дом веду я. Присаживайтесь у печки в передней комнате, пока отец не пришел. А вот и он! Можете обсудить условия прямо сейчас.

Тяжело ступая, пожилой человек поднялся в дом. В нескольких словах Макмердо объяснил свое положение. В Чикаго некто по имени Мерфи дал ему этот адрес. Тот, в свою очередь, тоже получил его от кого-то.

Заключенной сделкой старик Шафтер остался доволен. Незнакомец не торговался, согласившись сразу на все условия. За семь долларов в неделю, уплаченных заранее, он получал ночлег и еду.

Итак, Макмердо, беглец от правосудия, как он сам признался, принял кров Шафтеров, что явилось первым звеном в длинной цепи трагических событий, окончившихся в весьма удаленных отсюда местах.

ГЛАВА ВТОРАЯ
Геррмейстер

Макмердо сумел стать заметной фигурой. Где бы он ни появлялся, люди его узнавали. За неделю он стал самой важной персоной у Шафтеров. Вместе с ним жили еще десять — двенадцать постояльцев, но это всё были скромные десятники и рядовые клерки, совершенно другой породы. Во время вечернего времяпрепровождения, когда все собирались, шутки Макмердо отличались наибольшей остротой, разговор — блеском, а песня — жизнерадостностью. Он был душой общества, обладая врожденным обаянием.

С другой стороны, Макмердо несколько раз демонстрировал, как и во время происшествия в поезде, способность к неожиданным вспышкам гнева, которые заставляли всех окружающих уважать его и даже бояться.

К закону и его представителям он неизменно выражал враждебное презрение, которое восхищало одних и беспокоило других его товарищей по жилью.

С первых же дней он ясно показал, что дочь хозяина завладела навсегда его сердцем с той самой минуты, когда он впервые увидел и оценил ее красоту и изящество. Он не был робким поклонником. На второй день он признался, что любит ее, и с того дня повторял одно и то же каждый день, невзирая на ее неудовольствие.

— Кто-то другой? — восклицал он.— Ну что ж, тем хуже для другого! Пусть поищет себе еще кого-нибудь! Неужели я упущу единственный в жизни шанс и не удовлетворю сердечное желание ради кого-то другого? Этти, ты можешь повторять сколько угодно «нет», но придет день — и ты скажешь «да», я достаточно молод, чтобы подождать.

Он был опасным ухажером. В арсенале у него был бойкий ирландский язык и приятная, но настойчивая обходительность. К тому же он имел большой жизненный опыт и его окутывала пелена тайны,— это сначала так привлекает женщин, а потом и привязывает навеки. Он мог часами рассказывать о прелестных аллеях графства Монахан, где он родился, о далеком красивом острове, зеленые пастбища и невысокие холмы которого казались тем более прекрасными, когда его воображение рисовало их по контрасту с суровой землей снегов и сажи.

Он был также хорошо осведомлен о жизни на Севере, в Детройте, о многочисленных лагерях в Мичигане и, наконец, о Чикаго, где он работал на фабрике. А потом в его рассказе появлялось нечто романтическое, намек на какие-то странные обстоятельства, о которых он не мог говорить подробно. Он туманно говорил о внезапном отъезде, разрыве всех связей и устремлении в новый мир, который оказался этой безрадостной долиной,— и глаза слушавшей Этти сияли состраданием и жалостью — чувствами, которые так легко и естественно перерастают в любовь.

Макмердо получил временную работу книгоноши, так как он был довольно хорошо образован. Целый день он был занят и так и не нашел времени доложить о себе в ложе. Ему напомнили об этом упущении через Майка Сканлана, с которым он познакомился в вагоне поезда. Сканлан, нервозный человек с острыми, мелкими чертами лица, казалось, был рад случаю увидеться снова. После пары стаканов виски он изложил цель своего визита.

— Слушай, Макмердо,— сказал он.— Я запомнил твой адрес и решил заглянуть. Удивляюсь, почему ты еще не доложил о себе председателю Макджинти?

— Мне надо было искать работу. Я все время был занят.

— Ты должен был найти для этого время, даже если бы у тебя его вообще не было. Боже мой! Ну и легкомыслен же ты, если не появился у хозяина, чтобы зарегистрироваться на следующее же утро после приезда. Если ты будешь своевольничать... В общем, ты не должен этого делать, вот и все!

Макмердо выразил легкое удивление:

— Я уже два года как член ложи и никогда не слышал о том, что обязанности столь неукоснительны.

— В Чикаго, может быть, и не так.

— Это то же самое общество.

— Откуда ты это взял?

Сканлан посмотрел на него долгим серьезным взглядом. Что-то жесткое появилось в его глазах.

— А что, разве нет?

— Ты сам ответишь мне на этот вопрос через месяц. Я знаю, как ты разговаривал с полицейскими патрульными в поезде.

— Откуда ты знаешь?

— Слухи разошлись — хорошие, плохие, слухи быстро разносятся в нашем районе.

— Да, я сказал ищейкам, что́ я о них думаю.

— Клянусь Богом, ты придешься по душе Макджинти.

— Он что, тоже ненавидит полицию?

Сканлан рассмеялся.

— Ты должен увидеться с ним, дружище,— сказал он, уходя.— Смотри, а то он будет ненавидеть и тебя, вместе с полицией. Последуй моему дружескому совету и иди прямо сейчас.

Случилось так, что в тот же вечер Макмердо имел еще более впечатляющую встречу, которая подтолкнула его в том же направлении. Или его внимание к Этти стало еще более явным, или смысл происходящего наконец дошел до хозяина-тугодума, но, как бы то ни было, владелец дома заманил молодого человека в свою комнату и начал без всяких предисловий неприятный разговор:

— Мне показалось, мистер, что вы положили глаз на мою Этти? Я не ошибся?

— Да, это так,— ответил молодой человек.

— Должен сказать вам прямо, что это бесполезно, вы опоздали.

— Она мне говорила.

— Можете ей поверить. Она сказала, кто он?

— Я спрашивал, но она не хочет отвечать.

— Я думаю. Вот стрекоза. Не хотела вас отпугивать.

— Отпугивать? — Макмердо мгновенно распалился.

— И вовсе не нужно этого стыдиться. Это — Тедди Болдуин.

— И кто же он?

— Он — один из главарей скауреров.

— Скауреры! Я о них уже слышал. Скауреры здесь, скауреры там, и всё шепотом. Что вы так боитесь? Кто такие скауреры?

Хозяин дома инстинктивно понизил голос, как все, когда речь заходила об этом ужасном обществе.

— Скауреры — это члены ордена фрименов!

Молодой человек выразительно посмотрел на хозяина:

— Я сам член этого ордена!

— Вы? Если б я знал, ноги вашей не было бы в моем доме, даже если бы вы мне платили сто долларов в неделю.

— А что в нем плохого? Он проповедует милосердие и братство. Так сказано в уставе.

— Где-нибудь, может быть, но не здесь.

— А что здесь?

— Это сообщество убийц.

Макмердо недоверчиво засмеялся:

— Как вы можете это доказать?

— Доказать! А пятьдесят убийств — это не доказательство? Как насчет Мильмана и Ван Шерста, семьи Никольсонов, и старика Хьяма, и малыша Билли Джеймса, и других? В долине нет человека, который бы об этом не знал.

— Послушайте,— сказал Макмердо серьезным голосом.— Я предупреждаю вас. Перед тем как я выйду из комнаты, вы или возьмете назад свои слова, или же представите доказательства. Поставьте себя на мое место. Я принадлежу обществу, о котором знаю только хорошее. И так же думает вся Америка, вдоль и поперек. Теперь, когда я собираюсь вступить в его ряды здесь, вы говорите мне, что это шайка убийц по имени скауреры. Объяснитесь или извинитесь, мистер Шафтер!

— Я могу сказать только то, что и так знают все. Руководители общества являются главарями шайки. Если вы нанесете оскорбление одному, то мстить будет другой. Мы слишком часто имели случай убедиться в этом.

— Это всё слухи. Дайте доказательства!

— Если вы проживете здесь достаточно долго, у вас будут собственные доказательства. Но я совсем забыл — вы ведь один из них. Скоро вы станете таким же негодяем, как они. Правда, вам придется поискать другое жилье. Я не хочу вас видеть здесь. Недостаточно мне того, что один из этих людей околачивается здесь из-за Этти, так еще другой будет есть мой хлеб! Я решил: сегодня вы проведете последнюю ночь в моем доме.

Макмердо оказался под угрозой изгнания как из своих комфортабельных покоев, так и из сердца своей возлюбленной. В тот же вечер, разыскав ее в гостиной, он излил ей свои горести.

— Твой отец сделал мне предупреждение,— сказал он.— Если бы это касалось только моей комнаты, я бы ни минуты не горевал, но за ту неделю, которую я провел с тобой, Этти, ты стала для меня дыханием моей жизни, я не могу жить без тебя!

— О, замолчите сейчас же, Макмердо! — сказала девушка.— Разве я не говорила вам, что вы опоздали! И если я не дала обещания выйти за него замуж, то я обещала не давать этого обещания никому другому.

— Этти, а если бы я был первым? Имел бы я возможность надеяться?

Девушка закрыла лицо руками.

— Господи, как бы я хотела, чтобы вы были первым! — всхлипнула она.

В ту же секунду Макмердо был уже у ее ног.

— Ради Бога, Этти, давай, так и будет! Неужели ты хочешь разрушить мое и твое счастье ради этого обещания? Послушайся своего сердца, милая моя девочка. Это более надежный поводырь, чем любые обещания.

Он сжал в своих сильных смуглых руках беленькую ручку Этти.

— Скажи, что ты будешь моей, и мы встретим все невзгоды вместе.

— Но не здесь же?

— Здесь.

— Нет, Джек, нет!

Он обнял ее.

— Здесь этого не будет. Уведи меня!

Лицо Макмердо отразило внутреннюю борьбу, а затем стало твердым как гранит.

— Нет, здесь. Я защищу тебя от всего мира, Этти, прямо здесь!

— Но почему мы не можем уехать?

— Я не могу.

— Но почему?

— Я никогда не смогу высоко держать голову, если буду знать, что меня отсюда выжили. Кроме того, чего нам бояться? Мы же свободные люди в свободной стране. Если мы любим друг друга, кто посмеет помешать нашему счастью?

— Ты еще слишком мало знаешь, Джек. Ты не знаешь этого Болдуина, и Макджинти, и его скауреров.

— Я их не знаю, не боюсь и ничему не верю. Я всегда жил среди таких людей, моя дорогая, и, вместо того чтобы бояться их, я всегда делал так, что они начинали бояться меня,— всегда, Этти. Если эти люди совершают преступление за преступлением, как говорит твой отец, и если их знают по именам, почему никто из них не предстал перед судом? Отвечай, Этти!

— Потому что никто не смеет свидетельствовать против них. Свидетель бы и месяца не прожил. А еще у них есть собственные свидетели, которые готовы поклясться, что обвиняемый в тот момент был далеко от места преступления. Но, Джек, ты должен был читать в газетах. Я думала, все газеты в Соединенных Штатах писали об этом.

— Я читал кое-что, но я думал, это сплетни. Может быть, эти люди имели основания для своих действий. Может, у них не было иного выхода.

— О нет, Джек! Не говори так. Так говорит он — другой!

— Ты имеешь в виду Болдуина?

— Да, и за это я его ненавижу всем сердцем. Но и боюсь также, особенно за отца. На нас падут ужасные беды, если я ему скажу, что́ я действительно чувствую. Вот почему мне приходится обманывать его полуобещаниями. Но если бы мы все втроем, вместе с отцом, уехали навсегда!

Опять лицо Макмердо выразило мучительную борьбу и опять стало жестким как гранит.

— Никакая беда не коснется тебя и твоего отца, Этти. Что касается этих злодеев, я думаю, что однажды ты обнаружишь, что я не лучше худших из них.

— О нет, Джек! Я буду доверять тебе, что бы ни случилось!

Макмердо горько засмеялся:

— Боже мой! Ты меня совсем не знаешь. Ты, невинная душа, моя любимая, даже не подозреваешь, что́ происходит со мной. А это что за визитер?

Дверь неожиданно распахнулась, и молодой парень вошел развязной походкой хозяина в комнату. Это был симпатичный, подвижный молодой человек примерно того же возраста и сложения, что и Макмердо. Из-под широкополой фетровой шляпы, которую он не соизволил снять, смотрели свирепые, властные глаза и торчал крючковатый, орлиный нос.

Этти тут же спрыгнула со своего места в полной растерянности и тревоге:

— Очень рада вас видеть, мистер Болдуин. Вы сегодня раньше, чем я вас ждала. Проходите и садитесь, пожалуйста.

Болдуин стоял, уперев руки в боки, и смотрел на Макмердо.

— Это что такое? — спросил он грубо.

— Это мой друг, новый постоялец. Мистер Макмердо, разрешите вас представить мистеру Болдуину.

Молодые люди сухо раскланялись.

— Возможно, мисс Этти рассказала о том, что у нас с ней?

— Я не думал, что у вас есть какие-то отношения.

— Не думали? Можете подумать об этом теперь. Эта леди принадлежит мне, а вам я рекомендую воспользоваться сегодняшней прекрасной погодой на улице.

— Спасибо, у меня нет настроения гулять.

— Нет настроения? — Его злые глаза испепеляли Макмердо ненавистью. — У вас, наверное, есть настроение сразиться, мистер Постоялец?

— Вот именно! Это первое разумное слово, сказанное вами.

— Ради Бога, Джек! Ради Бога! — закричала бедная растерянная Этти. — О Джек! Он убьет тебя!

— О, так он уже «Джек»! — вскипел Болдуин, изрыгая проклятия. — Вы уже дошли до «Джека»!

— О Тед, будь благоразумен, будь великодушен! Ради меня, Тед, если ты любил меня когда-нибудь, будь милосердным и великодушным!

— Я думаю, Этти, если ты нас оставишь, мы всё решим сами, — сказал спокойно Макмердо. — Или же, мистер Болдуин, вы согласитесь пройтись со мной по улице. Вечер чудесен, а перед следующим кварталом есть свободная площадка.

— Я разделаюсь с тобой, даже не замарав рук, — сказал его враг. — Ты пожалеешь, что нога твоя ступила в этот дом, до того как я прикончу тебя.

— Лучшего времени, чем сейчас, не выбрать, — сказал Макмердо.

— Я сам назначу время, мистер. Смотри сюда! — Он резко задрал рукав, и Макмердо увидел у него на локте некий знак, который был выжжен на коже. Это был круг, а в нем треугольник. — Ты знаешь, что это означает?

— Не знаю и знать не хочу.

— Узнаешь. Я тебе обещаю. Не успеешь постареть и на день, как узнаешь. А ты, Этти, приползешь ко мне обратно на коленях — и тогда я скажу тебе, какое наказание ты заслужила. Что посеешь, то и пожнешь!

Он обжег их яростным взглядом, повернулся на каблуках, и через несколько секунд входная дверь громко захлопнулась за ним.

Сначала Макмердо и девушка стояли молча, потом она бросилась к нему в объятия:

— О Джек, ты такой смелый! Но все равно ты должен уехать! Сегодня же. Это единственная надежда. Я прочитала твой смертный приговор в его ужасных глазах. Что ты один можешь сделать против всей шайки? У него за спиной Макджинти и вся ложа!

Макмердо освободился из объятия, поцеловал ее и усадил в кресло.

— Не волнуйся, дорогая, и не бойся, но я сам фримен. Я рассказал твоему отцу. Я не лучше других, и не делай из меня святого. Ты теперь меня тоже ненавидишь?

— Ненавидеть тебя, Джек? Это выше моих сил. Я слышала, что нет ничего зазорного в ложах фрименов в других местах, за что же мне тебя ненавидеть? Но, Джек, если ты член ордена, то почему бы тебе не пойти и не познакомиться с Макджинти? Скорей, Джек! Ты еще можешь спасти свою жизнь!

— Я тоже об этом думал. Я пойду прямо сейчас и раз и навсегда покончу с этим делом. Скажи отцу, что я сегодня ночую здесь последний раз.

Бар Макджинти был переполнен, как всегда, так как это было излюбленное место отдыха всего городского отребья. Хозяин был чрезвычайно популярной фигурой. Он постоянно пребывал в грубовато-веселом настроении, словно маска скрывающем бо́льшую часть его характера. Но не столько его обаяние, сколько страх, в котором он держал всю долину на протяжении тридцати миль, сгонял людей в бар, потому что никто не смел пренебречь его волей.

Кроме тайной власти он имел еще и официальную: он был членом муниципального совета и специальным уполномоченным по дорогам, выбранным голосами подлецов, которые теперь ждали от него услуг. Налоги были огромны, государственные работы были заведомо заброшены, ревизоры подкуплены, а счета подправлены, порядочные граждане были запуганы и держали язык за зубами.

Так продолжалось из года в год. Бриллиантовые булавки Макджинти становились все огромнее, золотые цепочки на роскошном жилете — все массивнее, а трактир простирался все дальше, почти совсем поглотив Маркет-сквер.

Макмердо толкнул вращающуюся дверь салуна и начал пробиваться сквозь толпу в душной атмосфере табачного дыма и алкогольных паров. Зал был ярко освещен, огромные золоченые зеркала на стенах умножали ослепительную иллюминацию в тысячу раз. Несколько барменов поспешно смешивали коктейли, обслуживая посетителей, плотно облепивших отделанную желтой медью стойку.

В дальнем конце, навалившись телом на стойку, с торчащей изо рта под прямым углом сигарой, стоял очень высокий, тяжеловесный мужчина, не кто иной, как Макджинти. У него была косматая черная борода и копна темных волос, ниспадавших на воротник. Он был смугл, как итальянец, глаза необычного матово-черного цвета, который в сочетании с небольшим косо-глазием придавал лицу особенно зловещее выражение. Все остальное в нем — классические пропорции, благородные черты лица и непосредственность в поведении — создавало жизнерадостную, дружескую обстановку. Неискушенный человек мог бы сказать, что перед ним прямодушный, честный парень, чьи слова могут быть грубоваты, но сердце доброе и верное. Только когда его глаза, мертвенно-черные и безжалостные, обращались непосредственно на собеседника, тот содрогался от чувства, что он смотрит в коварные глаза бесконечного порока, который в союзе с властью, смелостью и изворотливостью становится окончательно непобедим.

Хорошенько рассмотрев хозяина, Макмердо, небрежно расталкивая толпу локтями, протиснулся к кучке приближенных, которые время от времени разражались подхалимским хохотом на его малейшие шутки. Серые глаза нового посетителя отыскали среди блеска бокалов убийственные черные глаза хозяина и бесстрашно встретили их цепкий вопросительный.взгляд.

— Что-то не припоминаю твоего лица, юноша.

— Я впервые зашел сюда, мистер Макджинти.

— Это не оправдывает того, что ты обращаешься к человеку неподобающим образом.

— Это член совета Макджинти,— подсказал кто-то из толпы.

— Прошу прощения, член совета. Мне незнакомы обычаи этих мест. Но мне рекомендовали познакомиться с вами.

— Ну вот ты и познакомился со мной. Что же ты обо мне думаешь?

— Еще слишком рано спрашивать. Но если ваше сердце так огромно, как тело, а душа так прекрасна, как лицо, то ничего лучшего я никогда не встречал.

— Черт возьми, а у парня ирландский язык! — воскликнул владелец бара, еще не решив, то ли вышутить этого наглеца, то ли унизить его.— Значит, моя внешность тебя удовлетворила?

— Разумеется.

— И тебе посоветовали повидаться со мной?

— Да.

— И кто ж посоветовал?

— Брат Сканлан из ложи 341. Я пью за ваше здоровье, член совета, и за наше более близкое знакомство.— С этими словами Макмердо опорожнил свой стакан. В ответ Макджинти поднял свои мохнатые черные брови.

— Если так, то я должен выяснить еще кое-что, мистер...

— Макмердо.

— Мистер Макмердо, вам придется пройти со мной за стойку, мы не очень-то доверяем словам.

За стойкой была маленькая комната, по стенам которой громоздились бочонки. Макджинти плотно прикрыл дверь, сел на один из них и, задумчиво покусывая сигару, изучал собеседника своими беспокойными глазами. Около двух минут стояла полная тишина. Макмердо держал одну руку в кармане, другой бодро крутил русый ус. Неожиданно Макджинти извлек внушительный револьвер.

— Слушай, шутник. Если я узнаю, что ты пытался свалять дурака, разговор будет короткий.

— Странное гостеприимство у геррмейстера для новых братьев.

— Это ты еще должен доказать. Да простит мне Господь, если тебе это не удастся. Где ты вступил в общество?

— В ложе 29, Чикаго.

— Когда?

— Двадцать четвертого июня 1872 года.

— Кто геррмейстер?

— Джеймс Х. Скотт.

— Кто управляет вашим округом?

— Бартоломью Уилсон.

— Хм, этот экзамен ты проскочил. Что ты делаешь здесь?

— Работаю, так же, как и вы, только зарабатываю меньше.

— Зато много дерзишь.

— Знаю за собой этот грех.

— Хотелось бы знать, насколько дерзок ты в поступках.

— И в этом у меня не было недостатка.

— Мы испытаем тебя, и скорее, чем ты думаешь. Ты здесь слышал что-нибудь о нашей ложе?

— Только то, что в нее принимают новых братьев.

— Почему ты уехал из Чикаго?

— Будь я проклят, если смогу рассказать.

Макджинти не привык к таким ответам, и это его позабавило.

— Почему ты не сможешь рассказать?

— Потому что братья не лгут друг другу.

— А правда слишком дурна?

— Можете думать что хотите.

— Послушай-ка, мистер, ты же не думаешь, что я могу принять в ложу человека, о чьем прошлом мы не располагаем никакими сведениями?

Макмердо озадачился. Затем он вынул из кармана скомканную газетную вырезку.

— Вы не донесете на брата? — спросил он.

— Я разобью о твое лицо руку, если еще раз услышу такое!

— Вы правы, член совета. Я должен извиниться. Я не подумал. Конечно, в ваших руках мне будет спокойнее. Почитайте эту статью.

Макджинти пробежал глазами сообщение об убийстве некоего Джонаса Пинто в баре «Лейк», на Маркет-стрит в Чикаго, в первых числах нового, 1874 года.

— Твоя работа?

Макмердо кивнул.

— Почему ты убил его?

— Я помогал дяде Сэму в производстве долларов. В моих, может, и не было столько золота, сколько в его, но выглядели они ничуть не хуже, а стоили мне гораздо дешевле. Этот Пинто помогал мне сбывать фальшивки.

— Что-что?

— Пускать доллары в оборот... А потом он решил расколоться и завязать. Может, он не успел расколоться. Я ведь не стал ждать. Я убрал его и смотал на угольные разработки.

— Почему сюда?

— Я читал в газетах, что здесь не особенно придираются к мелочам.

— Ты был фальшивомонетчиком, потом стал убийцей и приехал сюда, так как думал, что здесь тебя встретят с распростертыми объятиями?

— Да, что-то в этом роде.

— Я думаю, ты далеко пойдешь. У тебя есть еще эти твои доллары?

Макмердо достал несколько бумажек из кармана.

— Эти никогда не бывали на филадельфийском Монетном дворе.

— Ни за что не скажешь! — Макджинти взял их в свою волосатую, как у гориллы, руку и поднес к свету.— Никакой разницы! Ты бы нам очень пригодился. Мы не можем обойтись без парочки-другой людей для черновой работы.

— Это я мог бы делать не хуже других братьев.

— У тебя крепкие нервы. Ты не стал извиваться, как червяк, под пистолетом.

— В опасности был вовсе не я, а вы, уважаемый член совета.— Макмердо вынул из кармана руку с пистолетом.— Я все время держал вас на прицеле. Мой выстрел не заставил бы себя ждать.

— Черт возьми! — Макджинти залился краской ярости, но затем разразился хохотом.— Я думаю, скоро ложа будет тобой гордиться...

Какого черта тебе надо? Я не проговорил с джентльменом и пяти минут, как ты уже влез.

Вошедший бармен смутился:

— Прошу прощения, член совета, Тед Болдуин хочет немедленно вас видеть.

Докладывать было необязательно, так как жестокое лицо самого Теда выглядывало из-за спины бармена. Он вытолкнул бармена и закрыл за ним дверь.

— Итак,— сказал он, бросая яростные взгляды на Макмердо,— ты прискакал сюда первым. Я кое-что скажу вам, член совета, об этом молодце.

— Тогда говори прямо сейчас,— сказал Макмердо.

— Я буду говорить, когда захочу.

— Тише, тише,— сказал Макджинти, вставая с бочки.— Так не пойдет. Мы собираемся принять нового брата. Болдуин, поприветствуй его как следует. Протяните друг другу руки.

— Никогда! — воскликнул Болдуин.

— Я предложил ему драться, если он считает, что я оскорбил его,— сказал Макмердо.— Я могу драться на кулаках или любым другим способом, который он предпочтет. Я хочу, чтобы вы рассудили нас, член совета, как и подобает.

— Что вы не поделили?

— Молодую леди. Она вольна выбирать сама.

— Неужели? — вмешался Болдуин.

— Если вы оба братья, то он прав,— сказал хозяин.

— Это так ты правишь нами?

— Да, так. Ты хочешь оспаривать это право у меня?

— Вы можете растоптать человека, отдавшего вам пять лет честной службы, ради новичка, которого никогда до этого не видели? Вы несправедливы, и на следующих выборах...

Член совета набросился на него как тигр. Его руки сомкнулись на горле Болдуина, и он перебросил его через себя на одну из бочек. Он бы вытряс жизнь из несчастного в припадке гнева, если бы не вмешался Макмердо.

— Успокойтесь, член совета! — вскричал Макмердо и вытащил Болдуина из-за бочек. Болдуин, трясущийся всем телом от смертельного страха, глотающий воздух, сел на бочку.

— Ты давно напрашивался на это, Тед Болдуин, и вот теперь допросился,— произнес Макджинти. Его огромная грудь вздымалась от ярости.— Ты, может, думаешь, что, если прокатишь меня на выборах, тебе удастся сесть в мое кресло? Что ж, это решит ложа. Но пока правлю я, никто не смеет повышать на меня голос!

— Я ничего не имел против вас,— пробурчал Болдуин, прочищая горло.

— Тогда мы снова друзья, и давайте покончим с этим делом,— сказал Макджинти, мгновенно входя в роль весельчака.

Он достал с полки бутылку шампанского и выкрутил пробку.

Наполняя стаканы, он сказал:

— Давайте поднимем тост примирения. После этого между вами не может быть дурной крови. Итак, Тед Болдуин, в чем твоя беда?

— Тяжелые тучи,— ответил Болдуин,— однажды растают навсегда.

— В этом клянусь!

Они выпили.

— Ну вот,— Макджинти потер руки,— настал конец этой ссоре. Если дело пойдет хорошо, то тебе, Макмердо, тоже придется надеть ярмо нашей дисциплины, а оно бывает очень тяжело в этих местах для тех, кто ищет приключений.

— Клянусь, я не буду с этим особенно спешить.— Он протянул руку Болдуину.— Меня легко разозлить, но и прощаю я тоже легко. Говорят, это все горячая ирландская кровь. Теперь я не держу зла.

Болдуину пришлось пожать протянутую руку, так как страшные глаза хозяина непрерывно следили за ним. Но по его мрачному лицу можно было догадаться, как мало тронули его слова Макмердо.

Макджинти похлопал их по плечам:

— Ох уж эти девчонки! Дьявольски не повезло, что вы оба запали на одну юбку. Девушка сама должна выбрать. Здесь кончается моя власть. Господи благослови! Нам и без девчонок забот хватает. Ты будешь принят в ложу 341, Макмердо. У нас порядки отличаются от чикагских. В субботу вечером мы собираемся, и если ты придешь, то станешь навсегда свободным гражданином долины Вермисса.

ГЛАВА ТРЕТЬЯ
Ложа 341, Вермисса

На следующий после всех вышеизложенных событий день Макмердо забрал свои вещи от Джекоба Шафтера и переехал к вдове Макнамара, которая сдавала комнаты на самой окраине города. Сканлан, его самый первый знакомый, вынужден был по делам переехать в Вермиссу, и решено было снимать комнаты вместе. Других постояльцев не было, а хозяйка была простодушная старушка ирландка, которая целиком предоставила их самим себе, что давало им возможность открыто обсуждать все секретные дела.

Шафтер смягчился настолько, что разрешил Макмердо столоваться у себя, так что отношения с Этти ни в коем случае не были прерваны, а, наоборот, крепли день ото дня.

В спальне Макмердо разложил денежные образцы, и в атмосфере повышенной предосторожности некоторым братьям было разрешено уносить оттуда фальшивые доллары, отпечатанные так хитро, что не было ни малейшей опасности в их использовании. Почему, имея такие возможности, Макмердо влачил жалкое существование книгоноши, не укладывалось в голове многих братьев, хотя он и объяснял им, что, если бы он отказался от работы, это вызвало бы подозрения у блюстителей закона.

Один полицейский тем не менее выследил Макмердо, но счастливый случай помог нашему герою избежать провала. После первого знакомства с обитателями бара Макджинти он близко сошелся с «ребятами», как они сами себя называли. Острота и смелость шуток сделали его всеобщим любимцем, а ум и умение обезоружить противника во время споров в переполненном баре укрепили уважение к нему. Но одно происшествие еще выше подняло популярность Макмердо в глазах этого общества.

В самый разгар одного из сборищ в баре появился человек в голубой униформе шахтерской полиции. Этот орган был специально создан по требованию управляющих железными дорогами и угольными копями в дополнение к гражданской полиции, которая показала себя абсолютно беспомощной перед лицом организованного бандитизма. Когда он вошел, в зале все мгновенно смолкли, и десятки недобрых глаз уставились на него в ожидании. Надо сказать, что отношения между полицией и преступным миром довольно запутанны в некоторых местах Соединенных Штатов, так что Макджинти, находившийся за стойкой, не выказал удивления, когда полицейский втерся в тесную толпу завсегдатаев.

— Чистое виски: погода жуткая,— сказал полицейский.— Мы, случайно, не встречались раньше, член совета?

— Вы наш новый капитан? — спросил в свою очередь Макджинти.

— Да. Мы ищем вашей помощи, член совета. Вы и другие знатные горожане должны помочь нам блюсти закон и порядок в городе. Меня зовут капитан Марвин.

— Обойдемся без тебя, капитан Марвин,— холодно отозвался Макджинти,— у нас есть уже городская полиция, и импортные штучки нам не нужны.

— Ладно, не будем спорить,— сказал офицер примирительно,— мы все делаем одно дело, не беда, что мы видим наш долг по-разному.— Он допил виски и повернулся, чтобы идти, как вдруг взгляд его упал на нахмурившегося Макмердо.

— А, привет, старый знакомый,— произнес он, оглядывая Макмердо с ног до головы.

Макмердо вздрогнул:

— Никогда не водил дружбу ни с тобой, ни с другими ищейками.

— Знакомый еще не друг,— ухмыльнулся капитан.— Ты — Джек Макмердо из Чикаго, и не вздумай отрицать эту очевидную истину.

Макмердо пожал плечами:

— А я и не собираюсь. Ты что, думаешь, я уже стыжусь своего имени?

— У тебя, между прочим, могли быть для этого причины.

— Что ты хочешь этим сказать?

— Э, нет, Джек, этим меня не возьмешь. Я работал в Чикаго до того, как попал в эту Богом проклятую дыру, и уж как-нибудь знаю своих клиентов в лицо.

Макмердо сник:

— Неужели ты — Марвин из чикагского Центрального управления?

— Именно, тот самый, и я не забыл убийство Джонаса Пинто.

— Я не убивал его.

— Ну да, наконец-то у нас появился беспристрастный свидетель. Тебе крупно повезло с этим убийством, мы вот-вот должны были тебя накрыть с твоими махинациями. Теперь можно похоронить эту историю. И скажу по-дружески: возвращайся лучше в Чикаго,— у них нет улик, и Чикаго всегда открыт для тебя.

— Мне и здесь хорошо.

— Я сделал тебе вежливое предупреждение, и ты поступишь как неблагодарная собака, если не примешь его к сведению.

— Благодарю за вежливость, тем более, полагаю, что она искренняя,— дерзко отозвался Макмердо.

— Я буду нем как рыба, если ты будешь вести себя как положено. Но, клянусь Богом, если ты преступишь закон еще раз, то у меня будет с тобой другой разговор! Спокойной ночи всем!

Он покинул бар, сотворив, сам того не желая, подлинного кумира местного общества. О чикагских делах Макмердо ходили слухи и до того, причем он неизменно отклонял все вопросы улыбкой, в которой выражалось нежелание слишком большой и незаслуженной славы. Теперь, когда все домыслы и намеки подтвердились, люди Макджинти окружили его, и каждый старался лично пожать ему руку. Он был окончательно признан обществом. В этот вечер Макмердо, который обычно умел пить и не пьянеть, должен был бы, по всей видимости, ночевать под столом в баре, если бы его товарищ по комнате Сканлан не оказался столь любезен, что препроводил его домой.

В субботу вечером Макмердо собирался представиться собранию ложи. Событие должно было свершиться без особых хлопот, так как Макмердо был уже посвящен в Чикаго. Но оказалось, что в Вермиссе свои законы проведения церемонии, которыми очень гордились и которые предстояло испытать на себе Макмердо.

Собрание проводилось в громадном зале, арендованном специально для этого. В Вермиссе собиралось 60 членов ложи, но это были еще не все представители организации. Несколько лож было в долине и в горах. Они, как правило, обменивались людьми для проведения серьезных операций, например в случае, если убийство должны были совершить лица, незнакомые местному населению. Всего в угольном районе было около пятисот членов организации.

В зале собраний все сидели вокруг длинного стола. Второй стол, нагруженный бутылками и стаканами, стоял в стороне. В тот конец постоянно постреливали глазами сидящие за первым столом. Макджинти восседал во главе стола в черной бархатной шапочке, из-под которой торчали жесткие черные волосы, и в пурпурном плаще, накинутом на плечи. У него был вид сатаны, председательствующего на каком-то адском ритуале. По правую и левую руку от него сидели самые высокопоставленные члены ложи, среди которых лицо Теда Болдуина выделялось своей жестокой красотой. Каждый из них носил косынку или медальон как символ своих полномочий. В основном это были люди зрелых лет. Остальные в собрании были молоды — от 18-ти до 25-ти, — боевые и послушные исполнители. Среди старшего поколения встречались люди, лица которых были бездумны и жестоки. Но, глядя на открытые лица молодых, трудно было поверить, что это убийцы, до того падшие, что гордились особенной удалью в своей профессии и питали самое глубокое уважение к человеку, организующему «чистую работу».

Для их испорченных душ стало привычкой добровольно вызываться на убийство человека, который никогда ничего не сделал им плохого. После того как преступление было совершено, они, горячась и сердясь, спорили, кто же нанес окончательный удар, и развлекали общество описанием криков о пощаде и предсмертных судорог убитого.

Сначала скауреры старательно заметали следы, но сейчас уже их действия носили демонстративно открытый характер. Это объяснялось, во-первых, тем, что полиция неизбежно терпела поражение за поражением в преследовании шайки и, во-вторых, тем, что в случае провала они имели в своем распоряжении любое количество лжесвидетелей и всю кассу ложи для найма самых блестящих адвокатов. За десять лет разбоя и насилия не было вынесено ни одного приговора, и единственная опасность, которая постоянно нависала над скаурерами, заключалась в самой жертве, которая, хоть и была безоружна и захвачена врасплох, неизбежно оставляла какой-нибудь след на своих убийцах.

Макмердо предупредили, что ему предстоит принять участие в некоем ритуале, но в чем он заключался, никто не говорил. Два брата торжественно проводили его в наружную комнату. Через фанерные перегородки он различал гул многочисленных голосов из зала. Затем к нему вошел охранник, грудь которого опоясывал зеленый с золотом шарф.

— Председатель приказал связать тебе руки и завязать глаза,— сказал он.

Трое других сняли с него куртку, засучили правый рукав выше локтя и крепко связали руки. Затем они надели на него черный капюшон так, что он закрывал половину его лица, и повели его в зал.

Он слышал шепот и возню вокруг себя, а затем голос Макджинти, холодный и далекий, глухо донесся сквозь материю.

— Джон Макмердо,— сказал он,— являешься ли ты уже членом ордена фрименов?

Макмердо в знак согласия наклонил голову.

— Являешься ли ты членом ложи номер 29 в Чикаго?

Он опять кивнул.

— Темной ночью неприятно...

— ...в одиночку путешествовать.

— Тучи сгустились...

— Приближается шторм.

— Братья удовлетворены? — спросил председатель. Раздался гул одобрения.

— Мы знаем от тебя, и не только от тебя, что ты на самом деле член ордена. Однако хотелось бы, чтобы ты знал, что в нашем округе и в некоторых других существуют свои порядки и особые обязанности для вступающих членов. Мы не можем ошибаться в людях. Ты готов к проверке?

— Да, готов.

— Смел ли ты?

— Да.

— Сделай шаг вперед и докажи это.

В ту же минуту Макмердо почувствовал у своих глазниц два острия, готовых впиться в его глазные яблоки, сделай он движение вперед. Тем не менее, сделав усилие, он решительно шагнул, и тут же опасные иглы исчезли.

— У него храброе сердце,— послышался голос.— Переносишь ли ты физическую боль?

— Так, как и любой другой.

— Проверим!

Он сделал все, что мог, чтобы удержаться от вопля, так как неожиданно невыносимая боль обожгла его руку и пронзила все его тело. От шока у него на минуту помутился разум, но он закусил губу и стиснул кулаки, спрятав таким образом свою агонию.

— Я могу и больше выдержать,— сказал он тут же.

Его приветствовали громкими аплодисментами. Еще никто не сдавал экзамен более блестящим образом. Его хлопали по плечам и сорвали с него капюшон. Макмердо стоял, озираясь и моргая.

— Последнее напутствие, брат Макмердо,— сказал Макджинти.— Ты приносил клятву верности и неразглашения тайны? А знаешь ли ты о том, что для нарушителя единственное и неизбежное наказание — смерть?

— Да,— ответил Макмердо.

— И ты признаёшь неограниченную власть геррмейстера в любых обстоятельствах?

— Да.

— Именем ложи 341 Вермиссы я предлагаю тебе принять участие в дебатах и разделить наши трапезы. Поставьте бутылки на стол. Брат Сканлан, ты можешь выпить от души за своего стойкого друга!

Макмердо возвратили куртку; но перед тем как надеть ее, он рассмотрел свою руку, которая все еще ныла от боли. На внутренней стороне руки, чуть выше запястья, был запечатлен круг с треугольником посередине, глубоко выжженный на коже каленым железом. Несколько других членов ложи отвернули рукава и показали свои клейма.

— Мы все получили их таким же образом, но не все так мужественно себя держали.

— Чепуха! — сказал Макмердо, хотя рана жгла и горела.

Когда все напитки были выставлены, собрание продолжилось. Макмердо, знакомый только с весьма формальными церемониями ложи в Чикаго, смотрел и слушал затаив дыхание.

— Первый пункт в повестке,— начал Макджинти,—

это письмо руководителя отделения округа Мертон; ложа 249, Уиндла. Он пишет:

«Дорогой сэр! Нужно помочь расправиться с Эндрю Рэ из компании „Рэй и Стермаш", владельцем здешних угольных копей. Вы должны нам двоих людей с прошлой осени, когда у вас было дело с патрульным. Пошлите двоих людей к нашему казначею Хиггинсу, чей адрес вы знаете. Он даст им необходимые указания.

Ваш брат Дж. У. Уиндл, Д. М. А. О. Ф.».

Уиндл никогда не отказывал нам, когда речь шла о людях, и мы не вправе ему отказывать.

Макджинти обвел присутствующих грозным взглядом:

— Кто хочет добровольно взяться за работу?

Несколько молодых мужчин подняли руки. Председатель одобрительно кивнул.

— Ты пойдешь, Тигр-Кормак. Если ты возьмешься за дело с таким же рвением, как в прошлый раз, то у тебя все выйдет отлично. И ты пойдешь, Уилсон.

— У меня нет пистолета,— сказал один из добровольцев, оказавшийся подростком.

— Что, первое дело? Когда-нибудь тебя все равно надо будет крестить. А это — подходящий случай. Пистолет у тебя будет. Отчитаетесь в понедельник, времени у вас достаточно. Вас ждет отличный прием по возвращении.

— А какая награда в этот раз? — спросил Кормак, приземистый, темнолицый, звероподобный молодой человек, чья свирепая хватка дала ему прозвище «Тигр».

— Не беспокойтесь о награде. Работайте на совесть. Может быть, когда все будет сделано, для вас найдется несколько случайных долларов на дне сундука.

— А что сделал этот человек? — спросил Уилсон.

— Этот вопрос не для таких, как вы. Он осужден не нами, все, что от нас требуется,— вернуть свой долг. Кстати, два брата из ложи Мертона собираются прибыть к нам на следующей неделе, чтобы выполнить кое-какие задания нашей ложи.

— Кто они? — спросил кто-то.

— Лучше не спрашивать. Если ничего не знаешь, то ничего не можешь показать на суде, и у тебя не будет неприятностей. Будь спокоен, они сделают «чистую работу», как только им будет приказано.

— И пора бы! — закричал Тед Болдуин.— Люди у нас совсем отбились от рук. На прошлой неделе трое наших парней получили расчет у десятника Блейкера. Мы давно должны были проучить его, и он получил все сполна.

— Что он имеет в виду? — спросил Макмердо своего соседа.

— Разрывной патрон обеспечит конец его предприятию,— ответил брат и громко расхохотался.— Как тебе наши методы?

Авантюрист в душе, Макмердо, казалось, вполне освоился с атмосферой злодейской организации.

— Нормально! Как раз то, что нужно, чтобы проверить свое мужество.

Несколько человек, сидевших неподалеку, зааплодировали ему.

— Что там такое? — окликнул председатель с другого конца стола.

— Новому брату, сэр, наши методы пришлись по вкусу.

Макмердо встал:

— Признаюсь, что счел бы за честь участвовать в деле во славу ложи!

Ему бурно зааплодировали. Чувствовалось, что восходит новое солнце над горизонтом. Старшему поколению такой восход показался, однако, несколько поспешным.

— Я бы предложил,— сказал секретарь Харрауэй, старик с ястребиным профилем и белой бородой,— чтобы брат Макмердо подождал, пока ложа не соизволит пригласить его на дело.

— Конечно! Это я и хотел сказать. Я в вашем распоряжении.

— Твое время придет, брат,— сказал геррмейстер.— Мы поняли, что ты сгораешь от нетерпения, и не позже чем сегодня ночью ты примешь участие в небольшом деле, если, конечно, ты хочешь.

— Я бы лучше подождал чего-нибудь настоящего.

— Ты можешь прийти и сегодня, чтобы понять, что к чему. Позже я разъясню подробнее, в чем заключается ваша задача. А пока у нас еще несколько вопросов. Во-первых, пусть каждый отчитается, как у нас с нашим банком. Мы должны выплатить пенсию вдове Джима Корнуэя. Он погиб, выполняя задание ложи, и мы должны, чем сможем, помочь ей.

— Джима пристрелили в прошлом месяце, когда они пытались убить Честера Уилкокса из Марли-Крика,— прошептал сосед на ухо Макмердо.

— С фондами сейчас все в порядке,— сказал казначей, заглядывая в блокнот.— Фирмы расщедрились в последнее время. «Макс Мендер и компания» заплатили пять сотен, чтобы их оставили в покое. «Братья Уокер» прислали сотню; но я взял на себя смелость возвратить ее и потребовать пять. Если ответа не будет до среды, их шестерни сразу выйдут из строя. В прошлом году нам пришлось сжечь их землеройные машины, чтобы они образумились. Затем, Западная секция угольной компании выплатила ежегодную контрибуцию. Так что у нас хватит денег на любые нужды.

— А как насчет Арчи Свиндона? — спросил кто-то из братьев.

— Распродал свое имущество и убрался из округа. Старый дурак оставил нам записку, где изрек, что он лучше будет владельцем подметальной машины в свободном Нью-Йорке, чем владельцем каменноугольных копей под пятой у шантажистов. Повезло же ему, что записка дошла до нас после того, как он отчалил! Кажется, он больше не посмеет показать свое рыло в долине.

Чисто выбритый мужчина среднего возраста, со слабовольным лицом и большим лбом, поднялся с конца стола и попросил слова:

— Мистер казначей, можно спросить: а кто купил собственность этого человека?

— Брат Моррис, его имущество было закуплено целиком железнодорожной компанией Мертона.

— А кто скупил имущество Тодмана и Ли, поступившее на аукцион таким же образом?

— Та же самая компания, брат Моррис.

— Кто купил железоделательные мастерские Мансона и Шумана, Ван Деера и Атвуда, которые недавно прекратили работу?

— Их всех скупила Западно-Гильмертонская Головная угольная компания.

— Я что-то не понимаю, брат Моррис,— вступил в разговор хозяин,— какая нам разница, кто покупает их имущество, ведь главное — чтобы они не вывозили его за пределы долины.

— Тем не менее, многоуважаемый геррмейстер, это для нас очень даже много значит. Процесс наблюдается уже два года. Мы постепенно выживаем мелких собственников. А что в результате? Их место занимают громадные компании типа железнодорожной или Головной угольной, чьи боссы сидят в Нью-Йорке и Филадельфии и плюют на наши угрозы. Мы можем, конечно, нажимать на местные представительства, но это приведет лишь к их постоянной сменяемости. К тому же здесь таится опасность для нас. Что могли поделать с нами мелкие подрядчики и торговцы? У них ведь ни денег, ни связей. Пока мы их совсем не растирали с пылью, они исправно жили под нашей властью. Но если мы станем поперек горла большим компаниям, то стоит им пальцем пошевельнуть, как нас выловят и представят к суду.

В зале стояла гробовая тишина. Лица братьев потемнели, и глаза потускнели. Пока их власть была столь всемогуща и непререкаема, что сама мысль о возможном возмездии была вытравлена из их сознания. Теперь эта мысль заставила содрогнуться от ледяного холода даже самые отчаянные головы.

— Мой совет,— продолжал выступающий,— состоит в том, что лучше иметь дело со средними собственниками. Когда последний из них уедет из долины, наша власть кончится.

Правда колет глаза. Сразу после того как выступивший сел на свое место, поднялся крик. Макджинти, грозный как туча, взял слово:

— Брат Моррис давно известен как старый брюзга. Пока крепко наше братство, нет такой силы в Соединенных Штатах, которая могла бы сокрушить нас. Разве мы не представали уже перед судом? И что же? Мы стоим, как стояли. Большие компании скоро поймут, что им легче заплатить, чем вести войну.— Макджинти снял бархатную шапочку и накидку.— Дела на сегодня закончились, за исключением одного небольшого дельца, о котором я упомяну при прощании. А теперь — братское возлияние за всеобщее согласие.

Непостижима натура человека. Люди, привычные к убийству человека, ни в чем перед ними не провинившегося, давно отвыкшие сострадать рыдающей вдове и беспомощным сиротам, были тронуты до слез нежной мелодией. Макмердо обладал прекрасным голосом, и если бы ему не удалось добиться расположения ложи до этого, он непременно сделал бы это сейчас, когда запел.

В первый же вечер братья поняли, что новичку уготована высокая судьба. Но чтобы быть настоящим фрименом, нужно было еще обладать некоторыми качествами характера, о необходимости которых речь зашла в конце вечера.

Когда бутылки с виски обошли стол по нескольку раз и лица братьев раскраснелись, а глаза зажглись безрассудным огнем, геррмейстер обратился к ним с речью:

— Ребята! В городе есть человек, который заслужил хорошую взбучку. Вам предлагается проследить, получит ли он ее сегодня. Я имею в виду Джеймса Стэнджера из «Геральд». Видите ли, он опять подает голос.

В зале послышались гул одобрения и проклятия в адрес несчастного. Макджинти вынул из кармана сложенный лист газеты.

— «Закон и Порядок» — так это называется. «Террор и Насилие правят в угольном районе. Прошло двенадцать лет с тех пор, как первые убийства доказали существование уголовной организации в нашем районе. За это время преступные действия не прекращались ни на день и теперь достигли уровня, позорящего звание цивилизованной страны. К этому ли стремилась наша великая страна, давая приют беглецам от деспотизма Европы? Неужели их потомки станут угнетать своих собратьев, а терроризм и беззаконие будут установлены повсеместно под священным звездным полотнищем Свободы, которое станет символом тирании, хуже самых жестоких восточных монархий? Организация не в подполье. Люди известны в лицо и поименно. Сколько мы будем еще терпеть? Неужели мы так и будем...»

— Ну, довольно этой чепухи,— сказал председатель, бросая лист на стол.— Это он говорит о нас. А что мы ему ответим?

— Убить его! — закричали братья.

— Я протестую,— встал брат Моррис.— Я предупреждаю вас, братья, не переусердствуйте! В какой-то момент люди, защищая свою жизнь, объединятся, чтобы уничтожить нас. Джеймс Стэнджер — старик. Его уважают в городе и в районе. Его памфлеты взывают ко всем людям в долине. Если его убить, это вызовет волнение по всему штату и только накличет на нас беду.

— А что они могут нам сделать, мистер Вероотступник? — крикнул Макджинти.— Если вы имеете в виду полицию, то она почти вся на нашем содержании, а остальные ведут себя скромно. Или, может, нам угрожает прокурор и суд? Мы через все это уже проходили.

— Существует некий суд, по имени Линч, который может взяться за это дело.

Предложение было тут же утоплено в яростных криках.

— Стоит мне шевельнуть пальцем,— воскликнул Макджинти,— и сюда примчатся двести человек и не оставят камня на камне от города!

Внезапно он понизил голос и нахмурил свои необъятные черные брови.

— Слушай, брат Моррис, я давно слежу за тобой. Если ты сам трус, то думаешь лишить смелости других братьев? Учти, для тебя наступят черные дни, когда твое имя попадет в повестку собрания, и, я боюсь, это произойдет очень скоро.

Моррис побледнел как полотно, колени его подогнулись, и он рухнул в кресло. Он поднял дрожащей рукой стакан и осушил его перед тем, как ответить:

— Прошу прощения, геррмейстер, у вас и у всех братьев, если я сказал больше, чем следовало. Единственное, что побуждает меня говорить о столь неприятных вещах,— это желание процветания ложи. Но я, разумеется, скорее доверюсь вашему суждению, геррмейстер, чем своему собственному, и поэтому обещаю впредь не выступать с подобными речами.

Сомкнутые челюсти хозяина разжались, когда он дослушал до конца покаянный ответ.

— Очень хорошо, брат Моррис. Мне и самому было бы очень жалко преподавать тебе урок послушания. Пока я сижу в этом кресле, наша ложа будет единой в мысли и действии. Я даже скажу, мальчики,— обратился он к компании,— что, если Стэнджер получит весь десерт, то это причинит нам значительно больше хлопот, чем он того стоит. Эти журналисты и издатели все связаны, и на следующий же день все газеты Соединенных Штатов будут кричать о беззаконии и созовут сюда всю полицию. Но его надо предупредить, и как можно строже. Брат Болдуин, не возьмешься ли ты за это?

— Всегда готов! — тут же откликнулся молодой человек.

— Сколько людей тебе понадобится?

— Полдюжины и двое на часах. Пойдешь ты, Гоуэр, ты, Мансел, ты, Сканлан, и братья Уиллаби.

— Я обещал новому брату, что он тоже пойдет.

Тед Болдуин выстрелил в Макмердо взглядом, в котором можно было прочесть, что ничто не прощено и не забыто.

— Пусть пойдет, если хочет,— сказал он сухо.— Всё. Чем скорее начнем, тем лучше.

Вся компания сорвалась с места с выкриками и пьяными песнями и отправилась в бар, отряд же разбился на пары и проскользнул на улицу так, чтобы не привлекать внимания. Ночь была необыкновенно холодная, и месяц светил ослепительно ярко в черном, морозном, усеянном звездами небе. Банда остановилась во дворе высокого здания. Между ярко освещенных окон золотыми буквами блестела надпись: «Вермисса геральд». Было слышно, как стучат печатные станки.

— Ты будешь стоять у дверей и следить, чтобы дорога была свободна,— сказал Болдуин Макмердо.— С тобой останется Артур Уиллаби. Остальные — со мной. Бояться нечего, так как всем известно, что мы сейчас пьем в нашем баре.

Настала полночь. Улицы были пустынны, не было никого, за исключением одного-двух пьянчужек, возвращавшихся домой. Болдуин с помощниками распахнули дверь в издательство и взлетели вверх по лестнице. С верхнего этажа послышался топот, затем крик о помощи, шум опрокидываемых стульев. Через некоторое время на лестничную площадку выбежал седовласый мужчина.

Его тут же настигли, и его очки со звоном разбились у ног Макмердо. Затем Макмердо услышал стук и стоны. Несчастный упал лицом вниз, и несколько палок, громко стуча друг о друга, опустились на его спину. Он извивался под ударами, и его длинные худые конечности корчились в судорогах. Наконец все прекратилось. Но Болдуин, с лицом, искаженным адской улыбкой, продолжал метить в голову, которую тот пытался защитить руками. В его седых волосах проступили пятна крови. Болдуин продолжал наступление на жертву, когда Макмердо взлетел по лестнице и отбросил его.

— Ты убьешь его! Немедленно перестань!

Болдуин уставился на него ничего не понимающим взглядом.

— Чтоб ты сдох! Чего ты вечно лезешь в наши дела? Убирайся! — Он угрожающе поднял палку, но Макмердо успел вытащить из кармана брюк пистолет.

— Убирайся сам! Я разнесу тебе голову, если ты только дотронешься до меня. Приказ геррмейстера — оставить человека в живых.

— Он прав,— сказал кто-то из шайки.

— Черт возьми! — воскликнул один из них.— Нам всем нужно убираться. Везде свет в окнах, через минуту сюда прискачут все кому не лень.

Действительно, с улицы послышались голоса, и стало видно, как собираются типографские рабочие и наборщики и подбадривают друг друга на открытое выступление. Оставив после себя покалеченное, бездыханное тело редактора на верхних ступеньках лестницы, бандиты сбежали вниз и понеслись по улице. Одни проскользнули в бар Макджинти и смешались с толпой, доложив о выполнении задания; другие, и среди них Макмердо, свернули на боковые улицы и укрылись у себя в домах.

ГЛАВА ЧЕТВЕРТАЯ
Долина Страха

Когда Макмердо проснулся на следующее утро, он имел все основания вспомнить начало своей деятельности в ложе. Голова раскалывалась после выпитого виски, рука с клеймом воспалилась и болела. Так как Макмердо пополнял свои доходы из собственного источника, он мог посещать работу нерегулярно; он поздно завтракал и оставался все утро дома. Написал длинное письмо своему другу, потом читал «Дейли геральд». В специальной колонке для экстренных материалов он прочел:

«Акт терроризма в издательстве «Геральд». Главный редактор серьезно пострадал».

В репортаже перечислялись факты, которые он знал гораздо лучше, чем автор статьи. Она заканчивалась словами:

«Расследование находится в руках полиции. Однако вряд ли можно надеяться, что изыскания окончатся положительно. Некоторые преступники были опознаны, так что, возможно, будет вынесен приговор. Ясно без лишних слов, что источником бандитизма является широко известное общество, которое держит население под пятой и против которого «Геральд» не раз выступал со всей решительностью. Друзьям мистера Стэнджера мы можем с радостью сообщить, что, несмотря на серьезные увечья и ушибы головы, он остался жив».

Ниже сообщалось, что для охраны издательства был выделен отряд полиции, вооруженный винчестерами.

Макмердо отложил газету и попытался разжечь трубку дрожащей рукой. В это время кто-то постучал в дверь, и хозяйка принесла ему записку, переданную каким-то мальчишкой. Она была не подписана.

«Мне необходимо с Вами поговорить, но не хочу делать этого в Вашем доме. Вы найдете меня около флагштока на горе Миллер. Если Вы придете туда сейчас же, я сообщу Вам нечто очень важное для нас обоих».

Макмердо был крайне удивлен, так как не имел ни малейшего понятия о том, кто бы мог быть автором этой записки. Если бы почерк был женский, можно было бы предположить начало любовной авантюры, столь знакомой ему по прошлой жизни. Но почерк был явно мужской. После некоторых колебаний Макмердо решил выяснить, в чем дело.

Гора Миллер была запущенным парком в центре города. Любимое место отдыха горожан летом, зимой она представляла собой унылое зрелище. С вершины открывался вид на мрачный, грязный город и на извивающуюся снежную долину с чернеющими по краям шахтами и заводами, огороженными частоколом из деревянных столбов с белыми верхушками.

Макмердо двинулся по извилистой тропке среди вечнозеленых кустарников и вышел к заброшенному ресторану, который летом становился центром увеселений. Около него торчал флагшток, а рядом стоял человек без шляпы, с поднятым воротником. Он обернулся, и Макмердо узнал брата Морриса, который не далее как вчера навлек на себя смертельно опасный гнев геррмейстера. Они обменялись условными знаками.

— Я хотел бы кое о чем с вами поговорить, мистер Макмердо,— произнес брат Моррис с некоторым сомнением в голосе, показывавшим, что вопрос деликатный.— Я очень признателен за то, что вы пришли.

— Почему вы не подписались?

— Предосторожность — прежде всего. Никто в наше время не знает, чем все может обернуться. Никто не знает, кому можно доверять, кому — нет.

— Но, по крайней мере, братьям по ложе можно ведь доверять.

— Нет, не всегда,— сказал Моррис с чувством.— Что бы мы ни говорили или ни думали про себя, все доходит до Макджинти.

— Послушай,— строго сказал Макмердо,— только вчера ты слышал, как я произносил клятву верности. Ты что, хочешь, чтобы я нарушил ее?

— Если это все, что вы можете мне сказать, я очень сожалею, что побеспокоил вас. Плохи наши дела, если два свободных гражданина не могут высказать друг другу свои мысли.

Макмердо посмотрел на собеседника более доброжелательно, тон его смягчился:

— Я говорил только о себе. Я новичок и не вправе первым открывать рот, но если вам нужно что-то мне сообщить, то я готов вас выслушать.

— И сразу донести Макджинти,— с горечью произнес Моррис.

— Вы меня обижаете. Что касается меня, то я верен ложе, но я буду последним негодяем, если повторю кому-нибудь, что мне сказали втайне. Я буду нем как рыба, хотя должен вас предупредить, что вы не получите ни помощи, ни сочувствия.

— О, я уже давно бросил искать и первое и второе. Я доверяю вам мою жизнь, но, как бы вы ни были порочны,— а вашу склонность к пороку вполне доказала прошлая ночь,— вы все же не привыкли к нему, и ваша совесть не могла еще зачерстветь. Вот почему я выбрал вас.

— Что же вы хотите мне сообщить?

— Пусть падет проклятие на тебя, если ты меня выдашь.

— Я же сказал — можешь быть спокоен.

— Тогда я спрошу тебя: когда ты приносил клятву верности в Чикаго, приходило ли тебе в голову, что это приведет к преступлению?

— Если это называть преступлением...

— «Называть преступлением»! — воскликнул Моррис дрожащим от возмущения голосом.— Разве не преступление избить до крови человека, который годится тебе в отцы?

— Можно сказать, что это война. Каждый старается нанести свой удар.

— Ты так же думал, когда вступал в общество в Чикаго?

— Признаться, нет.

— И я не думал, когда вступал в ложу в Филадельфии. Это был клуб взаимопомощи и место встречи с друзьями. Затем я услышал об этой долине — будь проклят этот час! — и приехал сюда ради самосовершенствования, прихватив с собой жену и троих детей. Здесь я открыл галантерейный магазин на Маркет-сквер и преуспевал. Откуда-то узнали, что я фримен, и вынудили меня вступить в местную ложу, точно так же, как тебя. У меня появилось клеймо позора на руке и кое-что похуже на сердце. Я обнаружил, что полностью в руках злодея и к тому же замешан в тяжелых преступлениях. Что я мог сделать? Что бы я ни говорил — все воспринималось как измена идеям. Я не могу никуда уехать, все мое богатство — моя лавка. Если я покину ложу, для меня это будет означать смерть, а для моих близких — еще не известно что. Это все ужасно, ужасно! — Он закрыл лицо руками и разрыдался.

Макмердо пожал плечами:

— Ты оказался слабонервным для работы. Конечно, не надо было тебя вмешивать в дело.

— У меня была честь и совесть. Они же сделали из меня преступника, такого же, как сами. Может быть, я трус. Может быть, это все из-за детей. Так или иначе, я был в деле. Этот кошмар будет преследовать меня всю жизнь. Мы пришли в один дом, в двадцати милях отсюда, я стоял на часах. Когда ребята вышли из дома, руки у них были по запястья пунцовые от крови. Когда мы уже уходили, я услышал, как пронзительно заплакал ребенок. На его глазах убили отца. Мне стало плохо до умопомрачения, но я придал своему лицу бесшабашное выражение. Я знал, что, если я этого не сделаю, они придут в мой дом и мой маленький Фред будет плакать по мне. И я стал преступником и вероотступником, потерянным для этого света и для того. Я вижу, ты хочешь идти этой дорогой, и я спрашиваю тебя: понимаешь ли ты, к чему это приведет? Готов ли ты стать убийцей?

— Мне все-таки кажется, что ты просто слабак, делаешь из мухи слона.

— Из мухи? Взгляни на долину. Видишь дым из каминных труб? Дым смерти и страха еще плотнее окутывает долину. Страх не отпускает людей ни днем ни ночью. Это Долина Страха, Долина Смерти. Ты еще увидишь все это.

— Ну что ж, посмотрим, тогда и поговорим,— сказал Макмердо мрачно.— Ясно одно — ты для нас не подходишь. И чем быстрее ты распродашь имущество, тем лучше. А теперь мне пора домой.

— Еще одно слово! Нас могли увидеть вместе, тогда спросят, о чем мы говорили. Так вот, я предложил тебе должность в лавке...

— А я отказался. Это наше личное дело. Ну пока!

В тот же день, после полудня, когда Макмердо сидел в глубокой задумчивости перед камином и курил трубку, дверь распахнулась и дверной проем заполнило огромное тело Макджинти. Они обменялись условным приветствием и пристальными взглядами.

— Я не частый гость, брат Макмердо,— произнес наконец Макджинти.— Я слишком сам устаю от гостей. Но к тебе решил заглянуть.

— Я счастлив видеть вас у себя, член совета,— сказал Макмердо, принеся бутылку виски из буфета.— Я не ожидал такой чести.

— Как рука? — поинтересовался геррмейстер.

Макмердо поморщился:

— Не могу сказать, что я хоть на минуту мог забыть о ней. Но дело того стоит.

— Да, для тех, кто послушен и полезен для ложи. О чем вы говорили с братом Моррисом на горе Миллер?

Макмердо расхохотался:

— Моррис не знал, откуда я беру деньги. Он и не должен знать. У него доброе сердце. Он думал, что я совсем бедствую и он поможет мне встать на ноги, предложив место в лавке.

— Вот оно что. И ты отказался?

— Конечно. Я могу заработать в десять раз больше за четыре часа работы в моей комнате.

— Я бы не стал на твоем месте водить дружбу с Моррисом.

— Это еще почему?

— Хотя бы потому, что я тебе не советую. Для большинства в здешних краях этого достаточно.

— Но для меня недостаточно, член совета,— решительно ответил Макмердо.

Черноволосый гигант стиснул в ладони стакан и собрался было запустить им в голову собеседника, как вдруг рассмеялся своим неестественно жизнерадостным смехом:

— Н-да, ты крепкий орешек. Если хочешь знать причины — пожалуйста. Моррис говорил что-нибудь против ложи или меня?

— Нет.

— Наверное, не доверяет тебе. В душе он предатель. Мы только ждем случая, чтобы произнести приговор над ним. В нашем стаде не место паршивой овце.

— Нет оснований ожидать, что я буду водить с ним дружбу. Он не нравится мне.

— Ладно,— сказал Макджинти, осушая стакан.— Мое дело было предупредить тебя, и я предупредил.

— Хотелось бы знать, как это вы узнали о нашем разговоре с Моррисом?

— Знать, что творится в городе, входит в мои обязанности,— усмехнулся Макджинти.— Так что учти... Ну, мне пора.

Его уход был прерван совершенно непредвиденным образом. Дверь распахнулась со страшным грохотом, и на пороге оказались трое полицейских, хмуро глядевших на хозяев из-под козырьков фуражек. Макмердо вскочил на ноги и почти уже обнажил пистолет, когда почувствовал у своих висков два винчестера. В комнату прошел человек в форме, в котором Макмердо узнал капитана Марвина. Он обратился к Макмердо, качая головой:

— Я так и знал, что у тебя будут неприятности, мошенник из Чикаго. Никак не можешь без своих штучек? Возьми шапку и следуй за нами.

— Ты заплатишь за это, капитан Марвин,— сказал Макджинти.— На каком основании ты врываешься в дом?

— А вас это не касается, член совета,— сказал капитан,— нам нужен вот этот молодой человек, и ваш долг — помочь нам, а не пытаться мешать.

— Это мой товарищ, я отвечаю за его поведение.

— В любом случае, вам придется ответить за ваше собственное поведение в очень недалеком будущем. Макмердо был авантюристом в Чикаго и продолжает гнуть свою линию. Прикрой меня, патрульный, я разоружу его.

— Пожалуйста, мой пистолет,— холодно произнес Макмердо.— Если бы мы были один на один, вам бы не удалось заполучить меня так просто. В чем меня обвиняют?

— Участие в избиении редактора Стэнджера в редакции «Геральд». В том, что это не убийство, вы действительно совершенно неповинны.

— О, если это все, то лучше поберегите свое время,— рассмеялся Макджинти.— Этот человек весь вечер и всю ночь играл в моем баре в покер, и тому свидетели по крайней мере еще двенадцать человек.

— Ваши показания сообщите завтра на суде. А пока давай, Макмердо, иди, и советую не поднимать шума по дороге, если не хочешь, чтобы голова твоя раскололась как орех. Я предупреждаю всех, что оказывать сопротивление мне небезопасно.

Капитан вел себя так решительно, что оба, и Макмердо и Макджинти, вынуждены были подчиниться. Макджинти только успел шепотом спросить Макмердо о печатающем деньги станке. Но Макмердо знаком показал, что все в порядке, станок под полом.

— Ну, пока, Макмердо. Я зайду к адвокату Рейли.

Защитой я займусь сам. Даю слово, они не посмеют упечь тебя за решетку.

— Я бы не бросал слов на ветер. Вы, двое, не спускайте глаз с арестованного, я обыщу дом.

Он обшарил дом, но следов станка не нашел.

Когда все направились в участок, стемнело и задул такой ураганный ветер, что улицы мгновенно опустели. Однако несколько зевак, ободренные темнотой, выкрикивали проклятия в адрес арестованного.

— Линчевать проклятого скаурера! — улюлюкали они.

После формального допроса арестованный был доставлен в общую камеру. Там он встретился со своими дружками по прошлой ночи. Даже в эту крепость правосудия простиралось влияние ложи: поздно ночью тюремщик принес им узел с постельным бельем, в котором нашлись две бутылки виски и колода карт. Они превесело провели остаток ночи и без тени беспокойства встретили утро следующего дня.

На суде под напором вопросов главного адвоката обнаружились некоторые противоречия в показаниях. Наборщики были вынуждены признаться, что было темно и они были слишком напуганы, чтобы поклясться, что видели именно этих людей. Вместе с тем они уверяли, что обвиняемые действительно были на месте преступления в ту ночь.

Сам потерпевший не мог утверждать ничего, кроме того, что один из бандитов был с усами. Он только добавил, что не сомневается, что это были скауреры, которые давно уже грозили расправой за его смелые выступления на страницах газеты. С другой стороны, шесть горожан, и в том числе такое представительное лицо, как член совета Макджинти, без запинки, как один, подтвердили, что обвиняемые всю ночь играли в карты в баре.

Так что преступники были оправданы и выпущены на свободу, а капитан Марвин негласно осужден за чрезмерное усердие.

Братья встретили бывших узников громкими аплодисментами и криками. Однако были и недовольные решением суда; один из них, маленький чернобородый старичок, не удержался и процедил сквозь зубы:

— Проклятые негодяи! Мы еще посчитаемся с вами!

ГЛАВА ПЯТАЯ
Самый черный час

Макмердо по праву завоевал себе славу отважного человека, не терпящего оскорблений даже от самого хозяина. К тому же ему не было равных в составлении хитроумного плана операции. Старшие по ложе говорили друг другу: «Он создан для нашей работы» — и ждали случая поручить ему особо сложное дело, где бы он мог себя проявить. Макджинти тоже признавал его способности и чувствовал себя как хозяин свирепой гончей, которую он еле-еле сдерживает уздой. Некоторые члены ложи во главе с Тедом Болдуином побаивались и ненавидели новичка за его столь быстрый успех. Но если Макмердо приобрел влияние и авторитет среди одних горожан, то у других потерял его окончательно. Отец Этти запретил ей всякую мысль об отношениях с Макмердо. Сама же Этти была слишком влюблена, чтобы отречься от него так сразу, но на сердце у нее было тяжело.

Однажды она решилась на окончательный разговор с ним. Этти без предупреждения вошла в дом и увидела, что Макмердо сидит за столом спиной к ней и что-то пишет. Неожиданно в ней проснулась маленькая проказливая девочка, и она, подойдя на цыпочках к нему, обняла его сзади.

Реакция превзошла все ее невинные ожидания. С силой и гибкостью пантеры он развернулся и одновременно одной рукой схватил ее за горло, а другой скомкал бумагу, которую писал. Через секунду он уже стоял в растерянности, и ярость, которая так сильно напугала нежную Этти, уступила место радости:

— Это ты! — воскликнул он.— Подумать только! Моя любимая, отрада сердца моего пришла в мою обитель, а я не нашел ничего лучше, чем заломить ей руки. Иди же ко мне, дорогая, дай я обниму тебя.

Но она еще не пришла в себя от испуга. В его глазах она уловила страх. Виновен — прочла она по его взгляду,— виновен!

— О Джек! Что с тобой будет? Если бы совесть твоя была чиста, ты бы не бросился на меня как зверь!

— Просто я думал о своих делах, когда ты подкралась ко мне на своих хорошеньких, бархатных лапках...

— Нет, Джек. Это было другое. Ну-ка покажи, что ты там писал.

— Нет, Этти, не могу.

Ее подозрения стали уверенностью.

— А-а, это другая женщина! Я поняла, почему ты прячешь письмо от меня! А я ведь даже не знаю — может быть, ты женат!

— Я не женат, Этти, клянусь всем святым. Ты единственная женщина, которую я буду иметь счастье назвать своей женой.

Макмердо покраснел от усилия, с которым произносились эти слова, так он хотел убедить ее.

— Почему же ты не хочешь показать мне письмо?

— Это секретные дела ложи. Я дал клятву о неразглашении тайны. И я ее должен держать.

Она чувствовала, что он говорит правду. Он обнял и привлек ее к себе, чтобы поцелуями окончательно рассеять все ее тревоги.

— Ну, ты уже успокоилась?

— Как я могу быть спокойна, если я знаю, что ты преступник, и каждый день могу ожидать, что тебя приговорят к смерти за убийства. Один постоялец как-то сказал: Макмердо — скаурер. И сердце мое чуть не разорвалось от горя. Ради меня, Джек, брось все это! Джек, я не прошу, я молю тебя на коленях!

Он испуганно поднял ее и прижал ее заплаканное лицо к своей груди.

— Если бы ты все знала, ты бы не просила меня об этом. Я не могу нарушить слово. К тому же неужели ты думаешь, что так просто можно выйти из ложи?

— О Джек, я все обдумала. У отца есть сбережения, и он давно мечтает уехать. Мы уедем в Филадельфию или в Нью-Йорк, где нас никто не знает.

— У ложи длинные руки.

— Ну, можно, в конце концов, уехать на Запад или в Европу. Только бы подальше от этой Долины Страха.

— Странно, я уже второй раз слышу, как вы, местные, называете долину. Тяжело же бремя жизни здесь для некоторых из вас.

— Каждый час жизни здесь отравлен. Ты знаешь, как смотрит на меня Тед Болдуин при встрече? Ты думаешь, он простит нас когда-нибудь?

— Черт возьми! Я научу его приветливости с леди, если как-нибудь стану свидетелем вашей встречи! В общем, я не могу так просто отсюда уехать. Но, если ты позволишь, я отыщу способ с честью выйти из игры.

— В вашей игре не может быть речи о чести.

— Дай мне срок в шесть месяцев.

— Это обещание?

— Может быть, понадобится несколько больше. Но через год, самое позднее, мы уедем.

Вот и все, чего смогла добиться Этти. Но надежда согрела ей душу.

Макмердо сначала полагал, что, являясь членом ложи, он будет в курсе всех дел, но вскоре убедился, что организация необычайно разветвлена и обширна. Даже геррмейстер не знал о многих вещах. Оказывается, существовало в Хобсон-Пэтч официальное лицо, некий делегат округа, который обнаруживал себя самым непредвиденным образом. Только раз Макмердо удалось его увидеть. Его звали Эванс Потт. Это был хитрый, седой, похожий на крысу человек, с тихой, крадущейся походкой и бегающими глазами. Даже хозяин испытывал к нему нечто вроде гадливости и суеверного страха.

Однажды Сканлан принес записку от Макджинти, в которую было вложено письмо от Эванса Потта, где сообщалось о приезде двоих ребят, Лолера и Эндрюса, выполняющих специальное задание.

В тот же вечер они прибыли. Лолер был среднего возраста, молчаливый и сдержанный. Его старое черное пальто и мягкая фетровая шляпа в сочетании с жидкой грязной бородкой придавали ему вид странствующего монаха. Его товарищ — Эндрюс — был почти мальчик, с живым, открытым лицом. Казалось, он пришел на праздник и настроен беспрерывно веселиться. Оба были трезвенники и вели себя как самые великосветские господа. Правда, на счету у одного было четырнадцать убийств, у другого пока — три.

Они любили поговорить о своих прошлых делах с плохо скрываемой гордостью людей, бескорыстно потрудившихся на благо общества.

— Нас выбрали, потому что мы не пьем и не выболтаем лишнего. Не сочтите за неучтивость, но мы выполняем приказ делегата округа. Мы можем чесать языком до петухов о том, как мы порешили Чарли Уильямса или Симона Берда. Но пока дело не сделано, держим язык за зубами.

— У меня есть свои пристрастия. Например, мне не хотелось бы отдавать вам Джека Нокса из Айронхилла,— сказал Макмердо.— Вы не за ним приехали?

— Пока нет.

— И не за Германом Штрауссом?

— И не за ним.

— Мы не можем заставить вас сказать, но я многое отдал бы, чтобы знать.

Лолер улыбнулся и опустил глаза. Вытянуть что-либо из него было невозможно.

Несмотря на это, Макмердо и Сканлан решили все же принять участие в «забаве». Когда ранним утром они услышали скрип ступеней, они оделись и последовали за своими гостями. Было еще темно, и в свете фонарей они увидели две удаляющиеся черные фигурки. Друзья осторожно последовали за ними, бесшумно прокладывая себе путь в глубоком снегу.

Они добрались до окраины города, где встретили еще троих незнакомых людей. Дело явно было важное и требовало участия нескольких человек. С этого места дорога разветвлялась на тропинки, ведущие к шахтам. Группа незнакомцев пошла по той, что вела к Вороньей Горе, принадлежавшей огромному предприятию, которое благодаря своему энергичному и решительному управляющему из Новой Англии, некоему Дж. Х. Данну, еще не сломилось под натиском терроризма.

Занималась заря, и на землю опустился густой туман, из самой толщи которого вдруг раздался рев сирены. Это был десятиминутный сигнал; окончание его означало, что клети опущены в шахты и работа начата.

Когда они достигли открытого заснеженного поля перед входом в шахту, то увидели толпу шахтеров: от холода они притоптывали и дули на руки. Незнакомцы пристроились в тени лебедки, а Макмердо и Сканлан забрались на кучу шлака, откуда вся сцена была видна как на ладони. Они увидели, как вышел инженер по имени Менцис и просигналил, чтобы клети опустили. В тот же момент показался высокий, подтянутый, хорошо выбритый молодой человек с серьезным лицом, который направлялся к шахте. По дороге он заметил неподвижную и молчаливую группу незнакомцев, укрывшихся в тени. Под его взглядом они надвинули шляпы пониже на глаза и подняли воротники. Управляющий почувствовал смертельный холод, пронизывающий тело, однако, повинуясь долгу, он деловито спросил:

— Кто вы такие? И что вы тут делаете?

Ответом был выстрел в живот, сделанный Эндрюсом. Толпа шахтеров беспомощно стояла, парализованная страхом. Управляющий зажал рану ладонями, встал и шатаясь направился к укрытию; но другой убийца выстрелил ему в спину, и он упал на кучу кирпичей. Менцис взревел от ярости и бросился на убийц с железным гаечным ключом, но был встречен двумя выстрелами в лицо, которые сразили его наповал.

В толпе шахтеров наметилось движение, и несколько человек выступили вперед. Но незнакомцы разрядили свои винчестеры над их головами, и толпа в ужасе и панике разбежалась. Когда же самые храбрые все же вернулись, убийцы уже растворились в снежной метели совершенно бесследно, не оставив в памяти людей хоть какой-нибудь отличительной приметы.

Сканлан и Макмердо отправились домой. Сканлан был несколько подавлен, так как впервые увиденное собственными глазами убийство оказалось менее забавным, чем это представлялось по хвастливым рассказам братьев. Макмердо погрузился в раздумья и никак не стремился поддержать друга.

В тот вечер много народу собралось у Макджинти. Отмечалось убийство управляющего последней сопротивляющейся фирмой, что ставило ложу вровень с другими ложами края. Но дело в том, что делегат округа, прислав своих людей, потребовал несколько человек взамен для проведения операции в своем округе. Так что в этот вечер отмечалось два убийства. Тед Болдуин, выполнявший другое задание, был в центре вечера. Он рассказывал историю много раз, смакуя подробности, поддерживаемый громким хохотом и одобрительными репликами. Его ребята подождали, пока спустится тьма, и устроили засаду в горах, где лошадь их жертвы должна была перейти на шаг. Несчастный от холода так укутался в меховые одежды, что не успел дотянуться до пистолета. Его стащили с лошади и пристрелили. Он кричал о пощаде. Его крики теперь повторяли с комическим видом, ко всеобщему удовольствию ложи. Скауреры Вермиссы хотели продемонстрировать скауререрам Гильмертона свою преданность делу и готовность прийти на помощь.

В этот вечер праздновался небывалый триумф скауреров. Но хозяин Макджинти, словно мудрый генерал, который в момент победы думает о том, как удвоить силы для нового удара, строил планы убийства своих врагов. В тот же вечер, когда пьяная компания начала расходиться, он взял Макмердо за локоть и отвел его в заднюю комнату.

— Послушай, мой мальчик, кажется, я нашел работенку, достойную тебя.

— Отрадно слышать.

— Так вот. Мы никогда не успокоимся, пока здесь

живет и здравствует Честер Уилкокс. Тебе будут благодарны все ложи нашего края. Можешь взять в помощь двух человек — Мендерса и Рейли, они предупреждены.

— Я сделаю все, что в моих силах. Кто он такой?

— Старший мастер «Айрон Дайк компани», один из самых старых горожан, ветеран Гражданской войны, весь седой и в шрамах. Мы не раз пытались убрать его, но неудачи преследовали нас, и мы потеряли на этом одного парня. Ты должен покончить с этим делом. Вот его дом, как видно по карте, на перекрестке Айрон-Дайк. Единственный ближайший дом находится на расстоянии выстрела. Он вооружен, стреляет метко и без предупреждений. Но ночью... в доме еще находятся его жена, трое детей и прислуга. Выход один — динамит. У тебя нет выбора — либо всё, либо ничего.

— А что он сделал?

— Недостаточно, что мы потеряли Джима Корнуэя?

— Как же домашние?

— А как еще ты можешь достать его? Короче, ты берешься или отказываешься?

— Конечно, я выполню приказ ложи.

— Когда?

— День или два мне понадобится для изучения местности и дома и составления плана, а потом...

— Прекрасно. Я думаю, это будет наш последний удар.

Макмердо тщательно обдумал предстоящую операцию. Одиноко стоящий дом Честера Уилкокса находился в пяти милях, в соседней долине. В ту же ночь он отправился туда на разведку и возвратился только под утро. Затем он проинструктировал двух бесшабашных парней, данных ему в подчинение, которые явно готовились не к операции, а к охоте на оленя. Через два дня они встретились на окраине города — все трое при оружии, один нес мешок, набитый взрывчаткой.

В два часа ночи они подошли к нужному дому. Ночь выдалась ветреная, рваные облака быстро проносились на фоне бледной луны. Путники были осторожны, так как знали о возможной встрече с ищейками. Но в ночи не было видно ничего, кроме качающихся ветвей над их головами, и не слышно ни единого звука, кроме завывания ветра.

Макмердо прислушался к тому, что делается в доме. Все было тихо. Он опустил на порог мешок, проделал в нем дыру ножом, вставил туда фитиль, затем поджег его. Все трое бросились бежать к укрытию, которым им послужила канава. Через несколько секунд ужасный рев взрыва и низкий, гулкий грохот обрушившегося дома засвидетельствовали, что все было кончено.

Но, увы, блестяще проведенная операция оказалась напрасной! Честер Уилкокс, постоянно ожидавший нападения, имел обыкновение иногда менять место ночлега. Так случилось и на этот раз.

— Оставьте его мне. Этот человек — мой,— сказал Макмердо.

Когда через несколько недель в газете появилось сообщение, что Уилкокс умер от огнестрельной раны, ни для кого не было секретом, что Макмердо завершил дело.

ГЛАВА ШЕСТАЯ

Опасность

Царство страха находилось в зените своей славы. Макмердо был назначен мастером, с перспективой стать геррмейстером вместо Макджинти.

Однажды в субботу вечером, когда Макмердо собирался в бар Макджинти, к нему пришел брат Моррис. На лице его лежала печать озабоченности и усталости.

— Могу я с вами говорить, мистер Макмердо?

— Разумеется.

— Я не забыл, что вы меня не выдали в тот раз. Только с вами я уверен в своей безопасности. Я хочу открыть вам тайну,— сказал он и указал на свою грудь,— она жжет мне душу и доведет меня до могилы. Если я открою ее, мне крышка. Если нет — то всем крышка, но немного погодя. Вся тайна заключается в одном предложении: по нашему следу идет детектив.

— Вы, должно быть, спятили, мой дорогой. В городе полным-полно полиции и детективов. Об этом всем известно.

— Нет, этот не из наших мест. Что вы скажете, если это человек Пинкертона? Если он давно нами занимается, мы будем полностью уничтожены.

— Нужно убрать его.

— Получается, что я указал на человека и обрек его на смерть. Совесть моя никогда не будет спокойна!

— Слушай, дружище,— закричал Макмердо,— ты ничего не выиграешь, если будешь причитать и скрипеть, как старуха! Откуда ты узнал об этом?

— Я говорил вам, что раньше у меня была лавка на Востоке. Там у меня остались друзья. Один из них работает на телеграфе. Я получил письмо от него. Читайте вот здесь...

Макмердо прочел:

«Как там ваши скауреры? О них много пишут в газетах. Хотел бы услышать об этом, так сказать, из первых рук. Пять больших корпораций и две железнодорожные компании всерьез взялись за дело. Дело сейчас у Пинкертона, им занимается один из лучших его людей — Берди Эдвардс».

Макмердо сидел некоторое время молча и соображал, что ему теперь делать.

— Твой друг знает еще кого-нибудь из ложи? Я спрашиваю, потому что, может быть, он кому-нибудь другому сообщил приметы этого Берди Эдвардса. Впрочем, не думаю, что он видел его.

Вдруг Макмердо вскочил и закричал:

— Черт возьми! Я сам видел его! Мы найдем и уберем еще до того, как он успеет что-либо сообщить о нас. Брат Моррис, отдайте мне письмо!

После того как он взял письмо у Морриса, он отправился к Этти. Этти вышла к нему и, посмотрев на его изменившееся лицо, воскликнула:

— Что-то случилось! Ты в опасности!

— Пока еще нет. Но лучше не ждать, когда случится, и собирать вещи.

— Мы уезжаем?

— Да. Я нутром чувствую, что скоро случится нечто непоправимое и я вынужден буду бежать.

— Я поеду за тобой куда угодно!

— Не за мной, а вместе со мной. Если окажется, что долина навсегда закрыта для меня, я не смогу забрать тебя отсюда и даже переслать письмо тебе. Ты поедешь со мной?

— Да, Джек.

— Да благословит тебя Бог за твою доверчивость. Я буду последний негодяй, если воспользуюсь ею. Но помни, Этти, как только ты получишь от меня весточку, ты бросишь все и прибежишь в то место, которое я укажу тебе.

Сделав такие распоряжения, Макмердо поспешил на собрание в ложу. Собрание началось, и Макмердо попросил слова:

— Уважаемый геррмейстер, у меня сообщение особой важности. Уважаемые братья, я принес вам плохие вести. У меня есть сведения, что наиболее могущественные организации в Штатах объединились для борьбы с нами и в настоящее время детектив Пинкертона, некто Берди Эдвардс, находится здесь, опрашивая свидетелей и затягивая петлю на нашей шее. Я не могу дать подробных объяснений, откуда я узнал о детективе. Это дело чести.

— Кто-нибудь видел этого Эдвардса в лицо? — спросил Макджинти у собрания.

— Да,— ответил Макмердо,— я видел.

— А чего нам его бояться? Что он может узнать такого, чего не знают другие?

— Вы могли бы так говорить, если бы все были так стойки, как вы, член совета. Учтите, у него за спиной миллионы. И какая гарантия, что кто-либо из слабых наших братьев не соблазнится деньгами и не выдаст наших тайн?

— Есть только одно средство против него,— сказал Болдуин.— Надо сделать так, чтобы он никогда не покинул долину.

— Совершенно правильно, брат Болдуин,— сказал Макмердо,— у нас с тобой много разногласий, но сегодня ты произнес слово истины. Уважаемый геррмейстер,— обратился Макмердо к Макджинти,— должен сказать, что я против открытого обсуждения этого дела в ложе. Я не хочу ни на кого бросить тень подозрения. Но, сами понимаете, если слух просочится за стены, нам никогда не поймать его. Предлагаю созвать закрытое собрание из нескольких человек. Туда войдут вы, геррмейстер, Болдуин, я и еще пять человек. Там я расскажу, что знаю и что считаю нужным сделать.

Основная часть братьев покинула собрание, и Макмердо начал свою речь перед избранным советом:

— Я сказал, что видел Берди Эдвардса. Не нужно объяснять, что он здесь не под своим именем. Он храбр, но не безрассуден. Его имя здесь Стив Уилсон, и он живет в Хобсон-Пэтч.

— Откуда тебе это известно?

— Я встретил его случайно в нижней части долины. Он представился репортером. Сказал, что хотел бы узнать как можно больше о скаурерах для колонки «Страшные происшествия» одной нью-йоркской газеты. Задавал мне всякие вопросы, но, разумеется, ничего не выведал. «Я заплачу тебе,— сказал он мне,— и очень хорошо, если материал понравится моему редактору». Я ему что-то наврал, и он дал мне двадцатидолларовую бумажку.

— А как ты узнал, что он не из газеты?

— Он сошел в Хобсон-Пэтч, и я тоже. Я заглянул в почтовое отделение, он как раз выходил оттуда. Когда я вошел, телеграфист сказал: «За это надо брать двойную плату. Он заполнил бланк такой тарабарщиной, что с таким же успехом мог написать по-китайски».— «Верно, это специальный шифр, чтобы конкуренты не могли перехватить информацию»,— ответил я. Я и вправду так думал.

— Что ты собираешься предпринять?

— Я отправлюсь в Хобсон-Пэтч и узнаю у телеграфиста, где он живет,— я думаю, он укажет. Затем я скажу ему, что я сам фримен и готов продать ему все секреты ложи. Бьюсь об заклад, он клюнет. Я скажу ему, что бумаги у меня дома, и назначу ему свидание у себя в десять часов вечера. Там мы и схватим его. Дом вдовы Макнамара в очень пустынном месте. Сама она глуха как пень, а, кроме нее, Сканлана и меня, никого в доме нет. Я вам дам знать, если получу согласие Эдвардса, и тогда семь человек придут ко мне к девяти часам и устроят засаду. Если Эдвардсу удастся выскользнуть живым, он сможет говорить до конца своих дней, что родился в рубашке!

— Чувствую, у Пинкертона ожидается вакансия,— сказал Макджинти.— Пусть будет по-твоему. Завтра к девяти мы будем у тебя. Сначала ты запрешь за ним дверь, а уж остальное предоставь нам.

ГЛАВА СЕДЬМАЯ
Ловушка для Берди Эдвардса

Надо сказать, что в любом другом случае члены организации просто вызвали бы нужного человека из дому, как это делалось уже много раз, и разрядили бы в него по обойме. Сейчас же важно было выяснить, как много знает Эдвардс, каким образом он получал информацию и что уже перешло в ведение его руководства.

Макмердо, как и было условлено, отправился в Хобсон-Пэтч. По возвращении он сразу доложил Макджинти, что Эдвардс придет.

— Очень хорошо! — сказал Макджинти.

Виски и политика сделали хозяина равно как богатым, так и могущественным человеком. Тем неотвязнее и страшнее стал маячить с прошлой ночи в его голове призрак виселицы.

— Ты думаешь, он много знает?

— Он здесь уже шесть недель, и, я думаю, не прохлаждался. Я уверен, что кое-что у него уже есть, и он, возможно, передал это своему руководству.

— Но в ложе нет предателей. Все тверды как сталь. Хотя, черт возьми, есть этот подлец Моррис. Если уж кто-то выдал, так это он. Я намереваюсь послать к нему двух наших парней. Они заставят его говорить. Я проучу старого болтуна. Он давно нарывается.

— Что бы вы ни задумали, это должно произойти не раньше чем завтра. Не нужно будить спящую ищейку раньше времени.

— Да, ты прав. А как ты думаешь, этот Эдвардс не учуял подвоха?

— Я подцепил его на удочку,— ухмыльнулся Макмердо.— По следам скауреров он готов следовать даже в ад. Я взял у него вознаграждение.— Макмердо показал пачку банкнот.— В два раза больше он обещал, когда увидит все мои бумаги.

— Какие еще бумаги?

— Да нет никаких бумаг. Я наплел ему о конституции, и о своде законов, и о правилах членства.

— Он спросил, почему ты не принес бумаги с собой?

— За мной постоянно следит полиция. Как же я мог это сделать!

— Все-таки подозрения падут на тебя. Хотя, после того как мы расправимся с ним, можно сбросить тело в старую шахту. Но тебе не отвертеться от того, что в день убийства ты был в Хобсон-Пэтч.

— Если мы всё правильно организуем, нельзя будет доказать, что это убийство.

Теперь надо обсудить план. Он малый не промах, хорошо вооружен. Я провел его, но это не значит, что он не будет начеку. Поэтому я предлагаю: вы все будете в большой комнате, а я его проведу в гостиную и дам вам знать, насколько все идет по плану. В гостиной, пока он будет читать фальшивые бумаги, я схвачу его и обезоружу. Как только я крикну вам, вы тут же примчитесь на помощь. Учтите, что он очень силен. Но я обещаю удерживать его до вашего появления.

— Прекрасный план. Я думаю, что лучшего преемника на мое место мне не найти.

— Благодарю, член совета, я действительно уже не новобранец.

Возвратившись домой, Макмердо начал подготавливаться к предстоящей встрече. Прежде всего он прочистил, смазал и зарядил револьвер. Затем приступил к осмотру комнаты. Посреди комнаты стоял длинный стол, а в углу находилась печка. По двум стенам располагались окна без ставней, с легкими занавесками. В глаза бросалось, что комната выглядит слишком пустой для такого рода предприятия. Но зато она была более всего удалена от дороги. В конце концов, Макмердо поделился своими сомнениями со Сканланом. Сканлан, несмотря на свою принадлежность к скаурерам, был безобиднейшим существом, слишком слабым, чтобы сопротивляться своим товарищам по ложе, но втайне страшно боящимся кровавых деяний.

— Если бы я был на твоем месте, Майк, я бы уехал куда-нибудь подальше на эту ночь. Здесь будет слишком много крови,— закончил свои соображения Макмердо.

— Я так и сделаю, Мак,— ответил Сканлан,— не думай, что мне не хватает воли, нет, мне не хватает хладнокровия. Увидеть управляющего Данна летящим вниз, в угольную шахту, было выше моих сил. Я сделан из другого теста, чем Макджинти и ты. Так что, если в ложе мое отсутствие не будет воспринято как обида, я покину вас на этот вечер.

Братья пришли, как было условлено. Они были уважаемыми горожанами, хорошо одетыми и чисто выбритыми. Но их плотно сжатые челюсти и тяжелые взгляды не оставляли и следа надежды для Берди Эдвардса. Прежде всех пришел наводящий на всех ужас хозяин. Потом его секретарь Харрауэй — худой, желчный человек с длинной морщинистой шеей и нервными, подвижными руками, не проявивший себя нигде, кроме как в учете финансов ордена. Затем пришел казначей Картер, средних лет, с массивным мрачным лицом кирпичного цвета. Мозговой центр ложи, именно он разрабатывал до мельчайших подробностей операции скауреров. Следующими были братья Уиллаби, высокие, худые молодые люди, решительные и энергичные. А затем появился Тигр Кормак, тяжеловесный темноволосый юноша, известный своими вспышками неистовой ярости.

Когда все были в сборе, хозяин принес бутылку виски, чтобы братья могли подкрепиться перед предстоящей схваткой. Болдуин и Кормак были уже пьяны и, пропустив еще по стаканчику, потеряли контроль над своими поступками. Кормак дотронулся ладонями до раскаленной печи и сказал:

— Вот это подойдет.

— Ага,— подхватил его мысль Болдуин,— если мы его пришпилим к этой стенке, он у нас живо заговорит.

— Не волнуйтесь, без всяких сомнений, мы скоро узнаем всю правду,— ответил Макмердо.

Он явно обладал стальным сердцем. Сейчас, как никогда, он был сосредоточен и выдержан. Он подошел к окнам, еще раз проверил, плотно ли задвинуты занавески.

— Нельзя, чтобы что-нибудь было видно снаружи; он скоро придет.

— Может, он и не придет, учуяв неладное,— сказал секретарь.

— Не бойтесь, ему так же не терпится познакомиться с нами, как и нам с ним,— отозвался Макмердо.

Все замерли, как восковые фигуры, кое-кто наполовину не донеся стакана до губ: раздалось три громких удара в дверь.

— Тс-с! — Макмердо предостерегающе поднял руку. Сидящие кругом обменялись ликующими взглядами, руки легли на спрятанное оружие.

— Ни звука, ради всего!..— прошептал Макмердо, выходя из комнаты и аккуратно притворяя за собой дверь.

Напряженно вслушиваясь, убийцы ждали. Они считали шаги своего товарища по коридору. Они слышали, как он отпер внешнюю дверь. Разобрали незнакомые шаги входящего и неизвестный голос. Секундой позже стукнула дверь и повернулся ключ в замке. Ловушка захлопнулась. Тигр Кормак рассмеялся было жутким смехом, но хозяин своей огромной рукой зажал ему рот.

— Тише, ты, дурак! — шепнул он.— Ты ж нам все испортишь!

В соседней комнате слышался невнятный разговор. Казалось, он длится целую вечность. Затем дверь отворилась и в комнату вошел Макмердо, прижимая палец к губам.

Он подошел к краю стола и оглядел всех. С ним произошла неуловимая перемена. Он держал себя как человек, проделавший огромную работу. Его глаза за стеклами очков сверкали от яростного возбуждения. В его облике явно обозначились черты лидера. Остальные смотрели на него с острым интересом; но он ничего не говорил. Все тем же странным взглядом он оглядывал каждого.

— Ну?! — не выдержал наконец Макджинти.— Он здесь? Берди Эдвардс здесь?

— Да,— медленно ответил Макмердо,— Берди Эдвардс здесь. Я — Берди Эдвардс!

Секунд десять после этого короткого заявления комната казалась пустой, настолько всеобъемлющей была тишина. Свист чайника на плите стал острым и режущим ухо. Семь побелевших лиц, повернутых к возвышающемуся над ними человеку, застыли, охваченные глубочайшим ужасом. Затем внезапно оконные стекла брызнули вдребезги, шторы слетели с подвесок, и каждое окно ощетинилось сверкающими ружейными стволами.

Увидев это, Макджинти взревел, как раненый медведь, и кинулся к полуоткрытой двери. Но там перед ним сверкнули пронзительные голубые глаза и поднятый револьвер незаметного до того из комнаты капитана Марвина. Босс отшатнулся и рухнул на стул.

— Вот так, пожалуй, лучше, советник,— сказал тот, кого они знали как Макмердо.— И вы, Болдуин, если не уберете руки с пистолета, то до виселицы не доживете. Бросьте оружие, или Господь вас... Да, вот так-то лучше. Дом окружен четырьмя десятками вооруженных людей, так что можете сами оценить ваши шансы. Заберите у них пистолеты, Марвин!

Не было никакой возможности сопротивляться под угрозой стольких наведенных ружей. Сидящие были разоружены. И остались сидеть, угрюмые, оробевшие и потрясенные.

— Хотелось бы сказать несколько слов перед тем, как мы расстанемся,— сказал поймавший их в ловушку человек.— Полагаю, мы не встретимся вновь вплоть до того, как я выступлю свидетелем на суде. И я дам вам над чем пораздумать до той поры. Вы теперь знаете, кто я. Под конец я выложил свои карты на стол. Я — Берди Эдвардс из агентства Пинкертона. Именно я был выбран для уничтожения вашей банды. Я вел тяжелую и опасную игру. Ни одна живая душа, даже самая близкая и дорогая мне, не знала об этом. Только капитан Марвин — здесь и мои работодатели — там. Но сегодня вечером, благодарение Богу, все кончено, и я — победитель.

Семь бледных, окаменевших лиц смотрело на него. Неукротимая ненависть была в их глазах.

— Может, вы думаете, что игра еще не закончена. Что ж, я и это предусмотрел. Во всяком случае, вам в ход событий уже не вмешаться, а еще шестьдесят человек кроме вас самих будут арестованы нынешней ночью. Скажу вам, что, получив задание, я не верил в существование общества, подобного вашему. Я считал все газетными сплетнями и собирался это доказать. Мне сказали, что дело связано с фрименами; поэтому я отправился в Чикаго и стал одним из них. И еще больше утвердился во мнении, что всё — не больше, чем газетные сплетни.

Однако я все же обязан был выполнить порученную работу и отправился в угольные долины. Здесь я удостоверился, что был не прав и что все рассказываемое — отнюдь не страшная сказка. Я остался и наблюдал. Я никогда никого не убивал в Чикаго. Я в жизни не подделал ни единого доллара. Те, что я давал вам, были так же доброкачественны, как и любые другие; но никогда я не находил лучшего применения деньгам. Зная, как добиться вашего расположения, я изобразил, будто не в ладах с законом. Все сработало так, как я думал.

Итак, я присоединился к вашей дьявольской ложе и принял участие в ее заседаниях. Да, меня считали таким же негодяем, как и вы. Обо мне могли говорить все что угодно, пока я делал свое дело. Но что же было в действительности? В одну из ночей я присоединился к вам, чтобы избить старика Стэнджера. Я не мог его предостеречь, времени не было; но я удержал вашу руку, Болдуин, когда вы хотели убить его. И были события, которые я сумел предотвратить, предвидя их и вместе с тем поступая так, чтобы сохранить свое место среди вас. Я не мог спасти Данна и Менциса, поскольку недостаточно был осведомлен; но я еще увижу, как будут повешены их убийцы. Я предупредил Честера Уилкокса, поэтому он и его домочадцы уже были в укрытии, когда я взрывал дом. Много было преступлений, которым я не сумел помешать, но если вы припомните, как часто человек, за которым вы охотились, возвращался домой другой дорогой, или был в городе, когда вы искали его вне города, или был дома, когда вы ждали его в другом месте, вы поймете, что было мной сделано.

— Чертов предатель! — процедил сквозь стиснутые зубы Макджинти.

— Ах, Макджинти, кляните меня, если это облегчит ваши муки. Вы и вам подобные были врагами Бога и людей в этих краях. Это и призвало человека, вставшего между вами и бедными мужчинами и женщинами, которых вы держали мертвой хваткой. Вы называете меня предателем. Но, полагаю, многие тысячи назовут меня избавителем, опустившимся в ад, чтобы их спасти. Три месяца я занимался этим. Я бы не согласился еще раз на три таких месяца за весь золотой запас Соединенных Штатов. Я собирался пребывать среди вас до тех пор, пока всё и вся, до последнего человека, до последнего секрета, не будет в моих руках. Я выждал бы еще, если бы мне не стало известно, что мой секрет вышел наружу. В город пришло письмо, которое могло бы открыть вам глаза на многое. Поэтому я вынужден был действовать, и действовать быстро.

Мне нечего больше сказать вам, кроме того, что, когда придет мой срок, мысль о том, что́ я сделал в этой долине, облегчит мою смерть. А теперь, Марвин, не буду вас больше задерживать. Забирайте этих людей.

Досказать осталось совсем немного. Сканлану была вручена запечатанная записка, которую ему следовало доставить по адресу мисс Этти Шафтер,— миссия, которую он принял на себя, подмигнув и понимающе улыбнувшись.

В ранние утренние часы прекрасная женщина и мужчина с наглухо укутанным лицом сели в специальный поезд, посланный для них железнодорожной компанией, и совершили скорое и безостановочное путешествие подальше от опасной для них местности. И это был последний раз, когда Этти и ее возлюбленный касались ногами Долины Страха. Десятью днями позже они обвенчались в Чикаго, старый Джекоб Шафтер был свидетелем на их свадьбе.

Суд над скаурерами проходил далеко от тех мест, где их сторонники могли бы запугать служителей закона. Тщетна была их борьба. Тщетно деньги ложи — деньги, добытые шантажом целой большой округи,— текли как вода в попытках спасти их. Холодные, ясные, бесстрастные показания того, кто знал каждую деталь их жизни, их организации и их преступлений, не удалось поколебать никакими ухищрениями защитников. Наконец, после стольких долгих лет, скауреры были разгромлены и развеяны. Тучи навсегда разошлись над долиной.

Макджинти кончил жизнь на виселице, рыдая и плача, когда пришел его последний час. Восемь главных его подручных разделили его судьбу. Более чем пятьдесят остальных получили разные сроки заключения. Работа Берди Эдвардса была завершена.

Но, как он и предполагал, игра на этом не закончилась. Она началась с другой стороны, все время возобновляясь. Тед Болдуин, к примеру, избежал виселицы; точно так же и братья Уиллаби; точно так же и некоторые другие самые жестокие сердца этой банды. Десять лет провели они вне мира, но настал день, когда они вновь стали свободны. Берди Эдвардс, отлично знавший этих людей, не усомнился, что этот день станет концом его безмятежной жизни. Всем, что они считали святым для себя, они поклялись отомстить Берди Эдвардсу за своих товарищей. И они изо всех сил стремились исполнить свой обет!

Он бежал от охотников из Чикаго, после двух попыток покушения, настолько близких к успеху, что можно было не сомневаться: третья удастся сполна. Из Чикаго он под измененным именем переехал в Калифорнию, где из-за смерти Этти Эдвардс свет в его жизни на какое-то время угас. Опять он едва не был убит. Еще раз сменив имя — на Дуглас, он появился в уединенном каньоне, где работал вместе с партнером — англичанином Баркером. Фортуна им улыбнулась. Там он получил предупреждение, что гончие псы вновь взяли его след, и ускользнул от них — как раз очень вовремя — в Англию. Так и возник Джон Дуглас, женившийся во второй раз на достойной его женщине и проживший пять лет в Суссексе сельским джентльменом. Эта мирная жизнь была прервана странными событиями, о которых мы слышали.

Эпилог

Завершилось полицейское расследование, и дело Джека Дугласа было передано в верховный суд. На очередной квартальной сессии Дуглас был оправдан, как действовавший в пределах самообороны.

«Увезите его из Англии любой ценой,— написал Холмс миссис Дуглас.— Здесь его могут поджидать враги грознее тех, от которых он ускользнул. В Англии для Вашего мужа нет безопасного места».

Прошло два месяца, и мы стали уже забывать о деле Дугласа. Но однажды утром в наш ящик была опущена загадочная записка. «Ох, мистер Холмс. Ох!» — гласил странный текст. Ни подписи, ни адреса не было. Я рассмеялся, прочтя нелепую записку, но Холмс отнесся к ней неожиданно серьезно.

— Дьявольщина, Уотсон! — сказал он и долго сидел нахмурив брови.

Уже был поздний вечер, когда миссис Хадсон, наша домохозяйка, явилась доложить, что мистера Холмса хочет видеть джентльмен по делу чрезвычайной важности. За ней по пятам вошел Сесил Баркер, наш берлстоунский друг, с искаженным и осунувшимся лицом.

— У меня плохие новости, страшные новости, мистер Холмс,— сказал он.

— Я этого боялся,— ответил Холмс.

— А что, вы получили телеграмму? Нет?

— Я получил записку от того, кому все уже было известно.

— Да. Бедный Дуглас! Я теперь знаю, что его звали Эдвардс, но для меня он навсегда останется Джеком Дугласом из Бенито-Каньона. Я сообщал вам, что они вместе отплыли на «Пальмире» в Южную Африку три недели назад.

— Да, конечно.

— Вчера вечером корабль пришел в Кейптаун. Сегодня утром я получил телеграмму от миссис Дуглас:

«Джек выпал за борт во время шторма за островом Святой Елены. Никто не знает, как произошел несчастный случай.

Эва Дуглас».

— Гм. Вот, значит, как это произошло? — задумчиво сказал Холмс.— Что ж, не сомневаюсь, что это было хорошо поставлено.

— То есть вы не считаете это несчастным случаем?

— Ни в коей мере.

— Он был убит?

— Несомненно!

— И я так думаю. Эта проклятая ложа, дьявольский выводок карающих преступников...

— Нет-нет, дорогой сэр,— ответил Холмс.— Здесь рука мастера. Это вам не обрезы и топорные кольты. Старого мастера распознаешь по одному мазку кисти. Когда я вижу такой мазок, я сразу могу назвать Мориарти. Преступление затевалось в Лондоне, а не в Америке.

— Но каков мотив?..

— Это совершено человеком, который не может позволить себе неудач, уникальное положение которого строится на том, что все его дела должны кончаться успешно. Великий ум и огромная организация были брошены на уничтожение одного человека. Это все равно что раскалывать орех механическим молотом — бессмысленное расточительство сил. Однако эффект достигнут, орех расколот.

— Но как такой человек мог здесь быть замешан?

— Могу только сказать вам, что впервые мы узнали о вашем деле от одного из его подчиненных. Эти американцы были неплохо проконсультированы. Им надо было сделать работу в Англии, и они обратились за сотрудничеством к великому организатору убийств, что вполне естественно для зарубежных преступников. С этого момента человек был обречен. Сначала, возможно, профессор всего лишь использовал свою машину для того, чтобы отыскать жертву. Затем он дал указания, как она может быть уничтожена. Наконец, когда он прочел сообщения о провале данного агента, он вмешался в дело сам и закончил его. Вы помните, я предупреждал Манор-Хауз, что будущая опасность грознее прошлой. Разве я не был прав?

Баркер в бессильной ярости ударил себя сжатым кулаком по голове:

— Выходит, с этим мы и будем жить? Вы говорите, что никто никогда не сможет добраться до этого короля дьяволов?

— Нет, я так не говорю,— ответил Холмс, и, казалось, взгляд его устремился далеко в будущее.— Я не говорю, что он не может быть сокрушен. Но вы должны дать мне время, вы должны дать мне время!

Мы сидели в молчании несколько минут, пока напряженный пророческий взгляд Холмса пронзал пелену грядущего.

ЕГО
ПРОЩАЛЬНЫЙ
ПОКЛОН

В СИРЕНЕВОЙ СТОРОЖКЕ

1

Необыкновенное происшествие с мистером Джоном Скотт-Эклсом

Я читаю в своих записях, что было это в пасмурный и ветреный день в конце марта тысяча восемьсот девяносто второго года. Холмс, когда мы с ним завтракали, получил телеграмму и тут же за столом написал ответ. Он ничего не сказал, но дело, видно, не выходило у него из головы, потому что потом он стоял с задумчивым лицом у огня, куря трубку, и все поглядывал на телеграмму. Вдруг он повернулся ко мне с лукавой искрой в глазах.

— Полагаю, Уотсон, мы вправе смотреть на вас как на литератора, — сказал он. — Как бы вы определили слово «дикий»?

— Первобытный, неприрученный, затем — странный, причудливый, — предложил я.

Он покачал головой.

— Оно заключает в себе кое-что еще, — сказал он. — Скрытый намек на нечто страшное, даже трагическое. Припомните иные из тех рассказов, посредством которых вы испытываете терпение публики, — и вы сами увидите, как часто под диким крылось преступное. Поразмыслите над этим «делом рыжих». Поначалу оно рисовалось просто какой-то дичью, а ведь разрешилось попыткой самого дерзкого ограбления. Или эта дикая история с пятью апельсиновыми зернышками, которая раскрылась как заговор убийц. Это слово заставляет меня насторожиться.

— А оно есть в телеграмме?

Он прочитал вслух:

— «Только что со мной произошла совершенно дикая, невообразимая история. Не разрешите ли с вами посоветоваться?

Скотт-Эклс.
Чаринг-Кросс, почтамт».

134

— Мужчина или женщина?— спросил я.

— Мужчина, конечно. Женщина никогда бы не послала телеграммы с оплаченным ответом. Просто приехала бы.

— Вы его примете?

— Дорогой мой Уотсон, вы же знаете, как я скучаю с тех пор, как мы посадили за решетку полковника Карузерса. Мой мозг, подобно перегретому мотору, разлетается на куски, когда не подключен к работе, для которой создан. Жизнь — сплошная пошлость, газеты выхолощены, отвага и романтика как будто навсегда ушли из преступного мира. И вы еще спрашиваете, согласен ли я ознакомиться с новой задачей, хотя бы она оказалась потом самой заурядной! Но если я не ошибаюсь, наш клиент уже здесь.

На лестнице послышались размеренные шаги, и минутой позже в комнату вошел высокий, полный, седоусый и торжественно-благопристойный господин. Тяжелые черты его лица и важная осанка без слов рассказывали его биографию. Все — от гетр до золотых его очков — провозглашало, что перед вами консерватор, верный сын церкви, честный гражданин, здравомыслящий и в высшей степени приличный. Но необыденное происшествие, как видно, возмутило его прирожденное спокойствие и напоминало о себе взъерошенной прической, горящими сердитыми щеками и всей его беспокойной, возбужденной манерой. Он немедленно приступил к делу.

— Со мной произошел очень странный и неприятный случай, мистер Холмс,— сказал он.— Никогда за всю свою жизнь я не попадал в такое положение. Такое... непристойное, оскорбительное. Я вынужден настаивать на каком-то разъяснении.— Он сердито отдувался и пыхтел.

— Садитесь, мистер Скотт-Эклс, прошу,— сказал успокоительно Холмс.— Прежде всего позвольте спросить, почему вообще вы обратились ко мне?

— Понимаете, сэр, дело тут явно такое, что полиции оно не касается; и все же, когда вы узнаете все факты, вы, конечно, согласитесь, что я не мог оставить это так, как есть. На частных сыщиков, как на известную категорию, я смотрю неодобрительно, но тем не менее все, что я слышал о вас...

— Ясно. А во-вторых, почему вы не пришли ко мне сразу же?

— Позвольте, как вас понять?

Холмс поглядел на часы.

— Сейчас четверть третьего,— сказал он.— Ваша телеграмма была отправлена в час дня. Между тем, посмотрев на вашу одежду и на весь ваш туалет, каждый скажет, что нелады у вас начались с первой же минуты пробуждения.

Наш клиент провел рукой по своим нечесаным волосам, по небритому подбородку.

— Вы правы, мистер Холмс. Я и не подумал о своем туалете. Я рад был уже и тому, что выбрался из такого дома. А потом я бегал наводить справки и уж только после этого поехал к вам. Я обратился, знаете, в земельное агентство, и там мне сказали, что мистер Гарсиа платит аккуратно и что с Сиреневой Сторожкой все в порядке.

— Позвольте, сэр!— рассмеялся Холмс.— Вы совсем как мой друг, доктор Уотсон, который усвоил себе скверную привычку вести свои рассказы не с того конца. Пожалуйста, соберитесь с мыслями и изложите мне в должной последовательности самое существо тех событий, которые погнали вас, нечесаного, в непочищенном платье, в застегнутых наискось гетрах и жилете, искать совета и помощи.

Наш клиент сокрушенно оглядел свой не совсем благопристойный туалет.

— Что и говорить, мистер Холмс, это должно производить неприятное впечатление, и я не припомню, чтобы когда-нибудь за всю мою жизнь мне случилось показываться на людях в таком виде; но я расскажу вам по порядку всю эту нелепую историю, и, прослушав меня, вы, я уверен, согласитесь, что у меня есть достаточное оправдание.

Но его прервали, не дав даже начать рассказ. В коридоре послышался шум, и миссис Хадсон, отворив дверь, впустила к нам двух крепких, военной осанки, мужчин, одним из которых оказался наш старый знакомец — инспектор Грегсон из Скотленд-Ярда, энергичный, храбрый и при некоторой ограниченности все же способный работник сыска. Он поздоровался с Холмсом за руку и представил ему своего спутника — полицейского инспектора Бэйнса из графства Суррей.

— Мы вместе идем по одному следу, мистер Холмс, и он привел нас сюда.— Он навел свой бульдожий взгляд на нашего посетителя.— Вы мистер Джон Скотт-Эклс из Попем-Хауз в Ли?

— Он самый.

— Мы вас разыскиваем с раннего утра.

— И нашли вы его, конечно, по телеграмме,— сказал Холмс.

— Точно, мистер Холмс. Мы напали на след в Чаринг-Кроссе, на почтамте, и вот явились сюда.

— Но зачем вы меня разыскиваете? Что вам от меня нужно?

— Нам, мистер Скотт-Эклс, нужно получить от вас показания о событиях, которые привели этой ночью к смерти господина Алоисио Гарсии, проживавшего в Сиреневой Сторожке под Эшером.

Наш клиент с застывшим взглядом выпрямился в кресле, и вся краска сбежала с его изумленного лица.

— Умер? Он, вы говорите, умер?

— Да, сэр, он умер.

— Но отчего? Несчастный случай?

— Убийство, самое несомненное убийство.

— Боже правый! Это ужасно! Вы не хотите сказать... не хотите сказать, что подозрение падает на меня?

— В кармане убитого найдено ваше письмо, и мы таким образом узнали, что вчера вы собирались приехать к нему в гости и у него заночевать.

— Я так и сделал.

— Ага! Вы так и сделали?

Инспектор достал свой блокнот.

— Минуту, Грегсон,— вмешался Холмс.— Все, что вам нужно,— это просто снять показания, не так ли?

— И я обязан предупредить мистера Скотт-Эклса, что они могут послужить свидетельством против него же.

— Когда вы вошли сюда, мистер Эклс как раз и собирался рассказать нам об этом. Думаю, Уотсон, коньяк с содовой ему не повредит. Я предложил бы вам, сэр, не смущаться тем, что слушателей стало больше, и вести свой рассказ в точности так, как вы его вели бы, если бы вас не прервали.

Наш посетитель залпом выпил свой коньяк, и краска снова проступила на его лице. С сомнением покосившись на инспекторский блокнот, он сразу приступил к своим необычайным показаниям.

— Я холост,— объявил он,— и так как человек я по натуре общительный, у меня широкий круг друзей. В числе моих друзей я могу назвать и семью одного отошедшего от дел пивовара, мистера Мелвила, проживающего в Кенсингтоне, в собственном доме. За их столом я и познакомился недели три тому назад с молодым человеком по фамилии Гарси́я. Родом он был, как я понимаю, испанец и был как-то связан с посольством. Он в совершенстве владел английским языком, обладал приятными манерами и был очень хорош собой,— я в жизни своей не видел более красивого мужчины.

Мы как-то сразу подружились, этот молодой человек и я. Он как будто с самого начала проникся ко мне симпатией, и на второй же день после того, как мы с ним познакомились, он навестил меня в Ли. Раз навестил, другой, потом, как водится, и сам пригласил меня к себе погостить у него в Сиреневой Сторожке, что между Эшером и Окшоттом. Вчера вечером я и отправился, следуя этому приглашению, в Эшер.

Приглашая, он расписывал мне, как у него поставлен дом. По его словам, он жил с преданным слугой, своим соотечественником, который его избавил от всех домашних забот. Этот слуга говорит по-английски и сам ведет все хозяйство. И есть у него, сказал он, удивительный повар-мулат, которого он выискал где-то в своих путешествиях и который умеет подать гостям превосходный обед. Помню, он еще заметил, что и дом его, и этот штат прислуги покажутся мне необычными — не каждый день встретишь подобное в английском захолустье, и я с ним согласился, но все же они оказались куда более необычными, нежели я ожидал.

Я приехал туда — это за Эшером, мили две к югу. Дом довольно большой, стоит немного в стороне от шоссе, подъездная дорога идет полукругом через высокий вечнозеленый кустарник. «Сторожка» оказалась старым, обветшалым строением, донельзя запущенным. Когда шарабан, прокатив по заросшей травой подъездной дороге, остановился перед измызганной, в дождевых подтеках дверью, меня взяло сомнение, умно ли я поступил, приехав в гости к человеку, с которым так мало знаком. Он, однако, сам отворил мне дверь, поздоровался со мной очень радушно. Меня препоручили слуге — угрюмому чернявому субъекту, который, подхватив мой чемодан, провел меня в мою спальню. Все в этом доме производило гнетущее впечатление. Мы обедали вдвоем, и хотя мой хозяин старался как мог занимать меня разговором, что-то, казалось, все время отвлекало его мысли, и говорил он так туманно и бессвязно, что я с трудом его понимал. Он то и дело принимался постукивать пальцами по столу, грыз ногти и выказывал другие признаки нервозности и нетерпения. Сам по себе обед приготовлен был очень неважно да и сервирован неумело, а присутствие мрачного и молчаливого слуги отнюдь не оживляло его. Смею вас уверить, мне не раз в течение вечера хотелось изобрести какой-нибудь благоприличный предлог и вернуться в Ли.

Одна вещь приходит мне на память, возможно имеющая отношение к тому делу, по которому вы, джентльмены, ведете расследование. В то время я не придал ей значения. К концу обеда слуга подал хозяину записку. Я обратил внимание, что, прочитав ее, хозяин стал еще более рассеян и странен, чем раньше. Он перестал даже хотя бы для видимости поддерживать разговор — только сидел, погруженный в свои мысли, и курил сигарету за сигаретой, ни слова, однако, не сказав насчет той записки. В одиннадцать я с радостью пошел к себе и лег спать. Некоторое время спустя Гарсия заглянул ко мне — у меня в это время был уже потушен свет — и, стоя в дверях, спросил, не звонил ли я. Я сказал, что нет. Он извинился, что побеспокоил меня в такое позднее время, и добавил, что уже без малого час. Я после этого сразу заснул и крепко спал до утра.

И вот тут и пойдут в моем рассказе всякие удивительные вещи. Я проснулся, когда уже давно рассвело. Смотрю на часы, оказалось без пяти девять. Я настоятельно просил разбудить меня в восемь, и такая нерадивость очень меня удивила. Я вскочил и позвонил в звонок. Слуга не явился. Звоню еще и еще раз — никакого ответа. Тогда я решил, что звонок испорчен. Наспех оделся и в крайне дурном расположении духа сошел вниз истребовать горячей воды. Можете себе представить, как я был поражен, никого не застав на месте. Захожу в переднюю, звоню — ответа нет. Тогда я стал бегать из комнаты в комнату. Нигде никого. Накануне мой хозяин показал мне свою спальню, так что я знал, где она, и постучал к нему в дверь. Никто не отозвался. Я повернул ручку и вошел. В комнате никого, а на постели, как видно, и не спали. Он пропал со всеми вместе. Хозяин-иностранец, иностранец лакей, иностранец повар — все исчезли за ночь! На том и кончилось мое знакомство с Сиреневой Сторожкой.

Шерлок Холмс потирал руки и посмеивался, добавляя этот причудливый случай к своему подбору странных происшествий.

— С вами, как я понимаю, случилось нечто совершенно исключительное,— сказал он.— Могу я спросить вас, сэр, как вы поступили дальше?

— Я был взбешен. Моею первой мыслью было, что со мной сыграли злую шутку. Я уложил свои вещи, захлопнул за собой дверь и отправился в Эшер с чемоданом в руке. Я зашел к «Братьям Аллен» — в главное земельное агентство по этому городку — и выяснил, что вилла снималась через их фирму. Мне подумалось, что едва ли такую сложную затею могли провести нарочно ради того, чтобы меня разыграть, и что тут, наверно, цель была другая: уклониться от арендной платы,— вторая половина марта, значит, приближается срок квартального платежа. Но это предположение не оправдалось. Агент поблагодарил меня за предупредительность, сообщив, однако, что арендная плата внесена вперед. Я вернулся в Лондон и наведался в испанское посольство. Там этого человека не знали. Тогда я поехал к Мелвилу, в доме у которого я познакомился с Гарсией, но убедился, что он знает об испанце даже меньше, чем я. И вот, получив от вас ответ на свою депешу, я приезжаю к вам, так как слышал, что вы можете подать совет в затруднительном случае жизни. Но теперь, господин инспектор, из того, что вы нам сообщили, когда вошли в эту комнату, я понял, что вы можете продолжить мой рассказ и что произошла какая-то трагедия. Могу вас заверить, что каждое сказанное мною слово — правда и что сверх того, что я вам рассказал, я ровно ничего не знаю о судьбе этого человека. У меня лишь одно желание — помочь закону чем только я могу.

— В этом я не сомневаюсь, мистер Скотт-Эклс, ничуть не сомневаюсь,— сказал инспектор Грегсон самым любезным тоном.— Должен отметить, что все рассказанное вами точно соответствует установленным нами фактам. Например, вы упомянули о записке, переданной за обедом. Вы случайно не заметили, что с ней произошло?

— Заметил. Гарсия скатал ее и бросил в огонь.

— Что вы на это скажете, мистер Бэйнс?

Деревенский сыщик был крепкий толстяк, чье пухлое красное лицо казалось бы и вовсе простецким, если бы не пара необыкновенно ярких глаз, прячущихся в глубокой складке между толстых щек и нависших бровей. С медлительной улыбкой он вытащил из кармана скрученный и обесцвеченный листок бумаги.

— В камине там, мистер Холмс, колосники устроены на подставках, и он промахнулся — закинул записку слишком далеко. Я выгреб ее из-за подставок даже не обгоревшую.

Холмс одобрительно улыбнулся.

— Чтобы найти этот единственный уцелевший клочок бумаги, вы должны были самым тщательным образом обыскать весь дом.

— Так и есть, мистер Холмс. Это у меня первое правило. Прочитать, мистер Грегсон?

Лондонец кивнул головой.

— Писано на обыкновенной гладкой желтоватой бумаге без водяных знаков. Четвертинка листа. Отрезано в два надреза короткими ножничками. Листок был сложен втрое и запечатан красно-фиолетовым сургучом, который накапали второпях и придавили каким-то овальным предметом. Адресовано мистеру Гарсии, Сиреневая Сторожка. Текст гласит:

«Цвета — наши исконные: зеленый и белый. Зеленый — открыто, белый — закрыто. Парадная лестница, второй этаж, первый коридор, седьмая направо, зеленое сукно. Да хранит вас Бог. Д.». Почерк женский. Текст написан острым пером, адрес же — либо другим пером, либо написал кто-то другой. Здесь, как вы видите, почерк смелый и толще нажим.

— Очень интересная записка,— сказал Холмс, просмотрев ее сам.— Должен вас похвалить, мистер Бэйнс, за такое внимание к деталям. Можно добавить разве что кое-какие мелочи. Овальный предмет — несомненно, обыкновенная запонка для манжет — что другое может иметь такую форму? Ножницы были кривые, для ногтей. Как ни коротки два надреза, вы ясно можете разглядеть на каждом один и тот же легкий изгиб.

Деревенский сыщик усмехнулся.

— Я-то думал, что выжал из нее все, что можно,— сказал он,— а вот, оказывается, кое-что оставил и другим. Признаться, записка эта мне ничего не говорит, кроме того, что там что-то затевалось и что тут, как всегда, дело в женщине.

Пока шел весь этот разговор, мистер Скотт-Эклс ерзал в своем кресле.

— Я рад, что вы нашли эту записку, потому что она подтверждает мой рассказ,— сказал он.— Но разрешите напомнить, что я еще не слышал, что же случилось с мистером Гарсией и куда исчезли все слуги.

— Насчет Гарсии,— сказал Грегсон,— ответ простой. Его сегодня утром нашли мертвым на Оксшоттском Выгоне, в миле от его дома. Ему размозжили голову — дубасили чем-то тяжелым, вроде мешка с песком или другого подобного орудия, чем-то, что не режет, а, скорей, раздавливает. Место глухое, ни одного дома на четверть мили вокруг. Первый удар был нанесен, очевидно, сзади и сразу его свалил, но потом его еще долго били уже мертвого. Нападение совершено было, как видно, в

141

страшной злобе. Следов никаких, никакого ключа к раскрытию преступников.

— Ограблен?

— Нет; и ничего, что указывало бы на попытку ограбления.

— Весьма прискорбно, прискорбно и страшно,— сказал мистер Скотт-Эклс плаксивым голосом,— и какая же это неприятность для меня! Я тут совершенно ни при чем, если мой хозяин вышел ночью на прогулку и его постигла такая печальная судьба. И почему-то я оказался замешан в эту историю!

— Очень просто, сэр,— ответил инспектор Бэйнс.— Единственным документом, какой нашли в кармане у покойника, было ваше письмо, сообщающее, что вы собираетесь к нему с ночевкой — как раз в ночь его смерти. По адресу на письме мы и узнали имя убитого и где он проживал. В десятом часу утра мы пришли в его дом и не застали ни вас, ни кого-либо другого. Я дал мистеру Грегсону телеграмму с просьбой, чтобы он разыскал вас в Лондоне, пока я проведу обследование в Сиреневой Сторожке. Затем я поехал в город, встретился с мистером Грегсоном — и вот мы здесь.

— Нам теперь следует,— заявил Грегсон,— оформить дело по всем правилам. Вы пройдете вместе с нами в полицию, мистер Скотт-Эклс, и мы снимем с вас показания в письменном виде.

— Конечно! Пойду сейчас же. Но я не отказываюсь от ваших услуг, мистер Холмс. Я хочу дознаться до истины и прошу вас не стесняться расходами и не щадить трудов.

Мой друг повернулся к деревенскому инспектору:

— Надеюсь, вы не будете возражать против моего сотрудничества с вами, мистер Бэйнс?

— Почту за честь, сэр.

— До сих пор вы, я вижу, действовали быстро и толково. Разрешите спросить: есть ли данные, позволяющие уточнить час, когда его настигла смерть?

— Тело к часу ночи уже лежало там. С часу пошел дождь, а смерть наступила, несомненно, еще до дождя.

— Но это совершенно исключено, мистер Бэйнс!— объявил наш клиент.— Его голос нельзя спутать ни с каким другим. Я могу подтвердить под присягой, что в час ночи я лежал в постели и не кто иной, как Гарсия, говорил со мной в моей спальне.

— Примечательно, но отнюдь не исключено,— сказал с улыбкой Холмс.

— Вы нашли разгадку?— спросил Грегсон.

— Дело выглядит не слишком сложным, хотя, конечно, в нем есть новые и любопытные черты. Необходимо собрать дополнительные данные, прежде чем я позволю себе вынести окончательное и определенное суждение. Кстати, мистер Бэйнс, вы при осмотре дома, кроме этой записки, не обнаружили ничего примечательного?

Сыщик посмотрел на моего друга каким-то особенным взглядом.

— Там есть,— сказал он,— очень даже примечательные вещи. Может быть, когда я управлюсь в полиции, вы съездите со мной на место и скажете мне, что вы о них думаете?

— Я весь к вашим услугам,— сказал Шерлок Холмс и позвонил.— Проводите джентльменов, миссис Хадсон, и пошлите мальчика на почту с этой телеграммой. Пять шиллингов на оплаченный ответ.

Когда посетители ушли, мы некоторое время сидели молча. Холмс жадно курил, сдвинув брови над своими пронзительными глазами и выдвинув голову вперед в характерном для него страстном напряжении мысли.

— Ну, Уотсон,— спросил он, вдруг повернувшись ко мне,— что вы об этом скажете?

— Насчет шутки с мистером Скотт-Эклсом не скажу вам ровно ничего.

— А насчет преступления?

— Поскольку все, проживавшие в доме, исчезли, я сказал бы, что они так или иначе причастны к убийству и сбежали от суда.

— Это, конечно, вполне возможное предположение. Однако, если его допустить, очень странным представится, что двое слуг, вступив в заговор против хозяина, почему-то нападают на него в ту единственную ночь, когда у него гость. Они могли разделаться с ним без помехи во всякую другую ночь.

— А почему же тогда они сбежали?

— Вот именно. Почему они сбежали? Это существенный факт. Другой существенный факт — замечательное происшествие с нашим клиентом, Скотт-Эклсом. Неужели, дорогой мой Уотсон, это вне пределов человеческой изобретательности — дать объяснение, которое могло бы связать эти два существенных факта? И если к тому же под него удастся подогнать и таинственную записку, составленную в таких странных выражениях, что ж, тогда его бы стоило принять как рабочую гипотезу. Если потом новые установленные нами факты все улягутся в схему, тогда наша гипотеза может постепенно перейти в решение.

— Но какова она, наша гипотеза?

Холмс откинулся в кресле, полузакрыв глаза.

— Вы должны согласиться, дорогой мой Уотсон, что о розыгрыше здесь и думать не приходится. Готовились серьезные дела, как показало дальнейшее, и то, что Скотт-Эклса заманили в Сиреневую Сторожку, стоит с ними в прямой связи.

— Но какая здесь возможна связь?

— Разберем шаг за шагом. Есть что-то неестественное — это сразу видно — в странной и внезапной дружбе между молодым испанцем и Скотт-Эклсом. Почин принадлежит испанцу. Едва познакомившись, он на следующий же день едет к Эклсу в гости в другой конец Лондона и поддерживает с ним тесную связь, пока тот не приезжает к нему в Эшер. Что же ему было нужно от Эклса? Что Эклс мог ему дать? Я не вижу в этом человеке никакого обаяния. Он и умом не блещет; и едва ли можно думать о духовном сродстве между ним и человеком живого и тонкого латинского интеллекта. Почему же Гарсия из всех своих знакомых избирает именно его как человека, особенно подходящего для его целей? Есть у него какое-нибудь выделяющее его качество? Я сказал бы, есть. Он воплощенная британская добропорядочность, как раз такой человек, какой в роли свидетеля должен импонировать другому британцу. Вы сами видели, что его показания, при всей их необычайности, не внушили и тени сомнения ни одному из наших двух инспекторов.

— Но что он должен был засвидетельствовать?

— Как обернулось дело,— ничего, но сложись оно иначе,— все что угодно. Так я толкую факты.

— Понятно. Он мог бы подтвердить алиби.

— Вот именно, мой дорогой Уотсон: он мог бы подтвердить алиби. Допустим, в порядке обсуждения, что слуги в Сиреневой Сторожке все являются соучастниками некоего заговора. Покушение, в чем бы оно ни заключалось, предполагалось совершить, скажем, до часу ночи. Возможно, что-нибудь подстроили с часами, и когда Скотт-Эклс ложился спать, было раньше, чем он думал; и уж, во всяком случае, очень вероятно, что, когда Гарсия нарочно зашел к нему и сказал, что уже час ночи, на самом деле было не позже двенадцати. Если бы Гарсия успешно совершил намеченное дело, в чем бы оно ни состояло, и к часу вернулся бы домой, у него был бы, очевидно, убедительный ответ на обвинение. Был бы налицо этот англичанин безупречной репутации, готовый присягнуть на любом суде, что обвиняемый сидел все время дома. Это при самом дурном повороте давало некоторую гарантию.

— Да, конечно, тут мне все понятно. Но как объяснить исчезновение остальных?

— Я еще не располагаю всеми фактами, но, думается, с этим едва ли возникнут неразрешимые трудности. Все же это ошибка — строить дедукцию до того, как получены достаточные данные. Незаметно для самого себя начинаешь их подгонять под свою схему.

— А записка?

— Как она гласила? «Цвета — наши исконные: зеленый и белый». Речь как будто о соревнованиях. «Зеленый — открыто, белый — закрыто». Это явно сигнализация. «Парадная лестница, второй этаж, первый коридор, седьмая направо, зеленое сукно». Это — указание места встречи. За всем этим, возможно, кроется ревнивый муж. Затеянное, во всяком случае, связано было с большой опасностью. Будь это иначе, она не добавила бы: «Да хранит вас Бог». «Д.» — это то, что может навести на след.

— Гарсия — испанец. Я полагаю, «Д.» проставлено вместо «Долорес». В Испании это очень распространенное женское имя.

— Отлично, Уотсон, превосходно, но совершенно неприемлемо. Испанка писала бы испанцу по-испански. Записка бесспорно от англичанки. Итак, нам остается только набраться терпения и ждать, когда этот умница инспектор вернется за нами. А пока мы можем благодарить свою счастливую судьбу, что она на несколько часов избавила нас от невыносимой тягости безделья.

Наш суррейский инспектор еще не вернулся, когда пришел ответ на телеграмму Холмса. Он его прочел и уже хотел заложить в свою записную книжку, но, верно, заметил, как у меня вытянулось лицо, и со смехом перебросил мне эту ответную телеграмму.

— Мы вращаемся в высоких сферах,— сказал он. Телеграмма представляла собой перечень имен и адресов: «Лорд Харринкби — Ущелье. Сэр Джордж Фоллиот — Окшоттский Замок. Мистер Хайнс Хайнс, мировой судья — Парди-Плейс. Мистер Джеймс Бейкер Уильямс — Фортон, Старый Дом. Мистер Хендерсон — Дозорная Башня. Преподобный Джошуа Стоун — Нижний Уолслинг».

— Этим и ограничивается наше поле действий,— сказал Холмс.— Способ напрашивается сам собой. Бэйнс с его методическим умом, несомненно, избрал подобный же план.

— Мне не совсем ясно.

— Но, дорогой мой друг, мы ведь уже пришли к выводу, что в записке, которую Гарсия получил за обедом, назначалась какая-то встреча. Далее, если напрашивающееся толкование правильно и для того, чтобы попасть на место тайного свидания, надо подняться с парадного хода на второй этаж и искать седьмую дверь по коридору, то совершенно ясно, что дом очень большой. Столь же очевидно, что он стоит не дальше как в двух милях от Окшотта, коль скоро Гарсия направился туда пешком и рассчитывал, по моему толкованию данных, вовремя вернуться в Сиреневую Сторожку, пока в силе его алиби, то есть до часу ночи. Так как больших домов поблизости от Окшотта, наверно, не так уж много, я прибег к простому, самоочевидному методу: запросил агентство, упомянутое Скотт-Эклсом, и получил их список. Здесь они все налицо, в этой телеграмме, и наша запутанная нить другим своим концом уходит в один из них.

Было около шести, когда мы добрались в сопровождении инспектора Бэйнса до Эшера — славного городка в графстве Суррей.

Мы с Холмсом прихватили с собой все, что нужно для ночевки, и сняли довольно удобные комнаты в гостинице «Бык». Наконец вместе с нашим сыщиком мы отправились на осмотр Сиреневой Сторожки. Вечер был холодный и темный, резкий мартовский ветер и мелкий дождь хлестали нам в лицо, и от этого еще глуше казался пустынный выгон, которым шла дорога, еще печальней цель, к которой она нас вела.

2

Тигр из Сан-Педро

Отшагав мили две, мы подошли, невеселые и озябшие, к высоким деревянным воротам, за которыми начиналась угрюмая каштановая аллея. Изогнутая, укрытая тенью, она привела нас к низкому, темному дому, черному как смоль на свинцово-сером небе. По фасаду в одном из окон — слева от двери — чуть мерцал слабый отблеск света.

— Тут у нас дежурит констебль,— сказал Бэйнс.— Я постучусь в окно.

Он прошел прямо по газону и легонько постучал пальцами в нижнее стекло. Сквозь потное стекло я смутно увидел, как с кресла у камина вскочил какой-то человек, услышал донесшийся из комнаты резкий крик, и через полминуты нам открыл дверь полисмен, бледный, тяжело дыша и с трудом удерживая в дрожащей руке шатающуюся свечу.

— В чем дело, Уолтерс?— резко спросил Бэйнс.

Полисмен отер лоб носовым платком и облегченно вздохнул.

— Хорошо, что вы пришли, сэр. Вечер тянулся так долго, а нервы у меня что-то не те, что были.

— Нервы, Уолтерс? А я и не знал, что у вас есть нервы.

— Понимаете, сэр, дом пустой и тишина такая, да еще эта странная штука на кухне. И потом, когда вы постучали в окно, я подумал, что это опять вернулся он.

— Кто он?

— Сам не знаю. Не иначе как дьявол, сэр. Он тут все стоял под окном.

— Кто стоял под окном и когда?

— Часа два тому назад. Когда только начало темнеть. Я сидел в кресле и читал. Не знаю, что меня толкнуло поднять голову, но только в окошко, в нижнее стекло, на меня смотрело чье-то лицо. Боже мой, сэр, что это была за рожа! Она мне будет сниться по ночам.

— Ну-ну, Уолтерс! Констеблю полиции не пристало так говорить.

— Знаю, сэр, знаю. Но меня кинуло в дрожь, сэр, что пользы скрывать? Она была не черная, сэр, и не белая, и ни какого ни на есть известного мне цвета, а какая-то землистая, что ли, в желтоватых разводах. И широченная, сэр,— вдвое больше вашего лица. А гляделато как: выпученные глазищи и белые оскаленные зубы — ну совсем точно голодный зверь. Говорю вам, сэр, я пальцем не мог пошевелить, не мог вздохнуть, пока это чудовище не исчезло, сэр, шмыгнуло куда-то и пропало. Я кинулся за ним в кусты, но там, слава Богу, никого не оказалось.

— Когда бы я не знал, что вы хороший работник, Уолтерс, я бы за такие слова закатил вам выговор. Будь там сам дьявол, полицейский на посту никак не должен

147

говорить «слава Богу», когда не сумел его схватить. Может, вам это все померещилось, нервы шалят?

— Проверить это очень просто,— сказал Холмс, зажигая свой карманный фонарик.— Да,— доложил он, быстро осмотрев газон,— башмаки, по-моему, номер двенадцатый. Если у него и рост под стать, он должен быть великаном.

— Куда он делся?

— Видимо, продрался сквозь кусты и выбежал на большую дорогу.

На лице инспектора отразилось важное раздумье.

— Ладно,— сказал он.— Кто бы это ни был и что бы он ни затевал, его здесь нет, и мы должны заняться нашей прямой задачей. С вашего разрешения, мистер Холмс, мы сейчас осмотрим с вами дом.

В спальнях и гостиных тщательный обыск, по словам Бэйнса, ничего особенного не дал. Очевидно, жильцы не привезли с собою почти ничего; и все вещи в доме, вплоть до последних мелочей, были взяты напрокат. Оставлено было много одежды с маркой «Маркс и К°, Хай-Холборн». Телеграфный запрос уже был сделан и тоже ничего не дал: Маркс знал о своем клиенте только одно — что он исправный плательщик. Из собственного имущества было обнаружено несколько табачных трубок, кое-какие романы — два из них на испанском,— устарелый револьвер системы Лефоше да гитара — вот, собственно, и все.

— Тут ничего особенного,— сказал Бэйнс, вышагивая со свечой в руке из комнаты в комнату.— Теперь, мистер Холмс, я предложу вашему вниманию кухню.

Это было мрачное, с высоким потолком помещение окнами на задний двор. В одном углу — соломенная подстилка, служившая, должно быть, повару постелью. Стол был завален початыми блюдами со снедью и грязными тарелками — остатки вчерашнего обеда.

— Посмотрите вот на это,— сказал Бэйнс.— Как, по-вашему, что это может быть?

Он поднес свечу к какому-то необыкновенному предмету, приставленному к задней стенке посудного шкафа. Он был такой сморщенный, съежившийся, выцветший, что не разберешь, что же это такое. Можно было только сказать, что это что-то черное, обтянутое кожей, и что похоже оно на крошечное человеческое тельце. Посмотрев на него, я сперва подумал, что передо мною мумия негритянского младенца, а потом мне показалось, что это скорей сильно скрючившаяся и очень старая обезьянка. Я так и не решил, чье же это в конце концов тело — человеческое или звериное. Посередине оно было опоясано двойной нитью бус из белых ракушек.

— Интересно... очень интересно!— заметил Холмс, вглядевшись в эти зловещие останки.— Есть что-нибудь еще?

Бэйнс молча подвел нас к раковине и поднял над ней свечу. По ней раскиданы были туловище и конечности зверски растерзанной, с неощипанными перьями крупной белой птицы. Холмс указал на оторванную голову с красным жабо на шее.

— Белый петух,— сказал он.— Чрезвычайно интересно! Случай в самом деле весьма любопытный.

Но самое зловещее мистер Бэйнс приберег напоследок. Он вытащил из-под раковины цинковое ведро, полное крови. Потом взял со стола и показал нам большое плоское блюдо с горой изрубленных и обгорелых костей.

— Здесь убивали и жгли. Это всё мы выгребли из топки. Утром у нас был тут врач. Говорит, кости не человеческие.

Холмс улыбался, потирая руки.

— Должен вас поздравить, инспектор: вам достался очень необычный и поучительный случай. Надеюсь, вас не обидит, если я скажу вам, что ваши способности выше тех возможностей, какие открыты перед вами.

Маленькие глазки Бэйнса засверкали от удовольствия.

— Вы правы, мистер Холмс. Нас тут, в провинции, губит застой. Такой случай, как этот, для человека редкая удача, и я постараюсь не упустить ее. Что вы скажете об этих костях?

— Кости ягненка, сказал бы я, или козленка.

— А о белом петухе?

— Любопытно, Бэйнс, очень любопытно. Я бы даже сказал — уникально!

— Да, сэр, в этом доме жили, наверно, очень странные люди, и уклад у них был очень странный. Один из них погиб. Может быть, его слуги проследили его и убили? Если так, мы их перехватим; во всех портах стоят у нас посты. Но, на мой взгляд, тут другое. Да, сэр, на мой взгляд, тут нечто совсем другое.

— Значит, у вас есть своя теория?

— И я проверю ее сам, мистер Холмс. Мне это послужит к чести. Вы уже составили себе репутацию, а мне свою надо еще только утверждать. Хотелось бы мне, чтобы потом я мог говорить, что решил задачу без вашей помощи.

Холмс добродушно рассмеялся.

— Ладно, инспектор,— сказал он.— Ступайте своим путем, а я пойду своим. Если я чего-то достигну, все будет к вашим услугам по первой вашей просьбе. Пожалуй, я видел в доме все, что было нужно; и мое время может быть потрачено с большей пользой где-нибудь еще. Au revoir [1], желаю вам успеха.

По множеству тонких признаков, которые, верно, никому, кроме меня, ничего не сказали бы, я видел, что Холмс напал на след. Сторонним наблюдателям он показался бы спокойным, как всегда; и тем не менее в его посветлевших глазах, в живости его движений ощущалась какая-то еле сдерживаемая страстность и какая-то напряженность, позволявшие мне заключить, что гон начался. Холмс, по своему обыкновению, ничего не говорил, а я, по своему, не задавал вопросов. С меня было довольно и того, что я участвую в охоте и оказываю другу посильную помощь, не отвлекая его ненужными расспросами от неотступного размышления. В положенное время он сам обратится ко мне.

Итак, я ждал, но, к своему всевозрастающему разочарованию, ждал напрасно. Проходил день за днем, а друг мой не предпринимал никаких шагов. Как-то он съездил утром в город, и по одному брошенному вскользь замечанию я понял, что он заходил в Британский музей. Если не считать этого единственного случая, он проводил свои дни в долгих и нередко одиноких прогулках или в разговорах с местными кумушками, с которыми завел знакомство.

— По-моему, Уотсон, неделя в деревне принесет вам неоценимую пользу,— заметил он однажды.— Так приятно увидеть опять первые зеленые побеги на живой изгороди и сережки на орешнике! С лопатой в руке, с ботанизиркой и кратким определителем растений тут отлично можно отдохнуть, расширяя при том свои знания.

Он и сам бродяжил в таком снаряжении, но вечерами мог предъявить довольно скудный сбор трав и цветов.

В наших прогулках мы иногда набредали на инспектора Бэйнса. Толстое, красное его лицо, когда он здоровался с моим спутником, собиралось в складки от широкой улыбки, маленькие глазки поблескивали. О розы-

---

[1] До свидания (франц.).

ских своих он говорил немного, но из этого немногого мы
могли заключить, что и он вполне доволен ходом дела.
Все же, признаюсь, я порядком удивился, когда дней
через пять после убийства, развернув утром газету, я
увидел набранное огромными буквами:

ТАЙНА ОКСШОТТА РАСКРЫТА
ПРЕДПОЛАГАЕМЫЙ УБИЙЦА АРЕСТОВАН

Холмс, как ужаленный, подскочил в своем кресле, когда я прочитал вслух эти заголовки.

— Быть не может! — вскричал он.— Это что ж означает, что Бэйнс его накрыл?

— Очевидно, так,— сказал я, пробежав глазами следующую заметку.

«Сильное волнение охватило город Эшер и его ок-
рестности, когда вчера поздно вечером распространи-
лось известие об аресте, произведенном в связи с Окс-
шоттским убийством. Наши читатели, вероятно, помнят,
что мистер Гарсия из Сиреневой Сторожки был найден
мертвым на Оксшоттском Выгоне, причем на его теле были обнаружены следы, с несомненностью говорящие о
насильственной смерти, и что в ту же ночь его лакей и
повар сбежали, что наводило на мысль об их соучастии
в убийстве. Есть предположение, очень вероятное, хотя
и недоказанное, что покойный хранил в доме ценности,
похищение которых и явилось мотивом преступления.
Инспектор Бэйнс, ведущий это дело, прилагал все усилия к обнаружению места укрытия преступников и не
без оснований полагал, что они не могли сбежать далеко, а укрылись в каком-то заранее подготовленном убежище. Однако с самого начала представлялось несомненным, что беглецы непременно будут обнаружены, так
как повар, по свидетельству двух-трех разносчиков, мельком видевших его в окно, обладает чрезвычайно примет-
ной внешностью: это очень рослый и на редкость безобразный мулат с желтоватым лицом резко выраженно-
го негритянского склада. Человека этого уже видели
после совершения убийства: констебль Уолтерс обнаружил его и пытался преследовать, когда тот в первый же
вечер имел дерзость наведаться в Сиреневую Сторожку.
Рассчитав, что для такого посещения мулат должен был
иметь какую-то цель и, значит, по всей вероятности, по-
вторит свою попытку, инспектор Бэйнс оставил дом пус-
тым, но поместил засаду в кустах. Ночью мулат попал
в ловушку и был схвачен после борьбы, в которой этот

дикарь жестоко укусил констебля Даунинга. После первых допросов арестованного полиции, очевидно, разрешат дальнейшее содержание его под стражей, и его поимка вселяет надежду, что окшоттская тайна будет вскоре раскрыта».

— Нужно немедленно повидаться с Бэйнсом!— закричал Холмс.— Времени в обрез, но мы еще успеем застать его дома.

Мы быстро прошли деревенскую улицу и, как и ожидали, захватили инспектора при выходе из дому.

— Читали, мистер Холмс?— спросил он, протягивая нам газету.

— Да, Бэйнс, читал. Не примите за обиду, но я позволю себе по-дружески предостеречь вас.

— Предостеречь, мистер Холмс?

— Я и сам вникал в это дело, и я уверен, что вы на ложном пути. Не хочется мне, чтобы вы слишком долго блуждали понапрасну, пока убедитесь в этом сами!

— Очень любезно с вашей стороны, мистер Холмс.

— Уверяю вас, я говорю это, желая вам добра.

Мне показалось, будто Бэйнс чуть подмигнул одним своим крошечным глазом.

— Мы условились, что будем работать каждый сам по себе, мистер Холмс. И я следую уговору.

— Ага, очень хорошо,— сказал Холмс.— Так уж не ругайте меня потом.

— Зачем же, сэр? Я вижу, что вы со мной по-хорошему. Но у каждого своя система, мистер Холмс. Вы действуете по своей, а я, может, по своей.

— Не будем больше об этом говорить.

— Я всегда с удовольствием поделюсь с вами новостями. Этот парень совершенный дикарь, силен, как ломовая лошадь, и свиреп, как черт. Он Даунингу чуть совсем не откусил большой палец, пока мы с ним совладали. Он по-английски ни слова, и мы ничего не можем вытянуть из него — мычит, и только.

— У вас, вы думаете, есть доказательства, что он убил своего хозяина?

— Я этого не говорю, мистер Холмс. Не говорю. У нас у каждого своя дорожка. Вы пробуете идти по вашей, я — по своей. Ведь так мы договорились?

— Не пойму я этого человека,— сказал, пожимая плечами, Холмс, когда мы вышли от инспектора.— Сам себе яму роет. Что ж, попробуем, как он говорит, идти каждый своей дорожкой и посмотрим, что из этого получится. А все-таки этот инспектор Бэйнс не так прост — я тут чего-то не понял.

Сядьте же в это кресло. Уотсон,— сказал Холмс, когда мы вернулись в свои комнаты в «Быке».— Я хочу, чтобы вы уяснили себе ситуацию, так как сегодня вечером мне, возможно, понадобится ваша помощь. Сейчас я покажу вам, как шло, насколько я мог проследить, развитие этого случая. Он как будто вовсе и не сложен в основных своих чертах, а между тем представляет неожиданные трудности для ареста виновных. В этом смысле у нас остаются пробелы, которые еще предстоит заполнить.

Вернемся к записке, полученной Гарсией за обедом в день его смерти. Мы можем отбросить идею Бэйнса, что в деле замешаны слуги Гарсии. Это опровергается тем, что он сам же постарался завлечь в дом Скотт-Эклса, что могло быть сделано единственно в целях алиби. Значит, именно Гарсия замыслил какое-то предприятие — и, по-видимому, преступное — на ту самую ночь, когда он встретил свою смерть. Я говорю «преступное», потому что, только замыслив преступное, человек желает подготовить себе алиби. Кто же тогда, всего вероятней, лишил его жизни? Конечно, тот, против кого был направлен его преступный умысел. До сих пор мы, как мне кажется, стоим на твердой почве.

Теперь нам видно, что́ могло послужить причиной к исчезновению слуг Гарсии. Они были оба соучастниками в том неизвестном нам покушении. Если бы к возвращению Гарсии оно было бы уже совершено, всякое подозрение отпало бы благодаря свидетельству англичанина и все прошло бы безнаказанно. Но покушение сопряжено было с опасностью, и если бы к намеченному часу Гарсия не вернулся, это означало бы, что он сам поплатился жизнью. Поэтому они условились, что в этом случае двое его подчиненных должны уйти в какое-то заранее приготовленное место, где они могли бы укрыться от преследования, чтобы в дальнейшем повторить свою попытку. Так, не правда ли, все факты получают объяснение?

Передо мною все легло, точно распутанная пряжа. Я, как всегда, только диву давался, как мне раньше не было это столь же очевидно самому.

— А мочему же один из слуг вернулся?

— Мы можем представить себе, что при побеге он в спешке забыл захватить какую-то вещь, очень ему дорогую — такую, что расстаться с ней для него невыносимо.

Как, по-вашему, это объяснило бы его упрямые попытки вернуться за нею?

— Хорошо. Следующее звено?

— Следующее звено — записка, полученная Гарсией за обедом. Это нить, ведущая к другому сообщнику. Где же мы найдем ее второй конец? Я вам уже показывал, что его надо искать в некоем большом доме и что число больших домов ограниченно. Свои первые дни в деревне я посвятил планомерным прогулкам, и, гуляя, я между своими ботаническими поисками ознакомился со всеми большими домами и выведал семейную историю их обитателей. Один из этих домов — и только один — привлек мое внимание. Это Дозорная Башня, знаменитый старый замок времен Якова Первого. Он стоит в одной миле от того конца Окшотта и менее чем в полумиле от места, где разыгралась трагедия. Все прочие большие дома принадлежат прозаическим, почтенным людям, живущим размеренной жизнью, далекой от всякой романтики. А вот мистер Хендерсон из Дозорной Башни выглядел во всех рассказах необыкновенным человеком, с которым могут происходить необыкновенные вещи. Поэтому я сосредоточил свое внимание на нем и его домашних.

Удивительные это люди, Уотсон, и всех удивительней он сам. Я исхитрился явиться к нему под благовидным предлогом, но, кажется, я прочел в его темных, глубоко запавших, подозрительных глазах, что он безошибочно разгадал мою действительную цель. Это человек лет пятидесяти, крепкий, энергичный, со стальными волосами, густыми, черными, кустистыми бровями, поступью оленя и осанкой императора — жестокий, властный человек, снаружи пергамент, а под ним раскаленное железо. Он или иностранец, или же долго жил в тропиках, потому что он желтый и высохший, но тугой, как плеть. Его друг и секретарь, мистер Лукас, тот, несомненно, иностранец, шоколадно-коричневый, коварный и вкрадчивый — с кошачьей повадкой и ядовито-любезным разговором. Как видите, Уотсон, теперь перед нами уже две группы иностранцев: одна — в Сиреневой Сторожке, другая — в Дозорной Башне. Таким образом, наши пробелы понемногу заполняются.

Эти два человека, связанные дружбой и взаимным доверием, составляют ядро второй группы; но в доме есть еще одна особа, может быть более важная для нас в смысле наших розысков. У Хендерсона двое детей — две дочки, одна тринадцати, другая одиннадцати лет.

Гувернанткой при них — мисс Бернет, англичанка лет сорока. И есть еще доверенный лакей. Эта небольшая компания образует тесную семью: они всегда путешествуют вместе, а Хендерсон, надо сказать, большой путешественник, он вечно в разъездах. Он всего лишь несколько недель как вернулся в Дозорную Башню после годичного отсутствия. Добавлю, что он несметно богат и может с легкостью удовлетворить свою любую прихоть. Дом его полон всяких буфетчиков, лакеев, горничных и прочей прислуги — обычный зажравшийся и обленившийся штат большого барского дома в английской деревне.

Все это я знаю частью из деревенских сплетен, частью по собственным наблюдениям. Нет лучшего орудия для этой цели, чем уволенные слуги с их обидой, и мне выпала удача найти одного такого. Я говорю «удача», но я не встретил бы ее на своем пути, если б не искал. Как заметил Бэйнс, у нас у каждого есть своя система. Вот система-то моя и помогла мне найти Джона Уорнера, бывшего садовника из Дозорной Башни, которого властный хозяин под горячую руку уволил. А у него, со своей стороны, есть друзья среди живущих в доме слуг, которые все до одного трепещут перед своим господином и ненавидят его. Таким образом у меня оказался ключ к тайнам дома.

Странные люди, Уотсон! Я, может быть, там еще не во всем разобрался, но это, во всяком случае, очень странные люди! Дом на два крыла, и слуги живут все в одном крыле, семья — в другом. Между теми и другими нет иного связующего звена, кроме личного лакея самого Хендерсона, прислуживающего также всей семье за столом. Все подается к некой двери, соединяющей обе половины. Гувернантка с девочками чуть ли вообще никуда не выходит за пределы сада. Хендерсон никогда, ни под каким видом не выходит из дому один. Его всюду сопровождает как тень его темнолицый секретарь. Слуги говорят между собой, будто он страшно чего-то боится. «Душу дьяволу продал за деньги, — говорит Уорнер, — вот и ждет, что кредитор придет истребовать свое». Никто понятия не имеет, кто они и откуда явились. Они очень необузданны. Хендерсону дважды случилось отхлестать человека плеткой, и только тугой кошелек оба раза позволил ему, откупившись большими деньгами, уйти от суда.

Теперь, Уотсон, давайте обсудим ситуацию в свете этих добавочных сведений. Мы можем с достоверностью принять, что записка была от кого-то из слуг этого странного дома и приглашала Гарсию осуществить некое покушение согласно ранее составленному плану. Кем написана записка? Кем-то внутри цитадели — и при том женщиной. Так кем же тогда, если не мисс Бернет, гувернанткой? Все наше построение, очевидно, приводит нас к ней. Во всяком случае, мы можем принять это как гипотезу и посмотрим, какие следствия она за собой повлечет. Я могу добавить, что возраст мисс Бернет и ее репутация, бесспорно, исключают мою первую мысль, что подоплекой в этом деле могла быть какая-то любовная история.

Если записка от нее, то, по всей вероятности, эта женщина — друг и сообщница Гарсии. Тогда как же она должна была себя повести, узнав о его смерти? Если он встретил свой конец, когда сам совершал беззаконное дело, сообщница должна держать рот на замке. Все же в сердце она, конечно, затаила жестокую ненависть к его убийцам и, наверно, чем только может станет помогать отмщению за него. Так нельзя ли нам повидаться с ней и воспользоваться ее помощью? Это первое, что мне пришло на ум. Но тут перед нами встает один зловещий факт. С ночи убийства никто и нигде не видел мисс Бернет. Она еще с вечера точно исчезла. Жива ли она? Может быть, и ее постигла смерть в ту же ночь — вместе с другом, которого она призывала? Или ее только держат взаперти? Вот вопрос, на который мы должны дать ответ.

Вы оцените, Уотсон, всю трудность положения. Нам не на что опереться, чтобы требовать вмешательства закона. Наше построение покажется фантасмагорией, если с ним явиться к судье. Что женщина исчезла, не поставят ни во что, — весь уклад этого странного дома таков, что любой из его обитателей может неделю не показываться людям на глаза. А между тем женщине, возможно, в любую минуту грозит смерть. В моей власти наблюдать за домом, поставить своего человека, Уорнера, сторожить у ворот — и только. Но мы же не можем дать делу идти своим ходом. Если закон бессилен, мы должны взять риск на себя.

— Что же вы предлагаете?

— Я знаю, в какой она комнате. Туда можно пробраться с крыши флигеля. Мое предложение: не попробовать ли нам с вами сегодня ночью проникнуть в самое сердце тайны?

Перспектива, должен я признаться, была не слишком

заманчива. Старый дом, дышащий убийством, странные и страшные его обитатели, тайные опасности, подстерегающие приходящего, и то, что мы сами при этом выступаем правонарушителями,— все это, взятое вместе, охлаждало мой пыл. Но было в холодных рассуждениях Холмса нечто такое, что вы, не дрогнув, пошли бы с ним на самое рискованное дело. Вы знали, что так, и только так, можно найти решение задачи. Я молча пожал ему руку, и жребий был брошен.

Но нашему расследованию не суждено было закончиться такою авантюрой. Было около пяти часов, мартовский вечер уже стелил свои тени, когда в комнату к нам ворвался в сильном возбуждении какой-то деревенский житель.

— Они уехали, мистер Холмс. С последним поездом. Леди вырвалась, она в моем кебе — здесь, внизу.

— Превосходно, Уорнер!— прокричал, вскочив на ноги Холмс.— Уотсон, пробелы быстро заполняются!

Женщина в кебе была в полуобмороке от нервного истощения. На ее горбоносом, исхудалом лице лежал отпечаток какой-то недавней трагедии. Ее голова безжизненно свесилась на грудь, но, когда она подняла голову и тупо повела глазами, я увидел черные точки зрачков на серых радужных оболочках: ее опоили опиумом.

— Я поджидал у ворот, как вы наказывали, мистер Холмс,— докладывал наш тайный агент, хендерсоновский уволенный садовник.— Когда они выехали в карете, я двинул за ними следом на станцию. Леди шла по платформе как во сне, но, когда они стали сажать ее в поезд, она ожила и давай отбиваться. Они впихнули ее в вагон. Она стала опять вырываться. Я вступился за нее, посадил ее в свой кеб, и вот мы здесь. Никогда не забуду, с каким лицом глядел на меня в окно вагона этот человек, когда я ее уводил. Его бы воля — недолго б я пожил на свете. Черные глаза, лицо желтое, сам осклабился — сущий дьявол!

Мы внесли женщину наверх, уложили на диван, и две чашки крепчайшего кофе быстро разогнали пары опиума и прояснили ее мысли. Холмс вызвал Бэйнса и коротко объяснил ему, как обстоит дело.

— Прекрасно, сэр, вы мне доставили то, чего мне не хватало — показания свидетельницы,— с жаром сказал инспектор, пожимая руку моему другу.— Я ведь с самого начала шел с вами по одному и тому же следу.

— Как? Вы подозревали Хендерсона?

— Когда вы, мистер Холмс, прятались в кустах у Дозорной Башни, я там сидел в саду на дереве и смотрел на вас сверху. Все дело было в том, кто первый добудет доказательства.

— Зачем же тогда вы арестовали мулата?

Бэйнс усмехнулся:

— Я был уверен, что этот Хендерсон, как он себя называет, понял, что попал под подозрение, и, значит, будет начеку и не шелохнется, покуда чует над собой опасность. Вот я и арестовал не того человека — пусть его думает, что у нас другие подозрения. Я знал, что тут он, вероятно, попробует смыться и даст нам возможность подобраться к мисс Бернет.

Холмс положил руку на плечо инспектору.

— Вы далеко пойдете в своей профессии,— сказал он.— У вас есть чутье и интуиция.

Бэйнс покраснел от удовольствия.

— У меня всю неделю караулил на станции сотрудник в штатской одежде. Куда бы кто из Башни ни поехал, он проследил бы. Но когда мисс Бернет вырвалась, он, видно, растерялся. К счастью, ваш человек ее подхватил, и все обернулось благополучно. Мы, ясное дело, не можем арестовать их без ее показаний, так что чем скорей мы снимем допрос, тем лучше.

— Она приходит в себя,— сказал Холмс, поглядев на гувернантку.— Но скажите мне, Бэйнс, кто он, этот Хендерсон?

— Хендерсон,— ответил инспектор,— это дон Мурильо, известный когда-то под прозванием «Тигр из Сан-Педро».

Тигр из Сан-Педро! Вся его история мгновенно пронеслась в моей памяти. За ним утвердилась слава самого низкого, кровожадного тирана, какой когда-либо правил страной, притязающей на цивилизованность. Сильный, бесстрашный, энергичный — этих качеств оказалось довольно, чтобы он мог принудить устрашенный народ терпеть его мерзкие пороки чуть не двенадцать лет. Его имя повергало в ужас всю Центральную Америку. К концу этого срока поднялось против него всеобщее восстание. Но он был так же хитер, как жесток, и при первом же слухе о надвигающихся беспорядках тайно вывез свои богатства на пароходе с экипажем из своих приверженцев. На другой день повстанцы ворвались в пустой дворец. Диктатор, его двое детей, его секретарь, его сокровища — все ускользнуло от них. С этого часа он исчез из мира, и в европейской печати часто обсуждалось, не скрывается ли он за той или другой личностью.

— Да, сэр, дон Мурильо, Тигр из Сан-Педро,— продолжал Бэйнс.— Загляните в справочник, и вы увидите, что цвета Сан-Педро — зеленый и белый, те же, что в нашей записке, мистер Холмс. Он взял себе имя «Хендерсон», но я проследил его через Париж, Рим и Мадрид вплоть до Барселоны, где пришвартовался его пароход в восемьдесят шестом году. Все это время его разыскивали, чтобы отомстить ему, но только недавно им удалось его выследить.

— Его нашли год тому назад,— сказала мисс Бернет. Приподнявшись на локте, она теперь напряженно следила за разговором.— Было уже одно покушение на его жизнь, но какой-то злой гений ограждает его. Вот и сейчас благородный, рыцарственный Гарсия погиб, а это чудовище вышло невредимым. Но придет другой и третий, пока однажды не совершится над злодеем правый суд. Это верно, как то, что завтра встанет солнце.— Ее худые руки сжались в кулаки, и страстная ненависть выбелила ее изможденное лицо.

— Но как вы, мисс Бернет, оказались втянуты в это дело?— спросил Холмс.— Дама, англичанка, вдруг вступает в заговор убийц?

— Я вступила в заговор, потому что только таким путем могло совершиться правосудие. Какое дело английскому закону до моря крови, пролитой много лет назад в Сан-Педро, или до судна, груженного ценностями, которые украдены этим человеком? Для вас это все равно как преступления, совершенные на другой планете. Но мы-то знаем. Мы знаем правду, выстраданную в горе и муках. Для нас нет в преисподней дьявола, подобного Хуану Мурильо, и нет на земле покоя, пока его жертвы еще взывают о мести.

— Он, бесспорно, таков, как вы говорите,— вставил Холмс.— Я наслышан о его жестокости. Но как это коснулось лично вас?

— Расскажу вам все. Этот негодяй избрал своим политическим принципом расправляться под тем или другим предлогом с каждым, кто мог бы со временем стать для него опасным соперником. Мой муж (да, мое настоящее имя — сеньора Висенте Дурандо), мой муж, Висенте Дурандо, был посланником Сан-Педро в Лондоне. Здесь мы встретились с ним, и он на мне женился. Не было на земле человека благородней его. На мое горе Мурильо прослышал о его даровитости, отозвал его под каким-то предлогом и отдал под расстрел. Предчувствуя свою судьбу, муж отказался взять меня с собой. Его земли и все имущество были конфискованы, я осталась одна со своим горем и без средств к существованию.

Потом произошло падение тирана. Он бежал, как вы сейчас рассказывали. Но многие из тех, чью жизнь он искалечил, чьи родные и близкие претерпели пытки и смерть от его руки, не примирились с таким исходом. Они сплотились в союз, который не распадется до тех пор, пока не сделает своего дела. Как только мы разведали, что низвергнутый деспот скрывается под видом Хендерсона, на меня возложили задачу наняться к нему на службу и извещать остальных при его переездах. Мне удалось выполнить задачу, получив место гувернантки в его доме. Он и не подозревал, что каждый день садится за стол с той самой женщиной, мужа которой он без суда, единым росчерком пера послал на казнь. Я улыбалась ему, добросовестно воспитывала его дочерей — и ждала своего часа. Одно покушение было сделано в Париже и сорвалось. Мы метались туда и сюда по Европе, чтобы сбить преследователей со следа, и наконец вернулись в этот дом, который он снял еще при первом своем приезде в Англию.

Но и здесь ждали вершители правосудия. Понимая, что он непременно вернется сюда, Гарсия, чей отец до Мурильо занимал в Сан-Педро высший правительственный пост, ждал его здесь с двумя своими верными товарищами — людьми невысокого звания, но которым, как и ему, было за что мстить. Днем он едва ли смог бы что-то сделать, так как Мурильо соблюдал всемерную осторожность и не выходил из дому иначе, как в сопровождении своего сподвижника Лукаса, или Лопеса, как его именовали в дни его величия. Ночью, однако, он спал один, и тут мститель мог бы к нему подобраться. Однажды вечером, как было заранее условлено, я собралась послать другу последние указания, так как Мурильо был всегда настороже и непрестанно менял спальню. Я должна была проследить, чтобы входная дверь была не заперта, и зеленым или белым светом в окне дать знать, что все благополучно или что попытку лучше отложить.

Но все у нас пошло вкривь и вкось. Я чем-то возбудила подозрение у Лопеса, секретаря. Он подкрался сзади и, как только я дописала записку, набросился на меня. Вдвоем с хозяином он уволок меня в мою комнату, и здесь они держали надо мною суд как над уличенной предательницей. Во время суда они не раз готовы были всадить в меня нож — и всадили бы, когда бы знали, как потом уйти от ответа. Наконец после долгих споров они пришли к заключению, что убивать меня слишком опасно. Но они решили раз и навсегда разделаться с Гарсией. Мне заткнули рот, и Мурильо выкручивал мне руки до тех пор, пока я не дала ему адрес. Клянусь вам, я дала бы ему выкрутить их вовсе, если бы знала, что грозило Гарсии. Лопес сам надписал адрес на моей записке, запечатал ее своею запонкой и отправил ее со слугой, испанцем Хосе. Как они его убили, я не знаю, одно мне ясно — что погиб он от руки Мурильо, потому что Лопес остался стеречь меня. Дорога вьется по зарослям дрока, так он, должно быть, подстерег его в кустах и там оглушил и прикончил.

Сперва они думали дать Гарсии войти в дом и затем убить, как будто пойманного с поличным грабителя; но потом рассудили, что если их припутают к следствию и станут снимать с них допрос, то сразу откроется, кто они такие, и огласка вскоре навлечет на них новое покушение. А так со смертью Гарсии преследование могло и вовсе прекратиться, потому что эта прямая расправа отпугнула бы других от подобных попыток.

Они теперь могли бы успокоиться, если бы не то, что я знала об их преступлении. Я не сомневаюсь, что моя жизнь не раз висела на волоске. Меня заперли в моей комнате, грозили мне всякими ужасами, всячески истязали, чтобы сломить мой дух,— видите эту ножевую рану на моем плече, эти синяки по всей руке?— а когда я попробовала раз закричать в окно, мне забили в горло кляп. Пять дней длилось это тюремное заключение, и есть мне давали совсем мало — только-только, чтобы с голоду не умереть. Сегодня к часу дня мне принесли хороший завтрак, но я сразу поняла, что в него чего-то намешали. Помню, меня в каком-то полусне не то вели, не то несли к карете; в том же состоянии посадили в поезд. Только когда дернулись колеса, я вдруг поняла, что моя свобода в моих руках. Я соскочила, меня пробовали втащить обратно, и если бы не пришел на помощь этот добрый человек, который усадил меня в свой кеб, мне бы не вырваться от них. Теперь, слава Богу, им уже мной не завладеть никогда.

Мы все напряженно слушали этот удивительный рассказ.

Первым прервал молчание Холмс.

— Трудности для нас еще не кончились,— заметил он, покачав головой.— С полицией наше дело закончено, начинается работа для суда.

— В том-то и суть,— сказал я.— Ловкий адвокат сумеет представить это как меру самозащиты. За ними может числиться сотня преступлений, но судить их будут сейчас только за это одно.

— Ну нет!— бойко возразил Бэйнс.— Не так он плох, наш закон. Самозащита — это одно. А умышленно заманить человека с целью убить его — это совсем другое, какой бы опасности вы от него ни страшились. Нет, нет, нам ничего не поставят в вину, когда обитатели Дозорной Башни предстанут пред судом на ближайшей сессии в Гилдфорде.

История, однако, говорит, что если Тигр из Сан-Педро получил наконец по заслугам, то это случилось еще не сразу. Коварный и смелый, он со своим сообщником ушел от преследователей, зайдя на Эдмонтон-стрит в какой-то пансион и выйдя из него задними воротами на Керзон-сквер.

С того дня в Англии их больше не видели. А полгода спустя в Мадриде, в гостинице «Эскуриал», были убиты в своих номерах некий маркиз Монтальва и его секретарь, сеньор Рулли. Преступление приписывалось нигилистам, но захватить убийц так и не удалось. Инспектор Бэйнс зашел к нам на Бейкер-стрит и показал газету, где описывались темное лицо секретаря и властные черты хозяина, его магнетические черные глаза, его косматые брови. У нас не осталось сомнений, что правосудие, хоть и запоздалое, наконец свершилось.

— Сумбурное дело, мой дорогой Уотсон,— сказал Холмс, покуривая свою вечернюю трубку.— Вам едва ли удастся представить его в том сжатом изложении, которое так любезно вашему сердцу. Оно раскинулось на два материка, охватывает две группы таинственных личностей и вдобавок осложняется присутствием распектабельного гостя, нашего друга Скотт-Эклса, привлечение которого показывает мне, что покойный Гарсия обладал вкусом к интриге и развитым инстинктом самосохранения. Тут замечательно только то, что в дебрях всяческих возможностей мы с нашим достойным сотрудником, инспектором Бэйнсом, оба цепко ухватились за самое существенное, и это правильно вело нас по извивам кривой тропы. Что-нибудь все-таки остается, что не совсем вам ясно?

— Чего ради возвращался повар-мулат?

— Думаю, на это нам ответит та странная вещь на кухне. Человек этот — неразвитый дикарь из глухих лесов Сан-Педро, и это был его фетиш. Когда он со своим товарищем бежал ь их заранее подготовленное убежище, где, несомненно, уже засел кто-то из их сообщников, товарищ уговорил его не брать с собой такую громоздкую улику. Но сердце мулата не могло от нее оторваться, и на другой же день он потянулся к ней. Заглядывает в окно, видит полисмена Уолтерса — дом занят! Он переждал еще три дня, и тут его вера — или его суеверие — толкнула его сделать новую попытку. Инспектор Бэйнс, хотя передо мной и делал вид, что недооценивает этот инцидент, на самом деле со свойственной ему проницательностью понял все его значение и расставил мулату ловушку, в которую тот и попался. Что-нибудь еще, Уотсон?

— Растерзанная птица, кровь в ведре, обугленные кости — вся тайна ведьминской кухни.

Холмс улыбался, раскрывая свой блокнот на длинной выписке.

— Я провел целое утро в Британском музее, читая по этим и смежным вопросам. Вот вам цитата из книги Эккермана «Вудуизм и негритянские религии»:

«Убежденный вудуист никогда не приступит ни к какому важному делу, не принеся установленной жертвы своим нечистым богам, дабы умилостивить их. В чрезвычайных случаях эти обряды принимают вид человеческого жертвоприношения, сопровождающегося людоедством. Обычно же в жертву приносится белый петух, которого раздирают на куски живьем, или черный козел, которому перерезают горло, а тело сжигают».

Как видите, наш темнокожий друг проводил обряд по всем правилам своей религии. Да, Уотсон, дикая история,— добавил Холмс, медленно закрывая на застежку свой блокнот,— но, как я имел уже случай заметить, от дикого до ужасного только шаг.

КАРТОННАЯ КОРОБКА

Выбирая несколько типичных дел, иллюстрирующих замечательные свойства ума моего друга Шерлока Холмса, я старался, насколько возможно, отыскать среди них наименее сенсационные, но в то же время открывающие широкое поле для его талантов. Однако, к сожалению, совершенно невозможно отделить сенсационное от криминального, и летописец оказывается перед дилеммой: он должен либо пожертвовать подробностями, необходимыми для его отчета, и, следовательно, дать неверное представление о деле в целом, либо использовать материалы, которые дает ему не выбор, а случай. После этого краткого вступления я перехожу к моим запискам о странной и в своем роде ужасной цепи событий.

Стоял неимоверно жаркий августовский день. Бейкер-стрит была раскалена, как печь, и ослепительный блеск солнца на желтом кирпиче дома напротив резал глаза. Трудно было поверить, что это те самые стены, которые так мрачно глядели сквозь зимний туман. Шторы у нас были наполовину спущены, и Холмс, поджав ноги, лежал на диване, читая и перечитывая письмо, полученное с утренней почтой. Сам я за время службы в Индии привык переносить жару лучше, чем холод, и тридцать три градуса выше нуля не особенно меня тяготили. Но в утренних газетах не было ничего интересного. Сессия парламента закрылась. Все уехали за город, и я начал тосковать по полянам Нью-Фореста и по каменистому пляжу Саути. Однако истощенный банковский счет заставил меня отложить отпуск, а что касается моего друга, то ни сельская местность, ни море никак не привлекали его. Ему нравилось затаиться среди пяти миллионов людей, перебирая их своими щупальцами и чутко ловя каждый слух или подозрение о неразгаданном преступлении. Любви к природе не нашлось места среди множества его достоинств, и он изменял себе лишь тогда, когда оставлял в покое городского злодея и начинал выслеживать его деревенского собрата.

Увидев, что Холмс слишком поглощен чтением, чтобы беседовать со мной, я отбросил скучную газету и, откинувшись на спинку кресла, погрузился в размышления. Внезапно голос моего друга прервал их.

— Вы правы, Уотсон,— сказал он.— Это совершенно нелепый способ решать споры.

— Совершенно нелепый! — воскликнул я и, внезапно поняв, что он угадал мою невысказанную мысль, подскочил в кресле и в изумлении уставился на него.

— Что это, Холмс? — вскричал я.— Я просто не представляю себе, как это возможно.

Он от души рассмеялся, видя мое недоумение.

— Помните,— сказал он,— не так давно, когда я прочел вам отрывок из рассказа По, в котором логически рассуждающий наблюдатель следит за внутренним ходом мыслей своего собеседника, вы были склонны рассматривать это просто как tour de force[1] автора. Я же сказал, что постоянно занимаюсь тем же, но вы мне не поверили.

— Ну что вы!

— Возможно, вы не выразили этого словами, дорогой Уотсон, но бровями выразили несомненно. Итак, когда я увидел, что вы отложили газету и задумались, я был рад возможности прочитать ваши мысли и под конец ворваться в них в доказательство того, что я не отстал от вас ни на шаг.

Но я все же далеко не был удовлетворен таким объяснением.

— В том отрывке, который вы прочли мне,— сказал я,— наблюдатель делает свои умозаключения на основании действий человека, за которым он наблюдает. Насколько я помню, этот человек споткнулся о кучу камней, посмотрел на звезды и так далее. Но я спокойно сидел в кресле. Какой же ключ я мог вам дать?

— Вы несправедливы к себе. Человеку даны черты лица как средство для выражения эмоций, и ваши верно служат вам.

— Вы хотите сказать, что прочли мои мысли по лицу?

— По лицу, и особенно по глазам. Вероятно, вы сами не можете теперь вспомнить, с чего начались ваши размышления.

— Не могу.

— Тогда я скажу вам. Отложив газету — это и было действием, которое привлекло к вам мое внимание,— вы полминуты сидели с отсутствующим видом. Затем ваши глаза остановились на недавно вставленном в раму портрете генерала Гордона[2], и по тому, как изменилось ваше лицо, я понял, что размышления начались. Но они увели вас не очень далеко. Вы бросили взгляд на портрет Генри Уорда Бичера[3], который без рамы стоит на

---

[1] Фокус, выдумка (франц.).

[2] *Гордон* Чарлз Джордж (1833—1885) — английский генерал. В начале 1884 года был послан английским правительством для подавления махдистского освободительного восстания в Судане и в январе 1885 года был убит при взятии повстанцами Хартума.

[3] *Бичер* Генри Уорд (1813—1887) — американский священник, брат Г. Бичер-Стоу — автора «Хижины дяди Тома». Сторонник женского равноправия, противник рабства. В 1863 году приезжал в Англию с циклом лекций об освобождении негров.

ваших книгах. Затем вы посмотрели вверх на стену, и ваша мысль стала ясна. Вы подумали, что, если вставить этот портрет в раму, он как раз и займет пустое пространство и будет хорошо сочетаться с портретом Гордона.

— Вы удивительно проследили за мной! — воскликнул я.

— До сих пор я едва ли мог ошибиться. Но тут ваши мысли вернулись к Бичеру, и вы посмотрели на него внимательно, даже испытующе. Затем вы перестали щуриться, но продолжали смотреть на портрет, и ваше лицо стало задумчивым. Вы вспоминали эпизоды карьеры Бичера. Я прекрасно понимал, что при этом вы не можете не думать о той миссии, которую он выполнял по поручению северян во время Гражданской войны, потому что я помню ваше негодование по поводу того, как его встретили наиболее нетерпимые наши сограждане. Вы были так возмущены, что, разумеется, думая о Бичере, не могли не подумать и об этом. Когда через секунду вы отвели глаза от портрета, я предположил, что ваши мысли обратились к Гражданской войне, а заметив, как сжались ваши губы, засверкали глаза, а руки стиснули подлокотники кресла, я уже не сомневался, что вы в самом деле думаете о храбрости, проявленной обеими сторонами в этой отчаянной борьбе. Но затем на ваше лицо снова набежала тень; вы покачали головой. Вы размышляли об ужасах войны и бесполезных человеческих жертвах. Ваша рука потянулась к старой ране, а губы искривились в усмешке — я понял, что нелепость такого способа разрешения международных конфликтов стала вам ясна. Тут я согласился, что это нелепо, и был рад обнаружить, что все мои заключения оказались правильными.

— Абсолютно! — сказал я.— Но и теперь, когда вы мне все объяснили, признаюсь, я не перестаю удивляться.

— Все это было очень поверхностно, дорогой Уотсон, уверяю вас. Я не стал бы отвлекать этим вашего внимания, не вырази вы недоверия в тот раз. Но вот здесь у меня в руках задача, решение которой может оказаться труднее, чем этот маленький опыт чтения мыслей. Видели ли вы в газете коротенькую заметку об удивительном содержании пакета, присланного по почте некой мисс Кушинг на Кросс-стрит, в Кройдоне?

— Нет, я ничего такого не видел.

— Так, значит, вы пропустили ее. Бросьте-ка мне газету. Смотрите, вот тут, под финансовым обзором. Не будете ли вы любезны прочесть ее вслух?

Я поднял газету, которую он бросил мне обратно, и прочел указанную заметку. Она была озаглавлена «Страшная посылка».

«Мисс Сьюзен Кушинг, проживающая на Кросс-стрит, в Кройдоне, стала жертвой возмутительнейшей шутки, если только не окажется, что это происшествие имеет более зловещий смысл. Вчера в два часа дня почтальон принес ей небольшой пакет, завернутый в бумагу. Это была картонная коробка, наполненная крупной солью. Высыпав соль, мисс Кушинг в ужасе обнаружила два человеческих уха, отрезанных, по-видимому, совсем недавно. Коробка была отправлена по почте из Белфаста накануне утром. Отправитель не указан, и таинственность дела усугубляется тем, что мисс Кушинг, незамужняя особа пятидесяти лет, ведет самый уединенный образ жизни и имеет так мало знакомых и корреспондентов, что очень редко получает что-либо по почте. Однако несколько лет назад, живя в Пендже [1], она сдавала в своем доме комнаты трем молодым студентам-медикам, от которых была вынуждена избавиться вследствие их шумливости и распущенности. Полиция считает, что безобразный поступок, возможно, является делом рук этих молодых людей, которые имели зуб на мисс Кушинг и хотели напугать ее, послав ей этот сувенир из анатомического театра. Некоторое правдоподобие этой версии придает тот факт, что один из студентов раньше жил в Северной Ирландии, насколько известно мисс Кушинг,— в Белфасте. А пока ведется энергичное расследование, порученное мистеру Лестрейду, одному из лучших агентов нашей сыскной полиции».

— С «Дейли кроникл» всё,— сказал Холмс, когда я дочитал статью.— Теперь послушаем нашего друга Лестрейда. Утром я получил от него записку, в которой он пишет:

«Я думаю, что это дело придется Вам очень по вкусу. Мы надеемся довести его до конца, но у нас возникли некоторые трудности в связи с отсутствием материала. Мы, разумеется, телеграфировали в белфастский почтамт, но в тот день было отправлено много посылок,

---

[1] Пригород Лондона.

и они ничего не могут сказать про эту и не помнят ее отправителя. Коробка полуфунтовая, из-под паточного табака, и она нам ничего не дает.

Предположение насчет студента-медика все еще кажется мне наиболее вероятным, но, если у Вас есть несколько свободных часов, я был бы очень рад видеть Вас здесь. Я весь день буду либо в этом доме, либо в полицейском участке».

— Что вы на это скажете, Уотсон? Можете ли вы презреть жару и поехать со мной в Кройдон с некоторой надеждой на новое дело для ваших анналов?

— Я как раз думал, чем бы мне заняться.

— Тогда у вас будет занятие. Позвоните, чтобы нам принесли ботинки, и пошлите за кебом. Я буду готов через минуту, только сниму халат и наполню портсигар.

Пока мы ехали в поезде, прошел дождь, и в Кройдоне жара была менее гнетущей, чем в столице. Перед отъездом Холмс отправил телеграмму, и Лестрейд, как всегда подвижный, щегольски одетый и похожий на хорька, встретил нас на станции. Через пять минут мы были на Кросс-стрит, где жила мисс Кушинг.

Это была очень длинная улица, застроенная двухэтажными кирпичными домами, чистенькими и немного чопорными; на беленых каменных крылечках судачили женщины в передниках. Пройдя около половины улицы, Лестрейд остановился и постучал в дверь; на стук вышла девочка-служанка. Нас провели в гостиную, где сидела мисс Кушинг. У нее было спокойное лицо, большие кроткие глаза и седеющие волосы, закрывавшие виски. Она вышивала салфеточку для кресла, а рядом стояла корзинка с разноцветными шелками.

— Эта пакость лежит в сарае,— сказала она, когда Лестрейд вошел в комнату.— Хоть бы вы их совсем забрали!

— Я так и сделаю, мисс Кушинг. Я держал их здесь только для того, чтобы мой друг мистер Холмс мог взглянуть на них в вашем присутствии.

— А почему в моем присутствии, сэр?

— На случай, если он захочет вас о чем-нибудь спросить.

— Что тут еще спрашивать, раз я сказала вам, что ровно ничего об этом не знаю?

— Совершенно верно, сударыня,— сказал Холмс успокаивающе.— Не сомневаюсь, что вам больше чем достаточно надоели в связи с этим делом.

— Еще бы, сэр. Я человек скромный, живу тихо.

Мне никогда не случалось видеть свое имя в газетах, и полиция у меня в доме не бывала. Я не позволю, чтобы эту пакость вносили сюда, мистер Лестрейд. Если вы хотите взглянуть на них, вам придется пойти в сарай.

Маленький сарай находился в узком садике за домом. Лестрейд вошел в сарай и вынес желтую картонную коробку, кусок оберточной бумаги и веревку. В конце дорожки была скамья, мы сели на нее, и Холмс принялся рассматривать предметы, которые Лестрейд передавал ему один за другим.

— Прелюбопытнейшая веревка,— заметил он, поднимая ее к свету и обнюхивая.— Что вы скажете об этой веревке, Лестрейд?

— Она просмолена.

— Совершенно верно. Это кусок просмоленного шпагата. Несомненно, вы заметили также, что мисс Кушинг разрезала веревку ножницами,— это видно по двум срезам с каждой стороны. Это очень важно.

— Не понимаю, что тут важного,— сказал Лестрейд.

— Важно, что узел остался цел и что это узел особого рода.

— Он завязан очень аккуратно. Я уже обратил на это внимание,— не без самодовольства сказал Лестрейд.

— Ну, хватит о веревке,— сказал Холмс, улыбаясь,— теперь займемся упаковкой. Оберточная бумага с отчетливым запахом кофе. Как, вы этого не заметили? Здесь не может быть никакого сомнения. Адрес написан печатными буквами, довольно коряво: «Мисс С. Кушинг, Кросс-стрит. Кройдон». Написано толстым пером, возможно «рондо», и очень плохими чернилами. Слово «Кройдон» вначале было написано через «е», которое затем изменено на «о». Итак, посылка была отправлена мужчиной — почерк явно мужской,— не очень образованным и не знающим Кройдона. Пойдем дальше. Коробка желтая, полуфунтовая, из-под паточного табака, ничем не примечательная, если не считать двух отпечатков больших пальцев в левом нижнем углу. Она наполнена крупной солью, которая применяется для хранения кож и для других промышленных целей, связанных с сырьем. И в соли находится весьма своеобразное вложение.

С этими словами он вытащил два уха и, положив себе на колено доску, стал внимательно их изучать, а мы с Лестрейдом, стоя по обе стороны, наклонились вперед и смотрели то на эти страшные сувениры, то на серьезное, сосредоточенное лицо нашего спутника. Наконец он положил их обратно в коробку и некоторое время сидел глубоко задумавшись.

— Вы заметили, конечно,— сказал он наконец,— что это непарные уши.

— Да, это я заметил. Но если это шутка каких-нибудь студентов-медиков, им ничего не стоило послать и два непарных уха, и пару.

— Совершенно правильно. Но это не шутка.

— Вы в этом убеждены?

— Многое в этом убеждает. Для работы в анатомическом театре в трупы вводят консервирующий раствор. На этих ушах его не заметно. Кроме того, они свежие. Они были отрезаны тупым инструментом, что едва ли могло бы случиться, если бы это делал студент. Далее, в качестве консервирующего вещества медик, естественно, выбрал бы раствор карболки или спирт, и уж, конечно, не крупную соль. Повторяю: это не розыгрыш, перед нами серьезное преступление.

Легкая дрожь пробежала по моему телу, когда я услышал слова Холмса и увидел его помрачневшее лицо. За этим решительным вступлением таилось нечто странное, необъяснимое и ужасное. Лестрейд, однако, покачал головой, как человек, которого убедили только наполовину.

— Несомненно, кое-что говорит против версии с розыгрышем,— сказал он,— но против другой версии есть более сильные аргументы. Мы знаем, что эта женщина в течение последних двадцати лет, как в Пендже, так и здесь, жила самой тихой и добропорядочной жизнью. За это время она едва ли провела хоть один день вне дома. С какой же стати преступник станет посылать ей доказательство своей вины, тем более что она — если только она не превосходная актриса — понимает в этом так же мало, как и мы?

— Это и есть задача, которую мы должны решить,— ответил Холмс,— и я, со своей стороны, начну с предположения, что мои рассуждения правильны и что было совершено двойное убийство. Одно из этих ушей женское, маленькое, красивой формы, с проколом для серьги. Второе — мужское, загорелое и также с проколом для серьги. Эти два человека, по-видимому, мертвы, иначе мы бы уже услышали о них. Сегодня пятница. Посылка была отправлена в четверг утром. Следовательно, трагедия произошла в среду, или во вторник, или раньше. Если эти два человека были убиты, кто, кроме самого их убийцы, мог послать мисс Кушинг это свидетельство его преступления? Будем считать, что отправитель пакета и есть тот человек, которого мы ищем. Но у него должны быть веские причины для отправки этого пакета мисс Кушинг. Что же это за причины? Должно быть, необходимость сообщить ей, что дело сделано! Или, может быть, желание причинить ей боль. Но тогда она должна знать, кто этот человек. А знает ли она это? Сомневаюсь. Если она знает, зачем ей было звать полицию? Она могла закопать уши, и все осталось бы в тайне. Так она поступила бы, если бы хотела покрыть преступника. А если она не хотела его покрывать, она назвала бы его имя. Вот головоломка, которую нужно решить.

Он говорил быстро, высоким, звонким голосом, глядя невидящим взором поверх садовой ограды, потом проворно вскочил на ноги и пошел к дому.

— Я хочу задать несколько вопросов мисс Кушинг,— сказал он.

— В таком случае я вас покину,— сказал Лестрейд,— потому что у меня здесь есть еще одно дельце. Я думаю, что от мисс Кушинг мне больше ничего не нужно. Вы найдете меня в полицейском участке.

— Мы зайдем туда по дороге на станцию,— отозвался Холмс.

Через минуту мы были снова в гостиной, где мисс Кушинг продолжала спокойно и безмятежно вышивать свою салфеточку. Когда мы вошли, она положила ее на колени и устремила на нас открытый, испытующий взгляд своих голубых глаз.

— Я убеждена, сэр,— сказала она,— что это ошибка и посылка предназначалась вовсе не мне. Я несколько раз говорила это джентльмену из Скотленд-Ярда, но он только смеется надо мной. Насколько я знаю, у меня нет ни одного врага на свете, так зачем же вдруг кому-то понадобилось сыграть со мной такую шутку?

— Я склоняюсь к такому же мнению, мисс Кушинг,— сказал Холмс, садясь рядом с ней.— По-моему, более чем вероятно...— Он умолк, и я, посмотрев в его сторону, с удивлением увидел, что он впился глазами в ее профиль. Удивление, а затем и удовлетворение промелькнули на его энергичном лице, но, когда она взглянула на него, чтобы узнать причину его молчания, он уже всецело овладел собой. Теперь и я, в свою очередь, пристально посмотрел на ее гладко причесанные седеющие волосы, опрятный чепец, маленькие позолоченные серьги, спокойное лицо; но я не увидел ничего, что могло бы объяснить явное волнение моего друга.

— Я хочу задать вам несколько вопросов...

— Ох, надоели мне эти вопросы! — раздраженно воскликнула мисс Кушинг.

— По-моему, у вас есть две сестры.

— Откуда вы знаете?

— Как только я вошел в комнату, я заметил на камине групповой портрет трех женщин, одна из которых, несомненно, вы сами, а другие так похожи на вас, что родство не подлежит сомнению.

— Да, вы совершенно правы. Это мои сестры — Сара и Мэри.

— А вот тут, рядом со мной, висит другой портрет, сделанный в Ливерпуле,— портрет вашей младшей сестры и какого-то мужчины, судя по одежде — стюарда. Я вижу, что она в то время не была замужем.

— Вы очень быстро все замечаете.

— Это моя профессия.

— Ну что же, вы совершенно правы. Но она вышла замуж за мистера Браунера через несколько дней после этого. Когда был сделан снимок, он служил на Южноамериканской линии, но он так любил мою сестру, что не мог вынести долгой разлуки с ней и перевелся на пароходы, которые ходят между Ливерпулем и Лондоном.

— Случайно не на «Победителя»?

— Нет, на «Майский день», насколько я знаю. Джим однажды приезжал сюда ко мне в гости. Это было до того, как он нарушил свое обещание не пить; а потом он всегда пил, когда бывал на берегу, и от самой малости становился как сумасшедший. Да! Плохой это был день, когда его снова потянуло к бутылке. Сначала он поссорился со мной, потом с Сарой, а теперь Мэри перестала нам писать, и мы не знаем, что с ними.

Тема эта явно волновала мисс Кушинг. Как большинство одиноких людей, она вначале стеснялась, но под конец стала чрезвычайно разговорчивой. Она рассказала нам много подробностей о своем зяте-стюарде, а затем, перейдя к своим бывшим постояльцам — студентам-медикам, долго перечисляла все их провинности, сообщила их имена и названия больниц, где они работали. Холмс слушал внимательно, время от времени задавая вопросы.

— Теперь о вашей средней сестре, Саре,— сказал он.— Как-то удивительно, что вы не живете одним домом, раз вы обе не замужем.

— Ах! Вы не знаете, какой у нее характер, а то бы не удивлялись. Я попыталась было, когда переехала в Кройдон, и мы жили вместе до недавнего времени — всего месяца два прошло, как мы расстались. Не хочется говорить плохое про родную сестру, но она, Сара, всегда лезет не в свое дело и привередничает.

— Вы говорите, что она поссорилась с вашими ливерпульскими родственниками?

— Да, а одно время они были лучшими друзьями. Она даже поселилась там, чтобы быть рядом с ними. А теперь не знает, как покрепче обругать Джима Браунера. Последние полгода, что она жила здесь, она только и говорила, что о его пьянстве и скверных привычках. Наверно, он поймал ее на какой-нибудь сплетне и сказал ей пару теплых слов; ну, тут все и началось.

— Благодарю вас, мисс Кушинг,— сказал Холмс, вставая и откланиваясь.— Ваша сестра Сара живет, кажется, в Уоллингтоне, на Нью-стрит? Всего хорошего, мне очень жаль, что пришлось вас побеспокоить по делу, к которому, как вы и говорите, вы не имеете никакого отношения.

Когда мы вышли на улицу, мимо проезжал кеб, и Холмс окликнул его.

— Далеко ли до Уоллингтона? — спросил он.

— Всего около мили, сэр.

— Отлично. Садитесь, Уотсон. Надо ковать железо, пока горячо. Хоть дело и простое, с ним связаны кое-какие поучительные детали. Эй, остановитесь возле телеграфа, когда будем проезжать мимо!

Холмс отправил короткую телеграмму и всю остальную часть пути сидел в кебе, развалившись и надвинув шляпу на нос, чтобы защититься от солнца. Наш возница остановился у дома, похожего на тот, который мы только что покинули. Мой спутник приказал ему подождать, но едва он взялся за дверной молоток, как дверь отворилась и на пороге появился серьезный молодой джентльмен в черном, с очень блестящим цилиндром в руке.

— Мисс Кушинг дома? — спросил Холмс.

— Мисс Сара Кушинг серьезно больна,— ответил тот.— Со вчерашнего дня у нее появились симптомы тяжелого мозгового заболевания. Как ее врач я ни в коем случае не могу взять на себя ответственность и пустить к ней кого-либо. Советую вам зайти дней через десять.

Он надел перчатки, закрыл дверь и зашагал по улице.

— Ну что ж, нельзя — значит, нельзя,— бодро сказал Холмс.

— Вероятно, она и не смогла бы, а то и не захотела бы, много вам сказать.

— А мне вовсе и не нужно, чтобы она мне что-нибудь говорила. Я хотел только посмотреть на нее. Впрочем, по-моему, у меня и так есть все, что надо... Отвезите нас в какой-нибудь приличный отель, где можно позавтракать, а потом мы поедем к нашему другу Лестрейду в полицейский участок.

Мы отлично позавтракали; за столом Холмс говорил только о скрипках и с большим воодушевлением рассказал, как он за пятьдесят пять шиллингов купил у одного еврея, торгующего подержанными вещами на Тоттенхем-Корт-роуд, скрипку Страдивариуса, которая стоила по меньшей мере пятьсот гиней. От скрипок он перешел к Паганини, и мы около часа просидели за бутылкой кларета, пока он рассказывал мне одну за другой истории об этом необыкновенном человеке. Было уже далеко за полдень, и жаркий блеск солнца сменился приятным мягким светом, когда мы приехали в полицейский участок. Лестрейд ждал нас у двери.

— Вам телеграмма, мистер Холмс,— сказал он.

— Ха, это ответ! — Он распечатал ее, пробежал глазами и сунул в карман.— Всё в порядке,— сказал он.

— Вы что-нибудь выяснили?

— Я выяснил все!

— Что? — Лестрейд посмотрел на него в изумлении.— Вы шутите.

— Никогда в жизни не был серьезнее. Совершено ужасное преступление, и теперь, мне кажется, я раскрыл все его детали.

— А преступник?

Холмс нацарапал несколько слов на обороте своей визитной карточки и бросил ее Лестрейду.

— Вот о ком идет речь,— сказал он.— Произвести арест можно будет самое раннее завтра вечером. Я просил бы вас не упоминать обо мне в связи с этим делом, ибо я хочу, чтобы мое имя называли только в тех случаях, когда разгадка преступления представляет известную трудность. Идемте, Уотсон.

Мы зашагали к станции, а Лестрейд так и остался стоять, восхищенно глядя на карточку, которую бросил ему Холмс.

— В этом деле,— сказал Шерлок Холмс, когда мы, закурив сигары, беседовали вечером в нашей квартире на Бейкер-стрит,— как и в расследованиях, которые вы занесли в свою хронику под заглавиями «Этюд в багровых тонах» и «Знак четырех», мы были вынуждены рассуждать в обратном порядке, идя от следствий к причинам. Я написал Лестрейду с просьбой сообщить нам недостающие подробности, которые он узнает только после того, как возьмет преступника. А об этом можно не беспокоиться, потому что, несмотря на полное отсутствие ума, он вцепится как бульдог, если поймет, что надо делать; эта-то цепкость и помогла ему сделать карьеру в Скотленд-Ярде.

— Значит, вам еще не все ясно? — спросил я.

— В основном все. Мы знаем, кто совершил это отвратительное преступление, хотя одна из жертв нам еще не известна. Конечно, вы уже пришли к какому-то выводу.

— Очевидно, вы подозреваете этого Джима Браунера, стюарда с ливерпульского парохода?

— О! Это больше чем подозрение.

— И все же я не вижу ничего, кроме весьма неопределенных указаний.

— Напротив, по-моему, ничто не может быть яснее. Давайте еще раз пройдем по основным этапам нашего расследования. Как вы помните, мы подошли к делу абсолютно непредвзято, что всегда является большим преимуществом. У нас не было заранее построенной теории. Мы просто отправились туда, чтобы наблюдать и делать выводы из наших наблюдений. Что мы увидели прежде всего? Очень спокойную и почтенную женщину, судя по всему, не имеющую никаких тайн, и фотографию, из которой я узнал, что у нее есть две младшие сестры. Тогда же у меня мелькнула мысль, что коробка могла предназначаться одной из них. Но я оставил эту мысль, решив, что подтвердить ее или опровергнуть еще успею. Затем, как вы помните, мы пошли в сад и увидели необычайное содержимое маленькой желтой коробки.

Веревка была такая, какой шьют паруса, и в нашем расследовании сразу же запахло морем. Когда я заметил, что она завязана распространенным морским узлом, что посылка была отправлена из порта и что в мужском ухе сделан прокол для серьги, а это чаще встречается у моряков, чем у людей сухопутных, мне стало совершенно ясно, что всех актеров этой трагедии надо искать поближе к кораблям и к морю.

Рассмотрев надпись на посылке, я обнаружил, что она адресована мисс С. Кушинг. Самая старшая сестра была бы, разумеется, просто мисс Кушинг, но, хотя ее имя начинается на «С», с этой же буквы могло начинаться имя и одной из двух других. В таком случае расследование пришлось бы начинать сначала, совсем на другой основе. Для того чтобы выяснить это обстоятельство, я и вернулся в дом. Я уже собирался заверить мисс Кушинг, что, по-моему, здесь произошла ошибка, когда, как вы, вероятно, помните, я внезапно умолк. Дело в том, что я вдруг увидел нечто, страшно меня удивившее и в то же время чрезвычайно сузившее поле нашего расследования.

Будучи медиком, Уотсон, вы знаете, что нет такой части человеческого тела, которая была бы столь разнообразна, как ухо. Каждое ухо, как правило, очень индивидуально и отличается от всех остальных. В «Антропологическом журнале» за прошлый год вы можете найти две мои статейки на эту тему. Поэтому я осмотрел уши в коробке глазами специалиста и внимательно отметил их анатомические особенности. Вообразите мое удивление, когда, взглянув на мисс Кушинг, я понял, что ее ухо в точности соответствует женскому уху, которое я только что изучал. О совпадении не могло быть и речи. Передо мной была та же несколько укороченная ушная раковина, с таким же широким изгибом в верхней части, та же форма внутреннего хряща. Словом, судя по всем важнейшим признакам, это было то же самое ухо.

Конечно, я сразу понял огромную важность этого открытия. Ясно, что жертва находилась в кровном и, по-видимому, очень близком родстве с мисс Кушинг. Я заговорил с ней о ее семье, и вы помните, что она сразу сообщила нам ряд ценнейших подробностей.

Во-первых, имя ее сестры Сара, и адрес ее до недавнего времени был тот же самый, так что понятно, как произошла ошибка и кому посылка предназначалась. Затем мы услышали об этом стюарде, женатом на третьей сестре, и узнали, что одно время он был очень дружен с мисс Сарой и та даже переехала в Ливерпуль, чтобы быть ближе к Браунерам, но потом они поссорились. После этой ссоры все отношения между ними прервались на несколько месяцев, так что, если бы Браунер решил отправить посылку мисс Саре, он, несомненно, послал бы ее по старому адресу.

И вот дело начало удивительным образом просняться. Мы узнали о существовании этого стюарда, человека неуравновешенного, порывистого,— вы помните, что он бросил превосходное, по-видимому, место, чтобы не покидать надолго жену,— и к тому же запойного пьяницы. Мы имели основание полагать, что его жена была убита и тогда же был убит какой-то мужчина — очевидно, моряк. Конечно, в качестве мотива преступления прежде всего напрашивалась ревность. Но почему эти доказательства совершённого злодеяния должна была получить мисс Сара Кушинг? Вероятно, потому, что за время своего пребывания в Ливерпуле она сыграла важную роль в событиях, которые привели к трагедии. Заметьте, что пароходы этой линии заходят в Белфаст, Дублин и Уотерфорд; таким образом, если предположить, что убийца — Браунер и что он сразу же сел на свой пароход «Майский день», Белфаст — первое место, откуда он мог отправить свою страшную посылку.

Но на этом этапе было возможно и другое решение, и, хотя я считал его очень маловероятным, я решил проверить себя, прежде чем двигаться дальше. Могло оказаться, что какой-нибудь неудачливый влюбленный убил мистера и миссис Браунер и мужское ухо принадлежит мужу. Против этой теории имелось много серьезных возражений, но все же она была допустима. Поэтому я послал телеграмму Элгару, моему другу из ливерпульской полиции, и попросил его узнать, дома ли миссис Браунер и отплыл ли мистер Браунер на «Майском дне». Затем мы с вами направились в Уоллингтон к мисс Саре.

Прежде всего мне любопытно было посмотреть, насколько точно повторяется у нее семейное ухо. Кроме того, она, конечно, могла сообщить нам очень важные сведения, но я не слишком надеялся, что она захочет это сделать. Она наверняка знала о том, что произошло накануне, поскольку об этом шумит весь Кройдон, и она одна могла понять, кому предназначалась посылка. Если бы она хотела помочь правосудию, она, вероятно, уже связалась бы с полицией. Во всяком случае, повидать ее было нашей прямой обязанностью, и мы пошли. Мы узнали, что известие о прибытии посылки — ибо ее болезнь началась с того момента — произвело на нее такое впечатление, что вызвало горячку. Таким образом, окончательно выяснилось, что она поняла значение посылки, но не менее ясно было и то, что нам придется некоторое время подождать, прежде чем она сможет оказать нам какое-то содействие.

Однако мы не зависели от ее помощи. Ответы ждали нас в полицейском участке, куда Элгар послал их по моей просьбе. Ничто не могло быть убедительнее. Дом миссис Браунер стоял запертый больше трех дней, и соседи полагали, что она уехала на юг к своим родственникам. В пароходном агентстве было установлено, что Браунер отплыл на «Майском дне», который, по моим расчетам, должен появиться на Темзе завтра вечером. Когда он прибудет, его встретит туповатый, но решительный Лестрейд, и я не сомневаюсь, что мы узнаем все недостающие подробности.

Шерлок Холмс не обманулся в своих ожиданиях. Два дня спустя он получил объемистый конверт, в котором была короткая записка от сыщика и отпечатанный на машинке документ, занимавший несколько страниц большого формата.

— Ну вот, Лестрейд поймал его,— сказал Холмс, взглянув на меня.— Вероятно, вам будет интересно послушать, что он пишет.

«Дорогой мистер Холмс!

Согласно плану, который мы выработали с целью проверки наших предположений (это «мы» великолепно, правда, Уотсон?), я отправился вчера в шесть часов вечера в Альберт-док и взошел на борт парохода «Майский день», курсирующего на линии Ливерпуль — Дублин — Лондон. Наведя справки, я узнал, что стюард по имени Джеймс Браунер находится на борту и во время рейса вел себя так странно, что капитан был вынужден освободить его от обязанностей. Сойдя вниз, где находилась его койка, я увидел, что он сидит на сундуке, обхватив голову руками и раскачиваясь из стороны в сторону. Это большой, крепкий парень, чисто выбритый и очень смуглый — немного похож на Олдриджа, который помогал нам в деле с мнимой прачечной. Когда он услышал, что́ мне нужно, он вскочил на ноги, и я поднес свисток к губам, чтобы позвать двух человек из речной полиции, которые стояли за дверью; но он словно бы совсем обессилел и без всякого сопротивления дал надеть на себя наручники. Мы отправили его в участок и захватили его сундук, надеясь обнаружить в нем какие-нибудь вещественные доказательства; но за исключением большого острого ножа, который есть почти у каждого моряка, мы не нашли ничего, что вознаградило бы наши старания. Однако выяснилось, что нам не нужны никакие доказательства, потому что, когда его привели к инспектору, он пожелал сделать заявление, которое, разумеется, записывал наш стенографист. Мы отпечатали три экземпляра, один из которых я прилагаю. Дело оказалось, как я всегда и думал, исключительно простым, но я благодарен Вам за то, что Вы помогли мне его расследовать. С сердечным приветом

Искренне Ваш

Дж. Лестрейд».

— Хм! Это действительно было очень простое расследование,— заметил Холмс,— но едва ли оно представлялось ему таким вначале, когда он обратился к нам. Однако давайте посмотрим, что говорит сам Джим Браунер. Вот его заявление, сделанное инспектору Монтгомери в Шедуэллском полицейском участке,— по счастью, запись стенографическая.

«Хочу ли я что-нибудь сказать? Да, я много чего хочу сказать. Все хочу выложить, начистоту. Вы можете повесить меня или отпустить — мне плевать. Говорю вам, я с тех пор ни на минуту не мог заснуть; наверно, если я и засну теперь, так только вечным сном. Иногда его лицо стоит передо мной, а чаще — ее. Все время так. Он смотрит хмуро, злобно, а у нее лицо такое удивленное. Ах, бедная овечка, как же ей было не удивляться, когда она прочла смерть на лице, которое всегда выражало одну только любовь к ней.

Но это все Сара виновата, и пусть проклятие человека, которому она сломала жизнь, падет на ее голову и свернет кровь в ее жилах! Не думайте, что я оправдываюсь. Я знаю, я снова начал пить, вел себя как скотина. Но она простила бы меня, она льнула бы ко мне, как веревка к блоку, если бы эта женщина не переступила нашего порога. Ведь Сара Кушинг любила меня — в этом все дело,— она любила меня, пока ее любовь не превратилась в смертельную ненависть, когда она узнала, что след моей жены в грязи значит для меня больше, чем все ее тело и душа.

Их было три сестры. Старшая была просто хорошая женщина, вторая — дьявол, а третья — ангел. Когда я женился, Саре было тридцать три, а Мэри — двадцать девять. Мы зажили своим домом и счастливы были не знаю как, и во всем Ливерпуле не было женщины лучше моей Мэри. А потом мы пригласили Сару на недель-

179

ку, и неделька превратилась в месяц, а дальше — больше, так что она стала членом нашей семьи.

Тогда я ходил в трезвенниках, мы понемножку откладывали и жили припеваючи. Боже мой, кто бы мог подумать, что все так кончится? Кому это могло прийти в голову?

Я обычно приезжал домой на субботу и воскресенье, а иногда, если пароход задерживался для погрузки, я бывал свободен по целой неделе, поэтому довольно часто видел свою свояченицу Сару. Была она ладная, высокая, черноволосая, быстрая и горячая, с гордо закинутой головой, а в глазах у нее вспыхивали искры как из-под кремня. Но я даже и не думал о ней, когда крошка Мэри была рядом, вот Бог мне свидетель.

Иногда мне казалось, что ей нравится сидеть со мной вдвоем или вытаскивать меня на прогулку, да я не придавал этому значения. Но однажды вечером у меня открылись глаза. Я пришел с парохода; жены не было, но Сара была дома. «Где Мэри?» — спросил я. «О, пошла платить по каким-то счетам». От нетерпения я принялся мерить шагами комнату. «Джим, неужели ты и пяти минут не можешь быть счастлив без Мэри? — спросила она.— Плохи мои дела, если моя компания не устраивает тебя даже на такое короткое время».— «Да будет тебе, сестрица»,— сказал я и ласково протянул ей руку, а она схватила ее обеими руками, такими горячими, точно она была в жару. Я посмотрел ей в глаза и все там прочел. Она могла ничего не говорить, да и я тоже. Я нахмурился и отдернул руку. Она молча постояла рядом со мной, потом подняла руку и похлопала меня по плечу. «Верный старый Джим!» — сказала она и с легким смешком, словно издеваясь надо мной, выбежала из комнаты.

И вот с этого времени Сара возненавидела меня всей душой, а она такая женщина, которая умеет ненавидеть. Я был дурак, что позволил ей остаться у нас,— пьяный дурак, но я ни слова не сказал Мэри, потому что это ее огорчило бы. Все шло почти как прежде, но через некоторое время я начал замечать, что Мэри как будто изменилась. Она всегда была такой доверчивой и простодушной, а теперь стала странная и подозрительная и все допытывалась, где я бываю, и что делаю, и от кого получаю письма, и что у меня в карманах, и прочие такие глупости. С каждым днем она становилась все чуднее и раздражительнее, и мы то и дело ссорились из-за пустяков. Я не знал, что и думать. Сара теперь избегала меня, но с Мэри они были просто неразлучны. Сейчас-то я понимаю, как она интриговала и настраивала мою жену против меня, но в то время я был слеп как крот. Потом я снова запил, но этого бы не было, если бы Мэри оставалась прежней. Теперь у нее появилась причина чувствовать ко мне отвращение, и пропасть между нами стала увеличиваться. А потом появился этот Алек Фэрберн, и все покатилось к чертям.

Сперва он пришел в мой дом из-за Сары, но скоро стал ходить уже к нам,— он умел расположить к себе человека и без труда всюду заводил друзей. Лихой был малый, развязный, такой щеголеватый, кудрявый; объехал полсвета и умел рассказать о том, что повидал. Я не спорю, в компании он был парень что надо и для матроса на редкость учтив: видно, было время, когда он больше торчал на мостике, чем на баке. Он то и дело забегал к нам, и за весь этот месяц мне ни разу не пришло в голову, что его мягкость и обходительность могут довести до беды. Наконец кое-что показалось мне подозрительным, и с той поры я уже не знал покоя.

Это была просто мелочь. Я неожиданно вошел в гостиную и, переступая через порог, заметил радость на лице жены. Но когда она увидела, кто идет, оживление исчезло с ее лица, и она отвернулась с разочарованным видом. Этого было только для меня достаточно. Мои шаги она могла спутать только с шагами Алека Фэрберна. Попадись он мне тогда, я бы его убил на месте, потому что я всегда теряю голову, когда выхожу из себя. Мэри увидела дьявольский огонь в моих глазах, бросилась ко мне, схватила меня за рукав и кричит: «Не надо, Джим, не надо!» — «Где Сара?» — спросил я. «На кухне»,— ответила она. «Сара,— сказал я, входя в кухню,— чтоб ноги этого человека здесь больше не было».— «Почему?» — спросила она. «Потому что я так сказал».— «Вот как! — сказала она.— Если мои друзья недостаточно хороши для этого дома, тогда и я для него недостаточно хороша».— «Ты можешь делать что хочешь,— сказал я,— но если Фэрберн покажется здесь снова, я пришлю тебе его ухо в подарок». Наверное, мое лицо испугало ее, потому что она не ответила ни слова и в тот же вечер от нас уехала.

Я не знаю, от одной ли злости она делала все это, или думала поссорить меня с женой, подбивая ее на измену. Во всяком случае, она сняла дом через две улицы от нас и стала сдавать комнаты морякам. Фэрберн обычно жил там, и Мэри ходила туда пить чай со своей сестрой и с ним. Часто она там бывала или нет, я не знаю, но однажды я выследил ее, и, когда я ломился в дверь, Фэрберн удрал как подлый трус, перепрыгнув через заднюю стену сада. Я пригрозил жене, что убью ее, если еще раз увижу их вместе, и повел ее домой, а она всхлипывала, дрожала и бледная была как бумага. Между нами теперь не оставалось уже и следа любви. Я видел, что она ненавидит меня и боится, и, когда от этой мысли я снова принимался пить, она вдобавок презирала меня.

Тем временем Сара убедилась, что в Ливерпуле ей не заработать на жизнь, и уехала, как я понял, к своей сестре в Кройдон, а у нас дома все продолжалось по-старому. И вот наступила последняя неделя, когда случилась эта беда и пришла моя погибель.

Дело было так. Мы ушли на «Майском дне» в семидневный рейс, но большая бочка с грузом отвязалась и пробила переборку, так что нам пришлось вернуться в порт на двенадцать часов. Я сошел на берег и отправился домой, думая, каким сюрпризом это будет для моей жены, и надеясь, что, может, она обрадуется, увидев меня так скоро. С этой мыслью я повернул на нашу улицу, и тут мимо меня проехал кеб, в котором сидела она рядом с Фэрберном; оба они болтали, и смеялись, и даже не думали обо мне, а я стоял и глядел на них с тротуара.

Правду вам говорю, даю слово, с той минуты я был сам не свой, и как вспомню — все это кажется мне туманным сном. Последнее время я много пил и от всего вместе совсем свихнулся. В голове моей и сейчас что-то стучит, как клепальный молоток, но в то утро у меня в ушах шумела и гудела целая Ниагара.

Я погнался за кебом. В руке у меня была тяжелая дубовая палка, и говорю вам: я сразу потерял голову. Но, пока я бежал, я решил быть похитрее и немного отстал, чтобы видеть их, но самому не попадаться им на глаза. Вскоре они остановились у вокзала. Возле кассы была большая толпа, так что я подошел к ним совсем близко, но они меня не видели. Они взяли билеты до Нью-Брайтона. Я тоже, только сел на три вагона дальше. Когда мы приехали, они пошли по набережной, а я — в какой-нибудь сотне ярдов следом за ними. Наконец я увидел, что они берут лодку и собираются ехать кататься, потому что день был очень жаркий, и они, конечно, решили, что на воде будет прохладнее.

Теперь их словно отдали мне в руки. Стояла легкая

дымка, и видимость не превышала нескольких сот ярдов. Я тоже взял лодку и поплыл за ними. Я смутно видел их впереди, но они шли почти с такой же скоростью, как я, и успели, должно быть, отъехать от берега на добрую милю, прежде чем я догнал их. Дымка окружала нас, словно завеса. О Господи, я не забуду, какие у них стали лица, когда они увидели, кто был в лодке, которая к ним приближалась. Она вскрикнула не своим голосом. А он стал ругаться, как сумасшедший, и тыкать в меня веслом: должно быть, в моих глазах он увидел смерть. Я увернулся и нанес ему удар палкой — голова его раскололась, как яйцо. Ее я, может быть, и пощадил бы, несмотря на все мое безумие, но она обвила его руками, заплакала и стала звать его «Алек». Я ударил еще раз, и она упала рядом с ним. Я был как дикий зверь, почуявший кровь. Если бы Сара была там, клянусь Богом, и она бы пошла за ними. Я вытащил нож и... Ну ладно, хватит. Мне доставляло какую-то жестокую радость думать, что́ почувствует Сара, когда получит это и увидит, чего она добилась. Потом я привязал тела к лодке, проломил доску и подождал, пока они не утонули. Я был уверен, что хозяин лодки подумает, будто они заблудились в тумане и их унесло в море. Я привел себя в порядок, причалил к берегу, вернулся на свой корабль, и ни одна душа не подозревала о случившемся. Ночью я приготовил посылку для Сары Кушинг, а на другой день отправил ее из Белфаста.

Теперь вы знаете всю правду. Вы можете повесить меня или сделать со мной что хотите, но не сможете наказать меня так, как я уже наказан. Стоит мне закрыть глаза, и я вижу эти два лица — они всё смотрят на меня, как смотрели тогда, когда моя лодка выплыла из тумана. Я убил их быстро, а они убивают меня медленно; еще одна такая ночь — и к утру я либо сойду с ума, либо умру. Вы не посадите меня в одиночку, сэр? Умоляю вас, не делайте этого, и пусть с вами обойдутся в ваш последний день так же, как вы сейчас обойдетесь со мной».

— Что же это значит, Уотсон? — мрачно спросил Холмс, откладывая бумагу.— Каков смысл этого круга несчастий, насилия и ужаса? Должен же быть какой-то смысл; иначе получается, что нашим миром управляет случай, а это немыслимо. Так каков же смысл? Вот он, вечный вопрос, на который человеческий разум до сих пор не может дать ответа.

АЛОЕ КОЛЬЦО

I

— По-моему, миссис Уоррен, у вас нет серьезных причин беспокоиться,— сказал Шерлок Холмс,— а мне, человеку, чье время в какой-то степени ценно, нет смысла ввязываться в эту историю. Право же, у меня достаточно других занятий.— И он снова взялся за свой огромный альбом с газетными вырезками, намереваясь вклеить в него и вписать в указатель какие-то новые материалы.

Но миссис Уоррен, упрямая и лукавая, как всякая женщина, твердо стояла на своем.

— В прошлом году вы распутали дело одного моего жильца,— сказала она.— Мистера Фэрдела Хоббса.

— О да, пустяковое дело.

— Но он, не переставая, говорил об этом — про вашу доброту, сэр, про то, как вы сумели раскрыть тайну. Я вспомнила его слова теперь, когда сама брожу в потемках и окружена тайной. Я уверена, вы найдете время, если только захотите.

Холмс поддавался на лесть и, надо отдать ему справедливость, был человеком отзывчивым. Эти две силы побудили его, вздохнув, безропотно положить на место кисточку для клея и отодвинуться от стола вместе со своим креслом.

— Ну что ж, миссис Уоррен, рассказывайте. Вам не помешает, если я закурю? Спасибо. Уотсон,— спички! Насколько я понимаю, вы обеспокоены тем, что ваш новый жилец не выходит из своих комнат и вы никогда его не видите? Простите, миссис Уоррен, но, будь я вашим постояльцем, вы частенько не видели бы меня неделями.

— Вы правы, сэр, только тут совсем другое. Мне страшно, мистер Холмс. Я не сплю по ночам от страха. Слушать, как он ходит там взад и вперед, с раннего утра и до позднего вечера, и никогда его не видеть — такого мне не вынести. Мой муж нервничает, как и я, но он весь день на службе, а мне куда деваться? Почему он прячется? Что он натворил? Кроме служанки, я одна с ним в доме, и мои нервы больше не выдерживают.

Холмс наклонился к женщине и положил ей на плечо свои длинные, тонкие пальцы. Он, когда хотел, проявлял чуть ли не гипнотическую способность успокаивать. Взгляд женщины утратил выражение испуга, а черты ее взбудораженного лица обрели присущую им обыденность. Она села в указанное Холмсом кресло.

— Если я берусь распутать загадку, я должен знать мельчайшие подробности,— сказал он.— Соберитесь с мыслями. Самая незначительная деталь может оказаться самой существенной. Вы говорите, этот человек явился десять дней назад и заплатил вам за квартиру и стол вперед за две недели?

— Он спросил, какие будут мои условия, сэр. Я ответила — пятьдесят шиллингов в неделю. На верхнем этаже у меня небольшая гостиная и спальня — обособленная квартирка.

— Дальше?

— Он сказал: «Я буду платить вам вдвое больше — пять фунтов в неделю, если вы согласитесь на мои условия». Я женщина небогатая, сэр, мистер Уоррен зарабатывает мало, и такие деньги для меня большое подспорье. Он тут же достал десятифунтовый кредитный билет. «Вы будете получать столько же каждые две недели в течение долгого времени, если согласитесь,— сказал он,— а нет — так я с вами никаких дел больше не имею».

— И какие же он поставил условия?

— Так вот, сэр, он хотел иметь ключ от дома. В этом ничего удивительного нет. Жильцы нередко имеют свой ключ. А также, чтоб его предоставили самому себе и никогда, ни при каких обстоятельствах не тревожили.

— Но ведь и в этом нет ничего особенного.

— Так-то оно так, сэр, да надо меру знать. А тут какая уж мера! Он у нас десять дней, и ни я, ни мистер Уоррен, ни служанка ни разу его не видели. Мы слышим, как он там ходит и ходит — ночью, утром, днем, но из дому он выходил только в первый вечер.

— О, значит, в первый вечер он выходил?

— Да, сэр, и вернулся очень поздно — мы все уже легли спать. Он предупредил, что придет поздно, и просил не запирать дверь на задвижку. Я слышала, как он поднимался по лестнице, это было уже после полуночи.

— А как насчет еды?

— Он особо наказал, чтоб еду ставили на стул за его дверью после того, как он позвонит. Когда поест, он звонит опять, и мы забираем поднос с того же стула. А если ему надо что-нибудь еще, он оставляет клочок бумаги, на котором написано печатными буквами.

— Печатными буквами?

— Да, сэр, карандашом. Только одно слово, и ничего больше. Я принесла вам показать, вот: МЫЛО. А вот еще: СПИЧКА. Эту записку — «ДЕЙЛИ ГАЗЕТТ» — он положил в первое утро. Я оставляю ему эту газету на стуле каждое утро вместе с завтраком.

— Вот как! — сказал Холмс, с любопытством разглядывая клочки бумаги, протянутые ему миссис Уоррен.— Это действительно не совсем обычно. Желание отгородиться от людей мне понятно, но зачем печатные буквы? Писать печатными буквами — утомительное занятие. Почему он не пишет просто? Как вы это объясните, Уотсон?

— Он хочет скрыть свой почерк?

— Но зачем? Что ему до того, если квартирная хозяйка получит бумажку, написанную его рукой? Впрочем, может, вы и правы... Ну, а почему такие лаконичные записки?

— Понятия не имею.

— Это открывает перед нами интересные возможности для умозаключений. Написано плохо отточенным фиолетового цвета карандашом весьма обычного образца. Обратите внимание, у записки оборвали уголок после того, как она была написана, недостает кусочка буквы «м» в слове «мыло». Наводит на размышления, Уотсон, а?

— Он чего-то опасается?

— Безусловно. На бумажке, по-видимому, остался след, отпечаток пальца или что-нибудь еще, по чему его могли бы опознать. Так вы говорите, миссис Уоррен, что человек этот среднего роста, брюнет и носит бороду. А сколько ему лет?

— Молодой, сэр, не больше тридцати.

— На что вы еще обратили внимание?

— Он правильно говорил по-английски, сэр, и все-таки, судя по произношению, я подумала, что он иностранец.

— И он был хорошо одет?

— Очень хорошо, сэр, настоящий джентльмен. Черный костюм — ничего такого, что бросалось бы в глаза.

— Он не назвался?

— Нет, сэр.

— Не получал писем, и никто не навещал его?

— Нет.

— Но вы или служанка, разумеется, входите по утрам в его комнату?

— Нет, сэр, он сам себя обслуживает.

— Неужели? Поистине удивительно! Ну, а какой у него был багаж?

— Один большой коричневый чемодан — и только.

— М-да, не сказал бы, что у нас много данных. Так вы говорите, что из комнаты ничего не выносили, совсем ничего?

Миссис Уоррен извлекла из сумочки конверт и вытряхнула из него на стол две использованные спички и окурок сигареты.

— Это было нынче утром на подносе. Я принесла, так как слышала, что даже из мелочей вы умеете делать серьезные выводы.

Холмс пожал плечами:

— Из этого никаких серьезных выводов не сделаешь. Спичками, разумеется, зажигали сигареты, судя по тому, что обгорел только кончик. Когда зажигают сигару или трубку, сгорает половина спички. Э, а вот окурок действительно представляет интерес. Вы говорите, у этого джентльмена усы и борода?

— Да, сэр.

— Тогда не понимаю. Эту сигарету, по-моему, мог курить только гладко выбритый человек. Ведь даже ваши скромные усы, Уотсон, нельзя было бы не опалить.

— Мундштук? — предположил я.

— Ни в коем случае: примят кончик. А может быть, у вас в доме живут два человека, миссис Уоррен?

— Нет, сэр. Он ест так мало, что я порой удивляюсь, как одному-то хватает.

— Что ж, придется ждать еще материала. В конце концов, вам не на что жаловаться. Квартирную плату вы получили, и он спокойный жилец, хотя, безусловно, не совсем обычный. Он хорошо вам платит, а если предпочитает не показываться, то, собственно, вас это не касается. У нас нет причин нарушать его уединение, пока нет оснований полагать, что он скрывается от закона. Я берусь за это дело и буду о нем помнить. Сообщите, если произойдет что-либо новое, и рассчитывайте на мою помощь, если она понадобится.

— В этом деле, несомненно, есть кой-какие занятные особенности, Уотсон,— сказал он после того, как миссис Уоррен ушла.— Оно может оказаться пустяковым — допустим, жилец просто оригинал; возможно, однако, что оно гораздо серьезнее, чем выглядит поначалу. Прежде всего приходит в голову, что в комнатах миссис Уоррен живет вовсе не тот человек, который их снимал.

— Почему вы так думаете?

— На такую мысль наводит окурок, и потом, разве не было установлено, что жилец выходил один раз и в тот же день, как снял квартиру? Он — или кто-то другой — возвратился, когда никто в доме не мог его видеть. У нас нет никаких доказательств, что вернувшийся — тот самый человек, который уходил. Далее, человек, снявший комнаты, правильно говорил по-английски. Этот же пишет печатными буквами и «спичка» вместо «спички». По-видимому, он нашел слово в словаре, ведь словарь дает существительное только в единственном числе. Краткость, возможно, ему нужна, чтобы скрыть незнание английского языка. Да, Уотсон, у нас достаточно оснований подозревать, что тут произошла замена.

— Но с какой целью?

— Наша задача в том и заключается, чтобы это разгадать. Один очевидный путь к разгадке у нас, пожалуй, есть.— Он достал свой огромный альбом, куда изо дня в день вклеивал вырезанные из лондонских газет объявления о розыске пропавших, о месте встреч и тому подобное.— Боже мой! — воскликнул он, листая страницы.— Какая разноголосица стонов, криков, нытья! Какой короб необычайных происшествий! А ведь именно из этого короба человек, изучающий необычное, может выудить самые ценные сведения! Жилец миссис Уоррен уединился, и ему не шлют писем из опасения, что раскроется тайна, которую так хотят сохранить. Каким же путем сообщать ему о том, что происходит за стенами дома? Разумеется, через газеты. По-видимому, другого способа нет, и, по счастью для нас, мы можем ограничиться изучением одной газеты. Вот вырезки из «Дейли газетт» за последние две недели. «Дама в черном боа в Конькобежном клубе Принса» — это пропустим. «Неужели Джимми разобьет сердце своей матери!» — и это вряд ли имеет к нам отношение. «Если женщина, потерявшая сознание в Брикстонском омнибусе...» — меня она не интересует. «Душа моя тоскует по тебе...» — нытье, Уотсон, самое настоящее нытье! А вот это подходит больше. Слушайте: «Терпение. Найду какой-нибудь верный способ общаться. А пока этот столбец. Дж.». Напечатано через два дня после того, как жилец поселился у миссис Уоррен. Вполне годится, верно? Таинственный незнакомец, возможно, читает по-английски, хотя и не умеет писать. Попытаемся снова напасть на этот след. Ну вот, так и есть — три дня спустя. «Дело идет на лад. Терпение и благоразумие. Тучи рассеются. Дж.». Потом — ничего целую неделю. А вот нечто более определенное. «Путь расчищается. Если найду возможность сообщить, помни условленный код — один А, два Б и так далее. Узнаешь вскорости. Дж.». Напечатано во вчерашней газете, в сегодняшней — ничего. Все это весьма подходит к случаю с жильцом миссис Уоррен. Ждать недолго, Уотсон, я уверен, что положение прояснится.

Мой друг оказался прав. Утром я застал его стоящим на коврике перед камином, спиной к огню, с улыбкой полного удовлетворения на лице.

— Ну, что вы теперь скажете, Уотсон? — воскликнул он и взял со стола газету. «Высокий красный дом с белыми каменными карнизами. Четвертый этаж. Второе окно слева. Когда стемнеет. Дж.». Это уже вполне определенно. После завтрака мы, пожалуй, произведем небольшую разведку в окрестностях дома миссис Уоррен... А-а, миссис Уоррен! Какие у вас новости?

Стремительность, с какой наша клиентка влетела в комнату, говорила о том, что произошло что-то очень важное.

— С меня хватит, мистер Холмс! — вскричала она.— Надо сообщить в полицию! Пусть укладывает чемодан и убирается. Я бы сразу поднялась к нему и так ему и сказала бы, да подумала, что сперва надо посоветоваться с вами. Но терпение мое кончилось, уж если дошло до того, что избили моего старика...

— Избили мистера Уоррена?

— Ну, во всяком случае, обошлись с ним по-свински.

— Но кто с ним обошелся по-свински?

— Вот это мы и хотим узнать! Случилось это нынче утром, сэр. Мистер Уоррен работает табельщиком у Мортона и Уэйлайта на Тоттенхем-Корт-роуд. Уходит он из дому около семи. Так вот, нынче утром не прошел он и десяти шагов по улице, как его нагнали двое, накинули на голову пальто и сунули в кеб, стоявший у обочины. Целый час они возили его, потом отворили дверь и вышвырнули. Он лежал на мостовой, обезумев от страха, и, конечно, ему было не до того, куда девался кеб. Когда он встал, то увидел, что находится на Хэмпстед-Хит. Он приехал домой в омнибусе и теперь лежит на кушетке, а я сразу помчалась сюда рассказать, что произошло.

— Чрезвычайно интересно,— сказал Холмс.— Не заметил ли он, как выглядели эти люди, не слышал ли, о чем говорили?

— Нет, он совсем обалдел. Знает только, что подняла его будто нечистая сила и будто нечистая сила бросила наземь. Их было не меньше чем двое, а может, и трое.

— И вы связываете нападение на вашего мужа с жильцом?

— А как же! Мы живем здесь пятнадцать лет, и подобного никогда не случалось. Больше я не желаю терпеть. Деньги — это еще не все в жизни. Я сегодня же выставлю его из своего дома.

— Подождите немного, миссис Уоррен. Не делайте ничего наспех. Боюсь, что случай куда более серьезен, чем кажется на первый взгляд. Теперь ясно, что вашему жильцу грозит какая-то опасность. Столь же ясно, что в туманном утреннем свете враги, подстерегавшие его у двери, приняли за него вашего мужа. Обнаружив свою ошибку, они его отпустили. Мы можем лишь гадать, как бы они поступили, если бы не ошиблись.

— Ну, а мне что делать, мистер Холмс?

— Мне было бы весьма любопытно посмотреть на вашего жильца, миссис Уоррен.

— Ума не приложу, как это устроить, если не взломать дверь. Когда я оставляю поднос и спускаюсь по лестнице, я всегда слышу, как он ее отпирает.

— Ему приходится уносить поднос в комнату. Разве нельзя где-нибудь спрятаться и последить за ним?

Хозяйка задумалась.

— Верно, сэр, напротив есть чулан. Я могла бы поставить туда зеркало, и если вы скроетесь за дверью...

— Великолепно! — воскликнул Холмс.— А когда у него второй завтрак?

— Около часа, сэр.

— Значит, мы с доктором Уотсоном придем к тому времени. Всего вам хорошего, миссис Уоррен.

В половине первого мы были уже у дома миссис Уоррен — высокого, узкого желтого кирпичного дома на Грейт-Орм-стрит, неширокой улочке к северо-востоку от Британского музея. Он был расположен поблизости от угла, и из него открывался вид на Хау-стрит с ее более солидными строениями. Посмеиваясь, Холмс указал на одно из них — большой многоквартирный дом, стоявший несколько впереди других, из тех, что невольно привлекают внимание.

— Смотрите, Уотсон! Высокий красный дом с белыми каменными карнизами. А вот и окно, откуда будут подавать сигналы. Место известно, известен и код; наша задача не окажется трудной. В том окне объявление: «Сдается внаем». Следовательно, квартира пуста и сообщник может ею пользоваться... Ну, как дела, миссис Уоррен?

— Я все для вас подготовила. Оставьте башмаки внизу, поднимайтесь, и я впущу вас в чулан.

Она все устроила очень удобно. Зеркало было так поставлено, что, сидя в темноте, мы ясно видели дверь напротив. Только мы уселись и миссис Уоррен нас покинула, как отдаленное звяканье возвестило, что таинственный сосед позвонил. Вскоре явилась хозяйка, поставила поднос на стул возле запертой двери и, тяжело ступая, удалилась. Скрючившись в уголке за нашей дверью, мы устремили взгляд на зеркало. Замерли шаги хозяйки, тут же щелкнул ключ, повернулась дверная ручка, и две тонкие руки взяли со стула поднос. Через минуту его быстро поставили на место, и передо мною мелькнуло прекрасное смуглое личико, с ужасом глядевшее на чуть приоткрытую дверь чулана. Потом дверь в комнату захлопнулась, ключ в замке повернулся снова, и все стихло. Холмс дернул меня за рукав, и мы крадучись спустились по лестнице.

— Вечером я приду опять,— сказал он выжидающе смотревшей на него хозяйке.— По-моему, Уотсон, нам лучше обсудить это дело у себя дома.

— Итак, мое предположение подтвердилось,— начал он, удобно расположившись в кресле.— Произошла замена. Я только не предугадал, Уотсон, что мы встретим женщину, и женщину незаурядную.

— Она увидела нас.

— Она увидела что-то, испугавшее ее. Это несомненно. В общем, ход событий достаточно ясен, вы согласны с этим? Парочка ищет убежища в Лондоне, спасаясь от нависшей над ними страшной угрозы. Насколько серьезна угроза, можно судить по тому, что приняты строгие меры предосторожности. Мужчина, которому необходимо что-то совершить, желает на это время обеспечить женщине полную безопасность. Задача нелегкая, однако он решил ее весьма своеобразно и настолько успешно, что присутствие женщины в доме неизвестно даже квартирной хозяйке, которая ей носит еду. Теперь ясно, зачем нужны печатные буквы: чтобы не видно было, что пишет женщина. Встречаться с ней мужчина не может — он навел бы врагов на ее след. А поскольку ему нельзя с нею видеться, он сообщал ей о себе через газету. Пока что все понятно.

— Но что за этим кроется?

— Ах, Уотсон, вы, как всегда, практичны донельзя! Что за всем этим кроется? Забавная проблема миссис Уоррен несколько усложнилась и принимает все более зловещий характер. Покамест мы можем с уверенностью сказать одно: это не банальное любовное приключение. Вы заметили выражение лица женщины, когда ей почудилась опасность? Мы слышали также о нападении на хозяина, ведь его, несомненно, приняли за жильца. Все это, а также крайняя необходимость сохранить тайну говорит о том, что речь идет о жизни и смерти. Далее, нападение на мистера Уоррена показывает, что врагам, кто бы они ни были, неизвестно о замене квартиранта-мужчины женщиной. Это весьма любопытно и запутанно, Уотсон.

— А почему бы вам не отстраниться от этого дела? Никакой выгоды оно вам не сулит.

— Правда, не сулит. Искусство для искусства, Уотсон. Вы ведь тоже, когда занимались врачебной практикой, наверное, лечили не только за плату.

— Чтобы пополнять свое образование, Холмс.

— Учиться никогда не поздно, Уотсон. Образование — это цепь уроков, и самый серьезный приходит под конец. Наш случай поучительный. Он не принесет ни денег, ни славы, и все же хочется загадку распутать. С наступлением темноты мы сделаем шаг вперед в наших изысканиях.

Когда мы снова пришли в квартиру миссис Уоррен, сумрак лондонского вечера сгустился; унылую, однообразно серую пелену разрывали только резко очерченные желтые квадраты окон и расплывчатые круги газовых фонарей. Выглянув из затемненной гостиной, мы увидели еще одно тусклое пятно света, мерцавшее высоко во мраке.

— В той комнате кто-то ходит,— прошептал Холмс, приблизив свое длинное напряженное лицо к стеклу.— Да, я вижу его тень. Вот он опять. У него в руке свеча. Теперь он смотрит в нашу сторону. Хочет убедиться, что она наблюдает за ним. Начинает подавать сигналы. Принимайте и вы, Уотсон, чтобы мы могли сверить наши данные. Одна вспышка,— разумеется, А. Ну, сколько вы насчитали? Двадцать? Я тоже. Должно означать Т. АТ — вполне вразумительно! Снова Т. Это, разумеется, начало второго слова. Получается TENTA. Кончилось.

Неужели все, Уотсон? ATTENTA — бессмысленно. Нет смысла и в том случае, если считать за три слова — АТ, TEN, TA. Началось опять! Что же это такое? АТ-ТЕ — как, то же самое? Странно, Уотсон, очень странно! И опять все сначала! АТ — да ведь он повторяет уже в третий раз. Три раза — ATTENTA. Сколько же будет еще? Нет, кажется, кончил. Он отошел от окна. Как вы это объясните, Уотсон?

— Зашифрованное сообщение.

Неожиданно Холмс хмыкнул, будто что-то сообразив.

— И шифр не такой уж головоломный, Уотсон. Ведь это на итальянском! «А» в конце — обозначает, что адресовано женщине. «Берегись! Берегись! Берегись!» Что скажете, Уотсон?

— Полагаю, что вы попали в точку.

— Несомненно. Предупреждение необычайно важное, потому и повторено трижды. Но беречься чего? Погодите, он снова подошел к окну.

Мы опять увидели смутный силуэт согнувшегося человека и мелькание огонька в окне, когда сигналы возобновились. Теперь их передавали намного быстрее, так быстро, что трудно было уследить.

— PERICOLO — *pericolo* — а это что означает, Уотсон? Опасность? Боже милостивый! Да это сигнал опасности. Опять начал! PERI... Вот те на, что же...

Свет вдруг погас, скрылся мерцающий квадрат, и четвертый этаж черной лентой опоясал высокое здание с его рядами светящихся окон. Последний предостерегающий сигнал внезапно оборван. Почему? Кем? Такая мысль возникла у нас обоих одновременно. Холмс отскочил от окна.

— Это не шутки, Уотсон! — крикнул он.— Там происходит какая-то дьявольщина! Почему сигналы так странно прекратились? Надо связаться со Скотленд-Ярдом, а с другой стороны, уходить нам нельзя — время не терпит.

— Может, мне сбегать за полицией?

— Необходимо поточнее узнать, в чем там дело. Может быть, причина совсем безобидная. Скорее туда, Уотсон, и попытаемся разобраться сами.

II

Когда мы быстро шли по Хау-стрит, я оглянулся на только что покинутый нами дом. В окошке верхнего этажа маячила тень головы — тень женщины, которая напряженно, затаив дыхание, смотрела в ночь, ожидая возобновления сигналов.

Перед зданием на Хау-стрит, склонившись над перилами и уткнув лицо в шарф, стоял человек в длинном пальто. Он вздрогнул, когда свет фонаря в подъезде упал на наши лица.

— Холмс! — вскричал он.

— Да, это я, Грегсон! — отозвался мой спутник, здороваясь с сыщиком из Скотленд-Ярда.— Влюбленные встретились вновь. Что вас привело сюда?

— Очевидно, то же, что и вас,— сказал Грегсон,— но каким образом вы узнали об этом деле, ума не приложу.

— Меня и вас привели разные нити одного и того же запутанного клубка. Я принимал сигналы.

— Сигналы?

— Да, из этого окна. Они оборвались на середине. Мы пришли выяснить почему. Но так как дело сейчас в верных руках, у меня нет оснований заниматься им дальше.

— Погодите! — с жаром крикнул Грегсон.— Скажу вам по чести, мистер Холмс, с вашей поддержкой я в любом деле чувствую себя увереннее. Этот подъезд — единственный в доме. Ему от нас не уйти.

— Кому? Кто он такой?

— Наконец-то перевес на нашей стороне, мистер Холмс. Придется вам с этим согласиться.— Он сильно ударил своей тростью по тротуару, после чего кучер извозчичьей кареты, стоявшей в конце улицы, не спеша направился к нам с кнутом в руке.— Позвольте представить вам мистера Холмса,— сказал ему Грегсон.— А это мистер Ливертон из американского агентства Пинкертона.

— Герой тайны Лонг-Айлендской пещеры! — воскликнул Холмс.— Рад познакомиться с вами, сэр.

Американец, деловитый молодой человек с острыми чертами продолговатого, гладко выбритого лица, покраснел, услышав такую похвалу.

— То, что нам предстоит сейчас,— дело всей моей жизни, мистер Холмс. Если мне удастся схватить Джорджано...

— Что? Джорджано из лиги «Алое кольцо»?

— О, у него уже европейская слава? Что ж, в Америке нам все о нем известно. Мы знаем, что на его совести пятьдесят убийств, но пока что у нас нет неопровержимых улик, и мы не можем его арестовать. Я гнал ся за ним по пятам из Нью-Йорка и неделю слежу за ним в Лондоне, выжидая случая схватить его за шиворот. Мы с мистером Грегсоном выследили его — он в этом большом доме, где только один подъезд, и ему от нас не скрыться. С тех пор как он там, вышли трое, но, клянусь, его в их числе не было.

— Мистер Холмс говорил о сигналах,— вставил Грегсон.— Я уверен, ему, как всегда, известны такие подробности, каких мы не знаем.

Холмс в коротких словах разъяснил, как мы себе представляем положение дел. Американец с досадой стиснул руки.

— Он узнал, что мы здесь!

— Почему вы так думаете?

— А разве не ясно? Он скрылся в доме и подает знаки соучастнику — в Лондоне несколько человек из его банды. Потом, как вы изволили заметить, когда он сообщал о грозящей опасности, сигналы вдруг оборвались. Что же это означает, если не то, что он увидел нас из окна или почему-то догадался, насколько близка опасность, и решил действовать немедля, чтобы ее избежать? Что вы предлагаете, мистер Холмс?

— Подняться наверх и выяснить на месте, что там произошло.

— Но у нас нет ордера на его арест.

— Этот человек находится в пустой квартире при подозрительных обстоятельствах,— сказал Грегсон.— Для начала достаточно. Когда мы посадим его за решетку, Нью-Йорк, наверное, поможет нам удержать его там. Я беру на себя ответственность за арест.

Наши сыщики-профессионалы, может быть, не всегда быстро шевелят мозгами, но в храбрости им нельзя отказать. Грегсон поднимался по ступенькам, чтобы арестовать этого матерого преступника, столь же деловито и спокойно, как если бы шел по парадной лестнице Скотленд-Ярда. Пинкертоновский агент попытался было обогнать его, но Грегсон весьма решительно оттеснил его назад. Лондонские опасности — привилегия лондонской полиции.

Дверь квартиры слева на четвертом этаже была приоткрыта. Грегсон отворил ее. Внутри было темно и очень тихо. Я чиркнул спичкой и зажег фонарь сыщика. Когда огонь разгорелся, все мы ахнули в изумлении. На сосновых досках голого пола виднелись свежие следы крови. Красные отпечатки сапог вели в нашу сторону из внутренней комнаты, дверь в которую была закрыта.

Грегсон широко распахнул ее и поднял фонарь, горевший теперь ярким пламенем, а мы нетерпеливо глядели из-за его спины.

На полу посредине пустой комнаты распростерся человек геркулесовского сложения. Черты его смуглого, гладко выбритого лица были страшно искажены, голова с жутким венчиком алой крови лежала на светлом паркете в растекшейся кровяной луже. Колени его были подняты, руки раскинуты, а в могучей коричневой шее торчала рукоятка ножа. Хоть он и был гигантом, сокрушительный удар, видимо, свалил его, как мясник валит быка. Возле его правой руки на полу лежал внушительный обоюдоострый кинжал с роговой рукоятью, а рядом — черная лайковая перчатка.

— Боже мой! Ведь это и есть Черный Джорджано! — вскричал американский сыщик.— На этот раз кто-то нас опередил.

— А вот и свеча на окошке, мистер Холмс,— сказал Грегсон.— Но что это вы делаете?

Холмс подошел к окну, зажег свечу и принялся размахивать ею перед оконным переплетом. Потом вгляделся в темноту, погасил свечу и бросил на пол.

— Пожалуй, это нам поможет.

Он вернулся к обоим профессионалам, осматривавшим тело, и в глубокой задумчивости стал рядом.

— Вы говорите, что пока ждали внизу, из дома вышли трое,— произнес он наконец.— Вы разглядели их?

— Да, разглядел.

— Был ли среди них человек лет тридцати, смуглый, чернобородый, среднего роста?

— Да, он прошел мимо меня последним.

— Думаю, что это тот, кто вам нужен. Я могу его описать вам, и у нас есть великолепный отпечаток его ноги. По-моему, этого вам хватит.

— Не очень-то много, мистер Холмс, чтобы найти его среди миллионов лондонцев.

— Возможно. Потому я и подумал, что нелишне призвать на помощь даму.

При этих словах мы все обернулись. В прямоугольнике двери стояла высокая красивая женщина — таинственная квартирантка миссис Уоррен. Она медленно приблизилась, ее бледное лицо было полно тревоги, напряженный, испуганный взгляд прикован к темной фигуре, лежавшей на полу.

— Вы убили его! — пробормотала она. — О, Dio mio[1], вы убили его!

Потом она глубоко перевела дыхание и с радостным криком подпрыгнула. Она кружилась по комнате, хлопала в ладоши, ее карие глаза горели восторгом и изумлением, с губ срывались тысячи прелестных итальянских возгласов. Ужасно и удивительно было смотреть на эту женщину, охваченную радостью при виде такого зрелища. Вдруг она остановилась и вопрошающе взглянула на нас.

— Но вы! Ведь вы полиция? Вы убили Джузеппе Джорджано? Правда?

— Мы полиция, сударыня.

Она вгляделась в темные углы комнаты.

— А где же Дженнаро? Дженнаро Лукка, мой муж? Я Эмилия Лукка, мы оба из Нью-Йорка. Где Дженнаро? Он только что позвал меня из этого окна, и я помчалась со всех ног.

— Это я позвал, — сказал Холмс.

— Вы! Но как вы узнали?

— Ваш шифр несложен, сударыня. Вы нужны нам здесь. Я был уверен, что стоит мне подать знак *Vieni*[2], и вы обязательно придете.

Прекрасная итальянка взглянула на Холмса с благоговейным страхом.

— Не понимаю, откуда вам все это известно, — сказала она. — Джузеппе Джорджано... как он... — Она замолчала, и вдруг ее лицо осветилось радостью и гордостью. — Теперь я поняла! Мой Дженнаро! Это сделал мой прекрасный, чудесный Дженнаро, который охранял меня от всех бед, он убил чудовище собственной сильной рукой! О Дженнаро, какой ты замечательный! Есть ли на свете женщина, достойная такого мужчины!

— Так вот, миссис Лукка, — сказал прозаичный Грегсон, положив руку на локоть синьоры так же бесстрастно, как если бы она была хулиганом из Ноттинг-Хилла. — Пока мне еще не совсем ясно, кто вы такая и зачем вы здесь, но из того, что вы сказали, мне вполне ясно, что вами заинтересуются в Скотленд-Ярде.

— Одну минуту, Грегсон, — вмешался Холмс, — я полагаю, эта леди и сама не прочь дать нам кое-какие сведения. Вам понятно, сударыня, что вашего мужа арестуют и будут судить за убийство человека, который ле-

---

[1] Боже мой (*итал.*).
[2] Приходи (*итал.*).

жит перед нами? Ваши слова могут быть использованы как доказательство его виновности. Но если вы полагаете, что ваш муж действовал не в преступных целях и желал бы сам, чтобы о них узнали, то, рассказав нам все, вы очень ему поможете.

— Теперь, когда Джорджано мертв, нам ничего не страшно,— ответила итальянка.— Это был дьявол, чудовище, и ни один судья в мире не накажет моего мужа за то, что он убил его.

— В таком случае,— сказал Холмс,— я предлагаю запереть дверь, оставив все, как есть, пойти вместе с этой леди к ней на квартиру и принять решение после того, как она расскажет нам всю историю.

Через полчаса мы все четверо сидели в маленькой гостиной синьоры Лукки, слушая ее удивительный рассказ о зловещих событиях, развязки которых нам довелось быть свидетелями. Она говорила по-английски быстро и бегло, однако весьма неправильно, и для большей ясности я несколько упорядочил ее речь.

— Родилась я в Посилиппо, неподалеку от Неаполя,— начала она,— я дочь Аугусто Барелли, который был там главным юристом, а одно время и депутатом от этого округа. Дженнаро служил у моего отца, и я влюбилась в него, ибо в него нельзя не влюбиться. Он был беден и не имел положения в обществе, не имел ничего, кроме красоты, силы и энергии, и отец не дал согласия на брак. Мы бежали, поженились в Бари, продали мои драгоценности, а на вырученные деньги уехали в Америку. Это случилось четыре года назад, и с тех пор мы жили в Нью-Йорке.

Сначала судьба была к нам очень благосклонна. Дженнаро оказал услугу одному джентльмену-итальянцу — спас его от головорезов в месте, называемом Бовери, и таким образом приобрел влиятельного друга. Зовут его Тито Касталотте, он главный компаньон известной фирмы «Касталотте и Замба», основного поставщика фруктов в Нью-Йорк. Синьор Замба много болеет, и все дела фирмы, в которой занято более трехсот человек, в руках нашего нового друга Касталотте. Он взял моего мужа к себе на службу, назначил заведующим отделом и проявлял к нему расположение, как только мог. Синьор Касталотте холост, и, мне кажется, он относился к Дженнаро, как к родному сыну, а я и мой муж любили его, словно он был нам отец. Мы сняли и меблировали в Бруклине небольшой домик, и наше будущее казалось нам обеспеченным, как вдруг появилась черная туча и вскоре заволокла все небо.

Как-то вечером Дженнаро возвратился с работы и привел с собой соотечественника. Звали его Джорджано, и он тоже был из Посилиппо. Это был человек колоссального роста, в чем вы сами могли убедиться — вы видели его труп. У него было не только огромное тело, в нем все было фантастично, чрезмерно и жутко. Голос его звучал в нашем домике как гром. Когда он говорил, там едва хватало места для его громадных размахивающих рук. Мысли, переживания, страсти — все было преувеличенное, чудовищное. Он говорил, вернее, орал, с таким жаром, что остальные только сидели и слушали, испуганные могучим потоком слов. Глаза его сверкали, и он держал вас в своей власти. Это был человек страшный и удивительный. Слава Создателю, что он мертв!

Он стал приходить все чаще и чаще. Но я знала, что Дженнаро, как и я, не испытывал радости от его посещений. Мой несчастный муж сидел бледный, равнодушный, слушая бесконечные разглагольствования насчет политики и социальных проблем, что являлось темой разговоров нашего гостя. Дженнаро молчал, но я, хорошо его зная, читала на его лице чувство, какого оно не выражало никогда раньше. Сперва я подумала, что это неприязнь. Потом поняла, что это нечто большее. То был страх, едва скрываемый, неодолимый страх. В ту ночь — в ночь, когда я прочитала на его лице ужас,— я обняла его и умоляла ради любви ко мне, ради всего, что дорого ему, ничего не утаивать и рассказать мне, почему этот великан так удручает его.

Муж рассказал мне, и от его слов сердце мое оледенело. Мой бедный Дженнаро в дни пылкой, одинокой юности, когда ему казалось, что весь мир против него, и его сводили с ума несправедливости жизни, вступил в неаполитанскую лигу «Алое кольцо» — нечто вроде старых карбонариев. Тайны этой организации, клятвы, которые дают ее члены, ужасны, а выйти из нее, согласно правилам, невозможно. Мы бежали в Америку, и Дженнаро думал, что избавился от всего этого навсегда. Представьте себе его ужас, когда однажды вечером он встретил на улице гиганта Джорджано, того самого человека, который в Неаполе втянул его в организацию и на юге Италии заработал себе прозвище «Смерть», ибо руки его по локоть обагрены кровью убитых! Он приехал в Нью-Йорк, скрываясь от итальянской полиции, и уже успел создать там отделение этой страшной лиги. Все это Дженнаро рассказал мне и показал полученную им в тот день бумажку с нарисованным на ней алым кольцом. Там говорилось, что в такой-то день и час состоится собрание, на котором он должен присутствовать.

Это ничего хорошего не сулило, но худшее ждало нас впереди. С некоторого времени я стала замечать, что Джорджано, придя к нам — а теперь он приходил чуть ли не каждый вечер,— обращается только ко мне, а если и говорит что-нибудь моему мужу, то не спускает с меня страшного, неистового взгляда своих блестящих глаз. Однажды его тайна обнаружилась. Я пробудила в нем то, что он называл любовью,— любовь чудовища, дикаря. Дженнаро еще не было дома, когда он пришел. Он придвинулся ко мне, схватил своими огромными ручищами, сжал в медвежьем объятии и, осыпая поцелуями, умолял уйти с ним. Я отбивалась, отчаянно крича, тут вошел Дженнаро и бросился на него. Джорджано ударил мужа так сильно, что тот упал, потеряв сознание, а сам бежал из дома, куда вход ему был закрыт навсегда. С того вечера он стал нашим смертельным врагом.

Через несколько дней состоялось собрание. По лицу Дженнаро, когда он возвратился, я поняла, что случилось нечто ужасное. Такой беды нельзя было себе представить. Общество добывает средства, шантажируя богатых итальянцев и угрожая им насилием, если они откажутся дать деньги. На этот раз они наметили своей жертвой Касталотте, нашего друга и благодетеля. Он не испугался угроз, а записки бандитов передал полиции. И вот решили учинить над ним такую расправу, которая отбила бы у других охоту противиться. На собрании постановили взорвать динамитом его дом с ним вместе. Бросили жребий, кому выполнять это чудовищное дело. Опуская руку в мешок, Дженнаро увидел улыбку на жестоком лице своего врага. Конечно, все было как-то подстроено, потому что на ладони мужа оказался роковой кружок с алым кольцом — приказ совершить убийство. Он должен был лишить жизни самого близкого друга,— за неповиновение товарищи наказали бы его и меня тоже. Дьявольская лига мстила отступникам или тем, кого боялась, наказывая не только их самих, но и близких им людей, и этот ужас навис над головой моего несчастного Дженнаро и сводил его с ума.

Всю ночь мы сидели обнявшись, подбадривая друг друга перед лицом ожидающих нас бед. Взрыв назначили на следующий вечер. В полдень мы с мужем были уже на пути в Лондон и, конечно, предупредили нашего благодетеля об опасности и сообщили полиции все сведения, необходимые для охраны его жизни.

Остальное, джентльмены, вам известно. Мы не сомневались, что нам не уйти от своих врагов, как нельзя уйти от собственной тени. У Джорджано были и личные причины для мести, но мы знали также, какой это неумолимый, коварный и упорный человек. В Италии и в Америке без конца толкуют о его страшном могуществе. А сейчас уж он, конечно, использовал бы свои возможности. Благодаря тому, что мы опередили врагов, у нас оказалось несколько спокойных дней, и мой любимый обеспечил мне убежище, где я могла укрыться от опасности. Сам он хотел иметь свободу действий, чтобы снестись с итальянской и американской полицией. Я не имею представления, где он живет и как. Я узнавала о нём только из заметок в газете. Однажды, выглянув в окно, я увидела двух итальянцев, наблюдавших за домом, и поняла, что каким-то образом Джорджано обнаружил наше пристанище. Наконец Дженнаро сообщил мне через газету, что будет сигнализировать из определенного окна, но сигналы говорили только о необходимости остерегаться и внезапно прервались. Теперь мне ясно: муж знал, что Джорджано напал на его след, и, слава Богу, подготовился к встрече с ним. А теперь, джентльмены, скажите: совершили мы такое, что карается законом, и есть ли на свете суд, который вынес бы обвинительный приговор Дженнаро за то, что он сделал?

— Что же, мистер Грегсон,— сказал американец, посмотрев на английского агента,— не знаю, какова ваша британская точка зрения, но в Нью-Йорке, я полагаю, подавляющее большинство выразит благодарность мужу этой дамы.

— Ей придется поехать со мною к начальнику,— ответил Грегсон.— Если ее слова подтвердятся, не думаю, что ей или ее мужу что-нибудь грозит. Но, чего я не способен уразуметь, так это каким образом в этом деле оказались замешаны вы, мистер Холмс.

— Образование, Грегсон, образование! Все еще обучаюсь в университете. Кстати, сейчас еще нет восьми часов, а в «Ковент-Гарден» идет опера Вагнера. Если поторопиться, мы можем поспеть ко второму действию.

ЧЕРТЕЖИ БРЮСА-ПАРТИНГТОНА

В предпоследнюю неделю ноября 1895 года на Лондон спустился такой густой желтый туман, что с понедельника до четверга из окон нашей квартиры на Бейкер-стрит невозможно было различить силуэты зданий на противоположной стороне. В первый день Холмс приводил в порядок свой толстенный справочник, снабжая его перекрестными ссылками и указателем. Второй и третий день были им посвящены музыке средневековья — предмету, в недавнее время ставшему его коньком. Но когда на четвертый день мы после завтрака, отодвинув стулья, встали из-за стола и увидели, что за окном плывет все та же непроглядная, бурая мгла, маслянистыми каплями оседающая на стеклах, нетерпеливая и деятельная натура моего друга решительно отказалась влачить дольше столь унылое существование. Досадуя на бездействие, с трудом подавляя свою энергию, он расхаживал по комнате, кусал ногти и постукивал пальцами по мебели, попадавшейся на пути.

— Есть в газетах что-либо достойное внимания?— спросил он меня.

Я знал, что под «достойным внимания» Холмс имеет в виду происшествия в мире преступлений. В газетах были сообщения о революции, о возможности войны, о предстоящей смене правительства, но все это находилось вне сферы интересов моего компаньона. Никаких сенсаций уголовного характера я не обнаружил — ничего, кроме обычных, незначительных нарушений законности. Холмс издал стон и возобновил свои беспокойные блуждания.

— Лондонский преступник — бездарный тупица,— сказал он ворчливо, словно охотник, упустивший добычу.— Гляньте-ка в окно, Уотсон. Видите, как вдруг возникают и снова тонут в клубах тумана смутные фигуры? В такой день вор или убийца может невидимкой рыскать по городу, как тигр в джунглях, готовясь к прыжку. И только тогда... И даже тогда его увидит лишь сама жертва.

— Зарегистрировано множество мелких краж,— заметил я.

Холмс презрительно фыркнул.

— На такой величественной, мрачной сцене надлежит разыгрываться более глубоким драмам,— сказал он.— Счастье для лондонцев, что я не преступник.

— Еще бы! — сказал я с чувством.

— Вообразите, что я — любой из полусотни тех, что имеют достаточно оснований покушаться на мою жизнь. Как вы думаете, долго бы я оставался в живых, ускользая от собственного преследования? Неожиданный звонок, приглашение встретиться — и все кончено. Хорошо, что не бывает туманных дней в южных странах, где убивают не задумываясь... Ого! Наконец-то нечто такое, что, быть может, нарушит нестерпимое однообразие нашей жизни.

Это вошла горничная с телеграммой. Холмс вскрыл телеграфный бланк и расхохотался.

— Нет, вы только послушайте. К нам жалует Майкрофт, мой брат!

— И что же тут особенного?

— Что особенного? Это все равно, как если бы трамвай вдруг свернул с рельсов и покатил по проселочной дороге. Майкрофт движется по замкнутому кругу: квартира на Пэлл-Мэлл, клуб «Диоген», Уайтхолл — вот его неизменный маршрут. Сюда он заходил всего один раз. Какая катастрофа заставила его сойти с рельсов?

— Он не дает объяснений?

Холмс протянул мне телеграмму. Я прочел:

«Необходимо повидаться поводу Кадогена Уэста. Прибуду немедленно.

Майкрофт».

— Кадоген Уэст? Я где-то слышал это имя.

— Мне оно ничего не говорит. Но чтобы Майкрофт вдруг выкинул такой номер... Непостижимо! Легче планете покинуть свою орбиту. Между прочим, вам известно, кто такой Майкрофт?

Мне смутно помнилось, что Холмс рассказывал что-то о своем брате в ту пору, когда мы расследовали «Случай с переводчиком».

— Вы, кажется, говорили, что он занимает какой-то небольшой правительственный пост.

Холмс коротко рассмеялся.

— В то время я знал вас недостаточно близко. Приходится держать язык за зубами, когда речь заходит о делах государственного масштаба. Да, верно. Он состоит на службе у британского правительства. И так же верно то, что подчас он и есть само британское правительство.

— Но, Холмс, помилуйте...

— Я ожидал, что вы удивитесь. Майкрофт получает четыреста пятьдесят фунтов в год, занимает подчиненное положение, не облает ни малейшим честолюбием, отказывается от титулов и званий, и, однако, это самый незаменимый человек во всей Англии.

— Но каким образом?

— Видите ли, у него совершенно особое амплуа, и создал его себе он сам. Никогда доселе не было и никогда не будет подобной должности. У него великолепный, как нельзя более четко работающий мозг, наделенный величайшей, неслыханной способностью хранить в себе несметное количество фактов. Ту колоссальную энергию, какую я направил на раскрытие преступлений, он поставил на службу государству. Ему вручают заключения всех департаментов, он тот центр, та расчетная палата, где подводится общий баланс. Остальные являются специалистами в той или иной области, его специальность — знать все. Предположим, какому-то министру требуются некоторые сведения касательно военного флота, Индии, Канады и проблемы биметаллизма. Запрашивая поочередно соответствующие департаменты, он может получить все необходимые факты, но только Майкрофт способен тут же дать им правильное освещение и установить их взаимосвязь. Сперва его расценивали как определенного рода удобство, кратчайший путь к цели. Постепенно он сделал себя центральной фигурой. В его мощном мозгу все разложено по полочкам и может быть предъявлено в любой момент. Не раз одно его слово решало вопрос государственной политики — он живет в ней, все его мысли тем только и поглощены. И лишь когда я иной раз обращаюсь к нему за советом, он снисходит до того, чтобы помочь мне разобраться в какой-либо из моих проблем, почитая это для себя гимнастикой ума. Но что заставило сегодня Юпитера спуститься с Олимпа? Кто такой Кадоген Уэст и какое отношение имеет он к Майкрофту?

— Вспомнил! — воскликнул я и принялся рыться в ворохе газет, валявшихся на диване.— Ну да, конечно, вот он! Кадоген Уэст — это тот молодой человек, которого во вторник утром нашли мертвым на линии метрополитена.

Холмс выпрямился в кресле, весь обратившись в слух: рука его, державшая трубку, так и застыла в воздухе, не добравшись до рта.

— Тут, должно быть, произошло что-то очень серьезное, Уотсон. Смерть человека, заставившая моего брата изменить своим привычкам, не может быть заурядной. Но какое отношение имеет к ней Майкрофт, черт возьми? Случай, насколько мне помнится, совершенно банальный. Молодой человек, очевидно, выпал из вагона и разбился насмерть. Ни признаков ограбления, ни особых оснований подозревать насилие — так ведь, кажется?

— Дознание обнаружило много новых фактов, — ответил я. — Случай, если присмотреться к нему ближе, напротив, чрезвычайно странный.

— Судя по действию, какое он оказал на моего брата, это, вероятно, и в самом деле что-то из ряда вон выходящее. — Он поудобнее уселся в кресле. — Ну-ка, Уотсон, выкладывайте факты.

— Полное имя молодого человека — Артур Кадоген Уэст. Двадцати семи лет от роду, холост, младший клерк в конторе Арсенала в Вулидже.

— На государственной службе? Вот и звено, связывающее его с Майкрофтом!

— В понедельник вечером он неожиданно уехал из Вулиджа. Последней его видела мисс Вайолет Уэстбери, его невеста: в тот вечер в половине восьмого он внезапно оставил ее прямо на улице, в тумане. Ссоры между ними не было, и девушка ничем не может объяснить его поведение. Следующее известие о нем принес дорожный рабочий Мэйсон, обнаруживший его труп неподалеку от станции метрополитена «Олдгет».

— Когда?

— Во вторник в шесть часов утра. Тело лежало почти у самой остановки, как раз там, где рельсы выходят из тоннеля, слева от них, если смотреть с запада на восток, и несколько в стороне. Череп оказался расколотым, вероятно, во время падения из вагона. Собственно, ничего другого и нельзя предположить, ведь труп мог попасть в тоннель только таким образом. Его не могли притащить с какой-либо из соседних улиц: было бы совершенно невозможно пронести его мимо контролеров. Следовательно, эта сторона дела не вызывает сомнений.

— Превосходно. Да, случай отменно прост. Человек, живой или мертвый, упал или был сброшен с поезда. Пока все ясно. Продолжайте.

— На линии, где нашли Кадогена Уэста, идет движение с запада на восток. Здесь ходят и поезда метро, и загородные поезда, выходящие из Уилсдена и других пунктов. Можно с уверенностью утверждать, что молодой человек ехал ночным поездом, но где именно он сел, выяснить не удалось.

— Разве нельзя было узнать по его билету?

— Билета у него не нашли.

— Вот как! Позвольте, но это очень странно! Я по собственному опыту знаю, что пройти на платформу метро, не предъявив билета, невозможно. Значит, надо предположить, что билет у молодого человека имелся, но кто-то его взял, быть может для того, чтобы скрыть место посадки. А не обронил ли он билет в вагоне? Тоже вполне вероятно. Но самый факт отсутствия билета чрезвычайно любопытен. Убийство с целью ограбления исключается?

— По-видимому. В газетах дана опись всего, что обнаружили в карманах Кадогена Уэста. В кошельке у него было два фунта и пятнадцать шиллингов. А также чековая книжка Вулиджского отделения одного крупного банка — по ней и установили личность погибшего. Еще при нем нашли два билета в бенуар театра в Вулидже на тот самый понедельник. И небольшую пачку каких-то документов технического характера.

Холмс воскликнул удовлетворенно:

— Ну, наконец-то! Теперь все понятно. Британское правительство — Вулидж — технические документы — брат Майкрофт. Все звенья цепи налицо. Но вот, если не ошибаюсь, и сам Майкрофт, он нам пояснит остальное.

Через минуту мы увидели рослую, представительную фигуру Майкрофта Холмса. Дородный, даже грузный, он казался воплощением огромной потенциальной физической силы, но над этим массивным телом возвышалась голова с таким великолепным лбом мыслителя, с такими проницательными, глубоко посаженными глазами цвета стали, с таким твердо очерченным ртом и такой тонкой игрой выражения лица, что вы тут же забывали о неуклюжем теле и отчетливо ощущали только доминирующий над ним мощный интеллект.

Следом за Майкрофтом Холмсом показалась сухопарая аскетическая фигура нашего старого приятеля Лестрейда, сыщика из Скотленд-Ярда. Озабоченное выражение их лиц ясно говорило, что разговор предстоит серьезный. Сыщик молча пожал нам руки. Майкрофт Холмс стянул с себя пальто и опустился в кресло.

— Очень неприятная история, Шерлок,— сказал он.— Терпеть не могу ломать свои привычки, но власти предержащие и слышать не пожелали о моем отказе. При том конфликте, какой в настоящее время наблюдается в Сиаме, мое отсутствие в министерстве крайне нежелательно. Но положение напряженное, прямо-таки критическое. Никогда еще не видел премьер-министра до такой степени расстроенным. А в адмиралтействе все гудит, как в опрокинутом улье. Ты ознакомился с делом?

— Именно этим мы сейчас и занимались. Какие у Кадогена Уэста нашли документы?

— А, в них-то все и дело. По счастью, главное не вышло наружу, не то пресса подняла бы шум на весь мир. Бумаги, которые этот несчастный молодой человек держал у себя в кармане,— чертежи подводной лодки конструкции Брюса-Партингтона.

Произнесено это было столь торжественно, что мы сразу поняли, какое значение придавал Майкрофт случившемуся. Мы с моим другом ждали, что он скажет дальше.

— Вы, конечно, знаете о лодке Брюса-Партингтона? Я думал, всем о ней известно.

— Только понаслышке.

— Трудно переоценить ее военное значение. Из всех государственных тайн эта охранялась особенно ревностно. Можете поверить мне на слово: в радиусе действия лодки Брюса-Партингтона невозможно никакое нападение с моря. За право монополии на это изобретение два года тому назад была выплачена громадная сумма. Делалось все, чтобы сохранить его в тайне. Чертежи чрезвычайно сложны, включают в себя около тридцати отдельных патентов, из которых каждый является существенно необходимым для конструкции в целом. Хранятся они в надежном сейфе секретного отдела — в помещении, смежном с Арсеналом. На дверях и окнах запоры, гарантирующие от грабителей. Выносить документы не разрешалось ни под каким видом. Пожелай главный конструктор флота свериться по ним, даже ему пришлось бы самому ехать в Вулидж. И вдруг мы находим их в кармане мертвого мелкого чиновника, в центре города! С политической точки зрения это просто ужасно.

— Но ведь вы получили чертежи обратно!

— Да нет же! В том-то и дело, что нет. Из сейфа похищены все десять чертежей, а в кармане у Кадогена Уэста их оказалось только семь. Три остальных, самые важные, исчезли — украдены, пропали. Шерлок, брось все, забудь на время свои пустяковые полицейские ребусы. Ты должен разрешить проблему, имеющую колоссальное международное значение. С какой целью Уэст взял документы? При каких обстоятельствах он умер? Как попал труп туда, где он был найден? Где три недостающих чертежа? Как исправить содеянное зло? Найди ответы на эти вопросы, и ты окажешь родине немаловажную услугу.

— Почему бы тебе самому не заняться расследованием? Твои способности к анализу не хуже моих.

— Возможно, Шерлок, но ведь тут понадобится выяснять множество подробностей. Дай мне эти подробности, и я, не вставая с кресла, вручу тебе точное заключение эксперта. Но бегать туда и сюда, допрашивать железнодорожных служащих, лежать на животе, глядя в лупу,— нет, уволь, это не по мне. Ты, и только ты, в состоянии раскрыть это преступление. И если у тебя есть желание увидеть свое имя в очередном списке награжденных...

Мой друг улыбнулся и покачал головой.

— Я веду игру ради удовольствия,— сказал он.— Но дело действительно не лишено интереса, я не прочь за него взяться. Дай мне, пожалуйста, еще факты.

— Я записал вкратце все основное. И добавил несколько адресов — могут тебе пригодиться. Официально ответственным за документы является известный правительственный эксперт сэр Джеймс Уолтер; его награды, титулы и звания занимают в справочном словаре две строки. Он поседел на государственной службе, это настоящий английский дворянин, почетный гость в самых высокопоставленных домах, и, главное, патриотизм его не вызывает сомнений. Он один из двоих, имеющих ключ от сейфа. Могу еще сообщить, что в понедельник в течение всего служебного дня документы, безусловно, были на месте, и сэр Джеймс Уолтер уехал в Лондон около трех часов, взяв ключ от сейфа с собой. Весь тот вечер он провел в доме адмирала Синклера на Барклисквер.

— Это проверено?

— Да. Его брат, полковник Валентайн Уолтер, показал, что сэр Джеймс действительно уехал из Вулиджа, и адмирал Синклер подтвердил, что вечер понедельника он пробыл у него. Таким образом, сэр Джеймс Уолтер в случившемся непосредственной роли не играет.

— У кого хранится второй ключ?

— У старшего клерка конторы техника Сиднея Джонсона. Ему сорок лет, женат, пятеро детей. Человек молчаливый, суровый. Отзывы по службе отличные. Коллеги не слишком его жалуют, но работник он превосходный. Согласно показаниям Джонсона, засвидетельствованным только его женой, в понедельник после службы он весь вечер был дома, и ключ все время оставался у него на обычном месте, на цепочке от часов.

— Расскажи нам о Кадогене Уэсте.

— Служил у нас десять лет, работал безупречно. У него репутация горячей головы, человека несдержанного, но прямого и честного. Ничего плохого мы о нем сказать не можем. Он числился младшим клерком, был под началом у Сиднея Джонсона. По долгу службы он ежедневно имел дело с этими чертежами. Кроме него, никто не имел права брать их в руки.

— Кто в последний раз запирал сейф?

— Сидней Джонсон.

— Ну, а кто взял документы, известно. Они найдены в кармане у младшего клерка Кадогена Уэста. Относительно этого и раздумывать больше нечего, все ясно.

— Только на первый взгляд, Шерлок. На самом деле многое остается непонятным. Прежде всего, зачем он их взял?

— Я полагаю, они представляют собой немалую ценность?

— Он мог легко получить за них несколько тысяч.

— Ты можешь предположить иной мотив, кроме намерения продать эти бумаги?

— Нет.

— В таком случае примем это в качестве рабочей гипотезы. Итак, чертежи взял молодой Кадоген Уэст. Проделать это он мог только с помощью поддельного ключа.

— Нескольких поддельных ключей. Ведь ему надо было сперва войти в здание, затем в комнату.

— Следовательно, у него имелось несколько поддельных ключей. Он повез документы в Лондон, чтобы продать военную тайну, и, несомненно, рассчитывал вернуть оригиналы до того, как их хватятся. Приехав в Лондон с этой целью, изменник нашел там свой конец.

— Но как это случилось?

— На обратном пути в Вулидж был убит и выброшен из вагона.

— Олдгет, где было найдено тело, намного дальше станции «Лондонский мост», где он должен был бы сойти, если бы действительно ехал в Вулидж.

— Можно представить себе сколько угодно обстоятельств, заставивших его проехать мимо своей станции. Ну, например, он вел с кем-то разговор, закончившийся бурной ссорой и убийством изменника. Может быть, и так: Кадоген Уэст хотел выйти из вагона, упал на рельсы и разбился, а тот, другой, закрыл за ним дверь. В таком густом тумане никто ничего не мог увидеть.

— За неимением лучших, будем пока довольствоваться этими гипотезами. Но, обрати внимание, Шерлок, сколько остается неясного. Допустим, Кадоген Уэст задумал переправить бумаги в Лондон. Естественно далее предположить, что у него там была назначена встреча с иностранным агентом, а для этого ему было бы необходимо высвободить себе вечер. Вместо этого он берет два билета в театр, отправляется туда с невестой и на полдороге внезапно исчезает.

— Для отвода глаз,— сказал Лестрейд, уже давно выказывавший признаки нетерпения.

— Прием весьма оригинальный. Это возражение первое. Теперь второе возражение. Предположим, Уэст прибыл в Лондон и встретился с агентом. До наступления утра ему надо было во что бы то ни стало успеть положить документы на место. Взял он десять чертежей. При нем нашли только семь. Что случилось с остальными тремя? Вряд ли он расстался бы с ними добровольно. И, далее, где деньги, полученные за раскрытие военной тайны? Логично было бы ожидать, что в кармане у него найдут крупную сумму.

— По-моему, тут все абсолютно ясно,— сказал Лестрейд.— Я отлично понимаю, как все произошло. Уэст выкрал чертежи, чтобы продать их. Встретился в Лондоне с агентом. Не сошлись в цене. Уэст отправляется домой, агент за ним. В вагоне агент его приканчивает, забирает самые ценные из документов, выталкивает труп из вагона. Все сходится, как, по-вашему?

— Почему при нем не оказалось билета?

— По билету можно было бы догадаться, какая из станций ближе всего к местонахождению агента. Поэтому он и вытащил билет из кармана убитого.

— Браво, Лестрейд, браво,— сказал Холмс.— В ваших рассуждениях есть логика. Но если так, розыски можно прекратить. С одной стороны, изменник мертв; с другой стороны, чертежи подводной лодки Брюса-Партингтона, вероятно, уже на континенте. Что же нам остается?

— Действовать, Шерлок, действовать! — воскликнул Майкрофт, вскакивая с кресла.— Интуиция подсказывает мне, что тут кроется нечто другое. Напряги свои мыслительные способности, Шерлок. Посети место преступления, повидай людей, замешанных в деле,— все переверни вверх дном! Еще никогда не выпадало тебе случая оказать родине столь большую услугу.

— Ну что же,— сказал Холмс, пожав плечами,— пойдемте, Уотсон. И вы, Лестрейд, не откажите в любезности на часок-другой разделить наше общество. Мы начнем со станции «Олдгет». Всего хорошего, Майкрофт. Думаю, к вечеру ты уже получишь от нас сообщение о ходе дела, но, предупреждаю заранее, многого не жди.

Час спустя мы втроем — Холмс, Лестрейд и я — стояли в метро как раз там, где поезд, приближаясь к остановке, выходит из тоннеля. Сопровождавший нас краснолицый и весьма услужливый старый джентльмен представлял в своем лице железнодорожную компанию.

— Тело молодого человека лежало вот здесь,— сказал он нам, указывая на место футах в трех от рельсов.— Сверху он ниоткуда упасть не мог — видите, всюду глухие стены. Значит, свалился с поезда, и, по всем данным, именно с того, который проходил здесь в понедельник около полуночи.

— В вагонах не обнаружено никаких следов борьбы, насилия?

— Никаких. И билета тоже не нашли.

— И никто не заметил ни в одном из вагонов открытой двери?

— Нет.

— Сегодня утром мы получили кое-какие новые данные,— сказал Лестрейд.— Пассажир поезда метро, проезжавший мимо станции «Олдгет» в понедельник ночью, приблизительно в 11.40, показал, что перед самой остановкой ему почудилось, будто на пути упало что-то тяжелое. Но из-за густого тумана он ничего не разглядел. Тогда он об этом не заявил. Но что это с мистером Холмсом?

Глаза моего друга были прикованы к тому месту, где рельсы, изгибаясь, выползают из тоннеля. Станция «Олдгет» — узловая, и потому здесь много стрелок. На них-то и был устремлен острый, ищущий взгляд Холмса, и на его вдумчивом, подвижном лице я заметил так хорошо знакомое мне выражение: плотно сжатые губы, трепещущие ноздри, сведенные в одну линию тяжелые густые брови.

— Стрелки...— бормотал он.— Стрелки...

— Стрелки? Что вы хотите сказать?

— На этой дороге стрелок, я полагаю, не так уж много?

— Совсем мало.

— Стрелки и поворот... Нет, клянусь... Если бы это действительно было так...

— Да что такое, мистер Холмс? Вам пришла в голову какая-то идея?

— Пока только догадки, намеки, не более. Но дело, безусловно, приобретает все больший интерес. Поразительно, поразительно... А впрочем, почему бы и нет?.. Я нигде не заметил следов крови.

— Их почти и не было.

— Но ведь, кажется, рана на голове была очень большая?

— Череп раскроен, но внешние повреждения незначительны.

— Все-таки странно — не могло же вовсе обойтись без кровотечения! Скажите, нельзя ли мне обследовать поезд, в котором ехал пассажир, слышавший падение чего-то тяжелого?

— Боюсь, что нет, мистер Холмс. Тот поезд давно расформирован, вагоны попали в новые составы.

— Могу заверить вас, мистер Холмс, что все до единого вагоны были тщательно осмотрены, — вставил Лестрейд. — Я проследил за этим самолично.

К явным недостаткам моего друга следует отнести его нетерпимость в отношении людей, не обладающих интеллектом столь же подвижным и гибким, как его собственный.

— Надо полагать, — сказал он и отвернулся. — Но я, между прочим, собирался осматривать не вагоны. Уотсон, дольше нам здесь оставаться незачем, все, что было нужно, уже сделано. Мы не будем вас более задерживать, мистер Лестрейд. Теперь наш путь лежит в Вулидж.

На станции «Лондонский мост» Холмс составил телеграмму и, прежде чем отправить, показал ее мне. Текст гласил:

«В темноте забрезжил свет, но он может померкнуть. Прошу к нашему возвращению прислать с нарочным на Бейкер-стрит полный список иностранных шпионов и международных агентов, в настоящее время находящихся в Англии, с подробными их адресами.

Шерлок».

— Это может нам пригодиться,— заметил Холмс, когда мы сели в поезд, направляющийся в Вулидж.— Мы должны быть признательны Майкрофту — он привлек нас к расследованию дела, которое обещает быть на редкость интересным.

Его живое, умное лицо все еще хранило выражение сосредоточенного внимания и напряженной энергии, и я понял, что какой-то новый красноречивый факт заставил его мозг работать особенно интенсивно. Представьте себе гончую, когда она лежит на псарне, развалясь, опустив уши и хвост, и затем ее же, бегущую по горячему следу,— точно такая перемена произошла с Холмсом. Теперь я видел перед собой совсем другого человека. Как не похож он был на вялую, развинченную фигуру в халате мышиного цвета, всего несколько часов назад бесцельно шагавшую по комнате, в плену у тумана!

— Увлекательный материал, широкое поле действия,— сказал он.— Я проявил тупость, не сообразив сразу, какие тут открываются возможности.

— А мне и теперь еще ничего не ясно.

— Конец не ясен и мне, но у меня есть одна догадка, она может продвинуть нас далеко вперед. Я уверен, что Кадоген Уэст был убит где-то в другом месте, и тело его находилось не внутри, а на крыше вагона.

— На крыше?!

— Невероятно, правда? Но давайте проанализируем факты. Можно ли считать простой случайностью то обстоятельство, что труп найден именно там, где поезд подбрасывает и раскачивает, когда он проходит через стрелку? Не тут ли должен упасть предмет, лежащий на крыше вагона? На предметы, находящиеся внутри вагона, стрелка никакого действия не окажет. Либо тело действительно упало сверху, либо это какое-то необыкновенное совпадение. Теперь обратите внимание на отсутствие следов крови. Конечно, их и не могло оказаться на путях, если убийство совершено в ином месте. Каждый из этих фактов подтверждает мою догадку, а взятые вместе, они уже являются совокупностью улик.

— А еще билет-то! — воскликнул я.

— Совершенно верно. Мы не могли это объяснить. Моя гипотеза дает объяснение. Все сходится.

— Допустим, так. И все же мы по-прежнему далеки от раскрытия таинственных обстоятельств смерти Уэста. Я бы сказал, дело не стало проще, оно еще более запутывается.

— Возможно,— проговорил Холмс задумчиво,— возможно...

Он умолк и сидел, погруженный в свои мысли, до момента, когда поезд подполз наконец к станции «Вулидж». Мы сели в кеб, и Холмс извлёк из кармана оставленный ему Майкрофтом листок.

— Нам предстоит нанести ряд визитов,— сказал он.— Первым нашего внимания требует, я полагаю, сэр Джеймс Уолтер.

Дом этого известного государственного деятеля оказался роскошной виллой — зеленые газоны перед ним тянулись до самой Темзы. Туман начал рассеиваться, сквозь него пробивался слабый, жидкий свет. На наш звонок вышел дворецкий.

— Сэр Джеймс? — переспросил он, и лицо его приняло строго-торжественное выражение.— Сэр Джеймс скончался сегодня утром, сэр.

— Боже ты мой! — воскликнул Холмс в изумлении.— Как, отчего он умер?

— Быть может, сэр, вы соблаговолите войти в дом и повидаете его брата, полковника Валентайна?

— Да, вы правы, так мы и сделаем.

Нас провели в слабо освещенную гостиную, и минуту спустя туда вошел очень высокий, красивый мужчина лет пятидесяти, с белокурой бородой — младший брат покойного сэра Джеймса. Смятение в глазах, щеки, мокрые от слез, волосы в беспорядке — все говорило о том, какой удар обрушился на семью. Рассказывая, как это случилось, полковник с трудом выговаривал слова.

— Все из-за этого ужасного скандала,— сказал он.— Мой брат был человеком высокой чести, он не мог пережить такого позора. Это его потрясло. Он всегда гордился безупречным порядком в своем департаменте, и вдруг такой удар...

— Мы надеялись получить от него некоторые пояснения, которые могли бы содействовать раскрытию дела.

— Уверяю вас, то, что произошло, для него было так же непостижимо, как для вас и для всех прочих. Он уже заявил полиции обо всем, что было ему известно. Разумеется, он не сомневался в виновности Кадогена Уэста. Но все остальное — полная тайна.

— А лично вы не могли бы еще что-либо добавить?

— Я знаю только то, что слышал от других и прочел в газетах. Я бы не хотел показаться нелюбезным, мистер Холмс, но — вы должны понять — мы сейчас в большом горе, и я вынужден просить вас поскорее закончить разговор.

— Вот действительно неожиданный поворот событий,— сказал мой друг, когда мы снова сели в кеб.— Бедный старик! Как же он умер — естественной смертью или покончил с собой? Если это самоубийство, не вызвано ли оно терзаниями совести за невыполненный перед родиной долг? Но этот вопрос мы отложим на будущее. А теперь займемся Кадогеном Уэстом.

Осиротелая мать жила на окраине в маленьком доме, где царил образцовый порядок. Старушка была совершенно убита горем и не могла ничем нам помочь, но рядом с ней оказалась молодая девушка с очень бледным лицом — она представилась нам как мисс Вайолет Уэстбери, невеста покойного и последняя, кто видел его в тот роковой вечер.

— Я ничего не понимаю, мистер Холмс,— сказала она.— С тех пор как стало известно о несчастье, я не сомкнула глаз, день и ночь я думаю, думаю, доискиваюсь правды. Артур был человеком благородным, прямодушным, преданным своему делу, истинным патриотом. Он скорее отрубил бы себе правую руку, чем продал доверенную ему государственную тайну. Для всех, кто его знал, сама эта мысль недопустима, нелепа.

— Но факты, мисс Уэстбери...

— Да, да. Я не могу их объяснить, признаюсь.

— Не было ли у него денежных затруднений?

— Нет. Потребности у него были очень скромные, а жалованье он получал большое. У него имелись сбережения, несколько сотен фунтов, и на Новый год мы собирались обвенчаться.

— Вы не замечали, чтоб он был взволнован, нервничал? Прошу вас, мисс Уэстбери, будьте с нами абсолютно откровенны.

Быстрый глаз моего друга уловил какую-то перемену в девушке — она колебалась, покраснела.

— Да, мне казалось, его что-то тревожит.

— И давно это началось?

— С неделю назад. Он иногда задумывался, вид у него становился озабоченным. Однажды я стала допытываться, спросила, не случилось ли чего. Он признался, что обеспокоен и что это касается служебных дел. «Создалось такое положение, что даже тебе не могу о том рассказать»,— ответил он мне. Больше я ничего не могла добиться.

Лицо Холмса приняло очень серьезное выражение.

— Продолжайте, мисс Уэстбери. Даже если на первый взгляд ваши показания не в его пользу, говорите только правду,— никогда не знаешь наперед, куда это может привести.

— Поверьте, мне больше нечего сказать. Раза два я думала, что он уже готов поделиться со мной своими заботами. Как-то вечером разговор зашел о том, какое необычайно важное значение имеют хранящиеся в сейфе документы, и, помню, он добавил, что, конечно, иностранные шпионы дорого дали бы за эту военную тайну.

Выражение лица Холмса стало еще серьезнее.

— И больше он ничего не сказал?

— Заметил только, что мы несколько небрежны с хранением военных документов, что изменнику не составило бы труда до них добраться.

— Он начал заговаривать на такие темы только недавно?

— Да, лишь в последние дни.

— Расскажите, что произошло в тот вечер.

— Мы собрались идти в театр. Стоял такой густой туман, что нанимать кеб было бессмысленно. Мы пошли пешком. Дорога наша проходила недалеко от Арсенала. Вдруг Артур бросился от меня в сторону и скрылся в тумане.

— Не сказав ни слова?

— Только крикнул что-то, и все. Я стояла, ждала, но он не появлялся. Тогда я вернулась домой. На следующее утро из департамента пришли сюда справляться о нем. Около двенадцати часов до нас дошли ужасные вести. Мистер Холмс, заклинаю вас: если это в ваших силах, спасите его честное имя. Он им так дорожил!

Холмс печально покачал головой.

— Ну, Уотсон, нам пора двигаться дальше,— сказал он.—Теперь отправимся к месту, откуда были похищены документы.

С самого начала против молодого человека было много улик. После допросов их стало еще больше,— заметил он, когда кеб тронулся.—Предстоящая женитьба — достаточный мотив для преступления. Кадогену Уэсту, естественно, требовались деньги. Мысль о похищении чертежей в голову ему приходила, раз он заводил о том разговор с невестой. И чуть не сделал ее сообщницей, уже хотел было поделиться с ней своим планом. Скверная история.

— Но послушайте, Холмс, неужели репутация человека вовсе не идет в счет? И потом, зачем было оставлять невесту одну на улице и сломя голову кидаться воровать документы?

— Вы рассуждаете здраво, Уотсон. Возражение весьма существенное. Но опровергнуть обвинение будет очень трудно.

Мистер Сидней Джонсон встретил нас с тем почтением, какое у всех неизменно вызывала визитная карточка моего компаньона. Старший клерк оказался худощавым, хмурым мужчиной среднего возраста, в очках; от пережитого потрясения он осунулся, руки у него дрожали.

— Неприятная история, мистер Холмс, очень неприятная. Вы слышали о смерти шефа?

— Мы только что из его дома.

— У нас тут такая неразбериха. Глава департамента умер, Кадоген Уэст умер, бумаги похищены. А ведь в понедельник вечером, когда мы запирали помещение, все было в порядке — департамент как департамент. Боже мой, Боже мой!.. Подумать страшно. Чтобы именно Уэст совершил такой поступок!

— Вы, значит, убеждены в его виновности?

— Больше подозревать некого. А я доверял ему, как самому себе!

— В котором часу в понедельник заперли помещение?

— В пять часов.

— Где хранились документы?

— Вон в том сейфе. Я их сам туда положил.

— Сторожа при здании не имеется?

— Сторож есть, но он охраняет не только наш отдел. Это старый солдат, человек абсолютно надежный. Он ничего не видел. В тот вечер, правда, был ужасный туман, невероятно густой.

— Предположим, Кадоген Уэст вздумал бы пройти в помещение не в служебное время; ему понадобилось бы три ключа, чтобы добраться до бумаг, не так ли?

— Именно так. Ключ от входной двери, ключ от конторы и ключ от сейфа.

— Ключи имелись только у вас и у сэра Джеймса Уолтера?

— От помещений у меня ключей нет, только от сейфа.

— Сэр Джеймс отличался аккуратностью?

— Полагаю, что да. Знаю только, что все три ключа он носил на одном кольце. Я их часто у него видел.

— И это кольцо с ключами он брал с собой, когда уезжал в Лондон?

— Он говорил, что они всегда при нем.

— И вы тоже никогда не расстаетесь со своим ключом?

— Никогда.

— Значит, Уэст, если преступник действительно он, сделал вторые ключи. Но у него никаких ключей не обнаружили. Еще один вопрос: если бы кто из сотрудников, работающих в этом помещении, задумал продать военную тайну, не проще ли было бы для него скопировать чертежи, чем похищать оригиналы, как это было проделано?

— Чтобы скопировать их как следует, нужны большие технические познания.

— Они, очевидно, имелись и у сэра Джеймса, и у Кадогена Уэста. Они есть и у вас.

— Разумеется, но я прошу не впутывать меня в эту историю, мистер Холмс. И что попусту гадать, как оно могло быть, когда известно, что чертежи нашлись в кармане Уэста?

— Но, право, все же очень странно, что он пошел на такой риск и захватил с собой оригиналы, когда мог преспокойно их скопировать и продать копии.

— Конечно, странно, однако взяты именно оригиналы.

— Чем больше ищешь, тем больше вскрывается в этом деле загадочного. Недостающие три документа все еще не найдены. Насколько я понимаю, они-то и являются основными?

— Да.

— Значит ли это, что тот, к кому эти три чертежа попали, получил возможность построить подводную лодку Брюса-Партингтона, обойдясь без остальных семи чертежей?

— Я как раз об этом и докладывал в адмиралтействе. Но сегодня я опять просмотрел чертежи и усомнился. На одном из вернувшихся документов имеются чертежи клапанов и автоматических затворов. Пока они там, за границей, сами их не изобретут, они не смогут построить лодку Брюса-Партингтона. Впрочем, обойти такое препятствие не составит особого труда.

— Итак, три отсутствующих чертежа — самые главные?

— Несомненно.

— Если не возражаете, я произведу небольшой осмотр помещения. Больше у меня вопросов к вам нет.

Холмс обследовал замок сейфа, обошел всю комнату и, наконец, проверил железные ставни на окнах. Только когда мы уже очутились на газоне перед домом, интерес его снова ожил. Под окном росло лавровое дерево,— некоторые из его веток оказались согнуты, другие сломаны. Холмс тщательно исследовал их с помощью лупы, осмотрел также еле приметные следы на земле. И наконец, попросив старшего клерка закрыть железные ставни, обратил мое внимание на то, что створки посредине чуть-чуть не сходятся и с улицы можно разглядеть, что делается внутри.

— Следы, конечно, почти исчезли, утратили свою ценность из-за трех дней промедления. Они могут что-то означать, могут и не иметь никакого значения. Ну, Уотсон, я думаю, с Вулиджем пока все. Улов наш здесь невелик. Посмотрим, не добьемся ли мы большего в Лондоне.

И однако мы поймали еще кое-что в наши сети, прежде чем покинули Вулидж. Кассир на станции не колеблясь заявил, что в понедельник вечером видел Кадогена Уэста, которого хорошо знал в лицо. Молодой человек взял билет третьего класса на поезд 8.15 до станции «Лондонский мост». Уэст был один, и кассира поразило его крайне нервное, встревоженное состояние. Он был до такой степени взволнован, что никак не мог собрать сдачу, кассиру пришлось ему помочь. Справившись по расписанию, мы убедились, что поезд, отходивший в 8.15, был фактически первым поездом, каким Уэст мог уехать в Лондон, после того как в половине восьмого оставил невесту на улице.

— Попробуем восстановить события,— сказал мне Холмс, помолчав минут тридцать.— Нет, честное слово, мы с вами еще не сталкивались с делом до такой степени трудным. С каждым шагом натыкаешься на новый подводный камень. И все же мы заметно продвинулись вперед.

Результаты допроса в Вулидже в основном говорят против Уэста, но кое-что, замеченное нами под окном конторы, позволяет строить более благоприятную для него гипотезу. Допустим, что к нему обратился иностранный агент. Он мог связать Уэста такими клятвами, что тот был вынужден молчать. Но эта мысль его занимала, на что указывают те отрывочные замечания и намеки, о которых рассказала нам его невеста. Отлично. Предположим далее, что в то время, как они шли в театр, он различил в тумане этого самого агента, направляющегося к зданию Арсенала. Уэст был импульсивным молодым человеком, действовал не задумываясь. Когда дело касалось его гражданского долга, все остальное для него уже теряло значение. Он пошел за агентом, встал под окном, видел, как вор похищает документы, и бросился за ним в погоню. Таким образом, снимается вопрос, почему взяты оригиналы, а не сняты копии,— для постороннего лица сделать это было невозможно. Видите, как будто логично.

— Ну, а дальше?

— Тут сразу возникает затруднение. Казалось бы, первое, что следовало сделать молодому человеку,— это схватить негодяя и поднять тревогу. Почему он поступил иначе? Быть может, похититель — лицо выше его стоящее, его начальник? Тогда поведение Уэста понятно. Или же так: вору удалось ускользнуть в тумане, и Уэст тут же кинулся к нему домой, в Лондон, чтобы как-то помешать, если предположить, что адрес Уэсту был известен. Во всяком случае, только что-то чрезвычайно важное, требующее безотлагательного решения, могло заставить его бросить девушку одну на улице. И не дать позже знать о себе. Дальше след теряется, и до момента, когда тело Уэста с семью чертежами в кармане оказалось на крыше вагона, получается провал, неизвестность. Начнем теперь поиски с другого конца. Если Майкрофт уже прислал список имен и адресов, быть может, среди них найдется тот, кто нам нужен, и мы пустимся сразу по двум следам.

На Бейкер-стрит нас и в самом деле ожидал список, доставленный специальным курьером. Холмс пробежал его глазами, перекинул мне. Я стал читать:

«Известно множество мелких мошенников, но мало таких, кто рискнул бы пойти на столь крупную авантюру. Достойны внимания трое: Адольф Мейер — Грейт-Джордж-стрит, 13, Вестминстер; Луи ла Ротьер — Кэмден-Мэншенз, Ноттинг-Хилл; Гуго Оберштейн — Колфилд-Гарденс, 13, Кенсингтон. Относительно последнего известно, что в понедельник он был в Лондоне, по новому донесению — выбыл. Рад слышать, что «в темноте забрезжил свет». Кабинет министров с величайшим волнением ожидает твоего заключительного доклада. Получены указания из самых высоких сфер. Если понадобится, вся полиция Англии к твоим услугам.

Майкрофт».

— Боюсь, что «вся королевская конница и вся королевская рать»[1] не смогут помочь мне в этом деле,— сказал Холмс улыбаясь. Он раскрыл свой большой план Лондона и склонился над ним с живейшим интересом.— Ого! — немного спустя воскликнул он удовлетворенно.— Кажется, нам начинает сопутствовать удача. Знаете, Уотсон, я уже думаю, что в конце концов мы с вами это дело осилим.— В неожиданном порыве веселья он хлопнул меня по плечу.— Сейчас я отправляюсь всего-навсего в разведку, ничего серьезного я предпринимать не стану, пока рядом со мной нет моего верного компаньона и биографа. Вы оставайтесь здесь, и, весьма вероятно, через час-другой мы увидимся снова. Если соскучитесь, вот вам стопа бумаги и перо: принимайтесь писать о том, как мы выручили государство.

Меня в какой-то степени заразило его приподнятое настроение, я знал, что без достаточных на то оснований Холмс не скинет с себя маски сдержанности. Весь долгий ноябрьский вечер я провел в нетерпеливом ожидании моего друга. Наконец в самом начале десятого посыльный принес мне от него такую записку:

«Обедаю в ресторане Гольдини на Глостер-роуд, Кенсингтон. Прошу вас немедленно прийти туда. Захватите с собой ломик, закрытый фонарь, стамеску и револьвер.

Ш. Х.».

Нечего сказать, подходящее снаряжение предлагалось почтенному гражданину таскать с собой по темным, окутанным туманом улицам! Все указанные предметы я старательно рассовал по карманам пальто и направился по данному Холмсом адресу. Мой друг сидел в этом крикливо нарядном итальянском ресторане за круглым столиком неподалеку от входа.

— Хотите перекусить? Нет? Тогда выпейте за компанию со мной кофе с кюрасо. И попробуйте одну из сигар владельца заведения, они не так гнусны, как можно было ожидать. Всё с собой захватили?

---

[1] Строка из английской детской песенки. *Перевод С. Маршака.*

— Всё. Спрятано у меня в пальто.

— Отлично. Давайте в двух словах изложу вам, что я за это время проделал и что нам предстоит делать дальше. Я думаю, Уотсон, для вас совершенно очевидно, что труп молодого человека был *положен* на крышу. Мне это стало ясно, едва я убедился, что он упал не из вагона.

— А не могли его бросить на крышу с какого-нибудь моста?

— По-моему, это невозможно. Крыши вагонов покаты, и никаких поручней или перил нет,— он бы не удержался. Значит, можно с уверенностью сказать, что его туда положили.

— Но каким образом?

— Это вопрос, на который нам надлежит ответить. Есть только одна правдоподобная версия. Вам известно, что поезда метро в некоторых пунктах Вест-Энда выходят из тоннеля наружу. Мне смутно помнится, что, проезжая там, я иногда видел окна домов как раз у себя над головой. Теперь представьте себе, что поезд остановился под одним из таких окон. Разве так уж трудно положить из окна труп на крышу вагона?

— По-моему, это совершенно неправдоподобно.

— Следует вспомнить старую аксиому: когда исключаются все возможности, кроме одной, эта последняя, сколь ни кажется она невероятной, и есть неоспоримый факт. Все другие возможности нами исключены. Когда я выяснил, что крупный международный шпион, только что выбывший из Лондона, проживал в одном из домов, выходящих прямо на линию метро, я до того обрадовался, что даже удивил вас некоторой фамильярностью поведения.

— А, так вот, оказывается, в чем дело!

— Ну да! Гуго Оберштейн, занимавший квартиру на Колфилд-Гарденс, в доме тринадцать, стал моей мишенью. Я начал со станции «Глостер-роуд». Там очень любезный железнодорожный служащий прошелся со мной по путям, и я не только удостоверился, что на черном ходу окна лестниц в домах по Колфилд-Гарденс выходят прямо на линию, но и узнал еще кое-что поважнее: именно там пути пересекаются с другой, более крупной железнодорожной веткой, и поезда метро часто по нескольку минут стоят как раз на этом самом месте.

— Браво, Холмс! Вы все-таки докопались до сути!

— Не совсем, Уотсон, не совсем. Мы продвигаемся вперед, но цель еще далека. Итак, проверив заднюю стену дома номер тринадцать на Колфилд-Гарденс, я обследовал затем его фасад и убедился в том, что птичка действительно упорхнула. Дом большой, на верхнем этаже отдельные квартиры. Оберштейн проживал именно там, и с ним всего лишь один лакей, очевидно его сообщник, которому он полностью доверял. Итак, Оберштейн отправился на континент, чтобы сбыть с рук добычу, но это отнюдь не бегство,— у него не было причин бояться ареста. А то, что ему могут нанести частный визит, этому джентльмену и в голову не приходило. Но мы с вами как раз это и проделаем.

— А нельзя ли получить официальный ордер на обыск, чтобы все было по закону?

— На основании имеющихся у нас данных — едва ли.

— Но что может дать нам обыск?

— Например, какую-нибудь корреспонденцию.

— Холмс, мне это не нравится.

— Дорогой мой, вам надо будет постоять на улице, посторожить, только и всего. Всю противозаконную деятельность беру на себя. Сейчас не время отступать из-за пустяков. Вспомните, что писал Майкрофт, вспомните встревоженное адмиралтейство и кабинет министров, высокую особу, ожидающую от нас новостей. Мы обязаны это сделать.

Вместо ответа я встал из-за стола:

— Вы правы, Холмс. Это наш долг.

Он тоже вскочил и пожал мне руку.

— Я знал, что вы не подведете в последнюю минуту,— сказал Холмс, и в глазах его я прочел что-то очень похожее на нежность. В следующее мгновение он был снова самим собой — уверенный, трезвый, властный.— Туда с полмили, но спешить нам незачем, пойдемте пешком,— продолжал он.— Не растеряйте ваше снаряжение, прошу вас. Если вас арестуют как подозрительную личность, это весьма осложнит дело.

Колфилд-Гарденс — это ряд домов с ровными фасадами, с колоннами и портиками, весьма типичный продукт середины викторианской эпохи в лондонском Вест-Энде. В соседней квартире звенели веселые молодые голоса и бренчало в ночной тишине пианино; по-видимому, там был в разгаре детский праздник. Туман еще держался и укрывал нас своей завесой. Холмс зажег фонарик и направил его луч на массивную входную дверь.

— Да, солидно,— сказал он.— Тут, видимо, не только замок, но и засовы. Попробуем черный ход — через дверь в подвал. В случае, если появится какой-нибудь слишком рьяный блюститель порядка, вон там внизу к нашим услугам великолепный темный уголок. Дайте мне руку, Уотсон, придется лезть через ограду, а потом я помогу вам.

Через минуту мы были внизу, у входа в подвал. Едва мы укрылись в спасительной тени, как где-то над нами в тумане послышались шаги полицейского. Когда их негромкий, размеренный стук затих вдали, Холмс принялся за работу. Я видел, как он нагнулся, поднатужился, и дверь с треском распахнулась. Мы проскользнули в темный коридор, прикрыв за собой дверь. Холмс шел впереди по голым ступеням изогнутой лестницы. Желтый веерок света от его фонарика упал на низкое лестничное окно.

— Вот оно. Должно быть, то самое.

Холмс распахнул раму, и в ту же минуту послышался негромкий, тягучий гул, все нараставший и наконец перешедший в рев,— мимо дома в темноте промчался поезд. Холмс провел лучом фонарика по подоконнику — он был покрыт густым слоем сажи, выпавшей из паровозных труб. В некоторых местах она оказалась слегка смазана.

— Потому что здесь лежало тело. Эге! Смотрите-ка, Уотсон, что это? Ну конечно, следы крови.— Он указал на темные, мутные пятна по низу рамы.— Я их заметил и на ступенях лестницы. Картина ясна. Подождем, пока тут остановится поезд.

Ждать пришлось недолго. Следующий состав, с таким же ревом вынырнувший из тоннеля, постепенно замедлил ход и, скрежеща тормозами, стал под самым окном. От подоконника до крыши вагона было не больше четырех футов. Холмс тихо притворил раму.

— Пока все подтверждается,— проговорил он.— Ну, что скажете, Уотсон?

— Гениально! Вы превзошли самого себя.

— Тут я с вами не согласен. Требовалось только сообразить, что тело находилось на крыше вагона, и это было не Бог весть какой гениальной догадкой, а все остальное неизбежно вытекало из того факта. Если бы на карту не были поставлены серьезные государственные интересы, вся эта история, насколько она нам пока известна, ничего особенно значительного собой не представляла бы. Трудности у нас, Уотсон, все еще впереди. Но, как знать, быть может, здесь мы найдем какие-нибудь новые указания.

Мы поднялись по черной лестнице и очутились в квартире второго этажа. Скупо обставленная столовая не заключала в себе ничего для нас интересного. В спальне мы тоже ничего не обнаружили. Третья комната сулила больше, и мой друг принялся за систематический обыск. Комната, очевидно, служила кабинетом — повсюду валялись книги и бумаги. Быстро и ловко Холмс выворачивал одно за другим содержимое ящиков письменного стола, полок шкафа, но его суровое лицо не озарилось радостью успеха. Прошел час, и все никакого результата.

— Хитрая лисица, замел все следы,— сказал Холмс.— Никаких улик. Компрометирующая переписка либо увезена, либо уничтожена. Вот наш последний шанс.

Он взял стоявшую на письменном столе небольшую металлическую шкатулку и вскрыл ее с помощью стамески. В ней лежало несколько свернутых в трубку бумажных листков, покрытых цифрами и расчетами, но угадать их смысл и значение было невозможно. Лишь повторяющиеся слова «давление воды» и «давление на квадратный дюйм» позволяли предполагать, что все это имеет какое-то отношение к подводной лодке. Холмс нетерпеливо отшвырнул листки в сторону. Оставался еще конверт с какими-то газетными вырезками. Холмс разложил их на столе, и по его загоревшимся глазам я понял, что появилась надежда.

— Что это такое, Уотсон, а? Газетные объявления и, судя по шрифту и бумаге, из «Дейли телеграф» — из верхнего угла правой полосы. Даты не указаны, но вот это, по-видимому, первое:

«Надеялся услышать раньше. Условия приняты. Пишите подробно по адресу, указанному на карточке.

Пьерро».

А вот второе:

«Слишком сложно для описания. Должен иметь полный отчет. Оплата по вручении товара.

Пьерро».

И третье:

«Поторопитесь. Предложение снимается, если не будут выполнены условия договора. В письме укажите дату встречи. Подтвердим через объявление.

Пьерро».

И наконец, последнее:

«В понедельник вечером после девяти. Стучать два раза. Будем одни. Оставьте подозрительность. Оплата наличными по вручении товара.

Пьерро».

Собрано все — вполне исчерпывающий отчет о ходе переговоров! Теперь добраться бы до того, кому это адресовано.

Холмс сидел крепко задумавшись, постукивая пальцем по столу. И вдруг вскочил на ноги.

— А пожалуй, это не так уж трудно. Здесь, Уотсон, нам делать больше нечего. Отправимся в редакцию «Дейли телеграф» и тем завершим наш плодотворный день.

Майкрофт Холмс и Лестрейд, как то было условлено, явились на следующий день после завтрака, и Холмс поведал им о наших похождениях накануне вечером. Полицейский сыщик покачал головой, услышав исповедь о краже со взломом.

— У нас в Скотленд-Ярде такие вещи делать не полагается, мистер Холмс,— сказал он.— Неудивительно, что вы достигаете того, что нам не под силу. Но в один прекрасный день вы с вашим приятелем хватите через край, и тогда вам не миновать неприятностей.

— Погибнем «за Англию, за дом родной и за красу»[1]. А, Уотсон? Мученики, сложившие головы на алтарь отечества. Но что скажешь ты, Майкрофт?

— Превосходно, Шерлок! Великолепно! Но что это нам дает?

Холмс взял лежавший на столе свежий номер «Дейли телеграф».

— Ты видел сегодняшнее сообщение «Пьерро»?

— Как? Еще?

— Да. Вот оно:

«Сегодня вечером. То же место, тот же час. Стучать два раза. Дело чрезвычайно важное. На карте ваша собственная безопасность.

Пьерро».

---

[1] Вошедший в поговорку отрывок из песни «Смерть Нельсона», сочиненной и исполнявшейся знаменитым английским тенором Джоном Брэмом (1774—1856).

— Ах, шут возьми! — воскликнул Лестрейд. — Ведь если он откликнется, мы его схватим!

— С этой целью я и поместил это послание. Если вас обоих не затруднит часов в восемь отправиться с нами на Колфилд-Гарденс, мы приблизимся к разрешению нашей проблемы.

Одной из замечательных черт Шерлока Холмса была его способность давать отдых голове и переключаться на более легковесные темы, когда он полагал, что не может продолжать работу с пользой для дела. И весь тот памятный день он целиком посвятил задуманной им монографии «Полифонические мотеты Лассуса»[1]. Я не обладал этой счастливой способностью отрешаться, и день тянулся для меня бесконечно. Огромное государственное значение итогов нашего расследования, напряженное ожидание в высших правительственных сферах, предстоящий опасный эксперимент — все способствовало моей нервозности. Поэтому я почувствовал облегчение, когда после легкого обеда мы наконец отправились на Колфилд-Гарденс. Лестрейд и Майкрофт, как мы договорились, встретили нас возле станции «Глостер-роуд». Подвальная дверь дома, где жил Оберштейн, оставалась открытой с прошлой ночи, но так как Майкрофт Холмс наотрез отказался лезть через ограду, мне пришлось пройти вперед и открыть парадную дверь. К девяти часам мы все четверо уже сидели в кабинете, терпеливо дожидаясь нужного нам лица.

Прошел час, другой. Когда пробило одиннадцать, бой часов на церковной башне прозвучал для нас как погребальный звон по нашим надеждам. Лестрейд и Майкрофт ерзали на стульях и поминутно смотрели на часы. Шерлок Холмс сидел спокойно, полузакрыв веки, но внутренне настороженный. Вдруг он вскинул голову.

— Идет, — проговорил он.

Кто-то осторожно прошел мимо двери. Шаги удалились и снова приблизились. Послышалось шарканье ног, и дважды стукнул дверной молоток. Холмс встал, сделав нам знак оставаться на местах. Газовый рожок в холле почти не давал света. Холмс открыл входную дверь и, когда темная фигура скользнула мимо, запер дверь на ключ.

---

[1] *Лассус (Лассо)* Орландо (1532—1594) — выдающийся нидерландский композитор.

— Прошу сюда,— услышали мы его голос, и в следующее мгновение тот, кого мы поджидали, стоял перед нами.

Холмс шел за ним по пятам, и когда вошедший с возгласом удивления и тревоги отпрянул было назад, мой друг схватил его за шиворот и втолкнул обратно в комнату. Пока наш пленник вновь обрел равновесие, дверь в комнату была уже заперта, и Холмс стоял к ней спиной. Пойманный испуганно обвел глазами комнату, пошатнулся и упал замертво. При падении широкополая шляпа свалилась у него с головы, шарф, закрывавший лицо, сполз, и мы увидели длинную белокурую бороду и мягкие, изящные черты лица полковника Валентайна Уолтера.

Холмс от удивления свистнул.

— Уотсон,— сказал он,— на этот раз можете написать в своем рассказе, что я полный осёл. Попалась совсем не та птица, для которой я расставлял силки.

— Кто это? — спросил Майкрофт с живостью.

— Младший брат покойного сэра Джеймса Уолтера, главы департамента субмарин. Да-да, теперь я вижу, как легли карты. Полковник приходит в себя. Допрос этого джентльмена прошу предоставить мне.

Мы положили неподвижное тело на диван. Но вот наш пленник привстал, огляделся — лицо его выразило ужас. Он провел рукой по лбу, словно не веря своим глазам.

— Что это значит? — проговорил он.— Я пришел к мистеру Оберштейну.

— Все раскрыто, полковник Уолтер,— сказал Холмс.— Как мог английский дворянин поступить подобным образом, это решительно не укладывается в моем сознании. Но нам известно все о вашей переписке и отношениях с Оберштейном. А также и об обстоятельствах, связанных с убийством Кадогена Уэста. Однако некоторые подробности мы сможем узнать только от вас. Советую вам чистосердечным признанием хоть немного облегчить свою вину.

Полковник со стоном уронил голову на грудь и закрыл лицо руками. Мы ждали, но он молчал.

— Могу вас уверить, что основные факты для нас ясны,— сказал Холмс.— Мы знаем, что у вас были серьезные денежные затруднения, что вы изготовили слепки с ключей, находившихся у вашего брата, и вступили в переписку с Оберштейном, который отвечал на ваши письма в разделе объявлений в «Дейли телеграф».

Мы знаем также, что в тот туманный вечер в понедельник вы проникли в помещение, где стоял сейф, и Кадоген Уэст вас выследил, — очевидно, у него уже были основания подозревать вас. Он был свидетелем похищения чертежей, но не решился поднять тревогу, быть может предполагая, что вы достаете документы по поручению брата. Забыв про личные дела, Кадоген Уэст, как истинный патриот, преследовал вас, скрытый туманом, до самого этого дома. Тут он к вам подошел, и вы, полковник Уолтер, к государственной измене прибавили еще одно, более ужасное преступление — убийство.

— Нет! Нет! Клянусь Богом, я не убивал! — закричал несчастный пленник.

— В таком случае, объясните, каким образом он погиб, что произошло до того, как вы положили его труп на крышу вагона.

— Я расскажу. Клянусь, я вам все расскажу. Все остальное действительно было именно так, как вы сказали. Я признаюсь. На мне висел долг — я запутался, играя на бирже. Деньги нужны были позарез. Оберштейн предложил мне пять тысяч. Я хотел спастись от разорения. Но я не убивал, в этом я не повинен.

— Что же в таком случае произошло?

— Уэст меня подозревал и выследил — все так, как вы сказали. Я обнаружил его только у входа в дом. Туман был такой, что в трех шагах ничего не было видно. Я постучал дважды, и Оберштейн открыл мне дверь. Молодой человек ворвался в квартиру, бросился к нам, стал требовать, чтобы мы ему объяснили, зачем нам понадобились чертежи. Оберштейн всегда имеет при себе свинцовый кистень — он ударил им Кадогена Уэста по голове. Удар оказался смертельным, Уэст умер через пять минут. Он лежал на полу в холле, и мы совершенно растерялись, не знали, что делать. И тут Оберштейну пришла в голову мысль относительно поездов, которые останавливаются под окном на черном ходу. Но сперва он просмотрел чертежи, отобрал три самых важных и сказал, что возьмет их.

«Я не могу отдать чертежи, — сказал я. — Если к утру их не окажется на месте, в Вулидже поднимется страшный переполох».

«Нет, я должен их забрать, — настаивал Оберштейн, — они настолько сложны, что я не успею до утра снять с них копии». — «В таком случае, я немедленно увезу чертежи обратно», — сказал я. Он немного подумал, потом ответил: «Три я оставлю у себя, осталь-

229

ные семь засунем в карман этому молодому человеку. Когда его обнаружат, похищение, конечно, припишут ему». Я не видел другого выхода и согласился. С полчаса мы ждали, пока под окном не остановился поезд. Туман скрывал нас, и мы без труда опустили тело Уэста на крышу вагона. И это все, что произошло и что мне известно.

— А ваш брат?

— Он не говорил ни слова, но однажды застал меня с ключами, и, я думаю, он меня стал подозревать. Я читал это в его взгляде. Он не мог больше смотреть людям в глаза и...

Воцарилось молчание. Его нарушил Майкрофт Холмс:

— Хотите в какой-то мере искупить свою вину? Чтобы облегчить совесть и, возможно, кару.

— Чем могу я ее искупить?..

— Где сейчас Оберштейн, куда он повез похищенные чертежи?

— Не знаю.

— Он не оставил адреса?

— Сказал лишь, что письма, отправленные на его имя в Париж, отель «Лувр», в конце концов дойдут до него.

— Значит, для вас есть еще возможность исправить содеянное,— сказал Шерлок Холмс.

— Я готов сделать все, что вы сочтете нужным. Мне этого субъекта щадить нечего. Он — причина моего падения и гибели.

— Вот перо и бумага. Садитесь за стол — будете писать под мою диктовку. На конверте поставьте данный вам парижский адрес. Так. Теперь пишите:

«Дорогой сэр!

Пишу Вам по поводу нашей сделки.

Вы, несомненно, заметили, что недостает одной существенной детали. Я добыл необходимую копию. Это потребовало много лишних хлопот и усилий, и я рассчитываю на дополнительное вознаграждение в пятьсот фунтов. Почте доверять опасно. И я не приму ничего, кроме золота или ассигнаций. Я мог бы приехать к Вам за границу, но боюсь навлечь на себя подозрение, если именно теперь выеду из Англии. Поэтому надеюсь встретиться с Вами в курительной комнате отеля «Чаринг-Кросс» в субботу в двенадцать часов дня. Повторяю, я согласен только на английские ассигнации или золото».

— Вот и отлично,— сказал Холмс.— Буду очень удивлен, если он не отзовется на такое письмо.

И он отозвался! Но все дальнейшее относится уже к области истории, к тем тайным ее анналам, которые часто оказываются значительно интереснее официальной хроники. Оберштейн, жаждавший завершить так блестяще начатую и самую крупную свою аферу, попался в ловушку и был на пятнадцать лет надежно упрятан за решетку английской тюрьмы. В его чемодане были найдены бесценные чертежи Брюса-Партингтона, которые он уже предлагал продать с аукциона во всех военно-морских центрах Европы.

Полковник Уолтер умер в тюрьме к концу второго года заключения. А что касается Холмса, он со свежими силами принялся за свою монографию «Полифонические мотеты Лассуса»; впоследствии она была напечатана для узкого круга читателей, и специалисты расценили ее как последнее слово науки по данному вопросу. Несколько недель спустя после описанных событий я случайно узнал, что мой друг провел день в Виндзорском дворце и вернулся оттуда с великолепной изумрудной булавкой для галстука. Когда я спросил, где он ее купил, Холмс ответил, что это подарок одной очень любезной высокопоставленной особы, которой ему посчастливилось оказать небольшую услугу. Он ничего к этому не добавил, но, мне кажется, я угадал августейшее имя и почти не сомневаюсь в том, что изумрудная булавка всегда будет напоминать моему другу историю с похищенными чертежами подводной лодки Брюса-Партингтона.

ШЕРЛОК ХОЛМС ПРИ СМЕРТИ

Квартирная хозяйка Шерлока Холмса, миссис Хадсон, была настоящей мученицей. Мало того что второй этаж ее дома в любое время подвергался нашествию странных и зачастую малоприятных личностей, но и сам ее знаменитый квартирант своей эксцентричностью и безалаберностью жестоко испытывал терпение хозяйки. Его чрезвычайная неаккуратность, привычка музицировать в самые неподходящие часы суток, по временам стрельба из револьвера в комнате, загадочные и часто весьма неароматичные химические опыты и вся атмосфера преступлений и опасности, окружавшая его, делали Холмса едва ли не самым неудобным квартирантом в Лондоне. Но, с другой стороны, платил он по-царски. Я не сомневаюсь, что тех денег, которые он выплатил миссис Хадсон за годы нашей с ним дружбы, хватило бы на покупку всего ее дома.

Она благоговела перед Холмсом и никогда не осмеливалась перечить ему, несмотря на все его невероятные поступки. Она также симпатизировала ему за удивительную мягкость и вежливость в обращении с женщинами. Он не любил женщин и не верил им, но держался с ними всегда по-рыцарски учтиво. Зная искреннее расположение миссис Хадсон к Холмсу, я с волнением ее выслушал, когда на второй год моей женитьбы она прибежала ко мне с известием о тяжелой болезни моего бедного друга.

— Он умирает, доктор Уотсон,— говорила она.— Уже три дня ему все хуже и хуже. Я не знаю, доживет ли он до завтра. Он запретил мне вызывать врача. Но сегодня утром, когда я увидела, как у него все кости на лице обтянулись и как блестят глаза, я не могла больше выдержать. «С вашего согласия или без него, мистер Холмс, я немедленно иду за врачом»,— сказала я. «В таком случае позовите Уотсона»,— согласился он. Не теряйте ни минуты, сэр, иначе вы можете не застать его в живых!

Я был потрясен, тем более что ничего не слыхал о его болезни. Излишне говорить, что я тут же схватил пальто и шляпу. По дороге я стал расспрашивать миссис Хадсон.

— Я могу вам рассказать очень немного, сэр,— отвечала она.— Он расследовал какое-то дело в Розерхайте, в переулках у реки, и, вероятно, там заразился. В среду пополудни он слег и с тех пор не встает. За все эти три дня он ничего не ел и не пил.

— Боже мой! Почему же вы не позвали врача?

— Он не велел, сэр. Вы знаете, какой он властный. Я не осмелилась ослушаться его. Но вы сразу увидите, ему недолго осталось жить.

Действительно, на Холмса было страшно смотреть. В тусклом свете туманного ноябрьского дня его спальня казалась достаточно мрачной, но что пронзило мне сердце, так это его худое, изможденное лицо на фоне подушек. Глаза его лихорадочно блестели, на щеках играл болезненный румянец, губы покрылись темными корками. Тонкие руки судорожно двигались по одеялу, голос был хриплым и ломающимся. Когда я вошел в комнату, он лежал неподвижно, однако что-то мелькнуло в его глазах — он, несомненно, узнал меня.

— Ну, Уотсон, как видно, наступили плохие времена,— сказал он слабым голосом, но все же с оттенком своей прежней шутливой манеры.

— Дорогой друг! — воскликнул я, приближаясь к нему.

— Стойте! Не подходите! — крикнул он тем резким и повелительным тоном, какой появляется у него только в самые напряженные минуты.— Если вы приблизитесь ко мне, я велю вам тотчас уйти отсюда.

— Но почему же?

— Потому что я так хочу. Разве этого недостаточно?

Да, миссис Хадсон была права, властности в нем не убавилось. Но вид у него был поистине жалкий.

— Ведь я хотел только помочь,— сказал я.

— Правильно. Хотите помочь — так делайте, что вам велят.

— Хорошо, Холмс.

Он несколько смягчился.

— Вы не сердитесь? — спросил он, задыхаясь.

Бедняга! Как я мог сердиться на него, когда он был в таком состоянии!

— Это ради вас самих,— сказал он хрипло.

— Ради меня?!

— Я знаю, что со мной. Родина этой болезни — Суматра. Голландцы знают о ней больше нас, но и они пока очень мало изучили ее. Ясно только одно: она, безусловно, смертельна и чрезвычайно заразна.

Он говорил с лихорадочной энергией, его длинные руки беспокойно шевелились, как бы стремясь отстранить меня.

— Заразная при прикосновении, Уотсон, только при прикосновении! Держитесь от меня подальше, и все будет хорошо.

— Боже мой, Холмс! Неужели вы думаете, что это может иметь для меня какое-нибудь значение? Я бы пренебрег этим даже по отношению к постороннему мне человеку. Так неужели это помешает мне выполнить мой долг по отношению к вам, моему старому другу?

Я снова сделал шаг в его сторону. Но он отстранил меня с бешеной яростью.

— Я буду говорить с вами, только если вы останетесь на месте. В противном случае вам придется уйти.

Я так уважаю необычайные таланты моего друга, что всегда подчинялся его указаниям, даже если совершенно их не понимал. Но тут во мне заговорил профессиональный долг. Пусть Холмс руководит мною в любых других случаях, но сейчас я — врач у постели больного.

— Холмс,— сказал я,— вы не отдаете себе отчета в своих поступках. Больной все равно что ребенок. Хотите вы этого или нет, но я осмотрю вас и примусь за лечение.

Он злобно посмотрел на меня.

— Если мне против воли навязывают врача, то пусть это будет хотя бы человек, которому я доверяю.

— Значит, мне вы не доверяете?

— В вашу дружбу я, конечно, верю. Но факты остаются фактами. Вы, Уотсон, в конце концов только обычный врач, с очень ограниченным опытом и квалификацией. Мне тяжело говорить вам такие вещи, но у меня нет иного выхода.

Я был глубоко оскорблен.

— Такие слова недостойны вас, Холмс. Они свидетельствуют о состоянии вашей нервной системы. Но если вы мне не доверяете, я не буду набиваться с услугами. Разрешите мне привезти к вам сэра Джаспера Мика, или Пенроза Фишера, или любого из самых лучших врачей Лондона. Так или иначе, кто-нибудь должен оказать вам помощь. Если вы думаете, что я буду спокойно стоять и смотреть, как вы умираете, то вы жестоко ошибаетесь.

— Вы мне желаете добра, Уотсон,— сказал Холмс с тихим стоном.— Но хотите, я докажу вам ваше невежество? Скажите, пожалуйста, что вы знаете о лихорадке провинции Тапанули или о формозской черной язве?

— Я никогда о них не слышал.

— На Востоке, Уотсон, существует много странных болезней, много отклонений от нормы.— Холмс останавливался после каждой фразы, чтобы собраться с силами.— За последнее время я это понял в связи с одним расследованием медико-уголовного характера. Очевидно, во время этих расследований я и заразился. Вы, Уотсон, не в силах помочь мне.

— Может быть, и так. Но я случайно узнал, что доктор Энстри, крупнейший в мире знаток тропических болезней, сейчас находится в Лондоне. Не возражайте, Холмс, я немедленно еду к нему!

Я решительно повернулся к двери.

Никогда я не испытывал такого потрясения! В мгновение ока прыжком тигра умирающий преградил мне путь. Я услышал резкий звук поворачиваемого ключа. В следующую минуту Холмс уже снова повалился на кровать, задыхаясь после этой невероятной вспышки энергии.

— Силой вы у меня ключ не отнимете, Уотсон. Попались, мой друг! Придется вам здесь посидеть, пока я вас не выпущу. Но вы не горюйте. (Он говорил прерывающимся голосом, с трудом переводя дыхание.) Вы хотите мне помочь, я в этом не сомневаюсь. Будь по-вашему, но только дайте мне немного собраться с силами. Подождите немножко, Уотсон. Сейчас четыре часа. В шесть я вас отпущу.

— Но это безумие, Холмс!

— Всего два часа, Уотсон. В шесть вы уедете, обещаю. Потерпите?

— Вы мне не оставили выбора.

— Вот именно. Спасибо, Уотсон, я сам могу поправить одеяло. Держитесь подальше от меня. И еще одно условие, Уотсон. Вы привезете не доктора Энстри, а того, кого я сам выберу.

— Согласен.

— Вот первое разумное слово, которое вы произнесли с тех пор, как вошли сюда, Уотсон. Займитесь пока книгами вон там, на полке. Я немного устал... Интересно, что чувствует электрическая батарея, когда пытается пропустить ток через доску?.. В шесть часов, Уотсон, мы продолжим наш разговор.

Но разговору этому суждено было продолжиться задолго до назначенного часа, при обстоятельствах, потрясших меня не менее, чем прыжок Холмса к двери.

Несколько минут я стоял, глядя на безмолвную фигуру на кровати. Лицо Холмса было почти закрыто одеялом. Казалось, он уснул. Я был не в состоянии читать и стал бродить по комнате, разглядывая фотографии знаменитых преступников, развешенные по стенам. Так, бесцельно переходя с места на место, я добрался наконец до камина. На каминной полке лежали в беспорядке трубки, кисеты с табаком, шприцы, перочинные ножи, револьверные патроны и прочая мелочь. Мое внимание привлекла коробочка из слоновой кости, черная с белыми украшениями и с выдвижной крышкой. Вещица была очень красивая, и я уже протянул к ней руку, чтобы получше ее рассмотреть, но тут...

Холмс издал крик, столь пронзительный, что его, наверное, услышали в дальнем конце улицы. Мороз пробежал у меня по коже, волосы стали дыбом от этого ужасного вопля. Обернувшись, я увидел искаженное лицо Холмса, встретил его безумный взгляд. Я окаменел, зажав коробочку в руке.

— Положите ее! Немедленно положите, Уотсон, немедленно, говорят вам!

Он со вздохом облегчения откинулся на подушку, когда я положил коробку на прежнее место.

— Я не переношу, когда трогают мои вещи, Уотсон. Вы же это знаете. И что вы все ходите, это невыносимо. Вы, врач, способны довести пациента до сумасшествия! Сядьте и дайте мне покой.

Этот инцидент произвел на меня чрезвычайно тяжелое впечатление. Дикая, беспричинная вспышка, резкость, столь несвойственная обычно сдержанному Холмсу, показывали, как далеко зашло расстройство его нервной системы. Распад благородного ума — что может быть печальнее? В самом подавленном настроении я тихо сидел на стуле, пока не наступил назначенный час. Холмс, по-видимому, тоже следил за часами. Как только стрелки показали шесть, он заговорил все с тем же лихорадочным возбуждением.

— Уотсон,— спросил он,— есть у вас при себе мелочь?

— Да.

— Серебро?

— Да, порядочное количество.

— Сколько полукрон?

— Пять.

— Мало, слишком мало! — воскликнул он.— Какая досада! Но вы все-таки переложите их в кармашек для часов, а все остальные деньги — в левый карман брюк. Спасибо. Это вас в какой-то мере уравновесит.

Это уже было явное помешательство. Он содрогнулся и не то кашлянул, не то всхлипнул.

— Теперь зажгите газ, Уотсон. Будьте чрезвычайно осторожны, нужно открыть газ только наполовину. Умоляю вас быть осторожным. Хорошо, спасибо. Нет, шторы не задергивайте. Теперь, Уотсон, видите там щипцы для сахара? Возьмите ими, пожалуйста, эту черную коробочку с камина. Осторожно поставьте ее вот сюда на стол, среди бумаг. Прекрасно! Ну, а теперь отправляйтесь и привезите мне мистера Кэлвертона Смита, Лоуэр-Бэрк-стрит, дом 13.

Говоря по правде, мое стремление бежать за врачом немного ослабело, так как мой бедный друг, несомненно, бредил и я боялся оставить его одного. Однако теперь он требовал привезти к нему Смита, требовал так же упорно, как прежде отказывался от всякой помощи.

— Никогда не слышал такого имени,— сказал я.

— Очень может быть, дорогой Уотсон. И возможно, вас удивит, что лучший в мире знаток этой болезни — не врач, а плантатор. Мистер Кэлвертон Смит — постоянный житель Суматры и хорошо там известен, а в Лондон он только приехал по делам. Вспышка этой болезни на его плантациях, расположенных далеко от медицинских учреждений, заставила его самого заняться изучением ее, и он добился немалых успехов. Смит очень методичный человек. Я не хотел отпустить вас ранее шести часов, зная, что вы не застанете его дома. Если вам удастся уговорить его приехать ко мне и применить свои исключительные познания в этой области медицины, он, бесспорно, мне поможет.

Я передаю слова Холмса как связное целое. На самом деле речь его прерывалась одышкой и судорожными движениями рук, свидетельствующими о муках, испытываемых им. За то время, что я у него пробыл, внешний вид его ухудшился. Лихорадочный румянец сделался ярче, глаза еще сильнее блестели из темных глазных впадин, по временам холодный пот выступал на лбу. И все же он еще сохранял свою спокойную, четкую речь. До последнего издыхания он останется самим собою!

— Вы расскажете ему подробно о моем состоянии,— сказал он.— Опишите, какое впечатление я на вас произвел, скажите, что я в бреду, что я умираю. Просто непонятно, почему все дно океана не представляет собою сплошной массы устриц,— ведь они так плодовиты. Ох, я опять заговариваюсь! Любопытно, как мозг сам себя контролирует... Что я говорил, Уотсон?

— Вы давали указания относительно мистера Кэлвертона Смита.

— Ах да, помню. Моя жизнь зависит от него, Уотсон. Постарайтесь его уговорить. Отношения у нас с ним плохие. Его племянник умер, Уотсон... Я заподозрил недоброе, и он почувствовал это. Юноша умер в страшных муках, Смит зол на меня. Любыми средствами смягчите его, Уотсон. Просите его, умоляйте, во что бы то ни стало привезите его сюда. Только он может спасти меня, только он!

— Обещаю, что привезу его с собой в кебе, даже если бы мне пришлось снести его в кеб на руках.

— Нет, это не годится. Вы должны только убедить

его приехать. А сами возвращайтесь раньше. Придумайте какой-нибудь предлог, чтобы не ехать с ним вместе. Не забудьте, Уотсон, не подведите меня. Ведь вы никогда меня не подводили. Можно не сомневаться, что какие-то естественные враги препятствуют их размножению. Мы с вами, Уотсон, сделали все, что могли. Неужели же весь мир будет заполнен устрицами? Нет, нет, это слишком страшно. Передайте ему ваше впечатление как можно точнее.

Я ушел, унося с собой образ этого умнейшего человека, лепечущего как дитя. Он отдал мне ключ, и мне пришла счастливая мысль взять ключ с собой, чтобы Холмс не вздумал запереться в комнате. Миссис Хадсон, вся в слезах, ждала меня в коридоре. Уходя, я слышал, как Холмс высоким, тонким голосом затянул какую-то безумную песню. Пока я на улице подзывал кеб, ко мне из тумана приблизилась темная фигура.

— Как здоровье мистера Холмса? — спросил голос.

Это был мой старый знакомый, инспектор Мортон из Скотленд-Ярда, одетый в штатское.

— Очень плохо,— ответил я.

Он как-то странно взглянул на меня. Не будь это слишком невероятным, я подумал бы, что при свете, падающем из окна над дверью, я прочел на его лице удовлетворение.

— Да, я слышал об этом,— сказал он.

Кеб подъехал, и мы расстались.

Лоуэр-Бэрк-стрит представляла собою длинный ряд красивых домов между Ноттинг-Хиллом и Кенсингтоном. Здание, перед которым остановился кеб, имело чопорный и солидный вид — старомодная железная ограда, массивная двустворчатая дверь с блестящими медными ручками. Общему впечатлению соответствовал и величественный дворецкий, появившийся на пороге в розовом сиянии электрической люстры.

— Да, мистер Кэлвертон Смит дома. Доктор Уотсон? Хорошо, сэр, позвольте вашу визитную карточку.

Мое скромное имя и профессия, очевидно, не произвели должного впечатления на мистера Кэлвертона Смита. Через полуоткрытую дверь я услышал раздраженный, пронзительный голос:

— Кто это? Что ему нужно? Сколько раз я говорил вам, Стэплс, что, когда я работаю, мне нельзя мешать.

Послышались тихие и успокаивающие объяснения дворецкого.

— Я его не приму, Стэплс. Не терплю таких помех.

Меня нет дома, так ему и скажите. Если я ему нужен, пусть придет завтра утром.

Снова тихое бормотание.

— Идите, идите, скажите ему. Пусть придет утром или совсем не приходит.

Мне представился Холмс, как он мечется по кровати и считает минуты в ожидании помощи. Тут было не до церемоний. Жизнь Холмса зависела от моей энергии и настойчивости. Прежде чем дворецкий успел передать мне ответ своего хозяина, я оттолкнул его и вошел в комнату.

Человек, сидевший в кресле у камина, с пронзительным криком ярости вскочил с места. Я увидел крупное, желтое лицо с грубыми чертами, массивным двойным подбородком и злобными серыми глазами, свирепо глядевшими на меня из-под косматых рыжих бровей. На лысой розовой голове была надета бархатная шапочка, кокетливо сдвинутая набок. Череп хозяина был огромного размера. Но, переведя взгляд ниже, я с изумлением увидел, что тело у него маленькое, хилое, искривленное в плечах и спине, вероятно из-за перенесенного в детстве рахита.

— Что это значит? — кричал он высоким, визгливым голосом.— Что означает это вторжение? Ведь я велел вам сказать, чтобы вы пришли завтра утром.

— Простите,— сказал я,— но это дело неотложное. Мистер Шерлок Холмс...— Имя моего друга произвело удивительное действие на маленького человечка. Гнев моментально исчез, лицо сделалось напряженным и внимательным.

— Вы от Холмса? — спросил он.

— Я только что от него.

— Что с Холмсом?

— Он очень, очень болен. Поэтому-то я и приехал к вам.

Хозяин указал мне на стул и повернулся к своему креслу. В зеркале над камином мелькнуло его лицо. Я мог бы поклясться, что на нем появилась отвратительная, злобная усмешка. Но я тут же убедил себя, что это нервная судорога; через минуту, когда он снова повернулся ко мне, его лицо выражало искреннее огорчение.

— Мне больно слышать это,— сказал он.— Я встречался с мистером Холмсом только на деловой почве, но очень уважаю его как за талант, так и за личные качества. Он знаток преступлений, а я знаток болезней, он занимается злодеями, я — микробами. Вот мои заключенные,— продолжал он, указывая на ряд бутылей и банок, стоящих на столике у стены.— В этих желатиновых культурах отбывают срок наказания весьма опасные преступники.

— Холмс жаждет видеть вас именно в силу ваших специальных познаний. Он чрезвычайно высоко ценит вас и считает, что во всем Лондоне только вы в силах оказать ему помощь.

Маленький человечек вздрогнул, и его кокетливая шапочка свалилась на пол.

— Почему же? — спросил он.— Почему мистер Холмс думает, что я могу помочь ему?

— Потому что вы знаток восточных болезней.

— Но почему он думает, что болезнь, которой он заразился, восточная болезнь?

— Потому что ему пришлось работать в доках, среди китайских матросов.

Мистер Кэлвертон Смит любезно улыбнулся и поднял свою шапочку.

— Ах вот как,— сказал он.— Я надеюсь, что дело не так опасно, как вы полагаете. Сколько времени он болеет?

— Около трех дней.

— Он бредит?

— По временам.

— Гм! Это хуже. Было бы бесчеловечным не откликнуться на его просьбу. Я очень не люблю, когда прерывают мою работу, доктор Уотсон, но тут, конечно, исключительный случай. Я сейчас же поеду с вами.

Мне припомнилось указание Холмса.

— Меня ждут в другом месте,— сказал я.

— Хорошо, я поеду один. Адрес мистера Холмса у меня записан. Через полчаса я буду у него.

С замиранием сердца входил я в спальню Холмса. За это время могло произойти самое худшее. Однако, к огромному моему облегчению, его состояние значительно улучшилось. Правда, лицо его все еще было мертвенно-бледным, но от бреда не осталось и следа, он говорил хотя и слабым голосом, но даже сверх обычного ясно и живо.

— Вы видели его, Уотсон?

— Да, он сейчас приедет.

— Замечательно, Уотсон, замечательно. Вы лучший из вестников.

— Он хотел вернуться со мной.

— Этого не следовало допускать, Уотсон. Это было

бы явно невозможно. Спрашивал ли он о причинах болезни?

— Я сказал ему про матросов в Ист-Энде.

— Правильно! Вы сделали все, что только мог сделать настоящий друг. Теперь, Уотсон, вы можете исчезнуть со сцены.

— Я должен подождать и выслушать его мнение, Холмс.

— Конечно. Но я имею основания полагать, что он выскажет свое мнение гораздо откровеннее, если будет думать, что мы с ним одни. За изголовьем моей кровати как раз достаточно места для вас, Уотсон.

— Дорогой Холмс!

— Боюсь, что у вас нет выбора, Уотсон. В комнате негде спрятаться, и это к лучшему, это не возбудит подозрений. Но здесь, Уотсон, здесь, я думаю, мы ничем не рискуем.

Он внезапно сел на кровати. Его осунувшееся лицо было полно решимости.

— Я слышу стук колес, Уотсон. Скорее, если только вы меня любите. И не шевелитесь, что бы ни случилось. Что бы ни случилось, понятно? Не говорите, не двигайтесь. Только слушайте как можно внимательнее.

Столь же внезапно силы оставили его, и четкая, повелительная речь перешла в слабое, неясное бормотание человека, находящегося в полубреду.

Из своего убежища, в котором я так неожиданно оказался, я услышал шаги по лестнице, потом звук открываемой и закрываемой двери в спальню. А затем, к моему удивлению, последовало долгое молчание, прерываемое только тяжелым дыханием больного. Я представил себе, как наш посетитель стоит у кровати и смотрит на страдальца. Наконец это странное молчание кончилось.

— Холмс! — воскликнул Смит настойчивым тоном, каким будят спящего. — Холмс! Вы слышите меня? — Я уловил шорох, как будто он грубо тряс больного за плечо.

— Это вы, мистер Смит? — прошептал Холмс. — Я не смел надеяться, что вы придете.

Смит засмеялся.

— Ну еще бы, — сказал он. — И все же, как видите, я здесь. Воздаю добром за зло, Холмс, добром за зло.

— Это очень хорошо, очень благородно с вашей стороны. Я высоко ценю ваши знания.

Наш посетитель усмехнулся:

— К счастью, только вы во всем Лондоне и способны их оценить. Вы знаете, что с вами?

— То же самое,— сказал Холмс.

— Вот как! Вы узнаете симптомы?

— Да, слишком хорошо.

— Что ж, очень возможно, Холмс. Очень возможно, что это оно и есть. Если так, то дело ваше плохо. Бедный Виктор умер на четвертый день, а он был крепкий, здоровый, молодой. Вам тогда показалось очень странным, что он в сердце Лондона заразился этой редкой азиатской болезнью, которую я к тому же специально изучаю. Удивительное совпадение, Холмс. Вы ловко это подметили, но не очень-то великодушно было утверждать, что здесь можно усмотреть причину и следствие.

— Я знал, что это ваших рук дело.

— Ах вот как, вы знали? Но доказать вы ничего не могли. А хорошо ли это: сперва выдвигать против меня такие обвинения, а чуть сами оказались в беде, пресмыкаться передо мной, умоляя о помощи? Как это назвать? А?

Я услышал хриплое, затрудненное дыхание больного.

— Дайте мне воды,— прошептал он, задыхаясь.

— Скоро вам крышка, милейший. Но я не уйду не поговорив с вами. Только поэтому я и подаю вам воду. Держите! Не расплескайте. Вот так. Вы понимаете, что я вам говорю?

Холмс застонал.

— Помогите мне, чем можно. Забудем прошлое,— шептал он.— Я выброшу из головы все это дело. Клянусь вам. Только вылечите меня, я все забуду.

— Что забудете?

— Насчет смерти Виктора Сэведжа. Вы сейчас признали, что вы это сделали. Я это забуду.

— Можете забывать или помнить, как вам будет угодно. Я не увижу вас среди свидетелей. Вы будете в совершенно другом месте, мой дорогой Холмс. Вы знаете, отчего умер мой племянник, ну и ладно. Сейчас речь не о нем, а о вас.

— Да, да.

— Ваш приятель, которого вы послали за мной,— не помню его имя — сказал, что вы заразились этой болезнью в Ист-Энде, у матросов.

— Я только так могу это объяснить.

— И вы гордитесь своим умом, Холмс! Вы считаете себя таким догадливым, не правда ли? Но нашелся кое-кто поумнее вас. Подумайте-ка, Холмс, не могли ли вы заразиться этой болезнью другим путем?

— Я не могу думать. Голова не работает. Ради всего святого, помогите.

— Да, я вам помогу, помогу вам понять, что и как произошло. Я хочу, чтобы вы узнали об этом прежде, чем умрёте.

— Дайте мне чего-нибудь, чтобы облегчить эти боли!

— Ага, у вас появились боли? Да, мои кули тоже визжали перед смертью. Ощущение, как при судорогах?

— Да, да, это судороги.

— Ничего, слушать они вам не помешают. Слушайте! Не припомните ли вы какое-нибудь необычное происшествие в вашей жизни, как раз перед тем, как вы заболели?

— Нет, нет, ничего.

— Подумайте хорошенько.

— Я слишком болен, чтобы думать.

— Ну, тогда я вам помогу. Не получали ли вы чего-нибудь по почте?

— По почте?

— Например, коробочку.

— Я слабею, я умираю!

— Слушайте, Холмс! — Он, видимо, тряс умирающего за плечо. Я едва усидел в своем убежище.— Вы должны меня услышать! Помните коробочку из слоновой кости? Вы получили ее в среду. Вы ее открыли... помните?

— Да, да, я открыл ее, там была острая пружина. Какая-то шутка...

— Это не было шуткой, в чем вы очень скоро убедитесь. Пеняйте на себя, глупый вы человек. Кто просил вас становиться на моем пути? Если бы вы меня не трогали, я не причинил бы вам вреда.

— Вспомнил! — Холмс задыхался.— Пружина! Я оцарапался о нее до крови. Вот эта коробочка, там, на столе.

— Она самая! И сейчас она исчезнет в моем кармане. Таким образом, у вас не остается ни одной улики. Ну вот, Холмс, теперь вы знаете правду и можете умереть с сознанием, что я вас убил. Вы слишком много знали о смерти Виктора Сэведжа, поэтому я заставил вас разделить его судьбу. Вы очень скоро умрете, Холмс. Я посижу здесь и посмотрю, как вы будете умирать.

Голос Холмса понизился почти до невнятного шепота.

— Что? — спросил Смит. — Повернуть газ? А, появились тени? Да, я поверну его, чтобы лучше вас видеть. — Он пересек комнату, и мгновенно ее залил яркий свет. — Не нужно ли оказать вам еще какую-нибудь услугу, мой друг?

— Спички и папиросы!

Я едва не закричал от радости. Холмс говорил своим естественным голосом, правда немного слабым, но тем самым, который я так хорошо знал. Последовала долгая пауза, и я почувствовал, что Кэлвертон Смит в безмолвном изумлении смотрит на Холмса.

— Что это значит? — спросил он наконец сухим, резким голосом.

— Лучший способ хорошо сыграть роль, — сказал Холмс, — это вжиться в нее. Даю вам слово, что все эти три дня я ничего не ел и не пил, пока вы любезно не подали мне стакан воды. Но труднее всего было не курить. А вот и папиросы! — Я услышал чирканье спички. — Ну вот, мне сразу стало лучше. Ого, я, кажется, слышу шаги друга!

Снаружи послышались шаги, дверь открылась, и появился инспектор Мортон.

— Всё в порядке. Можете его забрать, — сказал Холмс.

— Вы арестованы по обвинению в убийстве Виктора Сэведжа, — сказал инспектор.

— И можете прибавить — за покушение на убийство Шерлока Холмса, — заметил мой друг посмеиваясь. — Чтобы зря не затруднять больного, инспектор, мистер Кэлвертон Смит сам дал вам сигнал полным включением газа. Между прочим, у арестованного в правом кармане пиджака небольшая коробочка. Ее надо изъять. Благодарю вас. С ней надо обращаться очень осторожно. Положите ее сюда. Она пригодится на суде.

Послышался внезапный бросок, борьба, сопровождаемая звяканьем железа и криком боли.

— Только себя же изувечите, — сказал инспектор. — Стойте смирно!

И я услышал, как защелкнулись наручники.

— Вот как! Ловушка! — закричал высокий, визгливый голос. — Это приведет на скамью подсудимых вас, Холмс, а не меня. Он просил меня приехать лечить его. Я его пожалел и приехал. Теперь он, конечно, будет утверждать, будто я сказал какую-нибудь чепуху, которую он сам придумал в подтверждение своих безумных подозрений. Можете лгать сколько хотите, Холмс. Мои слова имеют не меньший вес, чем ваши.

— Боже мой! — воскликнул Холмс. — Ведь я совершенно забыл о нем. Дорогой Уотсон, приношу вам тысячу извинений. Подумать только, что я упустил из вида ваше присутствие! Мне незачем знакомить вас с мистером Кэлвертоном Смитом — вы, сколько я понимаю, уже виделись с ним сегодня. Есть у вас кеб, инспектор? Я поеду вслед за вами, как только оденусь, мое присутствие может понадобиться полиции.

Одеваясь, Холмс съел несколько бисквитов и утолил жажду стаканом кларета.

— Никогда я, кажется, не ел и не пил с таким удовольствием, — сказал он. — Впрочем, мой образ жизни, как вам известно, не отличается регулярностью, и такие подвиги даются мне легче, чем многим другим. Мне было крайне необходимо, чтобы миссис Хадсон уверилась в моей болезни, так как ей предстояло сообщить эту новость вам, а вы должны были, в свою очередь, уведомить Смита. Вы не обиделись, Уотсон? Признайтесь, что умение притворяться не входит в число ваших многочисленных талантов. Если бы вы знали мою тайну, вы никогда не смогли бы убедить Смита в настоятельной необходимости его приезда, а этот приезд был главным пунктом моего плана. Зная его мстительность, я был убежден, что он приедет взглянуть на результаты своего преступления.

— Но ваш вид, Холмс, ваше мертвенно-бледное лицо?..

— Три дня полного поста не красят человека. А остальное легко может быть излечено губкой. Вазелин на лбу, белладонна, впрыснутая в глаза, румяна на скулах и пленки из воска на губах — все это производит вполне удовлетворительный эффект. Симуляция болезней — это тема, которой я думаю посвятить одну из своих монографий. А разговор о полукронах, устрицах и прочих не относящихся к делу вещах создал неплохое впечатление бреда...

— Но почему вы не разрешали мне приближаться к вам, раз никакой инфекции не было?

— И вы еще спрашиваете, мой дорогой Уотсон! Вы думаете, я не ценю ваши медицинские познания? Разве я мог надеяться, что ваш опытный взгляд пройдет мимо таких фактов, как отсутствие изменений температуры и пульса у умирающего? За четыре шага я еще мог обмануть вас. А если бы мне это не удалось, кто привез бы сюда Смита? Нет, Уотсон, не трогайте эту коробочку. Если взглянете на нее сбоку, вы сможете заметить, где именно появляется острая пружинка, когда коробку раскроешь. Очевидно, при помощи какого-нибудь приспособления вроде этого и был убит бедный Сэведж, который стоял между этим чудовищем и наследством. Я, как вы знаете, получаю самую разнообразную корреспонденцию и привык относиться с опаской ко всем посылкам, приходящим на мое имя. Мне было ясно, что, убедив Смита в том, что его злобный план осуществился, я смогу выманить у него признание. Свое притворство я разыграл с тщательностью настоящего актера.

Благодарю вас, Уотсон, а теперь помогите мне, пожалуйста, надеть пальто. Когда мы закончим дела в полиции, я полагаю, что нелишним будет заехать подкрепиться к Симпсону.

ИСЧЕЗНОВЕНИЕ ЛЕДИ ФРЭНСИС КАРФЭКС

— Но почему турецкие? — спросил Шерлок Холмс, упорно разглядывая мои ботинки. Я сидел в широком плетеном кресле, и мои вытянутые ноги привлекли его недремлющее внимание.

— Нет, английские,— удивленно отозвался я.— Я их купил у Латимера на Оксфорд-стрит.

Холмс обреченно вздохнул.

— Бани! Бани турецкие, а не ботинки! Почему расслабляющие и очень дорогие турецкие бани, а не бодрящая ванна дома?

— Потому что у меня разыгрался ревматизм, я стал чувствовать себя старой развалиной. А турецкие бани — как раз то, что мы, медики, в таких случаях рекомендуем, встряска, после которой как будто заново рождаешься. Кстати, Холмс,— продолжал я,— для человека, мыслящего логически, связь между моими башмаками и турецкими банями, разумеется, самоочевидна, но я буду чрезвычайно признателен, если вы ее мне раскроете.

— Ход рассуждений не так уж непостижим, милый Уотсон.— В глазах Холмса запрыгали озорные искорки.— Иллюстрацией к несложной системе умозаключений, которой я пользовался, может послужить вопрос: кто сегодня утром ехал с вами в кебе?

— Не считаю еще одну иллюстрацию объяснением,— не без едкости парировал я.

— Браво, Уотсон! Сказано с достоинством и вполне логично. Да, так с чего мы начали? Давайте разберем сначала второй пример — с кебом. На левом плече и рукаве вашего пальто брызги. Если бы вы сидели на середине сиденья, вас бы, вероятно, не забрызгало вовсе или забрызгало с обеих сторон. Значит, вы сидели слева. И значит, вы ехали не один.

— Ну вот, теперь я понял.

— До смешного просто, да?

— Но бани и ботинки?

— О, это еще примитивнее. Вы всегда завязываете шнурки одинаково. А сейчас я вижу замысловатый двойной узел, совсем не похожий на ваш. Значит, вы снимали ботинки. Кто мог завязать вам шнурки? Или сапожник, или прислужник в бане. Сапожника исключаем, потому что ботинки почти новые. Что остается? Остаются бани. Элементарно, правда? Но как бы там ни было, Уотсон, турецкие бани сослужили свою службу.

— В каком смысле?

— Вы сознались, что поехали туда, потому что вам нужна была встряска. Позвольте мне предоставить вам возможность встряхнуться. Что вы скажете о поездке в Лозанну, милый Уотсон,— первым классом, все расходы оплачиваются с королевской щедростью, а?

— Великолепно! Но зачем?

Холмс откинулся на спинку кресла и вытащил из кармана записную книжку.

— Из всех представителей рода человеческого,— начал он,— самый опасный — одинокая женщина без дома и друзей. Этот безобиднейший и даже, может быть, полезнейший член общества — неизменная причина многих и многих преступлений. Это беспомощное существо сегодня здесь, завтра там. У нее достаточно средств, чтобы кочевать из страны в страну, переезжать из гостиницы в гостиницу. И вот в каком-нибудь подозрительном пансионе или отеле след ее обрывается. Она как цыпленок, заблудившийся в мире лисиц. Если ее слопают, никто и не хватится. Боюсь, леди Фрэнсис Карфэкс попала в беду.

Я приветствовал этот неожиданный переход от общих рассуждений к частным. Холмс полистал странички и продолжал:

— Леди Фрэнсис — единственный потомок графа Рафтона по прямой линии. Земли в их роду, как вы, возможно, помните, наследовали сыновья. Состояние леди Фрэнсис получила небольшое, но ей достались редчайшие драгоценности старинной испанской работы — оправленные в серебро бриллианты необычной огранки, которые она очень любила, настолько, что не пожелала оставить их у своего банкира и всегда возила с собой. Грустные мысли вызывает леди Фрэнсис: по странной прихоти судьбы этой красивой, далеко не старой женщине суждено было стать последним, засыхающим побегом дерева, всего двадцать лет тому назад мощного и цветущего.

— Но что же с ней случилось?

— Что случилось с леди Фрэнсис Карфэкс? Жива она или нет? Это-то мы и должны узнать. Она человек строгих привычек: четыре года она неизменно раз в две недели писала своей старой гувернантке мисс Добни, которая уже давно не работает и живет в Камберуэлле. Мисс Добни и обратилась ко мне. Вот уже пять недель от леди Фрэнсис нет ни строчки. Последнее письмо было послано из Лозанны, из отеля «Националь», откуда она уехала, не оставив адреса. Родные волнуются. Люди они чрезвычайно состоятельные и, разумеется, готовы на любые расходы, если мы поможем им выяснить, что произошло.

— И эта мисс Добни — единственный источник сведений? Неужели у леди Фрэнсис не было других корреспондентов?

— Были, Уотсон, вернее, был еще один корреспондент, и от него-то я узнал немало любопытного. Это банк. Одиноким женщинам тоже нужно жить, и их банковский счет — тот же дневник. Деньги леди Фрэнсис лежат в банке Сильвестра. Я просматривал ее счет. Предпоследний раз она взяла деньги, чтобы расплатиться в лозаннском отеле, но сумму взяла большую, так что у нее должны были еще остаться наличные. С тех пор был предъявлен только один чек.

— Кем и где?

— Мадемуазель Мари Девин, а вот где он был выписан, неизвестно. Погасил его филиал банка «Лионский кредит» в Монпелье две с половиной недели тому назад. Сумма — пятьдесят фунтов.

— А кто такая мадемуазель Мари Девин?

— Это мне тоже удалось установить. Мадемуазель Мари Девин служила у леди Фрэнсис горничной. Но вот зачем леди Фрэнсис понадобилось выдать этот чек своей горничной, я еще не разгадал. Впрочем, я ни на минуту не сомневаюсь, что ваши поиски помогут прояснить это обстоятельство.

— Мои поиски?

— Ну да,— вы же едете в Лозанну, чтобы рассеяться. Мне-то нельзя уехать из Лондона, пока жизни Абрахамса грозит такая опасность. Да и вообще по многим соображениям мне следует держаться в пределах Англии. Скотленд-Ярд без меня скучает, а в уголовном мире начинается нездоровое оживление. Поезжайте, милый Уотсон, и если два пенса за слово моего скромного совета не покажутся вам чрезмерной ценой, я в любое время дня и ночи к вашим услугам и в пределах досягаемости Континентального телеграфа.

Через два дня я входил в дверь лозаннского отеля «Националь». Знаменитый управляющий отеля мсье Мозер был сама любезность. Да, леди Фрэнсис прожила у них несколько недель. Все были очарованы ею. Мадам лет сорок, не больше. Она и сейчас еще очень хороша собой, можно себе представить, какая она была красавица в молодости. О фамильных драгоценностях мсье Мозеру ничего не известно, но от слуг он слышал, что тяжелый чемодан в спальне мадам всегда был заперт. Горничную Мари Девин все тоже любили, как и ее хозяйку. Она даже была помолвлена с одним из старших официантов отеля, и узнать ее адрес оказалось делом совсем несложным. «Монпелье, улица Траян, дом 11»,— записал я в своей книжке и подумал, что сам Холмс мог бы позавидовать ловкости, с какой я раздобыл эти сведения.

Одно оставалось загадкой, и у меня не было к этой загадке ключа: почему леди Фрэнсис неожиданно уехала из Лозанны? Ведь жизнь ее здесь складывалась так приятно. Естественно было ожидать, что она проведет здесь весь сезон. А она вдруг в один день собралась и уехала, потеряв недельную плату за свой роскошный номер окнами на озеро. Никто ничего не понимал. Единственную догадку высказал жених горничной Жюль Вибар: внезапный отъезд леди Фрэнсис связан с появлением высокого смуглого человека с бородой, который явился к ней в отель накануне. «Un sauvage, un véritable sauvage!»[1] — восклицал Жюль Вибар. Человек этот снимал комнаты где-то в городе. Однажды, когда

---

[1] Дикарь, настоящий дикарь! (Франц.)

мадам гуляла по набережной — многие это видели,— он подошел к ней и стал что-то взволнованно говорить. Потом он пришел в гостиницу, однако мадам отказалась принять его. Он был англичанин, но имени его никто не знал. На другой день мадам уехала. И Жюль Вибар, и — что гораздо важнее — его невеста считали появление этого человека причиной случившегося, а отъезд мадам — следствием. Лишь одно Жюль Вибар отказался сообщить — почему Мари ушла от леди Фрэнсис. То ли не знал, то ли не хотел говорить. «Если вас это интересует, поезжайте в Монпелье и спросите ее сами».

Так завершился первый тур моих поисков. Теперь мне предстояло узнать, куда направилась леди Фрэнсис Карфэкс из Лозанны. Она это обстоятельство скрыла; следовательно, предположение, что, уезжая, она хотела сбить кого-то со следа, подтверждается. Как иначе объяснить, что на ее багаже не было наклеек с обозначениями Бадена? И она, и ее багаж отправились на этот рейнский курорт не прямо, а кружным путем. Узнав все это в местном отделении агентства Кука, я отправился в Баден, предварительно информировав Холмса по телеграфу о всех своих действиях и получив в ответ шутливо-добродушную похвалу.

В Бадене я без труда нашел потерянный было след. Леди Фрэнсис остановилась в гостинице «Альбион», где прожила две недели. Там она познакомилась с неким доктором Шлезингером — миссионером из Южной Африки — и его супругой. Как почти все одинокие женщины, леди Фрэнсис искала утешения в религии и посвящала ей много времени. На нее произвела глубокое впечатление необыкновенная личность доктора Шлезингера и страстная вера этого человека, страдавшего от недуга, который поразил его во время подвижнической деятельности в Африке. Леди Фрэнсис помогала миссис Шлезингер ухаживать за выздоравливающим святым, который, как рассказал мне управляющий отелем, весь день проводил в глубоком кресле на веранде, в обществе обеих дам. Он работал над составлением карты Святой земли; в особенности его интересовало племя мидианитов, о которых он пишет монографию. Наконец здоровье доктора заметно улучшилось, и он с женой вернулся в Лондон. Леди Фрэнсис поехала с ними. Произошло это три недели тому назад, и больше ни о ком из них управляющий не слышал. Что касается горничной Мари, то за несколько дней до отъезда мадам она вышла от нее в слезах. Служанкам в гостинице она рассказала, что больше служить не будет, и уехала страшно расстроенная. Доктор Шлезингер уплатил и по своему счету, и по счету леди Фрэнсис.

— И знаете,—сказал в заключение управляющий «Альбиона»,—вы не единственный из друзей леди Фрэнсис разыскиваете ее. Всего неделю назад к нам приходил справляться о ней какой-то мужчина.

— Он назвал свое имя?

— Нет. Он англичанин, хоть внешность у него для англичанина нетипичная.

— На дикаря похож, да? — спросил я, сопоставив по методу моего прославленного друга известные мне факты.

— Да, да, именно на дикаря! Это слово к нему очень подходит. Высоченный, загорелый, бородатый, такому место в деревенском трактире, а не в фешенебельной гостинице. Не человек, а порох. Бешеный какой-то, я бы такого поостерегся задевать.

Наконец-то контуры начали вырисовываться — так яснее проступают фигуры пешеходов на улице, когда редеет туман. За доверчивой, набожной женщиной крадется по пятам зловещая тень. Она боится своего преследователя, иначе не бежала бы так поспешно из Лозанны. Он снова гонится за ней. Рано или поздно он ее настигнет. А может быть, уже настиг? Не в этом ли разгадка ее долгого молчания? Значит, славные люди, с которыми она подружилась в Бадене, не сумели защитить ее от его угроз и домогательств? Какая страшная тайна, какой непостижимый замысел заставляют его так упорно преследовать леди Фрэнсис? Эти вопросы ждали моего решения.

Я написал обо всем Холмсу, довольный, что так быстро добрался до сути дела. В ответ я получил телеграмму с просьбой описать левое ухо доктора Шлезингера. Своеобразно у Холмса проявляется чувство юмора, иногда даже оскорбительно. Я, разумеется, оставил без внимания его неуместную шутку,— кстати, и получил я его послание уже в Монпелье, куда поехал повидаться с Мари Девин.

Я без труда нашел дом бывшей горничной и выведал у нее все, что она знала. Она очень любила свою хозяйку и рассталась с ней только потому, что ту сейчас окружают друзья — в этом Мари была уверена,— и еще потому, что приближался день ее свадьбы и службу ей все равно пришлось бы оставить. Она призналась огорченно, что, когда они жили в Бадене, леди Фрэнсис часто сердилась на нее, один раз даже допрашивала, как будто сомневалась в ее честности, и из-за этой обиды Мари пережила расставание легче, чем думала. Леди Фрэнсис дала ей в виде свадебного подарка пятьдесят фунтов. Так же, как и мне, девушке внушал серьезные опасения незнакомец, из-за которого ее хозяйка уехала из Лозанны. Она своими глазами видела, как он у всех на виду грубо схватил леди Фрэнсис за руку. Страшный человек, бешеный какой-то. Наверное, леди Фрэнсис потому и уехала в Лондон с Шлезингерами, что боялась его. С Мари она никогда о нем не говорила, но по многим признакам та видела, что хозяйку ее неотступно терзает мучительный страх.

— Вот он, смотрите! — вдруг прервала свой рассказ девушка, испуганно вскочив со стула.— Негодяй опять ее выслеживает!

В открытое окно гостиной я увидел очень высокого смуглого человека с черной курчавой бородой. Он медленно шел по мостовой, внимательно разглядывая номера домов. Сомнений не оставалось,— он, как и я, разыскивал горничную. Не раздумывая, я выбежал на улицу и остановил его.

— Вы англичанин? — спросил я.

— Ну и что, если англичанин? — огрызнулся он.

— Позвольте мне спросить, как ваше имя?

— Не позволю,— отрезал он.

Положение осложнялось. Я решил идти напролом — ведь прямой путь самый короткий! — и строго спросил:

— Где леди Фрэнсис Карфэкс?

Он в изумлении уставился на меня.

— Что вы с ней сделали? Зачем вы ее преследуете? Я требую ответа!

С яростным воплем человек кинулся на меня, как тигр. Я не раз одерживал верх в драках, но у этого сумасшедшего оказались железные лапищи и сила бешеного быка. Не прошло и трех секунд, как он схватил меня за горло, я начал терять сознание, но тут из кабачка напротив выбежал какой-то небритый француз-мастеровой в синей блузе, хватил моего обидчика по плечу дубинкой, и тому пришлось выпустить меня. С минуту он стоял, трясясь от бешенства и раздумывая, не кинуться ли на меня снова, потом злобно фыркнул и зашагал к дому, из которого я только что вышел. Я повернулся поблагодарить моего спасителя — он все еще стоял рядом на мостовой — и вдруг услышал:

— Ну, поздравляю, Уотсон, надо же суметь столько напортить! Видно, придется вам возвращаться со мной ночным экспрессом в Лондон.

Час спустя Шерлок Холмс, уже в своем обличье и, как всегда, элегантный, сидел в моей комнате в отеле. Разгадка его неожиданного счастливого появления оказалась более чем простой: обстоятельства позволили ему уехать из Лондона, и он решил перехватить меня в том месте, где я, по его расчетам, должен был в это время находиться. В одежде рабочего он расположился в кабачке, дожидаясь меня.

— И ведь до чего последовательно вы действовали, милый Уотсон! Из всех ошибок, которые только можно было совершить, вы не упустили ни одной. В результате вы всех, кого можно, вспугнули и ровным счетом ничего не выяснили.

— Может быть, и вам удалось бы не больше,— с обидой возразил я.

— Никаких «может быть» не может быть, мне удалось больше. А вот и достопочтенный Филипп Грин. Он ваш сосед по гостинице. Возможно, с его помощью нам удастся повести дело более успешно.

Лакей подал визитную карточку на подносе, и в комнату вошел тот самый бородатый хулиган, который налетел на меня на улице. Он вздрогнул, увидев меня.

— Что это значит, мистер Холмс? — спросил он.— Я получил вашу записку и пришел. Но как объяснить присутствие здесь этого человека?

— Этот человек — мой старый друг и коллега, доктор Уотсон, он помогает нам в наших поисках.

Незнакомец протянул мне коричневую от загара ручищу и стал извиняться:

— От души надеюсь, что вы не пострадали от моих рук. Когда вы стали обвинять меня в каком-то проступке против нее, я не сдержался. Я вообще сейчас живу как в лихорадке. Нервы ни к черту... Но объясните мне ради всего святого, мистер Холмс, как вы вообще узнали о моем существовании?

— Я разговаривал с гувернанткой леди Фрэнсис, с мисс Добни.

— Милая старушка Сьюзен Добни в вечном своем чепце! Я ее хорошо помню.

— А она помнит вас. Таким, каким вы были раньше, до отъезда в Африку.

— Так вы всё знаете! Хорошо, что мне не нужно ничего скрывать от вас, мистер Холмс. Клянусь вам, не было в мире человека, который любил бы женщину сильнее, чем я любил Фрэнсис. Но в юности я вел беспутную жизнь, как и многие молодые люди нашего круга, а ее душа была чиста как снег, все грубое и низменное было ей невыносимо. И когда кто-то рассказал ей обо мне, она не пожелала больше меня видеть. А ведь эта святая женщина любила меня — вот что удивительно! — любила так, что из-за меня на всю жизнь осталась одна. Я уехал в Барбертон. Прошло много лет, я нажил состояние и наконец решился разыскать ее и попытаться смягчить. Мне было известно, что она так и не вышла замуж. Я нашел ее в Лозанне и стал умолять простить меня. Мне кажется, сердце ее не осталось глухо к моей мольбе, но воля была непреклонна, и, когда я пришел к ней на другой день, ее уже не было в городе. Мне удалось узнать, что она поехала в Баден, а через некоторое время я услышал, что здесь живет ее горничная. Человек я резкий, жил все эти годы среди людей простых, ну и взорвался, когда доктор Уотсон заговорил со мной. Но, ради Бога, что случилось с леди Фрэнсис?

— Это-то мы и должны узнать,— сказал Холмс очень серьезно.— Вы где остановитесь в Лондоне?

— В отеле «Лангхем».

— Тогда я попрошу вас ехать немедленно в Лондон и быть наготове. Мне не хочется подавать вам несбыточных надежд, мистер Грин, но вы можете быть уверены, что для спасения леди Фрэнсис будет сделано все возможное. Пока я ничего больше не могу сказать. Вот моя визитная карточка, держите со мной связь все время. А теперь, Уотсон, если вы начнете укладываться, я пойду на телеграф и попрошу миссис Хадсон завтра в половине восьмого продемонстрировать свое искусство двум голодным путешественникам.

На Бейкер-стрит нас ждала телеграмма. Холмс с жадным интересом прочел ее и протянул мне. Телеграмма была отправлена из Бадена и содержала всего одно слово: «Разорванное».

— Что за чепуха? — удивился я.

— Эта чепуха имеет огромный смысл,— сказал Холмс.— Вы, надеюсь, помните просьбу, с которой я к вам обратился,— она на первый взгляд могла показаться нелепой,— описать левое ухо почтенного миссионера? Вы ее оставили без внимания.

— Я не мог навести справки, меня к тому времени в Бадене уже не было.

— Совершенно верно. Именно поэтому я послал телеграмму с точно такой же просьбой управляющему «Альбионом». Вот его ответ.

— И о чем его ответ говорит?

— А о том, дорогой мой Уотсон, что мы имеем дело с человеком чрезвычайно хитрым и опасным. Миссионер из Южной Африки доктор Шлезингер не кто иной, как Питерс-Праведник, один из самых ловких преступников среди тех, что дала миру Австралия, а эта молодая страна вывела уже немало образцовых экземпляров. Питерс специализируется на одиноких женщинах, которых заманивает в ловушку, играя на их религиозных чувствах, а некая англичанка по имени Фрэйзер, его так называемая жена, ему в этом помогает. Тактика доктора Шлезингера дала мне основания заподозрить, что он не Шлезингер, а Питерс-Праведник, телеграмма же с описанием его левого уха — ему прокусили ухо в пьяной драке в Аделаиде в 1889 году — подтвердила мои подозрения. Бедная леди Фрэнсис в руках страшных людей, Уотсон, они не остановятся ни перед чем. Очень возможно, что ее уже нет в живых. Если она и жива, то содержится под замком и не может написать ни мисс Добни, ни вообще никому. Возможно, она так и не доехала до Лондона, но это вряд ли: с континентальной полицией шутки плохи, при их системе регистрации иностранцам ее не провести; или же она проехала дальше, но и это маловероятно, потому что Лондон — единственное место в Англии, где негодяям удалось бы скрывать человека так, чтобы никто ничего не заподозрил. Шестое чувство твердит мне, что она в Лондоне, но пока мы не знаем, где ее искать. Поэтому выход один: набраться терпения. Сейчас давайте обедать, а попозже вечером я наведаюсь в Скотленд-Ярд и побеседую с нашим приятелем Лестрейдом.

Время шло, но ни полиция, ни собственная служба информации Холмса — небольшая, но очень действенная организация — не сумели даже приблизиться к тайне. Люди, которых мы искали, затерялись в многомиллионном Лондоне, как иголка в стоге сена. Мы помещали объявления в газетах, вели неусыпную слежку за всеми притонами, где мог появиться Питерс, держали в поле зрения людей, с которыми он был когда-то связан, но все было тщетно: все пути неизбежно заводили нас в тупик. И вот после недели бесплодных поисков и мучительной неизвестности вдруг забрезжил свет. В ломбард Бевингтона на Вестминстер-роуд принесли серебряную подвеску с бриллиантами старинной испанской работы. Заложил ее высокого роста человек без бороды и усов, по виду священник. И имя и адрес он дал явно подложные. Какое у него ухо, мистер Бевингтон не заметил, но, судя по портрету, это был явно Шлезингер.

Три раза наш бородатый друг из отеля «Лангхем» заходил к нам, в третий раз он появился через полчаса после того, как нам сообщили о проданной драгоценности. Горе состарило его на несколько лет, одежда висела на нем как на вешалке. «Если бы я хоть чем-нибудь мог помочь вам!» — в отчаянии твердил он все эти дни. Наконец-то у Холмса нашлось для него дело.

— Он начал продавать драгоценности. Теперь мы его поймаем!

— Но ведь это значит... это значит, что с леди Фрэнсис что-то случилось?

Лицо Холмса стало очень серьезно.

— Предположим, эти люди до сих пор держали ее под замком. Освободить ее сейчас — значит погубить себя. Мистер Грин, мы должны быть готовы к худшему.

— Что я должен делать?

— Эти люди вас не знают?

— Нет.

— Возможно, он в следующий раз пойдет к другому ювелиру. Тогда нужно начинать все сызнова. С другой стороны, у Бевингтона ему дали хорошую цену и не задали ни одного вопроса, поэтому можно ожидать, что, когда ему опять понадобятся деньги, он снова туда пойдет. Я сейчас напишу Бевингтону записку, что вам нужно неотлучно находиться в его магазине. Если Питерс придет, вы будете следить за ним до его дома. Но никакой опрометчивости и, главное, никакого насилия. Дайте слово, что ничего не предпримете без моего ведома и согласия.

Два дня от достопочтенного Филиппа Грина (к слову сказать, он был сын прославленного адмирала Грина, который командовал нашим Азовским флотом во время Крымской кампании) не было никаких вестей. На третий день вечером он ворвался в гостиную на Бейкер-стрит бледный, дрожа как в лихорадке.

— Попался! Попался! — закричал он.

Волнение не давало ему говорить. Холмс усадил его в кресло, стал успокаивать.

— Расскажите нам все по порядку,— попросил он его наконец.

— Она пришла всего час назад. На этот раз жена принесла подвеску в точности такую, как первая. Высокая бледная женщина, глаза, как у хорька...

— Это она,— подтвердил Холмс.

— Я пошел за ней. Она свернула на Кеннингтон-роуд — я не отставал. Вдруг она вошла в какую-то лавку... Мистер Холмс, это оказалась лавка гробовщика!

Холмс вздрогнул.

— Дальше! — Голос его зазвенел, выдав волнение, охватившее пламенную душу, которую он скрывал под маской ледяного спокойствия.

— Я вошел за ней. Она разговаривала с женщиной за прилавком, и до меня долетели ее слова: «Как вы долго!» Та стала оправдываться: «Все будет немедленно доставлено по адресу. Ведь делать пришлось по особому заказу, вот мастера и задержались...» Тут они увидели меня и замолчали. Я что-то спросил и вышел на улицу.

— Правильно сделали! Что потом?

— Женщина тоже вышла, но я спрятался в соседнем подъезде. Наверно, она что-то заподозрила, потому что огляделась вокруг. Затем подозвала кеб и уехала. К счастью, я сразу же поймал другой кеб и поехал за ней. Она вышла в Брикстоне [1], адрес: Полтни-сквер, дом 36. Я проехал дальше, отпустил кебмена и стал наблюдать за домом.

— Кого-нибудь удалось увидеть?

— Свет горел только в одном окне на первом этаже, но штора была опущена и ничего не было видно. Я стоял и раздумывал, что же теперь делать, как вдруг у крыльца остановился закрытый фургон. Двое мужчин спрыгнули на мостовую, вытащили что-то из фургона и понесли на крыльцо... Мистер Холмс, это был гроб.

— Вот оно что...

— Не знаю, как я устоял на месте. Дверь отворилась, чтобы впустить людей и то, что они принесли, и я увидел ту самую женщину. Но и она меня заметила и, по-моему, узнала. Вздрогнув, она поспешно захлопнула дверь. Я вспомнил, какое обещание вы с меня взяли, и полетел к вам.

---

[1] Южный пригород Лондона.

— Вы очень хорошо провели дело.— Холмс схватил со стола клочок бумаги и стал что-то писать.— Без ордера на арест мы не имеем права ничего предпринимать. Лучшее, что вы сейчас можете сделать, мистер Грин,— это отнести мою записку в полицию и получить ордер. Могут возникнуть затруднения, но, думаю, продажа драгоценностей — достаточный повод. Подробностями займется Лестрейд.

— Да ведь ее тем временем убьют! Что значит этот гроб и для кого он, если не для нее?

— Мистер Грин, все возможное будет сделано. Мы не потеряем ни минуты. Положитесь на нас. Ну вот, Уотсон,— продолжал Холмс, когда наш гость выбежал из комнаты,— он сейчас заручится поддержкой закона, а нам тем временем придется действовать, как всегда, беззаконно. Боюсь, дела настолько плохи, что самые наши крайние меры будут оправданны. Скорей, на Полтни-сквер!

Попробуем восстановить всю картину,— говорил Холмс в то время, как наш кеб катился мимо Парламента и по Вестминстерскому мосту.— Негодяи заманили несчастную женщину в Лондон, предварительно заставив ее расстаться с преданной Мари. Если леди Фрэнсис и писала кому-нибудь в это время, ее письма перехватывали. Один из сообщников Питерса снял для него в Лондоне дом. Переступив порог этого дома, леди Фрэнсис превратилась в пленницу, и драгоценности, за которыми эти люди и охотились с самого начала, стали их добычей. Они уже распродают их понемножку и не видят в этом никакой для себя опасности, уверенные, что судьба их жертвы никого не интересует. Когда ее отпустят, она их, разумеется, разоблачит. Поэтому они ее никогда не отпустят. Однако держать ее всю жизнь под замком тоже нельзя. Значит, единственный выход — убийство.

— Все предельно ясно.

— Теперь взглянем на дело с другой стороны. Когда два пути, по которым развивалась мысль, скрещиваются, точка пересечения дает максимальное приближение к истине. Возьмем теперь за исходную точку не леди Фрэнсис, а гроб и пойдем назад. Боюсь, этот гроб окончательно убеждает нас в том, что леди Фрэнсис умерла. Но, кроме того, он означает официальные похороны, свидетельство врача и разрешение полиции. Если бы леди Фрэнсис убили каким-нибудь примитивным способом, то труп зарыли бы во дворе. Но тут все открыто и гласно. Что это означает? А то, что ее умертвили настолько необычным способом, что даже врач не заподозрил насильственной смерти,— может быть, отравили каким-то редким ядом. И все-таки странно, что они позволили врачу освидетельствовать ее,— разве что подкупили врача... Но это очень маловероятно.

— А не могли они подделать свидетельство?

— Это опасно, Уотсон, очень опасно. Не думаю, чтобы они на это решились... Эй, стойте!.. Мы только что проехали ломбард, значит, следующий дом — лавка гробовщика. Уотсон, ваше лицо внушает доверие, зайдите к ним и спросите, на какое время назначены завтра похороны клиента с Полтни-сквер.

Женщина за прилавком доверчиво рассказала мне, что похороны состоятся завтра в восемь утра.

— Вот видите, Уотсон, никаких тайн и уловок. Им как-то удалось оформить все официально, и теперь они считают, что бояться нечего. Что ж, у нас один выход: идти напролом. Вы вооружены?

— Вот трость!

— Ну ничего, как-нибудь пробьемся: «Ведь трижды тот вооружен, кто прав»[1]. Мы просто не можем дожидаться полиции, положение не таково, чтобы педантично блюсти букву закона... Поезжайте, пожалуйста. Будем пытать счастья вместе, Уотсон. Нам ведь не впервой.

Он резко дернул за шнурок у двери большого темного дома. Дверь немедленно открыли, на пороге полутемного холла мы увидели высокую женскую фигуру.

— Что вам угодно? — сухо спросила женщина, пытаясь разглядеть нас в темноте.

— Мне нужен доктор Шлезингер,— ответил Холмс.

— Здесь нет никакого доктора Шлезингера!

Женщина хотела захлопнуть дверь, но Холмс придержал ее ботинком.

— В таком случае мне нужен человек, который живет в этом доме, как бы он себя ни называл! — настойчиво сказал Холмс.

Она помедлила, потом все-таки впустила нас.

— Что ж, входите, мой муж никого не боится.

Она заперла парадную дверь, ввела нас в гостиную, зажгла свет и вышла, попросив минутку подождать.

Но нам не пришлось ждать и полминуты: не успели мы окинуть взглядом комнату, в которой очутились —

---

[1] *Шекспир.* Генрих VI, ч. II, акт III, 2.

пыльную, с изъеденной молью мебелью,— как дверь отворилась и в гостиную неслышным шагом вошел высокий лысый человек. Его широкое багровое лицо с обвисшими щеками сияло преувеличенным добродушием, с которым никак не вязалось жесткое выражение беспощадного рта.

— Тут, несомненно, какая-то ошибка, господа! — непринужденно обратился он к нам самым елейным тоном.— Вам, по-видимому, дали неправильный адрес. Если вы пройдете чуть дальше налево...

— Мы не пойдем никуда,— холодно сказал мой друг.— У нас нет времени, мистер Генри Питерс из Аделаиды, в прошлом — его преподобие доктор Шлезингер из Бадена и Южной Африки. Я в этом так же мало сомневаюсь, как и в том, что меня зовут Шерлоком Холмсом.

Питерс — я теперь буду его так называть — вздрогнул и впился взглядом в своего грозного противника.

— Ну что ж, мистер Холмс, ваше имя меня не испугало,— сказал он.— Когда совесть у человека чиста, ему нечего бояться. Что вам нужно в моем доме?

— Узнать, что вы сделали с леди Фрэнсис Карфэкс, которую привезли с собой из Бадена.

— Вы чрезвычайно меня обяжете, если сообщите, где она сейчас находится,— спокойно возразил Питерс.— Она задолжала мне около ста фунтов, а в уплату оставила пару безвкусных подвесок с поддельными камнями, в ломбарде на них и смотреть не стали. Леди Фрэнсис привязалась к нам с миссис Питерс в Бадене — я действительно жил там под другим именем — и не расставалась с нами до самого Лондона. Я уплатил по ее счету в гостинице и за ее билет. А в Лондоне она исчезла, оставив в счет долга, как я уже говорил вам, какие-то старомодные украшения. Если вы ее найдете, мистер Холмс, я буду вам очень обязан.

— Непременно,— сказал Холмс.— Буду до тех пор искать ее в этом доме, пока не найду.

— Где ваш ордер?

Холмс показал Питерсу пистолет и снова сунул его в карман.

— Придется вам пока удовольствоваться этим!

— Да вы просто бандит!

— Ничуть не возражаю против такого определения,— рассмеялся Холмс.— Мой спутник тоже весьма опасный головорез, рекомендую. Мы с ним начинаем обыск.

Питерс отворил дверь в прихожую.

— Энни, беги за полицией!

По лестнице прошуршали юбки, парадная дверь отворилась и захлопнулась.

— Времени у нас в обрез, Уотсон,— сказал Холмс.— Идем! И не вздумайте нам мешать, Питерс, будет только хуже. Где гроб, который вам сегодня привезли?

— Зачем вам гроб? Он занят! В нем покойница.

— Я должен ее видеть.

— Никогда! Я не позволю!

— Обойдемся без вашего позволения.— Холмс молниеносно оттолкнул Питерса и вышел в холл. Прямо перед нами была полураскрытая дверь. Мы вошли. В столовой под тускло горящими рожками газовой люстры стоял на столе гроб. Холмс прибавил света и поднял крышку. Жалкое, иссохшее существо лежало на дне глубокого гроба. Яркий свет упал на старое, сморщенное лицо. Ни болезнь, ни голод, ни самые зверские истязания не могли бы превратить все еще красивую, цветущую женщину, какой была леди Фрэнсис, в эту дряхлую развалину. Изумление на лице Холмса сменилось радостью.

— Слава Богу! — воскликнул он.— Это не она!

— Да, на этот раз вы жестоко ошиблись, мистер Холмс,— раздался голос Питерса, вошедшего в столовую следом за нами.

— Кто эта женщина?

— Могу рассказать, если это вас так интересует. Эта женщина — старая няня моей жены, зовут ее Роза Спенсер, мы взяли ее из Брикстонской богадельни, привезли сюда, пригласили доктора Хорсома — он живет на Фирбэнк-Виллас, дом 13, не забудьте записать, мистер Холмс! — окружили ее заботой, как велел нам наш христианский долг. На третий день она скончалась. В свидетельстве написано «от старческого маразма», но ведь это всего лишь мнение врача,— вам, мистер Холмс, разумеется, истинная причина ее смерти известна лучше, чем кому бы то ни было! Мы обратились к фирме «Стимсон и К°» на Кеннингтон-роуд, похороны состоятся завтра в восемь часов утра. Попробуйте придраться хоть к чему-нибудь! Признайтесь, мистер Холмс, вы остались в дураках. Много бы я дал, чтобы сфотографировать вашу физиономию, когда вы так воинственно ринулись к гробу и вместо леди Фрэнсис увидели в нем убогую девяностолетнюю старушку!

Холмс с обычным своим спокойствием стоял под

градом насмешек, которые обрушил на него Питерс, только кулаки его гневно сжались.

— Я продолжаю обыск.

— Ну, это мы еще посмотрим! — закричал Питерс, и в это время в прихожей раздался женский голос и тяжелые шаги.— Сюда, господа! Эти люди силой ворвались в мой дом, и я никак не могу заставить их уйти. Пожалуйста, помогите мне!

Сержант и констебль встали на пороге столовой. Холмс вынул из бумажника визитную карточку.

— Вот мое имя и адрес. А это мой друг — доктор Уотсон.

— Да что вы, сэр, зачем нам ваша карточка, мы ли вас не знаем! — сказал сержант.— Но только без ордера вам здесь оставаться нельзя.

— Знаю, что нельзя.

— Арестуйте его! — крикнул Питерс.

— Мы знаем, где найти этого джентльмена, если он нам понадобится,— величественно ответствовал сержант.— Но все-таки вам придется уйти, мистер Холмс.

— Да, Уотсон, нам придется уйти.

Через минуту мы снова были на улице. Холмс казался спокоен, как всегда, я же весь пылал от гнева и унижения. Сержант вышел с нами.

— Вы уж извините, мистер Холмс. Что поделаешь — закон.

— Все правильно, сержант, вы не могли поступить иначе.

— Конечно, вы туда не пришли бы зря, я понимаю. Если я могу вам чем помочь...

— Пропала женщина, сержант, и мы подозреваем, что ее скрывают в этом доме. Я с минуты на минуту жду ордера.

— Так я с них глаз не спущу, мистер Холмс, и если что, сейчас же дам вам знать.

Было всего девять часов, и мы с Холмсом, не теряя ни минуты, пустились в путь. Первым делом мы направились в Брикстонскую богадельню и узнали, что несколько дней назад туда действительно пришла супружеская пара, выразившая желание взять к себе впавшую в детство старуху, когда-то бывшую у них в услужении, как они заявили. Получив разрешение, они увезли ее домой. Когда мы сказали, что старуха умерла, никто в богадельне не удивился.

Следующий наш визит был к доктору Хорсому. Он рассказал, что накануне днем его вызвали к больной, которая, как он установил, умирала от старческой слабости. На его глазах она и испустила дух. Он составил свидетельство по всей форме и подписал.

— Уверяю вас, конец этой женщины был самый естественный, какие бы то ни было подозрения просто неоправданны,— заключил он.

Ничего необычного в доме он не заметил, только, пожалуй, немного странным показалось, что люди с таким достатком живут без прислуги. Вот все, что удалось нам узнать от доктора Хорсома.

Наконец мы направились в Скотленд-Ярд. Оказалось, что при оформлении ордера возникли какие-то трудности, дело затягивалось: подпись судьи можно будет получить не раньше утра. Если мистер Холмс зайдет завтра к девяти, он может поехать с инспектором Лестрейдом и присутствовать при аресте.

Больше никаких событий в тот день не произошло, не считая полночного визита нашего приятеля-сержанта, который пришел рассказать, что в темных окнах дома на Полтни-сквер несколько раз мелькал какой-то свет, но что никто не выходил и не входил. Нам оставалось только набраться терпения и ждать утра.

Шерлок Холмс был слишком расстроен, чтобы беседовать, и слишком взволнован, чтобы спать. Я ушел к себе, а он остался в гостиной. Сдвинув темные густые брови, он сидел в кресле, барабанил по его ручке длинными нервными пальцами, курил одну сигарету за другой и искал, искал ключ к разгадке. Несколько раз ночью я слышал его шаги. Утром, когда я уже умывался, он ворвался ко мне в комнату бледный, с ввалившимися щеками, ни на миг не сомкнувший глаз.

— Когда похороны? В восемь, да? Сейчас двадцать минут восьмого,— отрывисто заговорил он.— Куда девался разум, который Господь Бог вложил в мою голову? Скорей, Уотсон, скорей! Ведь сейчас решается: жизнь или смерть, и сто против одного за смерть! Если мы опоздаем, я никогда, никогда себе не прощу!

Не прошло и пяти минут, как мы мчались в кебе по Бейкер-стрит. Но когда мы подъезжали к Парламенту, Биг-Бен показывал без двадцати пяти восемь, а на углу Брикстон-роуд стрелка подошла к восьми! Однако мы оказались не единственные опоздавшие. В восемь часов десять минут кебмен осадил взмыленную лошадь возле крыльца, у которого все еще стоял катафалк, и из двери трое рабочих выносили гроб. Холмс кинулся вперед и преградил им путь.

— Стойте! — закричал он, упершись рукой в грудь первого носильщика.— Немедленно несите гроб назад!

— Какого дьявола вам здесь нужно?! Где ваш ордер, покажите сейчас же! — разъяренно заревел из холла багровый Питерс.

— Ордер подписан. Гроб останется в доме, пока он не прибудет!

Властный голос Холмса произвел на людей впечатление. Питерс незаметно юркнул в какую-то дверь, а они понесли гроб обратно.

— Скорей, скорей, Уотсон! Вот отвертка! — прерывающимся голосом командовал Холмс.— Вы тоже берите отвертку. Если через минуту крышка будет сорвана, получите совmерен, друзья. Никаких вопросов! Быстрей, быстрей! Так, хорошо! Еще один шуруп... последний. Приналяжем все вместе! Ага, идет, идет! Уф, наконец-то!

Впятером мы сорвали крышку, и в тот же миг нас оглушил тяжелый, вязкий запах хлороформа. Голова покойницы была обложена толстым слоем ваты, пропитанной наркотиком. Холмс сбросил ее, и мы увидели прекрасное тонкое лицо женщины лет сорока. Холмс обхватил ее за плечи и посадил.

— Она жива, Уотсон? Неужели мы опоздали? Неужели все кончено?!

Полчаса мне казалось, что все действительно кончено. Я боялся, что недостаток воздуха и ядовитые пары хлороформа задушили последнюю искру жизни и все наши усилия напрасны. Мы впрыскивали ей эфир, делали искусственное дыхание и вообще все, что предписывает в таких случаях современная медицина, и наконец веки ее слабо дрогнули, поднесенное к губам зеркало затуманилось — жизнь возвращалась!

У крыльца остановился кеб. Холмс поднял штору и выглянул из окна.

— Явился Лестрейд с ордером,— сказал он,— только птички его уже упорхнули... А вот,— продолжал он, прислушиваясь к быстрым шагам по коридору,— идет человек, который поможет леди Фрэнсис лучше, чем мы. Здравствуйте, мистер Грин! Чем скорее мы увезем отсюда леди Фрэнсис, тем лучше. А похороны пусть идут своим чередом, только теперь эта бедная старушка, которая все еще лежит в гробу, совершит свой последний путь одна.

— Если вы захотите включить этот эпизод в свою хронику, милый Уотсон,— говорил мне в тот вечер Холмс,— приведите его как пример временного затмения, которое может поразить даже самый трезвый ум. Ни один смертный не застрахован от таких промахов, но уважения достоин тот, кто способен вовремя понять их и исправить. Мне кажется, я вправе причислить себя к таким людям. Всю ночь меня сегодня преследовала мысль, что была ведь, была какая-то деталь, которой я не придал должного значения, что-то не совсем обычное, какое-то слово, движение, взгляд... И когда уже рассвело, я вдруг вспомнил — ответ жены гробовщика! Она сказала: «Ведь делать пришлось по особому заказу, вот мастера и задержались». Они говорили о гробе. Гроб делали по особому заказу. Значит, делали по особым размерам. Но зачем? Зачем? И тогда я как будто снова увидел высокие стенки гроба и на самом его дне маленькую жалкую фигурку. Зачем для такого маленького трупа заказали такой большой гроб? Да чтобы осталось место еще для одного!.. Оба похоронят по одному свидетельству. Все было с самого начала ясно как день, только я-то как будто ослеп! В восемь часов леди Фрэнсис в гробу положат на катафалк. Единственная наша надежда — задержать гроб, пока его еще не вынесли из дому. Предположение, что она еще жива, было равнозначно безумию, но безумие-то и спасло все. Насколько мне известно, эти люди никогда не совершали убийства. Я подозревал, что в конце концов они не решатся на него и сейчас. Они похоронят ее, не оставив никаких следов, по которым можно было бы установить причину смерти леди Фрэнсис, и даже если труп впоследствии эксгумируют, у них все-таки будет шанс выкрутиться. Я надеялся, что именно этими соображениями они и руководствовались. Что было дальше — вы помните, и тот страшный чердак, где негодяи держали бедняжку, вы видели. Сегодня утром они ворвались к ней, усыпили ее хлороформом, отнесли вниз, положили пропитанную хлороформом вату в гроб, чтобы она не проснулась, и завинтили крышку. Гениальный план! Ничего подобного в истории преступлений я еще не встречал. Если нашим приятелям — экс-миссионеру и его супруге — удалось ускользнуть от Лестрейда, их дальнейшая карьера, надо ожидать, ознаменуется не менее блестящими деяниями.

ДЬЯВОЛОВА НОГА

Пополняя время от времени записи о моем старом друге, мистере Шерлоке Холмсе, новыми удивительными событиями и интересными воспоминаниями, я то и дело сталкивался с трудностями, вызванными его собственным отношением к гласности. Этому угрюмому скептику претили шумные похвалы окружающих, и после блестящего раскрытия очередной тайны он от души развлекался, уступив свои лавры какому-нибудь служаке из Скотленд-Ярда, и с язвительной усмешкой слушал громкий хор поздравлений не по адресу. Подобное поведение моего друга, а вовсе не отсутствие интересного материала и привело к тому, что за последние годы мне редко удавалось публиковать новые записи. Дело в том, что участие в некоторых его приключениях было честью, всегда требующей от меня благоразумия и сдержанности.

Представьте же мое изумление, когда в прошлый вторник я получил телеграмму от Холмса (он никогда не посылал писем, если можно было обойтись телеграммой). Она гласила: «Почему не написать о «Корнуоллском ужасе» — самом необычном случае в моей практике». Я решительно не понимал, что воскресило в памяти Холмса это событие или какая причуда побудила его телеграфировать мне, однако, опасаясь, как бы он не передумал, я тут же разыскал записи с точными подробностями происшествия и спешу представить читателям мой рассказ.

Весной 1897 года железное здоровье Холмса несколько пошатнулось от тяжелой, напряженной работы, тем более что сам он совершенно не щадил себя. В марте месяце доктор Мур Эгер с Харли-стрит, который познакомился с Холмсом при самых драматических обстоятельствах, о чем я расскажу как-нибудь в другой раз, категорически заявил, что знаменитому сыщику необходимо временно оставить всякую работу и как следует отдохнуть, если он не хочет окончательно подорвать свое здоровье. Холмс отнесся к этому равнодушно, ибо умственная его деятельность совершенно не зависела от физического состояния, но когда врач пригрозил, что Холмс вообще не сможет работать, это убедило его наконец сменить обстановку. И вот ранней весной того года мы с ним поселились в загородном домике близ бухты Полду на крайней оконечности Корнуоллского полуострова.

Этот своеобразный край как нельзя лучше соответствовал угрюмому настроению моего пациента. Из окон нашего беленого домика, высоко стоящего на зеленом мысе, открывалось все зловещее полукружие залива Маунтс-Бей, известного с незапамятных времен как смертельная ловушка для парусников: скольких моряков настигла смерть на его черных скалах и подводных рифах! При северном ветре залив выглядел безмятежным, укрытым от бурь и манил к себе гонимые штормом суда, обещая им покой и защиту. Но внезапно с юго-запада с ревом налетал ураган, судно срывалось с якоря, и у подветренного берега, в пене бурунов, начиналась борьба не на жизнь, а на смерть. Опытные моряки держались подальше от этого проклятого места.

Суша в окрестностях нашего дома производила такое же безотрадное впечатление, как и море. Кругом расстилалась болотистая равнина, унылая, безлюдная, и лишь по одиноким колокольням можно было угадать, где находятся старинные деревушки. Всюду виднелись следы какого-то древнего племени, которое давно вымерло и напоминало о себе только причудливыми каменными памятниками, разбросанными там и сям могильными курганами и любопытными земляными укреплениями, воскрешающими в памяти доисторические битвы. Колдовские чары этого таинственного места, зловещие призраки забытых племен подействовали на воображение моего друга, и он подолгу гулял по торфяным болотам, предаваясь размышлениям. Холмс заинтересовался также древним корнуоллским языком и, если мне не изменяет память, предполагал, что он сродни халдейскому и в значительной мере заимствован у финикийских купцов, приезжавших сюда за оловом. Он выписал кучу книг по филологии и засел было за развитие своей теории, как вдруг, к моему глубокому сожалению и его нескрываемому восторгу, мы оказались втянутыми в тайну — более сложную, более захватывающую и уж конечно в сто раз более загадочную, чем любая из тех, что заставили нас покинуть Лондон. Наша скромная жизнь, мирный, здоровый отдых были грубо нарушены, и нас закружило в водовороте событий, которые потрясли не только Корнуолл, но и всю Западную Англию. Многие читатели помнят, наверное, о «Корнуоллском ужасе», как это тогда называлось, хотя должен вам сказать, что лондонская пресса располагала весьма неполными данными. И вот теперь, через тринадцать лет, настало время сообщить вам все подлинные подробности этого непостижимого происшествия.

Я уже говорил, что редкие церковные колоколенки указывали на деревни, разбросанные в этой части Корнуолла. Ближайшей к нам оказалась деревушка Тридэнник-Уоллес, где домики сотни-другой жителей лепились вокруг древней замшелой церкви. Священник этого прихода, мистер Раундхэй, увлекался археологией; на этой почве Холмс и познакомился с ним. Это был радушный толстяк средних лет, неплохо знавший здешние места. Как-то он пригласил нас к себе на чашку чаю, и у него мы встретились с мистером Мортимером Триджженнисом, состоятельным человеком, который увеличивал скудные доходы священника, снимая несколько комнат в его большом, бестолково построенном доме. Одинокий священник был доволен этим, хотя имел мало общего со своим жильцом, худощавым брюнетом в очках, до того сутулым, что с первого взгляда казался горбуном. Помню, что за время нашего недолгого визита священник произвел на нас впечатление неутомимого говоруна, зато жилец его был до странности необщителен, печален, задумчив; он сидел, уставившись в одну точку, занятый, видимо, собственными мыслями.

И вот во вторник, шестнадцатого марта, когда мы покуривали после завтрака, готовясь к обычной прогулке на торфяные болота, в нашу маленькую гостиную ворвались два этих человека.

— Мистер Холмс,— задыхаясь, проговорил священник,— этой ночью произошла ужасная трагедия! Просто неслыханно! Наверное, само Провидение привело вас сюда как раз вовремя, потому что если кто-нибудь в Англии и может помочь, то это вы!

Я бросил не слишком дружелюбный взгляд на назойливого священника, но Холмс вынул изо рта трубку и насторожился, как старый гончий пес, услышавший зов охотника. Он знаком предложил им сесть, и наш взбудораженный посетитель со своим спутником уселись на диван. Мистер Мортимер Триджженнис больше владел собой, но судорожное подергивание его худых рук и лихорадочный блеск темных глаз показывали, что он взволнован ничуть не меньше.

— Кто будет рассказывать, я или вы? — спросил он священника.

— Я не знаю, что у вас случилось,— сказал Холмс,— но раз уж, судя по всему, открытие сделали вы, то вы и рассказывайте: ведь священник узнал об этом уже от вас.

Я взглянул на одетого наспех священника и его аккуратного соседа и в душе позабавился тому изумлению, которое вызвал на их лицах простой логический вывод Холмса.

— Позвольте мне сказать несколько слов,— начал священник,— и тогда вы сами решите, выслушать ли вам подробности от мистера Тридженниса или лучше немедленно поспешить к месту этого загадочного происшествия. Случилось вот что: вчера вечером наш друг был в гостях у своих братьев Оуэна и Джорджа и сестры Брэнды в их доме в Тридэнник-Уорта, что неподалеку от древнего каменного креста на торфяных болотах. Он ушел от них в начале одиннадцатого, до этого они играли в карты в столовой, все были здоровы, в прекрасном настроении. Сегодня утром, еще до завтрака, наш друг — он всегда встает очень рано — пошел прогуляться в направлении дома своих родственников, и тут его нагнал шарабан доктора Ричардса: оказалось, что того срочно вызвали в Тридэнник-Уорта. Конечно, мистер Мортимер Тридженнис поехал вместе с ним. Приехав, они обнаружили нечто невероятное. Сестра и братья сидели вокруг стола точно в тех же позах, как он их оставил, перед ними еще лежали карты, но свечи догорели до самых розеток. Сестра лежала в кресле мертвая, а с двух сторон от нее сидели братья: они кричали, пели, хохотали... разум покинул их. У всех троих — и у мертвой женщины, и у помешавшихся мужчин — на лицах застыл невыразимый страх, гримаса ужаса, на которую жутко смотреть. Нет никаких признаков, что в доме были посторонние, если не считать миссис Портер, их старой кухарки и экономки, которая сообщила, что всю ночь крепко спала и ничего не слыхала. Ничего не украдено, всё в полном порядке, и совершенно непонятно, чего они испугались настолько, что женщина лишилась жизни, а мужчины — рассудка. Вот вкратце и все, мистер Холмс, и если вы поможете нам разобраться во всем этом, вы сделаете великое дело.

Я еще надеялся уговорить моего друга вернуться к отдыху, составлявшему цель нашей поездки, но стоило мне взглянуть на его сосредоточенное лицо и нахмуренные брови, как стало ясно, что надеяться не на что. Холмс молчал, поглощенный необычайной драмой, ворвавшейся в нашу тихую жизнь.

— Я займусь этим делом,— сказал он наконец.— Насколько я понимаю, случай исключительный. Сами вы там были, мистер Раундхэй?

— Нет, мистер Холмс. Как только я узнал от мистера Тридженниса об этом несчастье, мы тут же поспешили к вам, чтобы посоветоваться.

— Далеко ли дом, где разыгралась эта ужасная трагедия?

— Около мили отсюда.

— Значит, отправимся вместе. Но сначала, мистер Мортимер Тридженнис, я хочу задать вам несколько вопросов.

За все это время тот не произнес ни звука, но я заметил, что внутренне он встревожен куда больше, чем суетливый и разговорчивый священник. Лицо его побледнело, исказилось, беспокойный взгляд не отрывался от Холмса, а худые руки сжимались и разжимались. Когда священник рассказывал об этом страшном происшествии, побелевшие губы Тридженниса дрожали, и казалось, что в его темных глазах отражается эта ужасная картина.

— Спрашивайте обо всем, что сочтете нужным, мистер Холмс,— с готовностью сказал он.— Тяжело говорить об этом, но я не скрою от вас ничего.

— Расскажите мне о вчерашнем вечере.

— Так вот, мистер Холмс, как уже говорил священник, мы вместе поужинали, а потом старший брат Джордж предложил сыграть в вист. Мы сели за карты около девяти. В четверть одиннадцатого я собрался домой. Они сидели за столом, здоровые и веселые.

— Кто закрыл за вами дверь?

— Миссис Портер уже легла, и меня никто не провожал. Я сам захлопнул за собой входную дверь. Окно в комнате, у которого они сидели, было закрыто, но шторы не спущены. Сегодня утром и дверь и окно оказались в том же виде, что и вчера, и нет причины думать, что в дом забрался чужой. И все-таки страх помутил рассудок моих братьев, страх убил Брэнду... Если б вы видели, как она лежала, свесившись через ручку кресла... До самой смерти не забыть мне этой комнаты.

— То, что вы рассказываете, просто неслыханно,— сказал Холмс.— Но, насколько я понимаю, у вас нет никаких предположений о причине происшедшего?

— Это дьявольщина, мистер Холмс, дьявольщина!— воскликнул Мортимер Тридженнис,— Это нечистая сила! В комнату проникает что-то ужасное, и люди лишаются рассудка. Разве человек способен на такое?

— Ну, если человеку такое не под силу, то, боюсь, и разгадка окажется мне не под силу,— заметил Холмс.— Однако, прежде чем принять вашу версию, мы должны испробовать все реальные причины. Что касается вас, мистер Тридженнис, то вы, как я понял, в чем-то не ладили со своими родными,— ведь вы жили врозь, верно?

— Да, так оно и было, мистер Холмс, хотя это — дело прошлое. Видите ли, нашей семье принадлежали оловянные рудники в Редруте, но потом мы продали их компании и, получив возможность жить безбедно, уехали оттуда. Не скрою, что при дележе денег мы поссорились и разошлись на некоторое время, но что было, то прошло, и мы снова стали лучшими друзьями.

— Однако вернемся к событиям вчерашнего вечера. Не припомните ли вы что-нибудь, что могло бы хоть косвенно натолкнуть нас на разгадку этой трагедии? Подумайте как следует, мистер Тридженнис, любой намек мне поможет.

— Нет, сэр, ничего не могу припомнить.

— Ваши родные были в обычном настроении?

— Да, в очень хорошем.

— Не были они нервными людьми? Не бывало ли у них предчувствия приближающейся опасности?

— Нет, никогда.

— Больше вы ничем не можете помочь мне?

Мортимер Тридженнис напряг память.

— Вот что я вспомнил,— сказал он наконец.— Когда мы играли в карты, я сидел спиной к окну, а брат Джордж, мой партнер,— лицом. И вдруг я заметил, что он пристально смотрит через мое плечо, и я тоже обернулся и посмотрел. Окно было закрыто, но шторы еще не спущены, и я разглядел кусты на лужайке; мне показалось, что в них что-то шевелится. Я даже не понял, человек это или животное. Но подумал, что там кто-то есть. Когда я спросил брата, куда он смотрит, он ответил, что ему тоже что-то показалось. Вот, собственно, и все.

— И вы не поинтересовались, что это?

— Нет, я тут же забыл об этом.

— Когда вы уходили, у вас не было дурного предчувствия?

— Ни малейшего.

— Мне не совсем ясно, как вы узнали новости в такой ранний час.

— Я обычно встаю рано и до завтрака гуляю. Только я вышел сегодня утром, как меня нагнал шарабан доктора. Он сказал, что старая миссис Портер прислала за ним мальчишку и спешно требует его туда. Я вскочил в шарабан, и мы поехали. Там мы сразу бросились в эту жуткую комнату. Свечи и камин погасли уже давно, и они до самого рассвета были в темноте. Доктор сказал, что Брэнда умерла по крайней мере шесть часов назад. Никаких следов насилия. Она лежала в кресле, перевесившись через ручку, и на лице ее застыло это самое выражение ужаса. Джордж и Оуэн на разные голоса распевали песни и бормотали, как два каких-нибудь орангутанга. О, это было ужасно! Я еле выдержал, а доктор побелел как полотно. Ему стало дурно, и он упал в кресло,— хорошо еще, что нам не пришлось за ним ухаживать.

— Поразительно... просто поразительно,— сказал Холмс, вставая, и взялся за шляпу.— По-моему, лучше, не теряя времени, отправиться в Тридэнник-Уорта. Должен признаться, что редко мне встречалось дело, которое на первый взгляд казалось бы столь необычайным.

В то утро наши розыски продвинулись мало. Зато в самом же начале произошел случай, который оказал на меня самое гнетущее действие. Мы шли к месту происшествия по узкой, извилистой проселочной дороге. Увидев тарахтящую навстречу карету, мы сошли на обочину, чтобы пропустить ее. Когда она поравнялась с нами, за поднятым стеклом метнулось оскаленное, перекошенное лицо с вытаращенными глазами. Эти остановившиеся глаза и скрежещущие зубы промелькнули мимо нас как кошмарное видение.

— Братья! — весь побелев, воскликнул Мортимер Тридженнис.— Их увозят в Хелстон!

В ужасе мы смотрели вслед черной карете, громыхающей по дороге, потом снова направились к дому, где их постигла такая странная судьба.

Это был просторный, светлый дом, скорее вилла, чем коттедж, с большим садом, где благодаря мягкому корнуоллскому климату уже благоухали весенние цветы. В этот сад и выходило окно гостиной, куда, по утверждению Мортимера Тридженниса, проник злой дух и принес столько несчастий хозяевам дома. Прежде чем подняться на крыльцо, Холмс медленно и задумчиво прошелся по дорожке и между клумбами. Я помню, он был так занят своими мыслями, что споткнулся о лейку, и она опрокинулась на садовую дорожку, облив нам ноги. В доме нас встретила пожилая экономка, миссис Портер, которая вела здесь хозяйство с помощью молоденькой служанки. Она с готовностью отвечала на все вопросы Холмса. Нет, она ничего не слышала ночью. Да, хозяева в последнее время были в прекрасном настроении: никогда она не видела, чтоб они были такие веселые и довольные. Она упала в обморок от ужаса, когда зашла утром в комнату и увидела их за столом. Опомнившись, она распахнула окно, чтобы впустить утренний воздух, бросилась на дорогу, окликнула фермерского мальчишку и послала его за доктором. Если мы хотим посмотреть, то хозяйка лежит в своей спальне. Четверо здоровенных санитаров еле справились с братьями, усаживая их в карету. А она сама и до завтра не останется в этом доме, немедленно уедет в Сент-Айвс к своим родным.

Мы поднялись наверх и осмотрели тело Брэнды Тридженнис. Даже сейчас всякий сказал бы, что в молодости она была красавицей. И после смерти она была прекрасна, хотя тонкие черты ее смуглого лица хранили печать ужаса — последнего ее ощущения при жизни. Из спальни мы спустились в гостиную, где произошла эта невероятная драма. В камине еще лежала зола. На столе стояли четыре оплывшие, догоревшие свечи и валялись карты. Стулья были отодвинуты к стенам, к остальным предметам никто не прикасался. Холмс легкими, быстрыми шагами обошел комнату; он садился на стулья, двигал их и расставлял так, как они стояли накануне. Он прикидывал, насколько виден сад с разных мест. Он осмотрел пол, потолок, камин; но ни разу я не заметил ни внезапного блеска в его глазах, ни сжатых губ, которые подсказали бы мне, что в мозгу его мелькнула догадка.

— Зачем топили камин? — спросил он вдруг.— Неужели даже весной топят в такой небольшой комнате?

Мортимер Тридженнис пояснил, что вечером было холодно и сыро. Поэтому, когда он пришел, затопили камин.

— Что вы собираетесь делать дальше, мистер Холмс? — спросил он.

Улыбнувшись, мой друг положил руку мне на плечо.

— Знаете, Уотсон, пожалуй, мне снова придется

взяться за трубку и снова вызвать ваши справедливые упреки,— сказал он.— С вашего разрешения, господа, мы вернемся домой, ибо я не рассчитываю найти здесь что-то новое. Я проанализирую все известные факты, мистер Тридженнис, и, если мне что-нибудь придет в голову, немедленно извещу вас и священника. А пока позвольте пожелать вам всего доброго.

Вернувшись в Полду-коттедж, Холмс погрузился в сосредоточенное молчание. Он сидел с ногами в глубоком кресле, весь окутанный голубыми клубами табачного дыма; его черные брови сошлись к переносице, лоб перерезала морщина, глаза на изможденном лице аскета уставились в одну точку. После долгих раздумий он отбросил трубку и вскочил.

— Ничего не выходит, Уотсон! — рассмеялся он.— Пойдемте-ка лучше побродим и поищем кремневые стрелы. Скорее мы найдем их, чем ключ к этой загадке. Заставлять мозг работать, когда для этой работы нет достаточного материала,— все равно что перегревать мотор. Он разлетится вдребезги. Морской воздух, солнце и терпение — вот что нам нужно, Уотсон, а остальное приложится.

Теперь давайте спокойно обсудим наше положение, Уотсон,— продолжал он, когда мы шли по тропинке над обрывом.— Нужно твердо усвоить хотя бы то, что нам известно, для того чтобы поставить на место новые факты, когда они появятся. Уговоримся, во-первых, что дьявольские козни тут ни при чем. Выбросим это из головы. Отлично. Зато перед нами три несчастные жертвы некоего намеренного или невольного преступления, совершенного человеком. Будем исходить из этого. Идем дальше: когда это случилось? Если верить Мортимеру Тридженнису, то, очевидно, сразу же после его ухода. Это очень важно. Вероятно, все произошло в следующие несколько минут. Карты еще на столе. Хозяева в это время обычно ложатся спать. Но они продолжают сидеть, даже не отодвинув стулья. Итак, повторяю: это произошло немедленно после его ухода, и никак не позже одиннадцати часов вечера.

Проследим теперь, насколько возможно, что делал Мортимер Тридженнис, выйдя из комнаты. Это совсем нетрудно, и он как будто вне подозрений. Вы хорошо знакомы с моими методами и, конечно, догадались, что довольно-таки неуклюжая уловка с лейкой понадобилась мне для того, чтобы получить ясный отпечаток его ноги. На сыром песке она отпечаталась прекрасно.

Вчера вечером, как вы помните, тоже было сыро, и я легко проследил его путь. Судя по всему, он быстро пошел к дому священника.

Раз Мортимер Тридженнис исчезает со сцены, значит, перед игроками в карты появляется кто-то другой; кто же это и как ему удалось вызвать такой ужас? Миссис Портер отпадает. Она явно ни при чем. Можно ли доказать, что некто прокрался из сада к окну и своим появлением добился такого трагического исхода? Единственное указание на это исходит опять-таки от Мортимера Тридженниса, который говорил, что его брат заметил какое-то движение в саду. Это странно. Потому что вечер был темный, шел дождь, и если тот, кто собирался напугать этих людей, хотел, чтобы его заметили, он должен был прижаться лицом к оконному стеклу. А под окном широкая цветочная грядка — и ни одного отпечатка ног. Трудно вообразить, как мог незнакомец при этих обстоятельствах произвести столь жуткое впечатление; к тому же мы не находим подходящего мотива для такого необъяснимого поступка. Вы улавливаете наши трудности, Уотсон?

— Еще бы! — убежденно отвечал я.

— И все-таки, если у нас появятся новые данные, мы преодолеем эти трудности. По-моему, в ваших необъятных архивах, Уотсон, найдется много таких же неясных случаев. Тем не менее отложим дело, пока не получим более точных сведений, и закончим утро поисками неолитического человека.

Кажется, я уже говорил, что мой друг обладал исключительной способностью совершенно отключаться от какого-либо дела, но никогда я не поражался ей больше, чем в то весеннее утро в Корнуолле, когда часа два кряду он толковал о кельтах, кремневых наконечниках и черепках так беззаботно, будто зловещей тайны не было и в помине. И только вернувшись домой, мы обнаружили, что нас ждет посетитель, сразу же вернувший нас к действительности. У него не было нужды представляться нам. Гигантская фигура, огрубевшее, иссеченное морщинами лицо, горящие глаза, орлиный нос, седеющая голова, почти достающая до потолка, золотистая борода с проседью, пожелтевшая у губ от неизменной сигары,— эти приметы были отлично известны и в Лондоне и в Африке и могли принадлежать лишь одному человеку — доктору Леону Стерндейлу, прославленному исследователю и охотнику на львов.

Мы слышали, что он живет где-то поблизости, и не раз замечали на торфяных болотах его могучую фигуру. Однако он не стремился к знакомству с нами, да и нам это не приходило в голову, потому что мы знали, что именно любовь к уединению побуждает его проводить бо́льшую часть времени между путешествиями в маленьком домике, скрытом в роще у Бичем-Эраэнс. Там он жил в полном одиночестве, окруженный книгами и картами, сам занимался своим несложным хозяйством и совершенно не интересовался делами соседей. Поэтому меня удивила горячность, с которой он расспрашивал Холмса, удалось ли ему разгадать хоть что-нибудь в этой непостижимой тайне.

— Полиция в тупике,— сказал он,— но, может быть, ваш богатый опыт подскажет какое-нибудь приемлемое объяснение? Я прошу вас довериться мне потому, что за время моих частых наездов сюда я близко познакомился с семьей Триджleннисов, они даже приходятся мне родственниками со стороны матери, здешней уроженки. Вы сами понимаете, что их ужасная судьба потрясла меня. Должен сказать вам, что я направлялся в Африку и уже был в Плимуте, когда сегодня утром узнал об этом событии, и тут же вернулся, чтобы помочь расследованию.

Холмс поднял брови:

— Из-за этого вы пропустили пароход?

— Поеду следующим.

— Бог мой, вот это дружба!

— Я же сказал, что мы родственники.

— Да, помню... по материнской линии. Багаж уже был на борту?

— Не весь, бо́льшая часть еще оставалась в гостинице.

— Понимаю. Но не могла ведь эта новость попасть в плимутские газеты сегодня утром?

— Нет, сэр. Я получил телеграмму.

— Позвольте узнать, от кого?

Исхудалое лицо исследователя потемнело.

— Вы слишком любознательны, мистер Холмс.

— Такова моя профессия.

Доктор Стерндейл с трудом обрел прежнее спокойствие.

— Не вижу основания скрывать это от вас,— сказал он.— Телеграмму прислал мистер Раундхэй, священник.

— Благодарю вас,— отозвался Холмс.— Что касается вашего вопроса, то я могу ответить, что мне еще не вполне ясна суть дела, но я твердо рассчитываю добиться истины. Вот пока и все.

— Не могли бы вы сказать, подозреваете ли вы кого-нибудь?

— На это я вам не могу ответить.

— В таком случае, я пришел напрасно, не стану задерживать вас более.

Знаменитый путешественник большими шагами вышел из нашего домика, изрядно раздосадованный; вслед за ним ушел и Холмс. Он пропадал до самого вечера, а когда вернулся, вид у него был усталый и недовольный, и я понял, что розыски не увенчались успехом. Его ждала телеграмма, он пробежал ее и бросил в камин.

— Это из Плимута, Уотсон, из гостиницы,— пояснил он.— Я узнал у священника, как она называется, и телеграфировал туда, чтобы проверить слова доктора Стерндейла. Он действительно ночевал там сегодня, и часть его багажа действительно ушла в Африку; сам же он вернулся, чтобы присутствовать при расследовании. Что скажете, Уотсон?

— Видимо, его очень интересует это дело.

— Да, очень. Вот нить, которую мы еще не схватили, а ведь она может вывести нас из лабиринта. Бодритесь, Уотсон, я уверен, что мы знаем далеко не всё. Когда мы узнаем больше, все трудности останутся позади.

Я никак не предполагал ни того, что слова Холмса сбудутся так скоро, ни того, каким странным и жутким окажется наше новое открытие, повернувшее розыски в совершенно ином направлении. Утром, когда я брился, я услышал стук копыт и, выглянув из окна, увидел двуколку, которая во всю прыть неслась по дороге. У наших ворот лошадь стала, из двуколки выпрыгнул наш друг-священник и со всех ног помчался по садовой дорожке. Холмс был уже готов, и мы с ним поспешили навстречу.

От волнения наш гость не мог говорить, но в конце концов, тяжело дыша и захлебываясь, он выкрикнул:

— Мы под властью дьявола, мистер Холмс! Мой несчастный приход под властью дьявола! — задыхался он.— Там поселился сам Сатана! Мы в его руках! — Он приплясывал на месте от возбуждения, и это было бы смешно, если бы не его посеревшее лицо и безумные глаза. И тут он выпалил свои ужасные новости:

— Мистер Мортимер Тридженнис умер сегодня ночью точно так же, как его сестра!

Холмс мгновенно вскочил, полный энергии:

— Хватит места в вашей двуколке?

— Да!

— Уотсон, завтрак позже! Мистер Раундхэй, мы готовы! Скорей, скорей, пока там ничего не тронуто!

Мортимер Тридженнис занимал в доме священника две угловые комнаты, расположенные обособленно, одна над другой. Внизу была просторная гостиная, наверху — спальня. Под самыми окнами — крокетная площадка. Мы опередили и доктора и полицию, так что никто еще сюда не входил.

Позвольте мне точно описать сцену, которую мы увидели в это туманное мартовское утро. Она навеки врезалась в мою память.

В комнате был невероятно удушливый, спертый воздух. Если бы служанка не распахнула окно рано утром, дышать было бы совсем невозможно. Это отчасти объяснялось тем, что на столе еще чадила лампа. У стола, откинувшись на спинку кресла, сидел мертвец; его жидкая бородка стояла торчком, очки были сдвинуты на лоб, а на смуглом худом лице, обращенном к окну, застыло выражение того же ужаса, которое мы видели на лице его покойной сестры. Судя по сведенным судорогой рукам и ногам и по переплетенным пальцам, он умер в пароксизме страха. Он был одет, хотя мы заметили, что одевался он второпях. И так как мы уже знали, что с вечера он лег в постель, надо было думать, что трагический конец настиг его рано утром.

Как только мы вошли в роковую комнату, Холмс преобразился: внешнее бесстрастие мгновенно сменилось бешеной энергией. Он подобрался, насторожился, глаза его засверкали, лицо застыло, он двигался с лихорадочной быстротой. Он выскочил на лужайку, влез обратно через окно, обежал комнату, промчался наверх — точь-в-точь гончая, почуявшая дичь. Он быстро оглядел спальню и распахнул окно; тут, как видно, появилась новая причина для возбуждения, потому что он высунулся наружу с громкими восклицаниями интереса и радости. Потом он промчался вниз, выбежал в сад, растянулся на траве, вскочил и снова кинулся в комнату — все это с пылом охотника, идущего по следу. Особенно он заинтересовался лампой, которая с виду была самой обычной, и измерил ее резервуар. Затем с помощью лупы тщательно осмотрел абажур, закрывавший верх лампового стекла, и, соскоблив немного копоти с его наружной поверхности, ссыпал ее в конверт, а конверт спрятал в бумажник. Наконец, после появления полиции и доктора, он сделал знак священнику, и мы втроем вышли на лужайку.

— Рад сообщить вам, что мои розыски не остались бесплодными,— объявил он.— Я не намерен обсуждать это дело с полицией, однако вас, мистер Раундхэй, я попрошу засвидетельствовать мое почтение инспектору и обратить его внимание на окно в спальне и лампу в гостиной. И то и другое в отдельности наводит на размышления, а вместе приводит к определенным выводам. Если инспектору понадобятся дальнейшие сведения, буду рад видеть его у себя. А теперь, Уотсон, я думаю, нам лучше уйти.

Возможно, инспектора уязвило вмешательство частного сыщика, а может быть, он вообразил, что находится на верном пути; во всяком случае, в течение двух дней мы ничего о нем не слышали. Холмс в это время мало бывал дома, а если и бывал, то дремал или курил; свои продолжительные прогулки он совершал в одиночестве, ни словом не упоминая о том, где ходит. Однако один опыт Холмса помог мне понять направление его поисков. Он купил лампу — такую же, как та, что горела в комнате Мортимера Тридженниса в утро трагедии. Заправив ее керосином, каким пользовались и в доме священника, он тщательно высчитал, за какое время он выгорает. Другой его опыт оказался гораздо менее безобидным, и, боюсь, я не забуду о нем до самой смерти.

— Вы, вероятно, помните, Уотсон,— начал он както,— что во всех показаниях, которые мы слышали, есть нечто общее. Я имею в виду то, как действовала атмосфера комнаты на тех, кто входил туда первым. Помните, Мортимер Тридженнис, описывая свой последний визит в дом братьев, упомянул, что доктор, войдя в комнату, чуть не лишился чувств? Неужто забыли? А я прекрасно помню. Дальше: помните ли вы, что экономка, миссис Портер, говорила нам, что ей стало дурно, когда она вошла, и она открыла окно? А после смерти Мортимера Тридженниса не могли же вы забыть ужасную духоту в комнате, хотя служанка уже распахнула окно? Как я узнал потом, ей стало до того плохо, что она слегла. Согласитесь, Уотсон, это очень подозрительно. В обоих случаях одно и то же явление — отравленная атмосфера. В обоих случаях в комнатах что-то горело. В первом случае — камин, во втором — лампа. Огонь в камине был еще нужен, но лампу зажгли после того, как рассвело,— это видно по уровню керосина. Почему? Да потому, что есть какая-то связь между тремя факторами: горением, удушливой атмосферой и, наконец, сумасшествием или смертью этих несчастных. Надеюсь, вам ясно?

— Да, как будто ясно.

— Во всяком случае, мы можем принять это за рабочую гипотезу. Предположим затем, что в обоих случаях там горело некое вещество, отравившее атмосферу. Превосходно. В первом случае с семьей Тридженнисов это вещество было брошено в камин. Окно было закрыто, но ядовитые пары, естественно, уходили в дымоход. Поэтому действие оказалось слабее, чем во втором случае, когда у них не было выхода. Это видно по результатам: в первом случае умерла только женщина, как более уязвимое существо, а у мужчин временно или безнадежно помрачился рассудок, что, очевидно, является первой стадией отравления. Во втором случае результат достигнут полностью. Таким образом, факты подтверждают теорию об отравлении при сгорании некоего вещества.

Исходя из этого, я, разумеется, рассчитывал найти в комнате Мортимера Тридженниса остатки этого вещества. По всей видимости, их надо было искать на ламповом абажуре. Как я и предполагал, там оказались хлопья сажи, а по краям — кайма коричневого порошка, который не успел сгореть. Если вы помните, половину этого порошка я соскоблил и положил в конверт.

— Почему только половину, Холмс?

— Становиться на пути полиции не в моих правилах, Уотсон. Я оставил им все улики. Найдут они что-нибудь на абажуре или нет — это уже вопрос их сообразительности. А теперь, Уотсон, зажжем нашу лампу; однако, чтобы не допустить преждевременной гибели двух достойных членов общества, откроем окно. Садитесь около него в это кресло... если, конечно, как здравомыслящий человек, вы не отказываетесь принять участие в опыте. О, я вижу, вы решили не отступать! Не зря я всегда верил в вас, дорогой Уотсон! Сам я сяду напротив, лицом к вам, и мы окажемся на равном расстоянии от лампы. Дверь оставим полуоткрытой. Теперь мы сможем наблюдать друг за другом, и, если симптомы окажутся угрожающими, опыт нужно немедленно прекратить. Ясно? Итак, я вынимаю из конверта порошок, или, вернее, то, что от него осталось, и кладу его на горящую лампу. Готово! Теперь, Уотсон, садитесь и ждите.

Ждать пришлось недолго. Едва я уселся, как почувствовал тяжелый, приторный, тошнотворный запах. После первого же вдоха разум мой помутился, и я потерял власть на собой. Перед глазами заклубилось густое черное облако, и я внезапно почувствовал, что в нем таится все самое ужасное, чудовищное, злое, что только есть на свете, и эта незримая сила готова поразить меня насмерть. Кружась и колыхаясь в этом черном тумане, смутные призраки грозно возвещали неизбежное появление какого-то страшного существа, и от одной мысли о нем у меня разрывалось сердце. Я похолодел от ужаса. Волосы у меня поднялись дыбом, глаза выкатились, рот широко открылся, а язык стал как ватный. В голове так шумело, что казалось, мой мозг не выдержит и разлетится вдребезги. Я попытался крикнуть, но, услышав хриплое карканье откуда-то издалека, с трудом сообразил, что это мой собственный голос. В ту же секунду отчаянным усилием я прорвал зловещую пелену и увидел перед собой белую маску, искривленную гримасой ужаса... Это выражение я видел так недавно на лицах умерших... Теперь я видел его на лице Холмса. И тут наступило минутное просветление. Я вскочил с кресла, обхватил Холмса и, шатаясь, потащил его к выходу, потом мы лежали на траве, чувствуя, как яркие солнечные лучи рассеивают ужас, сковавший нас. Он медленно исчезал из наших душ, подобно утреннему туману, пока к нам окончательно не вернулся рассудок, а с ним и душевный покой. Мы сидели на траве, отирая холодный пот, и с тревогой подмечали на лицах друг друга последние следы нашего опасного эксперимента.

— Честное слово, Уотсон, я в неоплатном долгу перед вами,— сказал наконец Холмс нетвердым голосом,— примите мои извинения. Непростительно было затевать такой опыт, и вдвойне непростительно вмешивать в него друга. Поверьте, я искренне жалею об этом.

— Вы же знаете,— отвечал я, тронутый небывалой сердечностью Холмса,— что помогать вам — величайшая радость и честь для меня.

Тут он снова заговорил своим обычным, полушутливым-полускептическим тоном:

— Все-таки, дорогой Уотсон, излишне было подвергать себя такой опасности. Конечно, сторонний наблюдатель решил бы, что мы свихнулись еще до проведения этого безрассудного опыта. Признаться, я никак не ожидал, что действие окажется таким внезапным и сильным.— Бросившись в дом, он вынес в вытянутой руке горящую лампу и зашвырнул ее в заросли ежевики.— Пусть комната немного проветрится. Ну, Уотсон, теперь, надеюсь, у вас нет никаких сомнений в том, как произошли обе эти трагедии?

— Ни малейших!

— Однако причина так же непонятна, как и раньше. Пойдемте в беседку и там все обсудим. У меня до сих пор в горле першит от этой гадости. Итак, все факты указывают на то, что преступником в первом случае был Мортимер Тридженнис, хотя во втором он же оказался жертвой. Прежде всего нельзя забывать, что в семье произошла ссора, а потом примирение. Неизвестно, насколько серьезна была ссора и насколько искренне примирение. И все-таки этот Мортимер Тридженнис, с его лисьей мордочкой и хитрыми глазками, поблескивающими из-под очков, кажется мне человеком довольно-таки злопамятным. Помните ли вы, наконец, что именно он сообщил нам о чьем-то присутствии в саду — сведение, которое временно отвлекло наше внимание от истинной причины трагедии? Ему зачем-то нужно было навести нас на ложный след. И если не он бросил порошок в камин, выходя из комнаты, то кто же еще? Ведь все произошло сразу после его ухода. Если бы появился новый гость, семья, конечно, поднялась бы ему навстречу. Но разве в мирном Корнуолле гости приходят после десяти часов вечера? Итак, все факты свидетельствуют, что преступником был Мортимер Тридженнис.

— Значит, он покончил с собой!

— Да, Уотсон, такой вывод как будто напрашивается. Человека с виной на душе, погубившего собственную семью, раскаяние могло бы привести к самоубийству. Однако имеются веские доказательства противного. К счастью, в Англии есть человек, который в курсе дела, и я позаботился о том, чтобы мы всё узнали из его собственных уст, сегодня же. А! Вот и он! Сюда, сюда, по этой дорожке, мистер Стерндейл! Мы проводили в доме химический опыт, и теперь наша комната не годится для приема такого выдающегося гостя!

Я услышал стук садовой калитки, и на дорожке показалась величественная фигура знаменитого исследователя Африки. Он с некоторым удивлением направился к беседке, где мы сидели.

— Вы посылали за мной, мистер Холмс? Я получил вашу записку около часу назад и пришел, хотя мне совершенно непонятно, почему я должен исполнять ваши требования.

— Я надеюсь, вам все станет ясно в ходе нашей беседы,— сказал Холмс.— А пока я очень признателен вам за то, что вы пришли. Простите нам этот прием в беседке, но мы с моим другом Уотсоном чуть было не добавили новую главу к «Корнуоллскому ужасу», как называют это событие в газетах, и потому предпочитаем теперь свежий воздух. Может быть, это даже лучше, потому что мы сможем разговаривать, не боясь чужих ушей, тем более что это дело имеет к вам самое прямое отношение.

Путешественник вынул изо рта сигару и сурово возрился на моего друга.

— Решительно не понимаю, сэр,— сказал он,— что вы подразумеваете, говоря, что это имеет самое прямое отношение ко мне.

— Убийство Мортимера Тридженниса,— ответил Холмс.

В эту секунду я пожалел, что не вооружен. Лицо Стерндейла побагровело от ярости, глаза засверкали, вены на лбу вспухли, как веревки, и, стиснув кулаки, он рванулся к моему другу. Но тотчас остановился и сверхъестественным усилием снова обрел ледяное спокойствие, в котором, быть может, таилось больше опасности, чем в прежнем необузданном порыве.

— Я так долго жил среди дикарей, вне закона,— проговорил он,— что сам устанавливаю для себя законы. Не забывайте об этом, мистер Холмс, я не хотел искалечить вас.

— Да и я не хотел повредить вам, доктор Стерндейл. Простейшим доказательством может служить то, что я послал за вами, а не за полицией.

Стерндейл сел, тяжело дыша; возможно, впервые за всю богатую приключениями жизнь его сразил благоговейный страх. Невозможно было устоять перед несокрушимым спокойствием Холмса. Наш гость немного помедлил, сжимая и разжимая огромные кулаки.

— Что вы имеете в виду? — спросил он наконец.— Если это шантаж, мистер Холмс, то вы не на того напали. Итак, ближе к делу. Что вы имеете в виду?

— Сейчас я скажу вам,— ответил Холмс,— и скажу

потому, что, надеюсь, на откровенность вы ответите откровенностью. Что будет дальше, зависит исключительно от того, как вы сами будете оправдываться.

— Я буду оправдываться?

— Да, сэр.

— В чем же?

— В убийстве Мортимера Тридженниса.

Стерндейл утер лоб платком.

— Час от часу не легче! — возмутился он.— Неужели вся ваша слава держится на таком искусном шантаже?

— Это вы занимаетесь шантажом, а не я, доктор Стерндейл,— ответил Холмс сурово.— Вот факты, на которых основаны мои выводы. Ваше возвращение из Плимута в то время, как ваши вещи отправились в Африку, в первую очередь натолкнуло меня на мысль, что на вас следует обратить особое внимание...

— Я вернулся, чтобы...

— Я слышал ваши объяснения и нахожу их неубедительными. Оставим это. Потом вы пришли узнать, кого я подозреваю. Я не ответил вам. Тогда вы пошли к дому священника, подождали там, не входя внутрь, а потом вернулись к себе.

— Откуда вы знаете?

— Я следил за вами.

— Я никого не видел.

— Я на это и рассчитывал. Ночью вы не спали, обдумывая план, который решили выполнить ранним утром. Едва стало светать, вы вышли из дому, взяли несколько пригоршней красноватых камешков из кучи гравия у ваших ворот и положили в карман.

Стерндейл вздрогнул и с изумлением взглянул на Холмса.

— Потом вы быстро пошли к дому священника. Кстати, на вас были те же теннисные туфли с рифленой подошвой, что и сейчас. Там вы прошли через сад, перелезли через ограду и оказались прямо под окнами Триджженниса. Было уже совсем светло, но в доме еще спали. Вы вынули из кармана несколько камешков и бросили их в окно второго этажа.

Стерндейл вскочил.

— Да вы сам дьявол! — воскликнул он.

Холмс улыбнулся:

— Две-три пригоршни — и Триджженнис подошел к окну. Вы знаком предложили ему спуститься. Он торопливо оделся и сошел в гостиную. Вы влезли туда через окно. Произошел короткий разговор, вы в это время ходили взад-вперед по комнате. Потом вылезли из окна и прикрыли его за собой, а сами стояли на лужайке, курили сигару и наблюдали за тем, что происходит в гостиной. Когда Мортимер Тридженнис умер, вы ушли тем же путем. Ну, доктор Стерндейл, чем вы объясните ваше поведение и какова причина ваших поступков? Не вздумайте увиливать от ответа или хитрить со мной, ибо, предупреждаю, этим делом тогда займутся другие.

Еще во время обвинительной речи Холмса лицо нашего гостя стало пепельно-серым. Теперь он закрыл лицо руками и погрузился в тяжкое раздумье. Потом внезапно вынул из внутреннего кармана фотографию и бросил ее на неструганый стол.

— Вот почему я это сделал,— сказал он.

Это был портрет очень красивой женщины. Холмс вгляделся в него.

— Брэнда Тридженнис,— сказал он.

— Да, Брэнда Тридженнис,— отозвался наш гость.— Долгие годы я любил ее. Долгие годы она любила меня. Поэтому нечего удивляться тому, что мне нравилось жить затворником в Корнуолле. Только здесь я был вблизи единственного дорогого мне существа. Я не мог жениться на ней, потому что я женат: жена оставила меня много лет назад, но нелепые английские законы не дают мне развестись с ней. Годы ждала Брэнда. Годы ждал я. И вот чего мы дождались! — Гигантское тело Стерндейла содрогнулось, и он судорожно схватился рукой за горло, чтобы унять рыдания. С трудом овладев собой, он продолжал: — Священник знал об этом. Мы доверили ему нашу тайну. Он может рассказать вам, каким она была ангелом. Вот почему он телеграфировал мне в Плимут, и я вернулся. Неужели я мог думать о багаже, об Африке, когда узнал, какая судьба постигла мою любимую! Вот и разгадка моего поведения, мистер Холмс.

— Продолжайте,— сказал мой друг.

Доктор Стерндейл вынул из кармана бумажный пакетик и положил его на стол. Мы прочли на нем: «Radix pedis diaboli», на красном ярлыке было написано: «Яд». Он подтолкнул пакетик ко мне.

— Я слышал, вы врач. Знаете вы такое вещество?

— Корень дьяволовой ноги? Первый раз слышу.

— Это нисколько не умаляет ваших профессиональных знаний,— заметил он,— ибо это единственный образчик в Европе, не считая того, что хранится в лаборатории в Буде. Он пока неизвестен ни в фармакопее, ни в литературе по токсикологии. Формой корень напоминает ногу — не то человеческую, не то козлиную, вот почему миссионер-ботаник и дал ему такое причудливое название. В некоторых районах Западной Африки колдуны пользуются им для своих целей. Этот образец я добыл при самых необычайных обстоятельствах в Убанге. — С этими словами он развернул пакетик, и мы увидели кучку красно-бурого порошка, похожего на нюхательный табак.

— Дальше, сэр, — строго сказал Холмс.

— Я уже почти закончил, мистер Холмс, и сами вы знаете так много, что в моих же интересах сообщить вам все до конца. Я упоминал уже о своем родстве с семьей Тридженнисов. Ради сестры я поддерживал дружбу с братьями. После ссоры из-за денег этот Мортимер поселился отдельно от них, но потом все как будто уладилось, и я встречался с ним так же, как с остальными. Он был хитрым, лицемерным интриганом, и по различным причинам я не доверял ему, но у меня не было повода для ссоры.

Как-то, недели две назад, он зашел посмотреть мои африканские редкости. Когда дело дошло до этого порошка, я рассказал ему о его странных свойствах, о том, как он возбуждает нервные центры, контролирующие чувство страха, и как несчастные туземцы, которым жрец племени предназначает это испытание, либо умирают, либо сходят с ума. Я упомянул, что европейская наука бессильна обнаружить действие порошка. Не могу понять, когда он взял его, потому что я не выходил из комнаты, но, надо думать, это произошло, пока я отпирал шкафы и рылся в ящиках. Хорошо помню, что он забросал меня вопросами о том, сколько нужно этого порошка и как скоро он действует, но мне и в голову не приходило, какую цель он преследует.

Я понял это только тогда, когда в Плимуте меня догнала телеграмма священника. Этот негодяй Тридженнис рассчитывал, что я уже буду в море, ничего не узнаю и проведу в дебрях Африки долгие годы. Но я немедленно вернулся. Как только я услышал подробности, я понял, что он воспользовался моим ядом. Тогда я пришел к вам узнать, нет ли другого объяснения. Но другого быть не могло. Я был убежден, что убийца — Мортимер Тридженнис: он знал, что, если члены его семьи помешаются, он сможет полновластно распоряжаться их общей собственностью. Поэтому ради денег он воспользовался порошком из корня дьяволовой ноги, лишил рассудка братьев и убил Брэнду — единственную, кого я любил, единственную, которая любила меня. Вот в чем было его преступление. Каким же должно было быть возмездие?

Обратиться в суд? Какие у меня доказательства? Конечно, факты неоспоримы, но поверят ли здешние присяжные такой фантастической истории? Либо да, либо нет. А я не мог рисковать. Душа моя жаждала мести. Я уже говорил вам, мистер Холмс, что провел почти всю жизнь вне закона и в конце концов сам стал устанавливать для себя законы. Сейчас был как раз такой случай. Я твердо решил, что Мортимер должен разделить судьбу своих родных. Если бы это не удалось, я расправился бы с ним собственноручно. Во всей Англии нет человека, который ценил бы свою жизнь меньше, чем я.

Теперь вы знаете всё. Действительно, после бессонной ночи я вышел из дому. Предполагая, что разбудить Мортимера будет нелегко, я набрал камешков из кучи гравия, о которой вы упоминали, и бросил в его окно. Он сошел вниз и впустил меня в гостиную через окно. Я обвинил его в преступлении. Я сказал, что перед ним его судья и палач. Увидев револьвер, негодяй рухнул в кресло как подкошенный. Я зажег лампу, насыпал на абажур яда и, выйдя из комнаты, стал у окна. Я пристрелил бы его, если бы он попытался бежать. Через пять минут он умер. Господи, как он мучился! Но сердце мое окаменело, потому что он не пощадил мою невинную Брэнду! Вот и все, мистер Холмс. Если бы вы любили, может быть, вы сами поступили бы так же. Как бы то ни было, я в ваших руках. Делайте все, что сочтете нужным. Я уже сказал, что жизнь свою ни во что не ставлю.

Холмс помолчал.

— Что вы думали делать дальше? — спросил он после паузы.

— Я хотел навсегда остаться в Центральной Африке. Моя работа доведена только до половины.

— Поезжайте и заканчивайте,— сказал Холмс.— Я, во всяком случае, не собираюсь мешать вам.

Доктор Стерндейл поднялся во весь свой огромный рост, торжественно поклонился нам и вышел из беседки Холмс закурил трубку и протянул мне кисет.

— Надеюсь, этот дым покажется вам более приятным,— сказал он.— Согласны ли вы, Уотсон, что нам не следует вмешиваться в это дело? Мы вели розыски частным образом и дальше можем действовать точно так же. Вы ведь не обвиняете этого человека?

— Конечно нет,— ответил я.

— Я никогда не любил, Уотсон, но если бы мою любимую постигла такая судьба, возможно, я поступил бы так же, как наш охотник на львов, презирающий законы. Кто знает... Ну, Уотсон, не хочу обижать вас и объяснять то, что и без того ясно. Отправным пунктом моего расследования, конечно, оказался гравий на подоконнике. В саду священника такого не было. Только заинтересовавшись доктором Стерндейлом и его домом, я обнаружил, откуда взяты камешки. Горящая средь бела дня лампа и остатки порошка на абажуре были звеньями совершенно ясной цепи. А теперь, дорогой Уотсон, давайте выбросим из головы это происшествие и с чистой совестью вернемся к изучению халдейских корней, которые, несомненно, можно проследить в корнуэльской ветви великого кельтского языка.

ЕГО ПРОЩАЛЬНЫЙ ПОКЛОН

Было девять часов вечера второго августа — самого страшного августа во всей истории человечества. Казалось, на землю, погрязшую в скверне, уже обрушилось Божье проклятие — царило пугающее затишье, и душный, неподвижный воздух был полон томительного ожидания. Солнце давно село, но далеко на западе, у самого горизонта, рдело, словно разверстая рана, кроваво-красное пятно. Вверху ярко сверкали звезды, внизу поблескивали в бухте корабельные огни. На садовой дорожке у каменной ограды беседовали два немца — личности примечательные; за их спиной стоял дом, длинный, приземистый, со множеством фронтонов во все стороны. Немцы смотрели на широкую гладь берега у подножия величественного мелового утеса, на который четыре года назад опустился, как перелетный орел, господин фон Борк, один из собеседников. Они говорили вполголоса, тесно сблизив головы. Горящие кончики их сигар снизу можно было принять за огненные глаза выглядывающего из тьмы злого демона, исчадия ада.

Незаурядная особа этот фон Борк. Среди всех преданных кайзеру агентов второго такого не сыщешь. Именно благодаря его редким талантам ему доверили «английскую миссию», самую ответственную, и начиная с момента, когда он приступил к ее выполнению, таланты эти раскрывались все ярче, чему свидетелями было человек пять посвященных. Одним из этой пятерки был стоящий сейчас рядом с ним барон фон Херлинг, первый секретарь посольства; его громадный, в сто лошадиных сил, «бенц» загородил собой деревенский проулок в ожидании, когда надо будет умчать хозяина обратно в Лондон.

— Судя по тому, как разворачиваются события, к концу недели вы, вероятно, уже будете в Берлине,— сказал секретарь.— Прием, который вам там готовят, дорогой мой фон Борк, поразит вас. Мне известно, как высоко расценивают в высоких сферах вашу деятельность в этой стране.

Секретарь был солидный, серьезный мужчина, рослый, широкоплечий, говорил размеренно и веско, что и послужило ему главным козырем в его дипломатической карьере.

Фон Борк рассмеялся.

— Их не так уж трудно провести,— заметил он.— Невозможно вообразить людей более покладистых и простодушных.

— Не знаю, не знаю,— проговорил его собеседник задумчиво.— В них есть черта, за которую не переступишь, и это надо помнить. Именно внешнее простодушие и является ловушкой для иностранца. Первое впечатление всегда такое — на редкость мягкие люди, и вдруг натыкаешься на что-то очень твердое, решительное. И видишь, что это предел, дальше проникнуть невозможно. Нельзя не учитывать этот факт, к нему надо приноравливаться. Например, у них есть свои, только им присущие, условности, с которыми просто необходимо считаться.

— Вы имеете в виду «хороший тон» и тому подобное?

Фон Борк вздохнул, как человек, много от того пострадавший.

— Я имею в виду типичные британские условности во всех их своеобразных формах. Для примера могу рассказать историю, происшедшую со мной, когда я совершил ужасный ляпсус. Я могу позволить себе говорить о своих промахах, вы достаточно хорошо осведомлены о моей работе и знаете, насколько она успешна.

Случилось это в первый мой приезд сюда. Я был приглашен на уик-энд в загородный дом члена кабинета министров. Разговоры велись крайне неосторожные.

Фон Борк кивнул.

— Я бывал там,— сказал он сухо.

— Разумеется. Так вот, я, естественно, послал резюме своих наблюдений в Берлин. К несчастью, наш милейший канцлер не всегда достаточно тактичен в делах подобного рода. Он обронил замечание, показавшее, что ему известно, о чем именно шли разговоры. Проследить источник информации было, конечно, нетрудно. Вы даже представить себе не можете, как это мне навредило. Куда вдруг девалась мягкость наших английских хозяев! Ее как не бывало. Понадобилось два года, чтобы все улеглось. Вот вы, разыгрывая из себя спортсмена...

— Нет, нет, это совсем не так. Игра — значит что-то нарочитое, искусственное. А у меня все вполне естественно, я прирожденный спортсмен. Я обожаю спорт.

— Ну что ж, оттого ваша деятельность только эффективнее. Вместе с ними вы участвуете в парусных гонках, охотитесь, играете в поло — не отстаете ни в чем. Ваш выезд четверкой берет призы в «Олимпии»[1]. Я слышал, что вы даже занимаетесь боксом вместе с молодыми английскими офицерами. И в результате? В результате никто не принимает вас всерьез. Кто вы? «Славный малый», «для немца человек вполне приличный», выпивоха, завсегдатай ночных клубов — веселый, беспечный молодой бездельник. Кому придет в голову, что ваш тихий загородный дом — центр, откуда исходит половина всех бед английского королевства, и что помещик-спортсмен — опытный агент, самый ловкий и умелый во всей Европе? Вы гений, дорогой мой фон Борк, гений!

— Вы мне льстите, барон. Но я действительно могу сказать о себе, что провел четыре года в этой стране не зря. Я никогда не показывал вам мой маленький тайник? Быть может, зайдем на минутку в дом?

Кабинет выходил прямо на террасу. Фон Борк толкнул дверь и, пройдя вперед, щелкнул электрическим выключателем. Потом прикрыл дверь за двигающейся следом массивной фигурой фон Херлинга и тщательно задернул тяжелую оконную штору. Лишь приняв все ме-

---

[1] Огромный (площадью около 3 га) павильон в Лондоне, где устраиваются выставки, спортивные состязания и пр.

ры предосторожности, он повернул к гостю свое загорелое, с острыми чертами лицо.

— Часть моих бумаг уже переправлена,— сказал он.— Наименее важные взяла с собой жена, вчера она вместе со всеми домочадцами отбыла в Флиссинген. Рассчитываю, что охрану остального возьмет на себя посольство.

— Ваше имя уже включено в список личного состава. Все пройдет гладко, никаких затруднений ни в отношении вас, ни вашего багажа. Конечно, как знать, быть может, нам и не понадобится уезжать, если Англия предоставит Францию ее собственной участи. Нам достоверно известно, что никакого взаимообязывающего договора между ними нет.

— Ну, а Бельгия?

— И в отношении Бельгии то же самое.

Фон Борк покачал головой:

— Едва ли. Ведь с ней договор, безусловно, существует. Нет, от такого позора Англия тогда вовек не оправится.

— По крайней мере у нее будет временная передышка.

— Но честь страны...

— Э, дорогой мой, мы живем в век утилитаризма. Честь — понятие средневековое. Кроме того, Англия не готова. Это просто уму непостижимо, но даже наше специальное военное налогообложение в пятьдесят миллионов, цель которого уж, кажется, так ясна, как если бы мы поместили о том объявление на первой странице «Таймса», не пробудило этих людей от спячки. Время от времени кто-нибудь задает вопрос. На мне лежит обязанность отвечать на такие вопросы. Время от времени вспыхивает недовольство. Я должен успокаивать, разъяснять. Но что касается самого главного — запасов снаряжения, мер против нападения подводных лодок, производства взрывчатых веществ,— ничего нет, ничего не готово. Как же Англия сможет войти в игру, особенно теперь, когда мы заварили такую адскую кашу из гражданской войны в Ирландии, фурий, разбивающих окна [1], и еще Бог знает чего, чтобы ее мысли были полностью заняты внутренними делами?

— Ей надлежит подумать о своем будущем.

— А, это дело другое. Я полагаю, у нас есть наши собственные, очень определенные планы относительно

---

[1] Имеется в виду движение суфражисток.

будущего Англии,— ваша информация будет нам тогда крайне необходима. Мистер Джон Буль может выбирать — либо сегодня, либо завтра. Желает, чтобы это было сегодня,— мы к тому готовы. Предпочитает завтрашний день,— тем более будем готовы. На мой взгляд, с их стороны благоразумнее сражаться с союзниками, чем в одиночку; но уж это их дело. Эта неделя должна решить судьбу Англии. Но вы говорили о вашем тайнике.

Барон уселся в кресло. Лучи света падали прямо на его широкую лысую макушку. Он невозмутимо попыхивал сигарой.

В дальнем конце просторной комнаты, обшитой дубовой панелью и уставленной рядами книжных полок, висела занавесь. Фон Борк ее отдернул, и фон Херлинг увидел внушительных размеров сейф, окованный медью. Фон Борк снял с часовой цепочки небольшой ключ и после долгих манипуляций над замком распахнул тяжелую дверцу.

— Прошу,— сказал он, жестом приглашая гостя и сам отступая в сторону.

Свет бил в открытый сейф, и секретарь посольства с живейшим любопытством разглядывал его многочисленные отделения. На каждом была табличка. Водя по ним взглядом, фон Херлинг читал: «Броды», «Охрана портов», «Аэропланы», «Ирландия», «Египет», «Укрепления Портсмута», «Ла-Манш», «Розайт»[1] и десятки других. Все отделения были набиты документами, чертежами и планами.

— Грандиозно! — сказал секретарь. Отложив сигару, он негромко похлопал мясистыми ладонями.

— И всего за четыре года, барон. Не так уж плохо для помещика, выпивохи и охотника. Но бриллианта, который должен увенчать мою коллекцию, здесь еще нет — скоро он прибудет, и ему уже приготовлена оправа.

Фон Борк указал на отделение с надписью «Военно-морская сигнализация».

— Но ведь у вас тут уже достаточно солидное досье...

— Устарело, пустые бумажки. Адмиралтейство каким-то образом проведало, забило тревогу, и все коды были изменены. Да, вот это был удар! Никогда еще не получал я такого афронта. Но с помощью моей чековой книжки и молодчины Олтемонта сегодня же вечером все будет улажено.

---

[1] Английская военно-морская база в Шотландии.

Барон глянул на свои часы — у него вырвалось гортанное восклицание, выразившее досаду.

— Нет, право, больше ждать не могу. Вы представляете себе, как сейчас все кипит на Карлтон-террас [1], — каждый из нас должен быть на своем посту. Я надеялся привезти новости о вашем последнем улове. Разве ваш Олтемонт не назначил точно часа, когда придет?

Фон Борк пододвинул ему телеграмму:

«Буду непременно. Вечером привезу новые запальные свечи.

Олтемонт».

— Запальные свечи?

— Видите ли, он выдает себя за механика, а у меня тут целый гараж. В нашем с ним коде все обозначено терминами автомобильных деталей. Пишет о радиаторе — имеется в виду линейный корабль, а насос для масла — это крейсер. Запальные свечи — значит военно-морская сигнализация.

— Отослано из Портсмута в полдень, — сказал секретарь, взглянув на телеграмму. — Между прочим, сколько вы ему платите?

— Пятьсот фунтов дам только за это поручение. И еще, конечно, плачу регулярное жалованье.

— Недурно загребает. Они полезны, эти изменники родины, но как-то обидно столько платить за предательство.

— На Олтемонта мне денег не жалко. Отлично работает. Пусть я плачу ему много, зато он поставляет «настоящий товар», по его собственному выражению. Кроме того, он вовсе не изменник. Уверяю вас, что касается отношения к Англии, то наш самый прогерманский юнкер — нежный голубок по сравнению с озлобленным американским ирландцем.

— Вот как! Он американский ирландец?

— Послушали бы, как он говорит, у вас не осталось бы на этот счет сомнений. Поверите ли, иной раз я с трудом его понимаю. Он словно бы объявил войну не только Англии, но и английскому языку. Вы в самом деле больше не можете ждать? Он должен быть с минуты на минуту.

— Нет. Очень сожалею, но я и так задержался. Ждем вас завтра рано утром. Если вам удастся пронести папку с сигнальными кодами под самым носом у герцога Йоркского[1], можете считать это блистательным финалом всей вашей английской эпопеи. Ого! Токайское!

Он кивнул на тщательно закупоренную, покрытую пылью бутылку, стоявшую на подносе вместе с двумя бокалами.

— Позвольте предложить вам бокал на дорогу?

— Нет, благодарю. А у вас, по-видимому, готовится кутеж?

— Олтемонт — тонкий знаток вин, мое токайское пришлось ему по вкусу. Он очень самолюбив, легко обижается, приходится его задабривать. Да, с ним не так-то просто, смею вас уверить.

Они снова вышли на террасу и направились в дальний ее конец,— и тотчас огромная машина барона, стоявшая в той стороне, задрожала и загудела от легкого прикосновения шофера.

— Вон то, вероятно, огни Хариджа,— сказал секретарь, натягивая дорожный плащ.— Как все выглядит спокойно, мирно! Через какую-нибудь неделю здесь загорятся другие огни, английский берег утратит свой идиллический вид. Да и небеса тоже, если наш славный Цеппелин сдержит свои обещания. А это кто там?

В доме свет горел только в одном окне — там за столом, на котором стояла лампа, сидела симпатичная румяная старушка в деревенском чепце. Она склонилась над вязаньем и время от времени прерывала работу, чтобы погладить большого черного кота, примостившегося на табурете возле нее.

— Марта, служанка. Только ее одну я и оставил при доме.

Секретарь издал смешок:

— Она кажется олицетворением Британии — погружена в себя и благодушно дремлет. Ну, фон Борк, au revoir.

Махнув на прощание рукой, он вскочил в машину, и два золотых конуса от фар тут же рванулись вперед в темноту. Секретарь откинулся на подушки роскошного лимузина и настолько погрузился в мысли о назревающей европейской трагедии, что не заметил, как его машина, сворачивая на деревенскую улицу, чуть не сбила маленький «фордик», двигавшийся навстречу.

Когда последнее мерцание фар лимузина угасло вдали, фон Борк медленно направился обратно к себе в ка-

---

[1] Памятник герцогу Йоркскому (брату Георга IV) находится рядом со зданием немецкого посольства.

бинет. Проходя по саду, он заметил, что служанка потушила лампу и пошла спать. Молчание и тьма, заполнившие просторный дом, были для фон Борка непривычными — семья его со всеми чадами и домочадцами была большая. Он с облегчением подумал, что все они в безопасности, и если не считать старухи служанки, оставленной хозяйничать на кухне, во всем доме он теперь один. Перед отъездом предстояло еще многое привести в порядок, кое-что ликвидировать. Он принялся за дело и работал до тех пор, пока его красивое, энергичное лицо не раскраснелось от пламени горящих бумаг. Возле стола на полу стоял кожаный чемодан. Фон Борк начал аккуратно, методически укладывать в него драгоценное содержимое сейфа. Но тут его тонкий слух уловил шум движущегося вдали автомобиля. Он издал довольное восклицание, затянул на чемодане ремни, закрыл сейф и поспешно вышел на террасу. Как раз в эту минуту у калитки, сверкнув фарами, остановился маленький автомобиль. Из него выскочил высокий человек и быстро зашагал навстречу барону; шофер, плотный пожилой мужчина с седыми усами, уселся на своем сиденье поудобнее, как видно готовясь к долгому ожиданию.

— Ну как? — спросил фон Борк с живостью, кидаясь бегом к приезжему.

Вместо ответа тот с торжествующим видом помахал у себя над головой небольшим свертком.

— Да, мистер, сегодня вы останетесь довольны! — крикнул приезжий.— Дело выгорело.

— Сигналы?

— Ну да, как я и писал в телеграмме. Все до единого — ручная сигнализация, сигналы лампой, маркони — само собой, копии, не оригиналы: было бы уж очень опасно. Но товар стоящий, можете положиться.

Он с грубой фамильярностью хлопнул немца по плечу. Тот нахмурился.

— Входите, я дома один,— сказал он.— Копии, безусловно, лучше, чем оригиналы. Если бы исчезли оригиналы, тотчас все коды заменили бы новыми. А как с этими копиями — полагаете, всё в порядке?

Войдя в кабинет, американский ирландец уселся в кресло и вытянул вперед длинные ноги. Ему можно было дать леть шестьдесят — очень высокий, сухопарый, черты лица острые, четкие; небольшая козлиная бородка придавала ему сходство с дядей Сэмом, каким его изображают на карикатурах. Из уголка рта у него свисала наполовину выкуренная, потухшая сигара; едва усевшись, он тотчас ее разжег.

— Собираетесь давать ходу? — заметил он, осматриваясь. Взгляд его упал на сейф, уже не прикрытый занавесью. — Послушайте-ка, мистер, неужто вы храните в нем все ваши бумаги?

— Почему бы нет?

— Шут возьми — в этаком-то ящике? А еще считаетесь шпионом высшего класса. Да любой воришка-янки вскроет его консервным ножом. Знай я, что мои письма брошены в такой вот сундук, я бы не свалял дурака, не стал бы вам писать.

— Ни одному воришке с этим сейфом не справиться, — ответил фон Борк. — Металл, из которого он сделан, не разрежешь никаким инструментом.

— Ну, а замок-то?

— Замок особый, с двойной комбинацией, понимаете?

— Ни черта не понимаю.

— Чтобы открыть такой замок, требуется знать определенное слово и определенное число. — Фон Борк поднялся и показал на двойной диск вокруг замочной скважины. — Внешний круг для букв, внутренний — для цифр.

— Здорово, здорово!

— Не так-то просто, как вы думали. Я заказал его четыре года назад, и, знаете, какие я выбрал слово и число?

— Понятия не имею.

— Так вот, слушайте: слово — «август», а число — 1914, поняли?

Лицо американца выразило восхищение.

— Вот это ловко, ей-богу! То есть в самый раз угадали! — воскликнул он удивленно.

— Да, кое-кто из нас мог уже тогда предвидеть точную дату. Ну вот, теперь время пришло, и завтра утром я свертываю все дела.

— Послушайте, мистер, вы и меня должны отсюда вытащить. Я в этой растреклятой стране один не останусь. Видать, через неделю, а то и раньше, Джон Буль встанет на задние лапы и начнет бушевать. Я предпочитаю поглядывать на него с бережка по ту сторону океана.

— Но ведь вы американский гражданин!

— Ну и что же? Джек Джеймс тоже американский гражданин, а вот теперь отсиживает свой срок в Портленде. Английский фараон не станет с вами целоваться, если заявить ему, что вы американец. «Здесь у нас свои законы, британские» — вот что он скажет. Да, мистер, кстати уж, раз мы помянули Джека Джеймса. Сдается мне, вы не очень бережете людей, которые на вас работают.

— Что вы хотите сказать? — спросил фон Борк резко.

— Ведь вы их как бы хозяин, верно? И вам полагается следить, чтобы они не влипли. А они то и дело влипают, и хоть одного из них вы выручили? Взять того же Джеймса...

— Джеймс сам виноват, вы это отлично знаете. Он был слишком недисциплинирован для такого дела.

— Джеймс — тупая башка, согласен. Ну, а Холлис?

— Холлис вел себя как ненормальный.

— Да, под конец он малость спятил. Спятишь, когда с утра до вечера разыгрываешь, как в театре, а вокруг сотни полицейских ищеек — так и жди, что сцапают. Ну, а если говорить о Стейнере...

Фон Борк сильно вздрогнул, его румяное лицо чуть побледнело.

— Что такое со Стейнером?

— А как же? Ведь его тоже схватили. Вчера ночью сделали налет на его лавку, и он сам, и все его бумаги теперь в портсмутской тюрьме. Вы-то удерете, а ему, бедняге, придется расхлебывать кашу, и хорошо еще, если не вздернут. Вот потому-то я и хочу не мешкая перебраться за океан.

Фон Борк был человеком сильного характера, с достаточной выдержкой, но было нетрудно заметить, что эти новости его потрясли.

— Как они добрались до Стейнера? — бормотал он про себя. — Вот это действительно удар.

— Может случиться и еще кое-что похуже — того и гляди, они и меня схватят.

— Ну что вы!

— Да уж поверьте. К моей квартирной хозяйке явились какие-то типы, расспрашивали обо мне. Я, как о том услышал, пора, думаю, смываться. Но вот чего я не пойму, мистер, как это полицейские ищейки пронюхивают о таких вещах? С тех пор как мы тут с вами договорились, Стейнер пятый по счету, кого сцапали, и я знаю, кто будет шестым, если я вовремя не дам дёру. Как вы все это объясните? И не совестно вам предавать своих?

Фон Борк побагровел от гнева:

— Как вы смеете так со мной разговаривать?

— Не было бы у меня смелости, мистер,— не пошел бы я к вам на такую работу. Но я вам выкладываю все начистоту. Я слыхал, что, как только агент сослужит свою службу, вы, немецкие политиканы, даже рады бываете, если его уберут.

Фон Борк вскочил с кресла:

— Вы имеете наглость заявлять мне, что я выдаю собственных агентов?

— Этого я не говорил, мистер, но где-то тут завелся доносчик или кто-то работает и нашим и вашим. И вам надлежало бы раскопать, кто же это такой. Я-то, во всяком случае, больше шею подставлять не буду. Перекиньте меня в Голландию, и чем скорее, тем оно лучше.

Фон Борк подавил свой гнев.

— Мы слишком долго работали сообща, чтобы ссориться теперь, накануне победы,— сказал он.— Вы работали отлично, шли на большой риск, и я этого не забуду. Разумеется, поезжайте в Голландию. В Роттердаме сможете сесть на пароход до Нью-Йорка. Все другие пароходные линии через неделю будут небезопасны. Так, значит, я заберу ваш список и уложу его с остальными документами.

Американец продолжал держать пакет в руке и не выразил ни малейшего желания с ним расстаться.

— А как насчет монеты?

— Что такое?

— Насчет деньжат. Вознаграждение за труды. Мои пятьсот фунтов. Тот, кто все это мне сварганил, под конец было заартачился, пришлось его уламывать — дал ему еще сотню долларов. А то остались бы мы ни с чем — и вы и я. «Не пойдет дело»,— говорит он мне, и вижу — не шутит. Но вторая сотня свое сделала. Так что всего на эту штуковину я выложил две сотни и уж, пока не получу своего, бумаг не отдам.

Фон Борк улыбнулся не без горечи.

— Вы, кажется, не очень высокого мнения о моей порядочности,— сказал он.— Хотите, чтобы я отдал деньги до того, как получил бумаги.

— Что ж, мистер, мы люди деловые.

— Хорошо, пусть будет по-вашему.— Фон Борк сел за стол, заполнил чек, вырвал листок из чековой книжки, но отдавать его не спешил.— Раз уж мы, мистер Олтемонт, перешли на такие отношения, я не вижу резона, почему мне следует доверять вам больше, чем вам мне. Вы меня понимаете? — добавил он, глянув через плечо на американца. — Я положу чек на стол. Я вправе требовать, чтобы вы дали мне сперва взглянуть на содержимое пакета и уж потом взяли чек.

Не говоря ни слова, американец передал пакет. Фон Борк развязал бечевку, развернул два слоя оберточной бумаги. Несколько мгновений он не сводил изумленного взгляда с небольшой книжки в синем переплете, на котором золотыми буквами было вытеснено: «Практическое руководство по разведению пчел». Но долго рассматривать эту неуместную надпись ему не пришлось: руки крепкие, словно железные тиски, охватили сзади его шею и прижали к его лицу пропитанную хлороформом губку.

— Еще стакан, Уотсон? — сказал мистер Шерлок Холмс, протягивая бутылку с токайским.

Плотный, коренастый шофер, теперь уже сидевший за столом, с заметной готовностью пододвинул свой бокал.

— Неплохое вино, Холмс.

— Превосходное, Уотсон. Наш лежащий сейчас на диване друг уверял меня, что оно из личного погреба Франца-Иосифа в Шенбруннском дворце. Могу я попросить вас открыть окно? Пары хлороформа не способствуют приятным вкусовым ощущениям.

Сейф стоял настежь, и Холмс вытаскивал оттуда досье за досье, каждое быстро просматривал и затем аккуратно укладывал в чемодан фон Борка. Немец спал на диване, хрипло дыша; руки и ноги у него были стянуты ремнями.

— Можно особенно не торопиться, Уотсон. Нам никто не помешает. Будьте добры, нажмите кнопку звонка. В доме никого нет, кроме старой Марты, — она свою роль сыграла восхитительно. Я пристроил ее здесь сразу же, как только взялся за расследование этого дела. А, Марта, вы! Вам будет приятно узнать, что всё в порядке.

Почтенная старушка стояла в дверях и, улыбаясь, приседала перед Холмсом, но глядела с некоторым испугом на фигуру, распростертую на диване.

— Не волнуйтесь, Марта. С ним решительно ничего не случилось.

— Очень рада, мистер Холмс. В своем роде он был неплохим хозяином. Даже хотел, чтобы я поехала с его женой в Германию, но это не сошлось бы с вашими планами, ведь правда, сэр?

— Ну конечно нет. Пока вы оставались здесь, я был спокоен. Но сегодня нам пришлось подождать вашего сигнала.

— Это из-за секретаря, сэр.

— Да, я знаю. Мы встретили его машину.

— Я уж думала, он никогда и не уедет. Я знала, сэр, что это не сошлось бы с вашими планами, застать его здесь.

— Разумеется, нет. Ну, подождали с полчаса, это значения не имеет. Как только я увидел, что вы потушили лампу, я понял, что путь свободен. Завтра, Марта, можете зайти ко мне в отель «Кларидж» в Лондоне.

— Слушаю, сэр.

— Я полагаю, у вас все готово к отъезду?

— Да, сэр. Он сегодня отправил семь писем. Я списала адреса, как обычно.

— Прекрасно, Марта. Завтра я их просмотрю. Спокойной ночи. Эти вот бумаги,— продолжал он, когда старушка ушла к себе,— особо большой ценности не имеют; уж конечно, сведения, содержащиеся в них, давно переданы в Германию. Это все оригиналы, которые не так-то легко вывезти за границу.

— Значит, пользы от них никакой?

— Я бы не сказал, Уотсон. Во всяком случае, по ним мы можем проверить, что известно и что неизвестно немецкой разведке. Надо заметить, что многие из этих документов шли через мои руки и, разумеется, решительно ничего не стоят. Мне будет отрадно наблюдать на склоне лет, как немецкий крейсер войдет в пролив Солент, руководствуясь схемой заминирования, составленной мною. Ну-ка, Уотсон, дайте на себя взглянуть.— Холмс отложил работу и взял друга за плечи.— Я вас еще не видел при свете. Ну, как обошлось с вами протекшее время? По-моему, вы все такой же жизнерадостный юнец, каким были всегда.

— Сейчас я чувствую себя на двадцать лет моложе, Холмс. Вы не можете себе представить, до чего я обрадовался, когда получил вашу телеграмму с предложением приехать за вами на машине в Харидж. И вы, Холмс, изменились очень мало. Вот только эта ужасная бородка...

— Родина требует жертв, Уотсон,— сказал Холмс, дернув себя за жидкий клок волос под подбородком.— Завтра это станет лишь тяжким воспоминанием. Остригу бороду, произведу еще кое-какие перемены во внешности и завтра снова стану самим собой у себя в «Кларидже», каким был до этого американского номера; прошу прощения, Уотсон, я, кажется, совсем разучился говорить по-английски. Я хочу сказать, каким был до того, как мне пришлось выступать в роли американца.

— Но ведь вы удалились от дел, Холмс. До нас доходили слухи, что вы живете жизнью отшельника среди ваших пчел и книг на маленькой ферме в Суссексе.

— Совершенно верно, Уотсон. И вот плоды моих досугов, magnum opus[1] этих последних лет.— Он взял со стола книжку и прочел вслух весь заголовок: «Практическое руководство по разведению пчел, а также некоторые наблюдения над отделением пчелиной матки».— Я это совершил один[2]. Взирайте на плоды ночных раздумий и дней, наполненных трудами, когда я выслеживал трудолюбивых пчелок точно так, как когда-то в Лондоне выслеживал преступников.

— Но как случилось, что вы снова взялись за работу?

— Я и сам не знаю. Видите ли, министра иностранных дел я бы еще выдержал, но когда сам премьер-министр соблаговолил посетить мой смиренный кров... Дело в том, Уотсон, что этот джентльмен, лежащий на диване,— тот орешек, который оказался не по зубам нашей контрразведке. В своем роде это первоклассный специалист. У нас что-то все не ладилось, и никто не мог понять, в чем дело. Кое-кого подозревали, вылавливали агентов, но было ясно, что их тайно направляет какая-то сильная рука. Было совершенно необходимо ее обнаружить. На меня оказали сильное давление, настаивали, чтобы я занялся этим делом. Я потратил на него два года, Уотсон, и не могу сказать, что они не принесли мне приятного волнения. Сперва я отправился в Чикаго, прошел школу в тайном ирландском обществе в Буффало, причинил немало беспокойства констеблям в Скиббберине[3] и в конце концов обратил на себя внимание одного из самых мелких агентов фон Борка, и тот рекомендовал меня своему шефу как подходящего человека. Как видите, работа проделана сложная. И вот я почтен доверием фон Борка, несмотря на то что большинство его планов почему-то проваливалось и пятеро его лучших агентов угодили в тюрьму. Я сле-

---

[1] Главное произведение (лат.).
[2] *Шекспир.* Кориолан, акт V, сцена 6.
[3] Город на юге Ирландии.

дил за ними и снимал их, как только они дозревали...
Ну, сэр, надеюсь, вы чувствуете себя не так уж плохо?

Последнее замечание было адресовано самому фон
Борку, который сперва долго ловил воздух ртом, задыхался и часто мигал, но теперь лежал неподвижно и
слушал то, что рассказывал Холмс.

Вдруг его лицо исказилось яростью, и тут полился
целый поток немецких ругательств. Пока пленник бра-
нился, Холмс продолжал быстро и деловито просматри-
вать документы.

— Немецкий язык, хотя и лишенный музыкальности,
самый выразительный из всех языков,— заметил Холмс,
когда фон Борк умолк, очевидно выдохшись.— Эге, кажется, еще одна птичка попадает в клетку! — воскликк-
нул он, внимательно вглядевшись в кальку какого-то
чертежа.— Я давно держу этого казначея на примете, но
все же не думал, что он до такой степени негодяй. Мистер фон Борк, вам придется ответить за очень многое.

Пленник с трудом приподнялся и смотрел на своего
врага со странной смесью изумления и ненависти.

— Я с вами сквитаюсь, Олтемонт,— проговорил он
медленно, отчеканивая слова.— Пусть на это уйдет вся
моя жизнь, но я с вами сквитаюсь.

— Милая старая песенка,— сказал Холмс.— Сколько раз слышал я ее в былые годы! Любимый мотив
блаженной памяти профессора Мориарти. И полковник
Себастьян Морен, как известно, тоже любил ее напе-
вать. А я вот жив по сей день и развожу пчел в Суссексе.

— Будь ты проклят, дважды изменник! — крикнул
немец, делая усилия освободиться от ремней и испе-
пеляя Холмса ненавидящим взглядом.

— Нет-нет, дело обстоит не так ужасно,— улыбнулся Холмс.— Как вам доказывает моя речь, мистер Олтемонт из Чикаго — это, по существу, миф. Я использовал его, и он исчез.

— Тогда кто же вы?

— В общем, это несущественно, но если вы уж так
интересуетесь, мистер фон Борк, могу сказать, что я не
впервые встречаюсь с членами вашей семьи. В прошлом я распутал немало дел в Германии, и мое имя,
возможно, вам небезызвестно.

— Хотел бы я его узнать,— сказал пруссак угрюмо.

— Это я способствовал тому, чтобы распался союз
между Ирэн Адлер и покойным королем Богемии, когда ваш кузен Генрих был посланником. Это я спас графа фон Графенштейна, старшего брата вашей матери,

когда ему грозила смерть от руки нигилиста Копмана. Это я...

Фон Борк привстал, изумленный.

— Есть только один человек, который...

— Именно,— сказал Холмс.

Фон Борк застонал и снова упал на диван.

— И почти вся информация шла от вас! — воскликнул он.— Чего же она стоит? Что я наделал! Я уничтожен, моя карьера погибла без возврата!

— Материал у вас, конечно, не совсем надежный,— сказал Холмс.— Он требует проверки, но времени у вас на то мало. Ваш адмирал обнаружит, что новые пушки крупнее, а крейсеры ходят, пожалуй, несколько быстрее, чем он ожидал.

В отчаянии фон Борк вцепился в собственное горло.

— В свое время обнаружится, несомненно, и еще много неточностей,— продолжал Холмс.— Но у вас есть одно качество, редкое среди немцев: вы спортсмен. Вы не будете на меня в претензии, когда поймете, что, одурачив столько народу, вы оказались наконец одурачены сами. Вы старались на благо своей страны, а я — на благо своей. Что может быть естественнее? И кроме того,— добавил он отнюдь не злобно и положив руку на плечо фон Борка,— все же лучше погибнуть от руки благородного врага. Бумаги все просмотрены, Уотсон. Если вы поможете мне поднять пленника, я думаю, нам следует тотчас же отправиться в Лондон.

Сдвинуть фон Борка с места оказалось нелегкой задачей. Отчаяние удвоило его силы. Наконец, ухватив немца с обеих сторон за локти, два друга медленно повели его по садовой дорожке — той самой, по которой он всего несколько часов назад шагал с такой горделивой уверенностью, выслушивая комплименты знаменитого дипломата. После непродолжительной борьбы фон Борка, все еще связанного по рукам и ногам, усадили на свободное сиденье маленького «форда». Его драгоценный чемодан втиснули рядом с ним.

— Надеюсь, вам удобно, насколько то позволяют обстоятельства? — сказал Холмс, когда все было готово.— Вы не сочтете за вольность, если я разожгу сигару и суну ее вам в рот?

Но все эти любезности были растрачены впустую на взбешенного немца.

— Я полагаю, вы отдаете себе отчет в том, мистер Холмс, что, если ваше правительство одобрит ваши действия в отношении меня, это означает войну?

— А как насчет вашего правительства и его действий? — спросил Холмс, похлопывая по чемодану.

— Вы частное лицо. У вас нет ордера на мой арест. Все ваше поведение абсолютно противозаконно и возмутительно.

— Абсолютно,— согласился Холмс.

— Похищение германского подданного...

— И кража его личных бумаг.

— В общем, вам ясно, в каком вы положении, вы и ваш сообщник. Если я вздумаю позвать на помощь, когда мы будем проезжать деревню...

— Дорогой сэр, если вы вздумаете сделать подобную глупость, вы, несомненно, нарушите однообразие вывесок наших гостиниц и трактиров, прибавив к ним еще одну: «Пруссак на веревке». Англичанин — создание терпеливое, но сейчас он несколько ощерился, и лучше не вводить его в искушение. Нет, мистер фон Борк, вы тихо и спокойно проследуете вместе с нами в Скотленд-Ярд, и оттуда, если желаете, посылайте за вашим другом бароном фон Херлингом: как знать, быть может, еще сохранено числящееся за вами место в личном составе посольства. Что касается вас, Уотсон, вы, насколько я понял, возвращаетесь на военную службу, так что Лондон будет вам по пути. Давайте постоим вон там на террасе — может, это последняя спокойная беседа, которой нам с вами суждено насладиться.

Несколько минут друзья беседовали, вспоминая минувшие дни, а их пленник тщетно старался высвободиться из держащих его пут. Когда они подошли к автомобилю, Холмс указал на залитое лунным светом море и задумчиво покачал головой.

— Скоро подует восточный ветер, Уотсон.

— Не думаю, Холмс. Очень тепло.

— Эх, старина Уотсон! В этом переменчивом веке вы один не меняетесь. Да, скоро поднимется такой восточный ветер, какой никогда еще не дул на Англию. Холодный, колючий ветер, Уотсон, и, может, многие из нас погибнут от его ледяного дыхания. Но все же он будет ниспослан Богом, и, когда буря утихнет, страна под солнечным небом станет чище, лучше, сильнее. Пускайте машину, Уотсон, пора ехать. У меня тут чек на пятьсот фунтов, нужно завтра предъявить его как можно раньше, а то еще, чего доброго, тот, кто мне его выдал, приостановит платеж.

АРХИВ
ШЕРЛОКА
ХОЛМСА

ЗНАТНЫЙ КЛИЕНТ

— Теперь это никому не повредит,— так ответил мне Шерлок Холмс, когда я в десятый раз за десять лет попросил у него разрешения обнародовать нижеследующее повествование. Так что мне наконец-то позволено написать отчет о том деле, которое в определенном отношении можно считать вершиной карьеры моего друга.

Турецкая баня — наша с Холмсом слабость. Я не раз замечал, что именно там, в приятной истоме дымной парилки, мой друг становится менее замкнутым и более человечным, нежели где бы то ни было. На верхнем этаже бань на Нортумберленд-авеню есть укромный уголок, в котором стоят рядышком две кушетки. На них-то мы и лежали 3 сентября 1902 года, в день, с которого начинается мое повествование. Я спросил Холмса, нет ли у него сейчас какого-нибудь интересного дела. Вместо ответа он вытащил из-под простынок, в которые был запакован, худую нервную руку и извлек из внутреннего кармана висевшего рядом пальто какой-то конверт.

— Либо это написал суетящийся по пустякам напыщенный болван, либо речь идет о жизни и смерти,— сказал он, вручая мне письмо.— Я знаю не больше, чем сказано в этом послании.

Записка была отправлена из Карлтон-клуба вчера вечером. Вот что я прочел:

«Сэр Джеймс Дэймри с поклоном сообщает мистеру Шерлоку Холмсу, что посетит его завтра в половине пятого пополудни. Сэр Джеймс просит сообщить, что дело, которое он желал бы обсудить с мистером Холмсом, крайне щекотливое и важное. Поэтому он уверен, что мистер Холмс приложит все усилия к тому, чтобы встреча состоялась, и подтвердит это телефонным звонком в Карлтон-клуб».

— Излишне говорить, что я позвонил и подтвердил, Уотсон,— произнес Холмс, когда я вернул ему листок.— Вы знаете что-нибудь про этого Дэймри?

— Только одно: в свете это имя известно как имя дворянина.

— Что ж, я могу рассказать вам больше. Дэймри слывет докой по улаживанию щекотливых делишек, таких, которые не должны попадать в газеты. Возможно, вы помните его переговоры с сэром Джорджем Льюисом по вопросу о завещании Хаммерфорда. Это человек света, с природной склонностью к дипломатии, и поэтому я могу надеяться, что дело не обернется ложным следом и что ему действительно нужна наша помощь.

— Наша?

— Ну, если вы будете настолько любезны, Уотсон.

— Был бы польщен...

— В таком случае время вам известно: половина пятого. А пока можем выкинуть это дело из головы.

Я тогда жил в своей квартире на улице Королевы Анны, но явился на Бейкер-стрит до назначенного часа. Ровно в половине пятого доложили о прибытии полковника сэра Джеймса Дэймри. Вряд ли так уж необходимо описывать его наружность: многие помнят этого крупного, грубовато-добродушного и честного человека, его широкое, чисто выбритое лицо и в особенности голос — приятный и сочный. Серые ирландские глаза его излучали искренность, добрая усмешка играла на живых улыбчивых губах. Цилиндр с блестками, черный сюртук, каждый предмет одежды — от жемчужной булавки в черном атласном галстуке до бледно-лиловых идеально надраенных туфель — говорил о дотошной изысканности, которой славился полковник. Этот грузный и уверенный в себе аристократ заполнил собою всю нашу маленькую комнату.

— Разумеется, я был готов застать здесь доктора Уотсона,— с изящным поклоном заметил он.— Нам может понадобиться его помощь, поскольку на этот раз, мистер Холмс, речь идет о человеке, для которого насилие — привычное дело и который не останавливается буквально ни перед чем. Я бы даже сказал, что более опасного человека в Европе не сыскать.

— У меня уже было несколько противников, к которым применимы эти лестные слова,— с улыбкой ответил Холмс.— Вы не курите? В таком случае, позвольте мне раскурить мою трубку. Если этот ваш человек более опасен, чем покойный профессор Мориарти или ныне здравствующий полковник Себастьян Моран, значит, с ним действительно стоит познакомиться. Могу я спросить, как его зовут?

— Вы когда-нибудь слышали о бароне Грюнере?

— Вы имеете в виду австрийского убийцу?

Полковник Дэймри со смехом всплеснул руками, затянутыми в лайковые перчатки:

— Все-то вам известно, мистер Холмс! Чудеса да и только! Значит, вы уже составили о нем мнение как об убийце?

— В интересах дела я внимательно слежу за уголовной хроникой континента. Кто же усомнится в виновности этого человека, ознакомившись с отчетом о пражских событиях? Его спасла чисто формальная юридическая зацепка да еще подозрительная смерть одного из свидетелей. А так называемый «несчастный случай» на Шплюгенском перевале? Он убил свою жену, я так же уверен в этом, как если бы видел собственными глазами. О его приезде в Англию мне тоже известно, и я предчувствовал, что рано или поздно он загрузит меня какой-нибудь работенкой! Ну-с, что же натворил барон Грюнер? Не думаю, чтобы речь шла о той давней трагедии, вновь выплывшей на свет.

— Нет, дело гораздо серьезнее. Воздать за преступление, конечно, важно, однако куда важнее предотвратить его. Это ужасно, мистер Холмс: видеть, как прямо на глазах готовится зверское злодеяние, со всей ясностью сознавать, к чему оно приведет, и не иметь при этом ни малейшей возможности отвести беду. Дано ли человеку оказаться в более тяжелом положении?

— Вероятно, нет.

— Значит, вы с сочувствием отнесетесь к клиенту, в интересах которого я действую.

— Я не думал, что вы — лишь посредник. Кто же главное действующее лицо?

— Мистер Холмс, я вынужден просить вас не настаивать на ответе. Для меня крайне важно иметь возможность заверить этого человека, что его сиятельное имя ни в коем случае не будет упомянуто в связи с делом. Им движут в высшей степени достойные, рыцарские побуждения, но он предпочел бы не открываться. Излишне говорить, господа, что ваши гонорары гарантированы и что вам предоставляется полная свобода действий. А имя клиента, я уверен, не имеет большого значения, не правда ли?

— Мне очень жаль,— ответил Холмс,— но я привык иметь в деле только одну тайну. Две чреваты слишком большой путаницей. Боюсь, сэр Джеймс, что мне придется отказаться от каких бы то ни было действий.

Наш посетитель смутился. На его крупное подвижное лицо легла тень досады и разочарования.

— Вряд ли вы сознаете, к чему приведет ваш отказ, мистер Холмс,— сказал он.— Вы ставите меня в крайне затруднительное положение, поскольку я уверен, что вы с гордостью возьметесь за дело, если я изложу вам факты, и в то же время обещание, которое я дал, не позволяет мне открыться до конца. Разрешите, по крайней мере, рассказать вам то, что я могу рассказать.

— Разумеется, если при этом я не беру на себя никаких обязательств.

— Само собой. Начнем с того, что вы, конечно же, наслышаны о генерале де Мервиле.

— Прославившем себя под Хайбером? Да, я слышал о нем.

— У него есть дочь, Виолетта де Мервиль, юная, богатая, красивая, образованная. Женщина изумительная во всех отношениях. Вот ее-то, милую, простодушную девочку, мы и хотим вырвать из лап изверга.

— Значит, барон Грюнер имеет над ней какую-то власть?

— Самую сильную власть, какую только можно иметь над женщиной,— власть любви. Как вы, вероятно, слышали, этот человек необычайно хорош собой. Манеры его обворожительны, голос нежен. Да еще этот налет романтической таинственности, который так привлекает женщин... Говорят, что перед ним не устоит ни одна из них, и он пользуется этим обстоятельством с большой выгодой для себя.

— Но как могло случиться, что такой человек вдруг познакомился с дамой, занимающей столь высокое положение в обществе, с мисс Виолеттой де Мервиль?

— Это произошло во время прогулки на яхте по Средиземному морю. В компанию вошли лишь избранные. Они сами оплатили поездку. Устроители слишком поздно осознали истинную сущность барона. Этот злодей начал увиваться за дамой, и так преуспел, что окончательно и бесповоротно пленил ее сердце. Сказать, что она его любит,— значит, почти ничего не сказать. Она сходит по нему с ума, она бредит им. На нем весь свет клином сошелся. Попробуйте при ней сказать о нем хоть одно дурное слово! Что мы только не делали, чтобы излечить ее от этого безумия! Все впустую. Короче говоря, через месяц она собирается выйти за него замуж, и трудно сказать, как удержать ее от этого шага: она совершеннолетняя и обладает железной волей.

— Ей известно об австрийском происшествии?

— Хитрая бестия! Он рассказал ей обо всех гнусных скандалах, в которых был замешан в прошлом и которые стали достоянием гласности, причем в рассказах этих он неизменно выставлял себя невинным мучеником. Она безоговорочно приняла его версии и не желает слышать ничего другого.

— Боже мой! Однако вы невольно выдали нам имя вашего клиента. Это конечно же генерал де Мервиль.

Наш гость заерзал на стуле.

— Я мог бы обмануть вас, сказать, что это так, мистер Холмс. Но ведь это было бы ложью. Де Мервиль — сломленный человек. Некогда крепкий солдат теперь полностью деморализован, и всему виной это неприятное событие. Он утратил самообладание, которое ни разу не изменило ему на поле брани, и превратился в немощного, трясущегося старца, совершенно неспособного противостоять натиску такого сильного и блистательного мошенника, как этот австриец. Так или иначе, мой клиент — старый друг генерала, долгие годы близко знавший его, по-отечески заботившийся о девушке еще в те времена, когда она носила короткие платьица. Видеть, как дело движется к трагической развязке, и не попытаться предотвратить ее — это выше его сил. Предложение призвать на помощь вас исходило от моего клиента, ибо задействовать Скотленд-Ярд невозможно. Однако клиент никоим образом не должен быть лично причастен к делу — это, как я уже говорил, непременное условие. Я не сомневаюсь, мистер Холмс, что при ваших огромных возможностях вы с легкостью узнаете, кто он. Хотя бы проследив за мной. Но я прошу вас как честного человека воздержаться от такого рода действий и не нарушать его инкогнито.

Холмс загадочно усмехнулся.

— Думается, я могу твердо обещать вам это,— ответил он.— Добавлю также, что ваше дело заинтересовало меня, и я готов им заняться. Как мне держать с вами связь?

— В Карлтон-клубе скажут, где я. В экстренных случаях звоните по домашнему телефону XX-31.

Холмс записал номер. Он сидел, положив на колени раскрытую записную книжку и продолжая улыбаться.

— Назовите, пожалуйста, теперешний адрес барона.

— Вернон-Лодж, возле Кингстона. Дом большой. Барон нажился на каких-то довольно темных махинациях. Теперь он богач, и это, естественно, превращает его в еще более опасного противника.

— А сейчас он дома?

— Да.

— Не могли бы вы сообщить мне еще какие-нибудь сведения об этом человеке вдобавок к уже сказанному?

— Вкусы у него дорогостоящие. Любитель лошадей. Одно время участвовал в поло в Хэрлингеме, но был вынужден бросить это дело, когда поднялась шумиха вокруг пражских событий. Собирает книги и картины. Довольно артистичная натура. Кажется, барон слывет признанным знатоком китайской керамики и написал о ней книгу.

— Разносторонний ум, — заметил Холмс. — Этим отличаются все незаурядные преступники. Мой старинный приятель Чарли Пейс виртуозно играл на скрипке. Уэйнрайт был неплохим художником. Могу привести множество других примеров... Итак, сэр Джеймс, передайте вашему клиенту, что я намерен обратить внимание на барона Грюнера. Это все, что я могу вам сказать. У меня есть кое-какие источники информации, и я осмелюсь утверждать, что мы сумеем внести ясность в это дело.

После ухода нашего гостя Холмс долго просидел в глубокой задумчивости. Мне даже показалось, что он забыл о моем присутствии. Но вот он наконец очнулся и тут же спустился на землю.

— Ну-с, Уотсон, ваши соображения? — спросил он.

— По-моему, вы должны повидаться с юной леди лично.

— Мой дорогой Уотсон, если ее не может поколебать вид несчастного, сломленного отца, то каким образом мне, постороннему человеку, удастся переубедить ее? И все же в вашем предложении кое-что есть. Если, конечно, другие меры ни к чему не приведут. Однако мне кажется, что начинать нам следует с другого боку. Думается, Шинвел Джонсон мог бы нам помочь.

Ранее у меня не было возможности упомянуть в этих воспоминаниях о Шинвеле Джонсоне, поскольку я редко описывал те дела, которыми мой друг занимался под конец своей карьеры. В начале века Джонсон стал нашим ценным помощником. Вынужден с прискорбием сообщить, что поначалу он прославился как опасный преступник и отсидел два срока в Паркхэрсте. В конце концов он раскаялся и близко сошелся с Холмсом, став его агентом в обширном преступном мире Лондона. Сведения, которые он собирал, зачастую оказывались жизненно важными. Будь Джонсон полицейским шпиком, его бы вскоре раскрыли, но, поскольку он занимался делами, которые так и не доходили до суда, сообщники не знали истинного смысла его действий. Слава человека, дважды побывавшего на каторге, открывала перед ним двери всех ночных клубов, ночлежек и игорных домов города, а наблюдательность и сообразительность сделали его великолепным осведомителем. К нему-то и намеревался теперь обратиться Шерлок Холмс.

Я не мог проследить все предпринятые Холмсом шаги, поскольку был загружен срочной работой, но в тот же вечер мы, как было условлено, встретились у Симпсона. Сидя за маленьким столиком у парадной витрины и глядя на Стрэнд, где ключом била жизнь, Холмс рассказал мне о некоторых событиях прошедшего дня.

— Джонсон вышел на охоту,— сообщил он.— Вероятно, ему удастся выкопать кое-какой мусор в самых темных уголках преступного мира, поскольку, если мы хотим получить сведения о тайной жизни барона, их следует искать там, среди черных корней всех преступлений.

— Но коль скоро леди не желает принимать во внимание то, что уже известно, почему вы считаете, что ваши новые открытия отвратят ее от задуманного?

— Как знать, Уотсон... Женское сердце и женский разум — неразрешимая загадка для мужчины. Они могут простить и объяснить убийство, и в то же время какой-нибудь мелкий грешок способен причинить им мучительные страдания. Как заметил в беседе со мной барон Грюнер...

— Заметил в беседе с вами?!

— Ах да, ведь я для большей верности не стал посвящать вас в свои замыслы. Что ж, Уотсон, мне нравится брать противника за грудки, встречаться с ним лицом к лицу и самолично определять, из какого материала он сделан. Дав указания Джонсону, я взял кеб, отправился в Кингстон и застал барона в самом приветливом расположении духа.

— Он узнал вас?

— Это было нетрудно. Я попросту послал ему свою визитную карточку. Замечательный противник, Уотсон. Холоден как лед, голос бархатистый, убаюкивающий, как у ваших модных консультантов. И ядовит, будто кобра. В нем чувствуется школа — настоящий аристократ преступного мира. Такой предлагает вам небрежным тоном послеполуденную чашечку чаю, а вы ощущаете за этой небрежностью смертельную злобу. Нет, я рад, что барон Адельберт Грюнер стал объектом моего внимания!

— Говорите, он был радушен?

— Словно кот-мурлыка, завидевший мышь, которой, как он полагает, суждено стать его добычей. Радушие иных людей более убийственно, чем жестокость грубых душ. Его приветствие уже говорило о многом.

«Я так и думал, мистер Холмс, что рано или поздно мне доведется встретиться с вами,— сказал он.— Вас, несомненно, нанял генерал де Мервиль, пытаясь помешать моей женитьбе на его дочери Виолетте. Это так или нет?»

Я промолчал в знак согласия, и тогда он сказал:

«Мой дорогой друг, вы только загубите свою заслуженную репутацию. В этом деле вам успеха не добиться. Работа неблагодарная, не говоря уж о некоторой толике опасности. Позвольте дать вам настоятельный совет: немедленно отступитесь».

«Удивительное дело,— ответил я.— Именно этот совет я хотел дать вам. Я уважаю ваш ум, барон, и это уважение не уменьшилось после того, как я немного узнал вас. Давайте говорить как мужчина с мужчиной. Никто не собирается ворошить ваше прошлое и причинять вам неудобства: с этим покончено, и вы на спокойной воде. Но если вы будете настаивать на женитьбе, то наживете целый сонм влиятельных врагов, и они не оставят вас в покое до тех пор, пока английская земля не загорится у вас под ногами. Стоит ли игра свеч? Куда благоразумнее было бы расстаться с леди. Если она узнает о некоторых фактах вашей прошлой жизни, это вряд ли будет вам приятно».

У этого барона короткие напомаженные усики, которые торчат, как усы какого-нибудь насекомого. Он слушал меня, и усики эти подрагивали от сдерживаемого хохота. Кончилось тем, что барон разразился смехом.

«Простите мне мое веселье, мистер Холмс,— сказал он,— но наблюдать за человеком, который порывается играть в карты, не имея в руках ни одной, действительно забавно. Не думаю, что кто-либо способен делать это лучше вас, но тем не менее зрелище довольно жалкое. У вас нет ни единого козыря, мистер Холмс. Только разная мелочь».

«Вы думаете?»

«Я знаю. Давайте я вам все объясню, ибо мои карты так сильны, что я могу позволить себе раскрыть их. Мне посчастливилось добиться беззаветной любви этой дамы. Я без утайки рассказал ей обо всех несчастьях моей прошлой жизни, и тем не менее она полюбила меня. Кроме того, я предупредил ее, что к ней будут приходить коварные недоброжелатели (вы, разумеется, узнаете себя) и вновь рассказывать все эти истории. Я объяснил ей, как следует держать себя с подобного рода посетителями. Вы слышали о постгипнотическом внушении, мистер Холмс? Что ж, у вас будет возможность своими глазами увидеть, как действует эта штука, ибо человек, обладающий сильным характером, умеет пользоваться гипнозом, причем без надувательства и всяких там пошлых пассов. Леди готова к вашему приходу и, несомненно, примет вас, поскольку она послушна воле своего отца во всем, не считая одного пустяка».

Вот так, Уотсон. Говорить, кажется, было больше не о чем, и я удалился со всем доступным мне холодным достоинством. Однако, когда я уже взялся за дверную ручку, барон остановил меня.

«Да, кстати, мистер Холмс,— спросил барон,— вы знали французского сыщика Лебрана?»

«Знал»,— ответил я.

«Вам известно, какое его постигло несчастье?»

«Я слышал, что неподалеку от Монмартра его будто бы избили какие-то хулиганы, и он на всю жизнь остался калекой».

«Совершенно верно, мистер Холмс. По странному совпадению, всего за неделю до этого события он начал приставать к людям с расспросами о моих делах. Не стоит заниматься этим, мистер Холмс. Кое-кто уже убедился, что это не приносит счастья. Шагайте своей дорогой, а мне позвольте шагать своей. Это мое последнее слово. Прощайте!»

— Такие вот пироги, Уотсон. Теперь вы знаете всё.

— Кажется, барон — опасный человек.

— Чрезвычайно опасный. На какого-нибудь задиристого бахвала я бы и внимания не обратил, но барон — из тех людей, которые далеко не все свои мысли облекают в слова.

— Неужели вы непременно должны ему мешать? А может, пускай себе женится на девушке? Какое это имеет значение?

— Очень большое, если учесть, что он, вне всякого сомнения, убил свою первую жену. Допивайте кофе и пойдемте-ка со мной: наш весельчак Шинвел давно нас ждет.

Мы и вправду застали его у себя. Это был крупный, грубоватый, краснолицый мужчина болезненного вида. Лишь живые черные глаза выдавали в нем большого хитреца. Держался он, словно король в своем королевстве. Рядом с ним на кушетке сидела одна из его воспитанниц — худощавая, подвижная как огонь молодая женщина с бледным, настороженным лицом, еще юным, но уже успевшим увянуть от жизни, полной горечи и порока. Тяжкие годы оставили на ее облике нездоровый след.

— Это мисс Китти Уинтер, — произнес Шинвел Джонсон и взмахнул рукой, представляя свою спутницу. — Если уж она чего-то не знает... А впрочем, пускай сама говорит. Я вышел на нее через какой-нибудь час после получения вашей записки, мистер Холмс.

— Меня долго искать не надо, — сказала молодая женщина. — Адрес у нас с Хрюшкой Шинвелом один и тот же: Преисподняя, Лондон. Так и пишите, не ошибетесь. Хрюшка и я — старые приятели. Но есть один человек, который, будь в мире справедливость, сидел бы сейчас в еще более страшном аду, чем мы. Клянусь всеми чертями! Это человек, за которым вы охотитесь, мистер Холмс.

Холмс улыбнулся:

— Насколько я понимаю, вы желаете нам успеха, мисс Уинтер?

— Если вам нужна моя помощь, чтобы упрятать парня туда, где ему самое место, я вся ваша, от хвоста до головы, — свирепо сказала наша гостья. Ее бледное решительное лицо напряглось, наливаясь ненавистью. Нечасто доводилось мне видеть такой огонь в глазах женщины, а в глазах мужчины — и вовсе ни разу. — Вам нет нужды лезть в мое прошлое, мистер Холмс. Оно к делу не относится. Но это Адельберт Грюнер превратил меня в то, чем я стала. Эх, если б только я могла свалить его! — Она яростно вцепилась руками в воздух. — Уж я бы стащила его в ту яму, в которую он сбросил столько народу!

— Вам известно, как обстоят дела?

— Хрюшка Шинвел рассказывал. Барон волочится за очередной бедной дурой. На этот раз ему приспичило жениться. Вы хотите этому помешать. Наверняка вы знаете об этом злодее достаточно, чтобы у любой доброй девушки отбить охоту иметь с ним дело, если она в своем уме.

— Эта девушка не в своем уме. Она влюблена до безумия. Она знает о нем все, но ей хоть бы что!

— А про убийство ей рассказывали?

— Да.

— Господи, ну и нервы же у нее!

— Она считает, что это клевета.

— Разве вы не можете сунуть ей под нос доказательства?

— А вы поможете нам в этом?

— Да я сама живое доказательство. Стоит мне заявиться к ней и рассказать, как он изводил меня...

— А вы бы согласились?

— Согласилась бы я?! Да неужто не согласилась бы!

— Попробовать, наверное, стоит. Но он уже поведал ей бо́льшую часть своих прегрешений и получил прощение. По-моему, для нее этот вопрос закрыт, и она не захочет возвращаться к нему.

— Чтоб мне подохнуть, если он рассказал ей все, — отвечала мисс Уинтер. — Помимо того нашумевшего убийства я слышала кое-что еще об одном или двух. Он, бывало, рассказывает о ком-нибудь этим своим бархатистым голосом, а потом вперит в меня глазищи и говорит: «Он умер. И месяца не прошло». И это было не пустое бахвальство. Но я почти не обращала внимания на такие речи, мистер Холмс, ведь я любила его в те времена, и мне́ было все равно, чем он занимается. Так же, как сейчас этой бедной дурехе. Только одна вещь действительно потрясла меня. Если б не его лживый язык, способный все объяснить и всех успокоить, я бы ушла от него в тот же вечер, чертом клянусь! У него есть книга, мистер Холмс. В буром таком кожаном переплете с замочком. Сверху — золотой баронский герб. Наверное, он был немножко под хмельком, иначе ни за что не показал бы мне ее.

— Что же это за книга?

316

— Говорят же вам, мистер Холмс: этот человек коллекционирует женщин так же, как иные собирают мотыльков и бабочек. И кичится своей коллекцией. Вот что это за книга. Альбом с фотографиями, именами, подробностями и всем прочим. Это была чудовищная книга. Ни один мужчина, даже если он живет в придорожной канаве, ни за что не составил бы такую. И тем не менее это была книга Адельберта Грюнера. «Души, которые я погубил» — вот что он мог бы написать на обложке, будь у него такое желание. Да только не будет вам проку с этой книги, а если и будет, ее ведь не достать.

— Где она?

— Откуда я знаю, где она теперь? Я бросила барона год с лишним назад. Мне известно, в каком месте он хранил книгу в те времена. Кое в чем этот кот аккуратен и дотошен до педантичности, так что, может статься, книга все еще лежит в тайнике старого бюро во внутреннем кабинете. Вы знакомы с его домом?

— В кабинете я был,— ответил Холмс.

— Вот как? Значит, вы времени даром не теряли, хотя взялись за дело только нынче утром. Видать, на этот раз милашка Адельберт встретил достойного противника. Во внешнем кабинете у него китайская посуда — там стоит большущий стеклянный шкаф промеж двух окон. А позади письменного стола есть дверца, которая ведет во внутренний кабинет — маленькую комнатушку, где он хранит бумаги и всякую всячину.

— Он что же, не боится взломщиков?

— Адельберт не трус. Злейший враг не сможет сказать этого о нем. Он умеет за себя постоять. По ночам дом охраняют от взломщиков. Да и какой прок взломщику забираться туда? Разве что утащить всю эту диковинную посуду.

— Бесполезное дело,— твердым тоном знатока заявил Шинвел Джонсон.— Ни один барыга не возьмет товар, который нельзя сплавить или загнать.

— Совершенно верно,— согласился Холмс.— Хорошо, мисс Уинтер. Может быть, вы зайдете сюда завтра в пять часов вечера? А я тем временем пораскину мозгами и решу, можно ли воспользоваться вашим предложением и устроить личную встречу с этой дамой. Крайне признателен вам за помощь. Вряд ли стоит говорить, что мои клиенты не поскупятся...

— Не надо об этом, мистер Холмс! — воскликнула молодая женщина.— Не в деньгах дело. Швырните этого человека в грязь и дайте мне втоптать туда его проклятую физиономию — больше мне ничего не нужно. Такова моя цена. Я буду у вас завтра или в любой день, пока вы идете по его следу. Хрюшка всегда скажет, где меня найти.

Я вновь увиделся с Холмсом лишь следующим вечером, когда мы опять обедали в нашем ресторанчике на Стрэнде. На мой вопрос о том, удачно ли прошла встреча, Холмс только пожал плечами. Но потом он рассказал мне все, и я повторяю его рассказ в несколько измененном виде. Сухое и точное сообщение Холмса надобно слегка подредактировать, смягчить и передать более простыми словами.

— Встречу удалось устроить без каких-либо затруднений,— начал Холмс,— поскольку девушка прямо-таки олицетворяет собою образец безропотной дочерней покорности, пытаясь вознаградить отца за свое вопиющее непослушание в вопросе о женитьбе послушанием во всех остальных мелочах. Генерал сообщил мне по телефону, что все готово, мисс Уинтер явилась точно в срок, и в половине шестого мы вылезли из кеба возле дома номер 104 по Беркли-сквер, где живет старый солдат. Вы знаете эти безобразные серые лондонские замки, в сравнении с которыми церковь и та выглядит кокетливо. Лакей провел нас в громадную гостиную, украшенную желтой драпировкой. Здесь нас и ждала леди — бледная, притворно застенчивая, замкнутая, непреклонная и далекая, как снеговик на склоне горы. Даже и не знаю, как описать ее вам, Уотсон. Возможно, вы еще встретитесь с ней по ходу дела и тогда сумеете использовать ваше писательское дарование. Она прекрасна, но это какая-то неземная, потусторонняя красота фанатика, чьи мысли парят в заоблачных высях. Я видел такие лица на средневековых полотнах старых мастеров. Ума не приложу, каким образом этому зверю в человеческом обличье удалось заграбастать своими мерзкими лапами такое небесное создание. Вероятно, вы заметили, как стремятся друг к другу противоположности — духовное к плотскому, пещерный человек к ангелу... Тут мы имеем дело с самым вопиющим примером такого рода.

Разумеется, она знала, зачем мы пришли,— негодяй уже успел отравить ее разум и настропалить против нас. Думается, появление мисс Уинтер несколько удивило леди, но она жестом пригласила нас садиться в отведенные для нас кресла, словно какая-нибудь преподобная настоятельница, принимающая двух прокаженных нищих. Если вы склонны к возвышенным помыслам, Уотсон, берите пример с мисс Виолетты де Мервиль!

«Мне знакомо ваше имя, сэр,— сказала она холодным, как дыхание айсберга, голосом.— Как я понимаю, вы явились сюда с намерением оклеветать моего жениха, барона Грюнера. Я согласилась принять вас только потому, что об этом просил мой отец, и хочу заранее предупредить: что бы вы ни говорили, ваши слова не окажут на меня никакого влияния».

Мне стало жаль ее. На какое-то мгновение я представил себе, что это моя родная дочь. Мне не так уж часто удавалось блеснуть красноречием: я живу умом, а не сердцем. Но тут я буквально молил ее, я говорил с таким жаром, какой только доступен человеку моего склада. Я расписал ей весь ужас положения женщины, которая узнаёт истинную цену мужчины лишь после того, как становится его женой, женщины, которая вынуждена сносить ласки окровавленных рук и развратных губ. Я перечислил всё — стыд, страх, страдания, безысходность... Но жара моих слов не хватило даже на то, чтобы окрасить хотя бы едва заметным румянцем эти щеки цвета слоновой кости или хоть раз зажечь огонек чувства в этих отрешенных глазах. Я вспомнил слова этого негодяя о постгипнотическом внушении. Нетрудно поверить, что девушка живет в каком-то сонном исступлении. И при всем при том она отвечала мне вполне осмысленно.

«Я терпеливо выслушала вас, мистер Холмс,— проговорила она,— и не ошиблась в своем предположении касательно воздействия, которое окажет на меня ваша речь. Мне известно, что Адельберт... что мой жених прожил бурную жизнь, что он навлек на себя жгучую ненависть многих людей и не раз бывал ославлен злыми языками без всяких на то оснований. Не вы первый являетесь ко мне с этой клеветой. Возможно, вами движут добрые побуждения, хотя, как мне известно, вы платный сыщик, в равной мере готовый действовать как в интересах барона, так и против него. Как бы там ни было, я прошу вас раз и навсегда уяснить, что я люблю его, а он — меня и что мнение света значит для меня не больше, чем чириканье вон тех птичек за окном. А если этот благороднейший человек однажды на миг оступился, то вполне возможно, что именно мне назначено судьбой вознести его дух на подобающую ему высоту.

Мне не совсем понятно,— тут она перевела взор на мою спутницу,— кто эта юная леди».

Я уже открыл рот, чтобы ответить, но в этот миг девушка сама вихрем ворвалась в разговор.

«Я скажу вам, кто я! — закричала она, вскакивая со стула с перекошенным от гнева ртом.— Я — его последняя любовница, одна из тех женщин, которых он соблазнил, довел до ручки, обесчестил и вышвырнул на свалку, как вскоре вышвырнет и вас! Только той свалкой, где будете лежать вы, вернее всего, окажется могила. Может, оно и к лучшему. Знайте, глупая женщина: выйдя замуж за барона, вы вступите в брак с собственной смертью. Не ведаю, чем это кончится — разбитым сердцем или свернутой шеей, но тем или иным способом он с вами расправится. Я говорю это не из любви к вам: мне совершенно наплевать, умрете вы или нет. Я ненавижу его, я желаю ему зла и хочу отомстить за то, что он со мной сделал. Все это правда, и нечего так на меня глазеть, моя прекрасная леди, ибо вы можете пасть еще ниже, чем я, пока пройдете этот путь до конца!»

«Я бы предпочла не обсуждать этот вопрос,— холодно проговорила мисс де Мервиль.— Хочу сразу сказать, что в жизни моего жениха было три случая (и все они мне известны), когда коварным женщинам удавалось опутать его своими сетями, и что он от всего сердца раскаивается в том зле, которое когда-то кому-то причинил».

«Три случая! — возопила моя спутница.— Дура! Слов нет, какая вы дура!»

«Мистер Холмс, я нижайше прошу вас закончить нашу беседу,— ледяным тоном проговорила мисс де Мервиль.— Я уступила желанию отца и встретилась с вами, но никто не заставит меня выслушивать оскорбления от этой особы».

Мисс Уинтер с проклятиями ринулась вперед и наверняка вцепилась бы в волосы этой дамы, не схвати я ее за руку. Я поволок ее к двери и сумел водворить обратно в кеб, счастливо избежав свары при всем честном народе, ибо мисс Уинтер была вне себя от злости. Я и сам испытывал какую-то холодную ярость, Уотсон. В ее спокойной, самодовольной отчужденности было нечто такое, от чего я вдруг почувствовал невыразимую злость. А ведь мы пришли туда, чтобы попытаться спасти эту женщину!

Ну вот, вы опять в курсе дела. Теперь, разумеется,

придется придумать какой-нибудь новый ход, поскольку гамбит не удался. Буду держать с вами связь, Уотсон: я больше чем уверен, что вам еще предстоит сыграть свою роль, хотя следующий ход, возможно, сделаем не мы, а наши противники.

Так и случилось. Они нанесли свой удар. Вернее, он
нанес свой удар, ибо я никогда не поверю, что юная леди тоже была к этому причастна. Думается, я смог бы
показать вам даже ту каменную плиту в мостовой, на
которой я стоял, когда мой взгляд натолкнулся на афишу и я почувствовал внезапный приступ ужаса. Это
было между Гранд-отелем и Чарингкросским вокза-
лом, рядом с тем местом, где стоит одноногий продавец вечерних газет. Афишу напечатали через два дня
после моей последней беседы с Холмсом. На желтом
поле чернела ужасная надпись: «Покушение на убийство Шерлока Холмса».

Несколько секунд я простоял словно оглушенный.
Смутно помню, как я схватил газету, как запричитал
продавец, которому я не заплатил, и, наконец, как я
стоял в дверях аптеки, листая газету в поисках роковой заметки. Вот что в ней говорилось: «Редакция с
прискорбием узнала, что мистер Шерлок Холмс, широко известный частный сыщик, нынче утром стал жертвой кровавого избиения, и теперь жизнь мистера Холмса висит на волоске. Мы не можем сообщить всех подробностей, но это событие, очевидно, произошло около
полудня на Риджент-стрит, перед «Кафе ройял». Двое
нападавших были вооружены палками и нанесли мистеру Холмсу удары по голове и туловищу, причинив ра-
нения, которые врачи считают очень серьезными. Холмса доставили в больницу «Чаринг-Кросс», но затем по
его настоянию отвезли домой на Бейкер-стрит. Негодяи, напавшие на него, были прилично одеты. Они
скрылись от собравшихся вокруг прохожих, пробежав
через «Кафе ройял» на расположенную за ним Теплич-
ную улицу».

Излишне говорить, что я тут же ринулся на Бейкер-
стрит, еще не успев дочитать заметку до конца. В прихожей я застал знаменитого хирурга сэра Лесли Окшотта, у тротуара стоял его кабриолет.

— Непосредственной опасности нет,— сообщил он.—
Две рваные раны на черепе и несколько изрядных си-
няков. Пришлось наложить пару швов и ввести морфий. Необходим покой, однако короткую беседу не за-
прещаю.

Заручившись разрешением, я крадучись вошел в затемненную комнату. Страдалец не спал, и я услышал свое имя, произнесенное хриплым шепотом. Штора была спущена на три четверти, но в комнату проникал солнечный лучик и падал на забинтованную голову раненого. Кровь багровой полосой просочилась сквозь белую полотняную повязку. Я присел рядом с Холмсом и понурил голову.

— Все в порядке, Уотсон, к чему этот испуганный вид? — пробормотал он слабым голосом.— Дела не так плохи, как кажется.

— Слава Богу, коли так!

— Я все-таки умею бороться один на один с человеком, вооруженным палкой.

— Чем я могу вам помочь, Холмс? Их, конечно же, подослал тот проклятый субъект. Одно ваше слово, Холмс,— и я пойду и сдеру с него шкуру!

— Добрый старый Уотсон! Нет, тут мы бессильны что-либо сделать, разве что полиция сцапает этих парней. Однако их отход был хорошо продуман, в этом можете не сомневаться. Погодите немного, у меня тоже есть кое-какие замыслы. Первым делом необходимо преувеличить серьезность моих ранений. К вам явятся репортеры. Настращайте их, Уотсон. Дай Бог, чтобы я протянул неделю: сотрясение мозга, бред, все, что хотите! Перестараться тут невозможно.

— Но как же сэр Лесли Окшотт?

— О нем не беспокойтесь, он будет видеть меня в наихудшем состоянии. Об этом я позабочусь.

— Еще что-нибудь?

— Да. Велите Шинвелу Джонсону удалить девушку. Эти милашки теперь будут охотиться за ней. Им, конечно же, известно, что она участвовала в деле вместе со мной. Если уж они дерзнули напасть на меня, то ею вряд ли пренебрегут. Это срочно, удалите ее сегодня же вечером.

— Отправляюсь немедленно. Что еще?

— Положите на стол мою трубку и поставьте туфлю с табаком. Вот так! Заходите каждое утро, мы продумаем нашу кампанию.

Тем же вечером мы с Джонсоном сумели перевезти мисс Уинтер в тихий пригород и позаботились, чтобы она затаилась там до тех пор, пока не минует опасность.

В течение шести дней публика пребывала в твердом убеждении, что Шерлок Холмс стоит у врат смерти.

Сводки были удручающие, в газетах появлялись зловещие заметки. Мои частые приходы к Холмсу убедили меня, что все не так уж и плохо. Крепкий организм и твердая воля моего друга творили чудеса. Он быстро шел на поправку,— как я временами подозревал, даже быстрее, чем хотел мне показать. Скрытность и таинственность, свойственные характеру этого человека, не раз приводили к театральным эффектам и в то же время заставляли даже ближайших друзей Холмса ломать голову, силясь догадаться, что у него на уме. Он довел до крайности аксиому, гласящую, что строить поистине тайные планы можно только в одиночку. Я был самым близким ему человеком, но даже я неизменно ощущал разделяющую нас пропасть.

На седьмой день швы сняли, но в вечерних газетах тем не менее появилось сообщение о рожистом воспалении. Те же вечерние газеты поместили объявление, которое я не мог не довести до сведения моего друга, здоров он или болен. В объявлении говорилось, что среди пассажиров парохода «Лузитания», отплывающего из Ливерпуля в ближайшую пятницу, будет барон Адельберт Грюнер, которому необходимо уладить важные денежные дела в Штатах накануне бракосочетания с мисс Виолеттой де Мервиль, единственной дочерью и проч. Холмс выслушал известие с холодным сосредоточенным выражением лица, по которому я определил, что эта новость стала для него серьезным ударом.

— В пятницу! — воскликнул он.— Всего трое полных суток в нашем распоряжении. Похоже, негодяй решил обезопасить себя. Но ничего не выйдет, Уотсон! Клянусь Иисусом Христом, ничего не выйдет! Так, Уотсон, вы должны кое-что для меня сделать.

— Я здесь специально для этого, Холмс.

— В таком случае, посвятите ближайшие двадцать четыре часа основательному изучению китайской керамики.

Он не дал никаких пояснений, да я их и не спрашивал, зная по долгому опыту, что благоразумнее всего делать так, как он велит. Но когда я вышел от Холмса и зашагал по Бейкер-стрит, разум мой терзала одна мысль: как же выполнить столь странное распоряжение? В конце концов я поехал в лондонскую библиотеку на Сент-Джеймс-сквер, изложил дело своему приятелю Ломаксу, младшему библиотекарю, и отправился домой с увесистым томом под мышкой.

На следующий вечер я явился к Холмсу и был с

пристрастием проэкзаменован. Он уже встал с постели, хотя догадаться об этом по печатным отчетам было нельзя, и сидел в глубине своего любимого кресла, подперев рукой обмотанную бинтами голову.

— Право же, Холмс,— сказал я,— если верить газетам, вы при смерти.

— Именно такое впечатление я и хотел создать,— отвечал он.— Ну как, Уотсон, выучили уроки?

— Во всяком случае, попытался.

— Хорошо. Вы в состоянии вести умный разговор о предмете?

— Думаю, что в состоянии.

— Тогда передайте мне вон ту коробочку, что стоит на камине.

Он откинул крышку и извлек из коробочки маленькую вещицу, заботливо обернутую тонким восточным шелком. Развернув его, Холмс вытащил крохотное блюдечко тонкой работы и прекрасного темно-синего цвета.

— Эта штуковина требует осторожного обращения, Уотсон. Настоящая керамика времен династии Мин. Не толще яичной скорлупы. У Кристи никогда не было таких искусно выполненных изделий. Целый сервиз стоит громадных денег, да и неизвестно, существует ли где-либо за пределами императорского дворца в Пекине такой полный набор. При виде этой штуки любой подлинный ценитель потеряет голову.

— Что я должен с ней сделать?

Холмс вручил мне карточку, на которой было напечатано: «Доктор Хилл Бартон, улица Хафмун-стрит, 369».

— На сегодняшний вечер это ваше имя, Уотсон. Вы пойдете к барону Грюнеру. Я немного знаком с его привычками. В половине девятого он, вероятно, будет свободен. О вашем приходе он узнает заранее из записки. Вы напишете, что хотели бы принести ему предмет из совершенно уникального фарфорового сервиза, изготовленного в эпоху династии Мин. Вы медик. Эту роль вам удастся сыграть без натяжек. Вы собиратель. Блюдечко попало к вам в руки, и вы, зная о том, какой интерес питает барон к фарфору, были бы не прочь продать сервиз за хорошую цену.

— За какую цену?

— Отличный вопрос, Уотсон! Разумеется, вы загремите, если не будете знать стоимости вашего товара. Это блюдечко мне достал сэр Джеймс, взяв его, насколько я понял, из коллекции своего клиента. Можно без преувеличения сказать, что второго такого в мире нет.

— Я мог бы предложить оценить сервиз у какого-нибудь знатока.

— Превосходно, Уотсон! Сегодня вы просто блистательны. Предложите обратиться к Кристи или Сотби. Деликатность мешает вам самому назначить цену.

— А если он не пожелает принять меня?

— Еще как пожелает. Он одержим манией собирательства в самой острой ее форме, особенно когда речь идет о предмете, в котором он слывет признанным авторитетом. Садитесь, Уотсон, я продиктую вам письмо. Ответа не нужно. Вы просто уведомите его, что придете, и сообщите зачем.

Это был восхитительный документ — краткий, изысканный, дразнящий любопытство настоящего ценителя. В должное время районный парнишка-рассыльный понес его по назначению. Тем же вечером я отправился навстречу своей судьбе, держа в руках драгоценное блюдечко и сунув в карман визитную карточку доктора Хилла Бартона.

Прекрасный дом и его окружение свидетельствовали о том, что барон Грюнер, как и говорил сэр Джеймс, был обладателем значительного состояния.

Дворецкий, способный украсить собою жилище епископа, впустил меня внутрь и передал облаченному в бархат лакею, который и привел меня к барону.

Тот стоял у открытой дверцы громадного шкафа, помещавшегося меж двух окон и содержащего часть его китайской коллекции. При моем появлении он обернулся. В руках у барона была маленькая коричневая вазочка.

— Садитесь, доктор, прошу вас,— сказал он.— Я как раз делал смотр моим сокровищам и прикидывал, могу ли я позволить себе пополнить их. Возможно, вас заинтересует это изделие времен династии Тан. Седьмой век. Уверен, что прежде вам не доводилось видеть более искусной работы и богатой глазури. Вы принесли с собой то самое блюдечко эпохи Мин, о котором говорили?

Я осторожно распаковал блюдечко и протянул его барону. Он уселся за письменный стол, пододвинул лампу, поскольку уже темнело, и принялся изучать фарфор. При этом лицо барона залил желтый свет, и я смог спокойно рассмотреть его.

Это действительно был на редкость миловидный мужчина, вполне заслуженно слывший в Европе красавцем. Не выше среднего роста, однако с грациозными и выразительными линиями фигуры. Лицо смуглое, почти восточное, с большими томными черными глазами, неодолимо привлекательными для любой женщины. Волосы и усы у него были иссиня-черные, причем коротко остриженные усики стояли торчком и были тщательно напомажены. Правильность этих миловидных черт нарушал лишь прямой тонкогубый рот. То был настоящий рот убийцы — жестокий и твердый, словно рубец, и плотно сжатый. Он свидетельствовал о бессердечии и производил ужасающее впечатление. Кто-то очень неудачно посоветовал Грюнеру расчесывать усы таким образом, чтобы они обнажали губы — этот сигнал опасности, подаваемый жертвам барона самой природой. Голос его звучал завораживающе, а манеры были безупречны. Я бы дал ему чуть больше тридцати лет, хотя впоследствии мы узнали из документов, что барону было сорок два.

— Прелесть, просто прелесть! — сказал он наконец.— Вы говорите, у вас есть набор из шести штук? Удивительно, почему я прежде никогда не слыхал о таких чудесных изделиях. Я знаю, что в Англии есть только один набор, способный сравниться с вашим, и он вряд ли когда-нибудь появится на рынке. Не будет ли нескромным с моей стороны спросить, как вы завладели им, доктор Хилл Бартон?

— Так ли уж это важно? — ответил я с таким беспечным видом, какой только сумел на себя напустить.— Вы видите, что это подлинник, а что до его стоимости, так меня вполне устроит оценка знатока.

— Очень таинственно,— сказал барон, и его черные глаза подозрительно вспыхнули.— Когда имеешь дело с такими дорогими вещами, вполне естественно возникает желание узнать об условиях сделки все. Разумеется, это подлинник, тут у меня нет никаких сомнений. Но давайте допустим, что в один прекрасный день выяснится — а я обязан учитывать все возможности,— что вы не имеете права продавать его?

— Могу ручаться, что никаких претензий подобного рода не возникнет.

— И все же эта сделка поражает меня своей необычностью.

— Вы вправе принять ее или отказаться,— безразличным тоном ответил я.— Я решил обратиться с моим предложением сначала к вам, поскольку, как я понял, вы — истинный ценитель. Но я не встречу никаких затруднений в любом другом месте.

— А кто сказал вам, что я — истинный ценитель?

— Мне известно, что вы написали книгу о китайском фарфоре.

— Вы читали эту книгу?

— Нет.

— Боже мой! Мне становится все труднее и труднее понимать вас! Вы знаток и собиратель, в вашей коллекции есть очень ценный экспонат, и тем не менее вы даже не позаботились обратиться к единственной в мире книге, способной дать вам представление о подлинном значении и стоимости принадлежащего вам предмета! Как вы это объясните?

— Я очень занятой человек. Практикующий врач.

— Это не ответ. Если уж человек чем-то увлекся, он сумеет выкроить время для своего увлечения, как бы он ни был при этом загружен другими делами. А в вашем письме было сказано, что вы большой любитель фарфора.

— Так оно и есть.

— Могу я задать вам несколько вопросов, чтобы проверить ваши знания? Должен сообщить вам, доктор, — если вы и правда доктор, — что дело принимает все более подозрительный оборот. Позвольте спросить, что вам известно об императоре Сё и какая связь между ним и Сёсоин возле Нары? Господи, неужели этот вопрос обескуражил вас?

Я с притворным возмущением вскочил со стула:

— Это уж слишком, сэр! Я пришел сюда, чтобы оказать вам любезность, а не сдавать экзамен, будто какой-нибудь школьник. Вполне вероятно, что я знаю об этом предмете гораздо меньше, чем вы, но я не намерен отвечать на вопросы, поставленные оскорбительным образом.

Он пристально посмотрел на меня. Истомы в глазах как не бывало. Вдруг они гневно сверкнули. Жесткие губы разомкнулись, обнажив тускло блестящие зубы.

— Что за игру вы ведете? Вы явились сюда шпионить за мной. Вас подослал Холмс! Вы хотите обвести меня вокруг пальца. Как я слышал, этот парень при смерти, вот он и посылает своих подручных следить за мной! Вы ввалились ко мне без приглашения, и, клянусь Богом, сейчас вы убедитесь, что выйти отсюда труднее, чем войти!

Он вскочил на ноги, и я отступил на шаг, приготовившись отразить нападение. Должно быть, он заподозрил меня с самого начала, а перекрестный допрос уж наверняка открыл ему истину. Так или иначе, но мне было совершенно ясно, что пытаться перехитрить его — безнадежное дело. Барон сунул руку в боковой ящик и принялся яростно рыться в нем. Потом его ухо уловило какой-то звук, и он замер, сосредоточенно прислушиваясь.

— Ага! — вскричал барон. — Ага! — И ринулся во внутренний кабинет.

Два шага, и я у распахнутой двери. Разыгравшаяся в комнате сцена четко и на всю жизнь запечатлелась в моей памяти. Окно, выходившее в сад, было раскрыто настежь, а возле него, словно какой-то жуткий призрак, стоял Шерлок Холмс. Голова его была обмотана кровавыми бинтами, белое лицо искажено. В тот же миг он вскочил в окно, и я услышал, как его тело с треском рухнуло в росшие на улице кусты лавра. Хозяин дома с яростным воплем бросился следом за Холмсом к открытому окну.

А потом! Это произошло в мгновение ока, но тем не менее я отчетливо все видел. Из гущи листвы стремительно высунулась рука — женская рука! В тот же миг барон издал страшный крик — вопль, который будет вечно звенеть у меня в ушах. Он прижал ладони к лицу и заметался по комнате, с силой ударяясь головой о стены, потом рухнул на ковер и начал кататься по нему, корчась и оглашая дом непрерывными криками.

— Воды! Ради Бога, дайте воды! — молил он.

Схватив с бокового столика графин, я бросился ему на помощь. В тот же миг из коридора в кабинет вбежали дворецкий и несколько лакеев. Помню, как один из них лишился чувств, когда я опустился на колени возле раненого и повернул его страшное лицо к свету лампы. Купорос въедался в него, капая с подбородка и ушей. Один глаз уже покрылся бельмом и остекленел, второй воспалился и покраснел. Лицо, которым я любовался всего несколько минут назад, теперь было похоже на прекрасную картину, по которой живописец провел мокрой и грязной губкой. Черты его смазались, обесцветились и приобрели страшный, нечеловеческий вид.

Я в нескольких словах объяснил, каким образом произошло нападение. Кое-кто из слуг полез в окно, другие бросились на лужайку через двери, но было темно, и начинался дождь. Крики жертвы перемежались яростными проклятиями в адрес мстительницы.

— Это Китти Уинтер! — вопил барон.— Чертова кошка! Дьяволица! Она за это заплатит! Заплатит! О, силы небесные, я не вынесу этой боли!

Я обмыл его лицо растительным маслом, наложил на раны вату и впрыснул барону морфий. Потрясение вытравило из его сознания все подозрения на мой счет, и он цеплялся за мои руки, словно в моей власти было прояснить взгляд этих устремленных на меня остекленевших глаз, похожих на глаза дохлой рыбины. Вид этого пепелища едва не заставил меня прослезиться, но я слишком хорошо помнил, что этот человек сотворил в жизни много зла, которое и навлекло на него столь ужасное возмездие. Его огненно-горячие руки впились в меня, и это было отвратительное ощущение.

Поэтому я облегченно вздохнул, когда мне на смену прибыл домашний врач больного в сопровождении специалиста по ожогам. Приехал и полицейский инспектор. Я вручил ему свою настоящую визитную карточку. Поступить иначе было бы глупо и бессмысленно, поскольку в Скотленд-Ярде меня знали в лицо почти так же хорошо, как и самого Холмса. Затем я покинул этот полный тоски и ужаса дом и менее чем через час был на Бейкер-стрит.

Холмс, бледный и изможденный, сидел в своем привычном кресле. Раны и события сегодняшнего вечера потрясли даже его стальные нервы. Он с ужасом выслушал мой рассказ о страшном преображении барона.

— Это расплата за грехи, Уотсон! Расплата за грехи! — воскликнул он.— Рано ли, поздно ли, но она непременно приходит. А грехов у него, видит Бог, хватает,— добавил Холмс, взяв со стола том в коричневом переплете.— Вот та самая книга, о которой рассказывала мисс Уинтер. Если уж она не расстроит свадьбу, стало быть, это и вовсе невозможно. Но она расстроит ее, Уотсон. Должна расстроить. Ни одна уважающая себя женщина не снесет такого оскорбления.

— Это дневник любовных похождений барона?

— Или, скорее, дневник его распутства. Как хотите, так и называйте. В тот миг, когда мисс Уинтер рассказала нам о нем, я понял, что книга может стать сокрушительным оружием, если только нам удастся завладеть ею. Я тогда ни словом не обмолвился о своем замысле, но начал вынашивать его. Потом на меня напали, и я воспользовался этим нападением, чтобы внушить барону, что я для него безвреден и предосторожности излишни. Все складывалось очень удачно. Я бы выждал еще немного, но его отъезд в Америку вынудил меня действовать без промедления. Ведь барон наверняка забрал бы столь компрометирующий документ с собой. Ночной грабеж отпадал: барон осторожен. Зато в вечерние часы я мог попытать счастья, если б наверняка знал, что его внимание отвлечено. Тут-то мне и понадобились вы с вашим синим блюдечком. Однако мне необходимо было совершенно точно установить местонахождение книги, поэтому в самый последний миг я прихватил с собой девушку. Сколько минут в моем распоряжении — зависело от объема ваших познаний в области китайской керамики. Откуда мне было знать, что там, в этом маленьком пакетике, который мисс Уинтер с такими предосторожностями несла под накидкой? Я-то думал, что она будет только помогать мне, но у нее, похоже, были и свои дела.

— Барон догадался, что я пришел от вас.

— Я этого опасался. Но ваша игра отвлекла его, и я успел забрать книгу. Правда, на то, чтобы скрыться незамеченным, времени уже не хватило. А, сэр Джеймс! Как я рад, что вы пришли!

Наш вылощенный приятель явился по заранее посланному приглашению. Он с глубочайшим вниманием слушал рассказ Холмса о случившемся.

— Вы совершили чудо! Чудо! — воскликнул он, выслушав историю.— Однако если раны барона так ужасны, как описывает их доктор Уотсон, этого обстоятельства нам с избытком хватит, чтобы добиться нашей цели и сорвать женитьбу, не прибегая к помощи этой ужасной книги!

Холмс покачал головой:

— Женщина такого типа, как Виолетта де Мервиль, будет любить искалеченного страдальца еще крепче, чем здорового человека. Нет-нет, мы должны уничтожить его морально, а не физически. Эта книга, и только она одна, вернет девушку на землю. Книга написана почерком барона, мисс де Мервиль не сможет этого не заметить.

Сэр Джеймс унес с собой книгу и драгоценное блюдечко. Я и сам засиделся у Холмса дольше, чем нужно, и поэтому вышел на улицу вместе с полковником. Его ждал кабриолет. Сэр Джеймс вскочил в экипаж, отдал короткую команду кучеру, на голове которого красовалась кокарда, и быстро уехал. Он наполовину свесил из окна свое пальто, чтобы прикрыть им геральдические знаки на дверце, но это ничуть не помешало мне разглядеть их в ярком свете, падавшем из веерообразного оконца над дверью дома. Я задохнулся от изумления, затем повернулся и вновь поднялся по лестнице в комнату Холмса.

— Я выяснил, кто наш клиент! — воскликнул я, распираемый желанием поскорее выпалить великое известие.— Холмс, да это же...

— Это истинный рыцарь и верный друг,— сказал Холмс, жестом призывая меня к молчанию.— Давайте же раз и навсегда удовлетворимся этим.

Я не знаю, каким образом была пущена в дело порочащая барона книга. Это устроил сэр Джеймс. Или же, что более вероятно, столь щекотливое поручение было доверено отцу юной дамы. Во всяком случае, это возымело желаемое действие. Спустя три дня в «Морнинг пост» появилась заметка, сообщавшая, что бракосочетание барона Адельберта Грюнера и мисс Виолетты де Мервиль не состоится. В той же газете был помещен первый отчет о слушании судебного дела, возбужденного против мисс Китти Уинтер по серьезному обвинению в нанесении увечий посредством купороса. На суде открылись такие смягчающие вину обстоятельства, что приговор, как вы помните, оказался самым мягким, какой только можно было вынести за такое преступление. Шерлоку Холмсу угрожали преследованием за кражу со взломом, однако, когда цель благородна, а клиент достаточно знатен, даже косный английский закон становится гибким и человечным. Моего друга так и не посадили на скамью подсудимых.

ПОБЕЛЕВШИЙ ВОИН

История одной дружбы,
рассказанная самим Шерлоком Холмсом

Как мне кажется, взгляды моего друга Уотсона грешат некоторой ограниченностью. Зато, придя к какому-либо решению, он настойчиво добивается его осуществления. Так, он долгое время уговаривал меня описать хотя бы один из моих профессиональных случаев. Должно быть, я сам подал ему эту идею, нередко упрекая его за стремление потакать вкусам публики, вместо того чтобы придерживаться сухих фактов. «Попробуйте взяться за дело сами, Холмс»,— неизменно отвечал мне Уотсон.

И вот я решил последовать его совету. Признаюсь, что теперь я понимаю моего друга и всех, кто берется за перо. Действительно, дело должно быть представлено таким образом, чтобы заинтересовать читателя. Случай, о котором я собираюсь рассказать, как раз удовлетворяет этому требованию. Кроме того, он принадлежит к числу самых странных происшествий в моей практике, хотя почему-то Уотсон не упоминает о нем в своих записках.

В моей записной книжке значится, что события, с которых я начну свой рассказ, произошли в январе 1903 года, вскоре после окончания англо-бурской войны. В то время я был уже одинок. Мой верный Уотсон женился и покинул нашу холостяцкую квартиру на Бейкер-стрит. Пожалуй, женитьба была единственным проявлением эгоизма с его стороны за все время нашей долголетней дружбы.

Итак, в тот день меня посетил мистер Джеймс К. М. Додд, высокий, широкоплечий, загорелый англичанин. Обычно я сажусь спиной к окну, а клиента сажаю напротив, таким образом, чтобы свет падал ему на лицо. Так я поступил и на этот раз.

Мистер Додд, видимо, затруднялся, с чего начать рассказ. Я не помогал ему, так как выигранное время давало возможность для наблюдений. Помолчав, я решил поразить его кое-какими выводами о его персоне. Это чрезвычайно полезно, так как неизменно вызывает искренность и доверие клиентов.

— Вы, кажется, недавно приехали из Южной Африки? — спросил я.

— Да, сэр,— ответил он удивленно.

— Вероятно, служили в кавалерийских частях?

— Совершенно верно.

— В Добровольческом корпусе?

— И это верно. Мистер Холмс, вы чародей! — растерянно произнес мой посетитель.

Я улыбнулся:

— Все очень просто. Разве не ясно, что человек с мужественной осанкой, военной выправкой и загаром явно не лондонского происхождения только что приехал с театра военных действий, то есть из Южной Африки. Далее, вы носите бороду, значит, вы не кадровый военный. Ваша походка выдает кавалериста... и так далее и так далее.

— Это удивительно, вы видите все до мелочей, мистер Холмс! — воскликнул Додд.

— Я вижу не больше, чем вы, но умею анализировать то, что вижу,— ответил я,— однако вряд ли вы посетили меня только для того, чтобы убедиться в моей наблюдательности. Так что же произошло в старом Таксбергском парке?

— О, мистер Холмс! — пролепетал Додд.

— Мой дорогой сэр, нет ничего сверхъестественного в том, что я сказал. На конверте вашего письма стоял именно этот штемпель. Вы писали, что просите срочно принять вас; значит, произошло нечто весьма важное.

— Да, вы правы. Но с тех пор события приняли еще более скверный оборот. Полковник Эмсуорд попросту выгнал меня...

— То есть как — выгнал?

— Именно так. Мне пришлось убираться восвояси. Однако это и тип, этот полковник Эмсуорд! Я бы и секунды не провел в его обществе, если бы не Годфри.

Я неторопливо зажег трубку и откинулся на спинку кресла.

— Может быть, вы все-таки объясните мне, в чем дело, мистер Додд?

Мой посетитель хитро прищурился.

— А я было решил, что вы и так обо мне всё знаете,— сказал он.— Но, говоря серьезно, я изложу все факты, а вы, как я надеюсь, объясните мне, что они могут означать. Прошлую ночь я не мог уснуть ни на минуту — пытался разобраться. Но чем больше я думаю, тем невероятнее мне кажется все, что произошло.

Итак, я попал в армию в январе 1901 года, как раз около двух лет назад. В нашем эскадроне служил молодой Годфри Эмсуорд. Годфри пошел на войну добровольцем; в его жилах текла кровь многих поколений воинственных предков. Во всем полку не было парня лучше Годфри. Мы крепко подружились. Так, как дружишь, когда живешь одной жизнью и одними интересами.

Целый год мы воевали бок о бок, вместе перенося все превратности походной жизни. А потом Годфри был ранен и отправлен в госпиталь. Я получил одно письмо из Кейптауна, где был расположен госпиталь, и еще одно из Англии, из Саутгемптона. С тех пор — ни единого слова, понимаете, мистер Холмс, ни единого... от моего ближайшего друга.

Когда война окончилась и я возвратился домой, я тотчас же написал отцу Годфри, спрашивая о сыне. Ответа не было. Я снова написал. На этот раз я получил краткий и сухой ответ. Отец Годфри сообщал, что его сын отправился в кругосветное путешествие и вернется не раньше чем через год.

Этот ответ меня не удовлетворил. Вся история казалась чертовски странной. Я не мог поверить, что такой парень, как Годфри, был способен в короткий срок забыть лучшего друга. Меня тревожило еще и следующее обстоятельство. Годфри был единственным наследником большого состояния. По его рассказам я знал, что он не ладил с отцом. У старика был отвратительный характер, а Годфри совершенно не мог выносить его гневных выходок. Нет, мне чертовски не нравилось все это дело, и я решил во что бы то ни стало докопаться до истины. Некоторое время я был занят устройством своих личных дел. Но сейчас я намерен посвятить все свое время и силы только одному вопросу: выяснению судьбы моего друга.

При этих словах серые глаза моего посетителя сверкнули, а его квадратная челюсть решительно сжалась.

Я с интересом взглянул на своего собеседника. Мистер Джеймс Додд производил впечатление человека, которого неизмеримо лучше иметь в числе друзей, чем среди врагов.

— Что же вы предприняли дальше? — спросил я.

— Я подумал, что самое лучшее было бы посетить Таксбергский парк в Бедфорде, где расположена усадьба семейства Эмсуордов. Для этой цели я написал матери Годфри. По правде сказать, я понял, что иметь дело с его отцом не так-то просто. Написал, что я близкий друг Годфри и что мы вместе служили в Южной Африке. Если она не возражает, я бы с удовольствием побеседовал с ней о ее сыне. Кстати, добавил я, вскоре я буду неподалеку от Бедфорда и мог бы на короткое время заехать в Таксбергский парк. В ответ я получил любезное приглашение посетить усадьбу Эмсуордов. Я сел в поезд и поехал.

Пока я от станции добрался до усадьбы, уже стемнело. Родовой замок семейства Эмсуордов представлял собой массивное сооружение, в архитектуре которого перемешались стили всех эпох. Основное здание, в строгом елизаветинском стиле, причудливо сочеталось с позднейшими пристройками в замысловатом викторианском. Внутри стены были отделаны красным деревом и увешаны многочисленными картинами в массивных рамах. Вокруг замка был разбит прекрасный обширный парк. Во всем царил дух старины и мрачной таинственности.

Меня встретили слуги — дворецкий Ральф, древний, как сами стены замка, и его жена, еще более дряхлая. Но, несмотря на отталкивающую внешность, старуха мне понравилась. Я вспомнил, что она когда-то была няней Годфри. Мой друг часто говорил, что после матери он никого на свете так не любил, как свою старую няню. Потом ко мне вышли полковник и его жена. К матери Годфри, маленькой хрупкой женщине, я сразу почувствовал симпатию. Зато отец мне пришелся не по душе.

Тотчас по прибытии я был приглашен в кабинет полковника. Признаюсь, перспектива беседы с ним меня не слишком обрадовала. На какое-то мгновение захотелось отказаться от этой затеи. Но мысль о моем друге заставила меня справиться с малодушием.

В мрачном, заставленном кабинете полковника мне удалось более внимательно разглядеть его. Отец Годфри оказался высоким, широкоплечим стариком с выдающейся челюстью и длинной седой бородой. У него был крупный, испещренный венами нос и маленькие свирепые глазки, сверкающие из-под седых мохнатых бровей.

«Итак, сэр,— обратился он ко мне скрипучим голосом,— если вы не возражаете, мне хотелось бы узнать истинные причины вашего приезда к нам».

Я вежливо ответил, что в письме к его жене я изложил причины, побудившие меня навестить родителей моего друга.

«Кстати,— продолжал старик,— кроме ваших заверений, я не располагаю другими доказательствами того, что вы действительно близко знали моего сына».

«У меня имеются письма от Годфри»,— ответил я, стараясь сохранить хладнокровие.

«Могу ли я взглянуть на них, сэр?»

«Разумеется».

Мистер Эмсуорд бегло посмотрел письма и вернул их мне.

«Ну, и что же дальше?» — спросил он.

«Поймите меня, сэр,— ответил я в волнении,— я искренне привязан к вашему сыну. Почему вас удивляет, что я пытаюсь разыскать следы близкого мне человека?»

«Но мне помнится, сэр, что в письме к вам я ответил на все ваши вопросы. Могу повторить: после службы в Африке здоровье Годфри сильно пошатнулось. Он нуждался в полном отдыхе и перемене обстановки. Поэтому мы, его мать и я, решили отправить его в кругосветное путешествие на длительный срок. Прошу вас, передайте то, что я вам сказал, всем товарищам моего сына, которым небезразлична его судьба».

«Разумеется, я выполню вашу просьбу, сэр,— спокойно ответил я,— но, в свою очередь, прошу вас оказать мне любезность и сообщить, когда и на каком пароходе отплыл Годфри. Я напишу ему».

Мои слова, по-видимому, озадачили и одновременно рассердили полковника. Он не сразу ответил. Его угрюмые глазки совсем спрятались за мохнатыми бровями. Указательным пальцем правой руки он нервно постукивал по столу. Наконец он взглянул на меня с видом игрока, разгадавшего коварный ход противника.

«Многие на моем месте, мистер Додд,— произнес он медленно,— возмутились бы вашей неуместной настойчивостью, граничащей с дерзостью».

«Вы должны понять причины моей настойчивости, сэр,— горячо сказал я,— она связана исключительно с моей искренней любовью».

«Знаю, знаю,— прервал меня Эмсуорд,— только поэтому я так терпелив. Но не испытывайте моего терпения, мистер Додд. Я вынужден категорически просить вас прекратить дальнейшее вмешательство в мою частную жизнь. Дела семьи касаются только меня, и больше никого. Посторонний, сколь бы благожелательно он ни был настроен, не в состоянии правильно оценить события, происходящие в той или иной семье. Запомните это. От души советую прекратить ваши бесполезные поиски и заняться чем-нибудь другим. А теперь,— продолжал мистер Эмсуорд, вставая,— пройдите к моей жене. Она жаждет услышать от вас все, что вы сможете припомнить о Годфри».

Это был конец, мистер Холмс. Суровая непреклонность отца Годфри, казалось, лишала меня всякой надежды. Но внутренне я тут же поклялся, что не успокоюсь ни на миг до тех пор, пока не докопаюсь до правды.

Обед, накрытый в огромной мрачной столовой, прошел уныло. За столом нас было только трое. Мать Годфри жадно расспрашивала меня о подробностях жизни ее сына. Но отец был угрюм и молчалив. У меня было такое подавленное настроение, что при первой возможности я поблагодарил хозяйку и удалился в свою комнату.

Это было большое, скудно обставленное помещение

на первом этаже, которое производило такое же мрачное впечатление, как и весь остальной дом. Но вы понимаете, мистер Холмс, что после походной армейской жизни я был не слишком придирчив к обстановке. Я отодвинул штору и посмотрел в окно. Была ясная лунная ночь.

Опустив штору, я зажег лампу и уселся с книгой около пылавшего камина.

Но я недолго был один. Раздался осторожный стук в дверь. В комнату вошел старый слуга с угольной корзиной.

«Простите, сэр,— сказал он,— я боялся, что угля в камине не хватит и вам будет холодно. В этих комнатах очень сыро».

Уходя, Ральф задержался в дверях.

«Видите ли, сэр,— извиняющимся тоном произнес он,— я случайно слышал то, что вы рассказывали за обедом о мистере Годфри. Дело в том, что моя жена нянчила его ребенком. Мы оба очень любим молодого хозяина. Вы, кажется, говорили, что мистер Годфри отличился на войне?»

«Во всем полку не было никого, кто мог бы сравниться с Годфри в храбрости и благородстве,— горячо ответил я.— Если бы не он, вряд ли сидел бы я тут и беседовал с вами».

Старик довольно потер морщинистые руки.

«Вот именно, сэр. Таким он был всегда. Во всем парке нет ни одного дерева, которое не облазил бы наш мальчуган. Ничто не могло испугать его. Да,— со слезами в голосе добавил старик,— он был необыкновенным ребенком и... он был необыкновенным человеком».

При этих словах я вскочил с места.

«Послушайте, Ральф, вы произнесли слово „был“, как будто Годфри уже нет в живых! Что это значит? Сейчас же ответьте мне».

Я крепко схватил старика за плечо. Он старался вырваться, но не мог.

«Я не знаю, чего вы от меня хотите, сэр,— пробормотал он,— я не имею права вмешиваться не в свое дело. Спросите лучше хозяина».

«На один вопрос вы мне все-таки ответите, Ральф. Иначе я не выпущу вас из этой комнаты. Жив Годфри или мертв?»

Я пристально глядел на Ральфа. Лицо старика передернулось, словно от сильной боли. Глаза наполнились слезами. Крепко стиснутые губы не могли вымолвить ни звука. Наконец он прошептал:

«Лучше бы он умер».

Растерявшись от неожиданности, я отпустил его плечо. Он воспользовался этим и выскользнул из комнаты.

Можете представить себе, мистер Холмс, в какое смятение привели меня слова старого слуги. «Что мог сделать Годфри такого, чтобы любящий слуга предпочел видеть его мертвым? — лихорадочно рассуждал я.— Неужели он оказался вовлеченным в преступление настолько серьезное, что оно затрагивает честь семьи, и суровый глава семейства скрыл его от всего мира, чтобы скандал не получил огласки? Годфри всегда был отчаянным малым. В то же время он легко поддавался постороннему влиянию. Наверное, он попал в руки каких-то негодяев, которые воспользовались его доверчивостью и великодушием. В таком случае,— думал я,— мой долг быть около Годфри в это тяжелое для него время».

С этими мыслями я случайно поднял голову, и... кого, как вы думаете, мистер Холмс, я увидел в саду около моего окна? Его, Годфри Эмсуорда!

В этом месте своего рассказа мой посетитель пришел в такое волнение, что не мог сразу продолжить.

— Я вас слушаю с большим вниманием, мистер Додд,— сказал я.— Ваша история становится все более интересной.

— Лицо Годфри было прижато к оконному стеклу,— продолжал Додд.— Я не совсем плотно прикрыл окно шторой. И отчетливо видел всю фигуру Годфри. Но мое внимание привлекло его лицо. Оно было мертвенно-бледное, такой белизны я никогда не встречал у живых людей. Наверное, так выглядят привидения. Надо сказать, что Годфри произвел на меня жуткое впечатление. И не только из-за неестественной белизны лица, призрачно светившегося в темноте ночи. На какую-то секунду его глаза встретились с моими. Его взгляд, жалкий, виноватый, поразил меня. Это было столь непохоже на обычное для моего друга выражение мужественности и веселой беспечности, что я содрогнулся от ужаса. Заметив, что я смотрю на него, он тотчас отскочил от окна и исчез в темноте.

Но я недаром прошел школу солдатской жизни. Она учит действовать молниеносно и сохранять присутствие духа. Не успел Годфри исчезнуть, как я уже был у окна и попытался распахнуть его, чтобы выпрыгнуть в сад.

Но крючки заржавели и не сразу поддались. Через минуту я бежал по тропинке, которую, как полагал, выбрал Годфри.

Тропинка была освещена скудным светом луны, и мне чудилось, что впереди маячила какая-то фигура. Я окликнул Годфри, но не получил ответа. Добежав до развилки дороги, я в нерешительности остановился и вдруг отчетливо услышал стук захлопнувшейся двери. Я понял, что Годфри скрылся от меня. Что оставалось делать? Я печально побрел обратно. Остаток ночи я потратил на мучительные попытки разобраться в странных фактах, с которыми столкнулся.

За завтраком хозяин дома был менее суров, чем накануне. Миссис Эмсуорд заметила, что по соседству с усадьбой есть некоторые достопримечательности, которые стоит посетить. Я немедленно использовал эту возможность и спросил, не могу ли я с этой целью продлить свой визит еще на сутки. Мой план не привел в восторг хозяина, но тем не менее разрешение было дано.

Я решил потратить целый день на розыски той таинственной двери, за которой исчез мой друг. Если бы Годфри пожелал, он легко мог бы скрываться от меня в самом доме — в нем поместился бы целый полк. Однако я был уверен, что Годфри где-то в парке. Но где и почему — это было для меня загадкой.

После завтрака мои хозяева, видимо, занялись своими делами и перестали обращать на меня внимание. Я воспользовался этим, чтобы тщательно обследовать парк. Мое внимание привлек уединенный павильон, расположенный в конце боковой аллеи. Не отсюда ли донесся до меня звук захлопываемой двери? Я приблизился к павильону, беспечно насвистывая какой-то веселый мотив с видом человека, бесцельно слоняющегося по парку. В это время из домика вышел мужчина невысокого роста, с окладистой бородой и, к моему удивлению, тщательно запер за собой дверь. Заметив меня, он резко остановился.

«Кто вы такой? Вы гость?» — не поздоровавшись, спросил он.

Я объяснил ему, что приехал навестить родителей своего закадычного друга Годфри.

«Как жаль, что мой друг сейчас в отъезде,— добавил я,— он был бы очень рад повидать меня».

«Да, очень жаль; надеюсь, что в другой раз вам больше повезет».

С этими словами мой собеседник сухо поклонился и

пошел по направлению к дому. Мне не оставалось ничего другого, как последовать его примеру. Отойдя на несколько шагов, я оглянулся и увидел, что человек с бородой стоит за деревом и наблюдает за мной.

И все же мне удалось достаточно хорошо разглядеть павильон, когда я проходил мимо. Окна были плотно зашторены, весь домик производил впечатление необитаемого.

Я понимал, что должен соблюдать крайнюю осторожность. Малейшая оплошность — и я могу попасться. В этом случае мне попросту предложат убраться, и мои розыски ни к чему не приведут. Поэтому я решил дождаться ночи.

Когда все стихло, я выскользнул из окна и направился к таинственному павильону. Кроме штор на окнах были еще и ставни. Через одну из них пробивался свет. Как раз в этом месте штора была прикрыта неплотно, так что с большим трудом можно было разглядеть внутреннее убранство комнаты. Она была уютной и хорошо обставленной. У стола сидел мой утренний знакомец. Он курил трубку и что-то читал.

— Что именно? — прервал я Додда.

Он был озадачен моим вопросом.

— Неужели это имеет какое-либо значение?

— Весьма существенное.

— Я не обратил внимания...

— Может быть, вы хотя бы заметили, что́ он держал в руках — книгу, газету или журнал?

— Пожалуй, скорее всего, эта штука напоминала журнал,— подумав, ответил Додд,— но в это время мне было не до таких пустяков.

В комнате находился еще один человек. Я не видел его лица. И все же я не сомневался: это Годфри. Я узнал его фигуру, его плечи, шею. Он сидел лицом к камину в позе человека, подавленного большим горем. Я застыл у окна как вкопанный. Вдруг я почувствовал на своем плече чью-то тяжелую руку: рядом со мной стоял полковник Эмсуорд.

«Так вот, оказывается, как вы ведете себя в гостях, сэр,— зловеще произнес он.— Извольте следовать за мною».

Он повернулся и пошел по направлению к дому. Я понуро последовал за ним. Полковник сохранял молчание до тех пор, пока мы не очутились в моей комнате. Там он взглянул на меня с еле скрываемым бешенством и сказал, сверкая глазами:

«Вы уедете завтра утром первым поездом. Экипаж будет ожидать вас в половине восьмого. Мое самое горячее желание — никогда больше не видеть вашей физиономии».

Я не нашел, что ответить; пробормотав какие-то извинения, снова упомянул о горячем желании найти моего друга...

«Не стоит обсуждать этот вопрос,— резко возразил Эмсуорд.— Вы вели себя самым недостойным образом, сэр. Вы с необыкновенной наглостью вторглись в частную жизнь малознакомых людей. Ваше непрошеное участие к судьбе моего сына доставило моей жене и мне немало неприятных минут. И наконец, вы, гость в этом доме, вели себя как самый обыкновенный шпион. Куда уж дальше?»

Тут мои нервы не выдержали, мистер Холмс, и я тоже заговорил в резком тоне:

«Мистер Эмсуорд, я видел Годфри здесь, в вашем парке. Более того, я убежден, что он жертва насилия. Я не знаю, зачем вы прячете своего сына от людей, но предупреждаю: пока я не буду уверен, что Годфри ничего не угрожает, я буду всеми силами стремиться разгадать тайну, которая его окружает, что бы вы ни говорили и ни делали».

Старик зарычал и угрожающе придвинулся ко мне. Казалось, еще секунда — и он ударит меня. Полковник был огромного роста, сухопарый и жилистый, и я невольно подумал, что справиться с ним будет не так-то просто. Некоторое время он сверлил меня пронзительным взглядом своих серых глазок, почти спрятавшихся под густыми бровями, затем круто повернулся на каблуках и вышел из комнаты.

Разумеется, мне пришлось покинуть Таксбергский парк рано утром. И вот я здесь, у вас, мистер Холмс, в надежде, что вы сумеете помочь мне в деле, которое сейчас волнует меня больше всего на свете.

Таковы были факты, изложенные мне Джеймсом Доддом.

Проницательный читатель, наверное, уже догадался, что разгадка этой истории не представляла большой трудности, поскольку число вариантов логического решения было весьма ограниченным. Тем не менее эта, казалось бы элементарная, задача заключала в себе некоторые не лишенные интереса моменты и неожиданные повороты, которые и побудили меня ее описать.

Я решил применить свой обычный метод логического анализа и прежде всего задать несколько вопросов моему посетителю.

— Сколько слуг в доме?

— Насколько я мог понять, только двое: Ральф и его жена. Семья Эмсуордов живет очень скромно.

— Значит, в павильоне никто не прислуживает?

— Видимо, нет, если не считать бородача. Впрочем, он не похож на слугу.

— А вы, случайно, не заметили, каким образом передается еда из дома в павильон?

— Один раз я видел, как Ральф с корзинкой в руке шел по парку. Но тогда я не обратил на это никакого внимания.

— Вы наводили какие-нибудь справки в окрестностях?

— Да, конечно. Я беседовал с начальником станции, а также с хозяином деревенской гостиницы. Оба единодушно уверяли меня, что молодой Эмсуорд пробыл дома недолгое время, а потом отправился в кругосветное путешествие. Эта версия, очевидно, не вызывает сомнения у окрестных жителей.

— Вы никому не говорили о своих подозрениях?

— Конечно нет.

— Весьма правильно поступили. Ну что ж, мистер Додд, ваша история стоит того, чтобы заняться ею всерьез. Мы поедем вместе в старый Таксбергский парк.

В то время я как раз заканчивал два дела. Одно из них было впоследствии описано моим другом Уотсоном под названием «Духовная школа». Второе было связано с поручением турецкого султана, весьма щекотливым и требующим немедленных действий, так как развернувшиеся события могли вызвать нежелательные политические последствия. Поэтому только на следующей неделе я смог вплотную заняться проблемой исчезновения Годфри Эмсуорда.

Мы поехали в Бедфорд втроем: мистер Додд, ваш покорный слуга и еще один молчаливый, сурового вида джентльмен, о котором я сказал моему клиенту следующее:

— Это мой старый приятель. Возможно, его помощь понадобится нам, а возможно, и нет. Все выяснится на месте.

Отчеты Уотсона, без сомнения, приучили читателей к некоторым моим особенностям. Я не люблю лишних слов, а еще больше не люблю раскрывать свои мысли, пока занят обдумыванием того или иного запутанного случая.

Додд был удивлен, но промолчал, и мы продолжали путешествие втроем. В поезде я задал моему клиенту несколько вопросов, ответы на которые предназначались для ушей нашего молчаливого спутника.

— Вы совершенно уверены, что в тот вечер видели за окном лицо вашего друга?

— У меня нет ни малейшего сомнения на этот счет.

— Но вы говорили, что Годфри сильно изменился?

— Изменился только цвет его лица: оно было неестественного, мертвенно-бледного оттенка, как будто вымазано белой краской.

— Вы не помните, все лицо было покрыто этой странной бледностью или только часть его?

— Мне кажется, что отдельные части лица особенно выделялись белизной. Я обратил внимание на лоб, который был прижат к окну. По нему как бы проходили белые полосы.

— Вы окликнули вашего друга?

— Я был слишком потрясен. Я помчался за ним, как уже говорил вам, но безуспешно.

Для меня случай был почти ясен. Оставалась одна деталь, которую надо было выяснить на месте.

Наконец мы добрались до странного здания, которое описывал мой клиент. Наш молчаливый спутник остался в экипаже.

Мы с Доддом позвонили в парадную дверь. Нам открыл старый Ральф, одетый в ливрею. Мы попросили доложить о нас хозяину. Мне бросилось в глаза то, что на руках у слуги были тяжелые кожаные перчатки, которые он, увидев нас, быстро снял и положил на столик в холле.

Я не знаю, отмечал ли доктор Уотсон в своих записках, что у меня необыкновенно развито чувство обоняния. Я сразу же почувствовал слабый, но бесспорный запах, исходивший от столика, на котором лежали перчатки. Я быстро подошел к столику и нагнулся, якобы для того, чтобы поправить развязавшийся шнурок ботинка. За это время я успел понюхать перчатки. Да, несомненно, запах исходил именно от них. Эта деталь окончательно решила вопрос.

Увы, мне приходится раскрывать карты раньше времени. Ведь я сам рассказываю о своем деле. В тех случаях, когда это делает Уотсон, я умудряюсь даже его держать в неизвестности до самого конца.

Вернувшийся Ральф пригласил нас в кабинет, где мы недолго пробыли одни. Раздались тяжелые торопливые шаги, и в комнату вошел хозяин дома.

Его лицо было искажено яростью, глаза сверкали. В руках он держал наши визитные карточки. Увидев нас, он разорвал их на мелкие куски и в бешенстве стал топтать клочки бумаги.

— Не говорил ли я вам,— прорычал он, обращаясь к мистеру Додду,— что вам отказано от дома, будьте вы прокляты! Да если вы еще раз появитесь здесь, я просто пристрелю вас как собаку. Клянусь, я сделаю это. Что касается вас, сэр,— обратился он ко мне,— то все сказанное относится также и к вам. Я знаю, чем вы занимаетесь. Можете проявлять свои таланты в любом другом месте, только не в моей усадьбе.

— Я не покину вашего дома,— твердо ответил Додд,— пока не услышу из собственных уст Годфри, что он находится здесь не по принуждению, а по собственной воле.

Вместо ответа Эмсуорд оглушительно зазвонил в колокольчик.

— Ральф,— сказал он вошедшему слуге,— позвоните в полицию и попросите прислать двух констеблей. Скажите, что в дом забрались грабители.

— Подождите минутку,— вмешался я,— мистер Додд, в одном пункте полковник Эмсуорд совершенно прав. Против его воли мы не имеем права находиться здесь ни минуты. С другой стороны, наш уважаемый хозяин должен понимать, что наши действия вызваны исключительно дружескими чувствами к его сыну. Я полагаю, что, если полковник Эмсуорд захочет уделить мне несколько минут для разговора, я сумею изменить его взгляды на данный вопрос.

— Вы жестоко ошибаетесь! — крикнул полковник, свирепо вращая глазами.— Я никогда не меняю своих мнений. Ральф, делайте то, что я приказал! Какого черта вы медлите? Звоните же в полицию!

— Я уверен, как раз этого делать не стоит,— сказал я, преграждая Ральфу путь к двери,— вмешательство полиции не в ваших интересах, мистер Эмсуорд.

С этими словами я вырвал листок блокнота, написал на нем несколько слов и показал полковнику.

— Вот что привело нас сюда,— добавил я.

Прочитав мою записку, полковник Эмсуорд сначала побагровел, а потом вся кровь отхлынула от его лица.

— Откуда вы знаете? — задыхаясь прошептал он, тяжело опускаясь на стул.

— Все знать — такова моя профессия,— спокойно ответил я.

С минуту полковник молчал, очевидно размышляя. Его рука нервно теребила бороду. Затем он вздохнул и сказал:

— Ну что ж, если вы настаиваете на свидании с Годфри, я предоставлю вам эту возможность. Но помните — я этого не хотел.

В молчании мы последовали за нашим хозяином. Мы прошли до конца аллеи и остановились у того самого таинственного павильона, о котором рассказывал Додд.

— Ральф,— обратился полковник к шедшему впереди слуге,— пойдите предупредите мистера Годфри и мистера Кента, что мы сейчас зайдем к ним.

Через несколько минут нам навстречу вышел человек небольшого роста, с густой бородой. Крайнее удивление было написано на его лице.

— Я не ожидал вашего визита, полковник Эмсуорд,— произнес он.— Боюсь, что это помешает нашим планам.

— Ничего не могу поделать, мистер Кент,— мрачно ответил полковник.— Я был вынужден пойти на этот шаг. Может ли мистер Годфри принять нас?

— Да, конечно. Он ожидает вас.

С этими словами Кент вошел в дом, приглашая нас следовать за ним. Мы вошли в большую, просторную комнату. Около камина спиной к двери стоял человек.

— Годфри, старина, наконец-то я добрался до тебя! — вскричал Додд и бросился к нему. Но Годфри быстро отскочил в сторону.

— Не касайся меня, Джимми. Держись от меня подальше, дружище. На расстоянии можешь полюбоваться мной. Не правда ли, я не очень-то напоминаю тебе бравого капрала Годфри Эмсуорда, любимца кавалерийского эскадрона?

Внешность Годфри была поистине необычайна. Его некогда красивое загорелое лицо, с тонкими, правильными чертами, было испещрено густыми, как белые заплаты, полосами. Лоб был неестественно белый, а подбородок темный, половина носа белая, другая половина — темная, казавшаяся по контрасту еще темнее. Потрясенный Додд в изумлении и ужасе уставился на своего друга.

— Вот почему я не очень-то жалую визитеров, Джимми,— мрачно проговорил Годфри.— Моя обезображенная внешность должна вызывать отвращение. Я понимаю, что к тебе это не относится, Джимми, старина, но все-таки предпочитаю одиночество.

— Годфри, я так боялся за тебя. Мне казалось, что тебе угрожает опасность и что я должен спасти тебя. Я просто с ума сходил...

— Я узнал от Ральфа, что ты здесь. Представляешь, какое это было искушение? Я решил хоть одним глазком взглянуть на тебя. Но ты заметил меня. И вот мне пришлось со всех ног улепетывать в свою берлогу.

— Господи, Годфри, но что все это значит?

— Ну что ж, я расскажу тебе все, что произошло. Это началось с того боя около Претории, во время которого я был ранен.

— Я слышал об этом, но не знаю никаких подробностей.

— Трое из нас — Симпсон, Андерсон и я — отбились от остальных и попали в окружение. Двое были убиты, а я — тяжело ранен. Все же я сумел кое-как взобраться на коня и скакал, сам не зная куда, до тех пор, пока не потерял сознание и не свалился с седла.

Когда я пришел в себя, была уже ночь. Я чувствовал себя совсем обессиленным от потери крови. К тому же было чертовски холодно. Ты помнишь эту пронизывающую до мозга костей сырость, ничуть не похожую на наш здоровый, приятный морозец? Словом, у меня не попадал зуб на зуб, и я чувствовал, как последние силы покидают меня.

К моему удивлению, я вдруг увидел довольно большой дом со множеством окон. Я понял, что моя единственная надежда остаться в живых — доползти до этого спасительного убежища. Спотыкаясь и поминутно падая, почти без сознания, я добрел до крыльца, шагнул в дверь, смутно увидел, как в тумане, большую комнату, уставленную кроватями, дополз до одной из них, оказавшейся пустой, и свалился без сознания...

Утром я не то проснулся, не то вышел из забытья. Зрелище, которое я увидел, наполнило меня ужасом, от которого я содрогаюсь до сих пор.

Представь себе большую, залитую солнцем комнату с белыми стенами и ровными рядами одинаковых кроватей. Около меня стояло существо, которое вряд ли можно назвать человеком. Это был карлик с огромной, как шар, и совершенно лысой головой. Он оживленно что-то говорил, очевидно по-голландски, при этом сильно жестикулируя. Я с изумлением глядел на него. Это рассердило его еще больше, потому что он протянул ко мне страшные, темные, искривленные руки, напоминающие скорее щупальца какого-то диковинного животного.

Неподалеку от кровати стояла группа людей, с интересом разглядывавших меня. При взгляде на них меня охватил леденящий страх.

Это были несчастные, обезображенные, распухшие существа с деформированными конечностями, с лицами, покрытыми страшными язвами. Все они галдели, хихикали, глядя на меня, некоторые хватались за бока от смеха. Их адский хохот до сих пор звенит в моих ушах.

Свирепый карлик, очевидно владелец кровати, схватил за плечо своими страшными щупальцами. Между нами завязалась борьба. Из моей раны хлынула кровь. Но это не остановило моего мучителя. Перевес в силе был явно на его стороне. В голове у меня помутилось, и я снова потерял сознание.

Очнулся в другой комнате. Около меня не было ни страшного карлика, ни остальных чудовищ. У окна стоял пожилой незнакомый человек, который, увидев, что я пришел в сознание, обратился ко мне:

«Как вы себя чувствуете? Сейчас я вам сделаю перевязку».

«Где я, доктор?» — слабым голосом спросил я.

Лицо доктора помрачнело.

«Лучше не спрашивайте, молодой человек. Ваши раны мы излечим, но здесь вас подстерегает гораздо большая опасность, чем на поле боя. Вы попали в лепрозорий. Несчастные, которых вы утром видели,— прокаженные».

Я застонал от ужаса.

«Значит, я провел ночь в постели прокаженного?» — прошептал я.

«Да, весьма рискованный поступок,— подтвердил доктор,— я считаю себя невосприимчивым к этой болезни, но и то не решился бы на такой шаг».

Все было кончено, Джимми. Я был осужден на жизнь, которая хуже смерти. И все же, после того как меня привезли в госпиталь в Претории, я все время надеялся на чудо. «А вдруг я избегу заразы?» — вопрошал я себя в тысячный раз. Выписавшись из госпиталя, я уехал домой. И тут-то я увидел, что признаки страшной болезни начинают появляться на моем лице. Я все рассказал родителям. Единственным выходом было распустить слухи о моем отъезде на длительный срок, а самому поселиться где-нибудь поблизости под наблюдением надежного врача, который не выдал бы моей тайны. В противном случае меня отправили бы в лепрозорий, где я был бы осужден до конца своих дней находиться в обществе таких же несчастных, как я сам. Никого нельзя было посвящать в мою тайну. Даже тебя, Джимми, друг мой. Я знал, что мое отсутствие будет для тебя большим ударом, но что я мог поделать? Вот и вся моя история.

Годфри умолк. Я видел, что Додд потрясен его рассказом. Он сидел сгорбившись и закрыв лицо руками.

— Я не виноват в том, что они проникли в нашу тайну,— заговорил отец Годфри.— Вот этот человек,— указал он на меня,— догадался обо всем. Тогда я решил, что безопаснее открыться ему до конца.

— И вы правильно поступили, полковник,— сказал я.— Возможно, мое вмешательство окажется полезным. Скажите,— обратился я к Кенту,— вы специалист по заболеваниям такого рода?

— Я обладаю теми знаниями в этой области, которыми обычно располагает всякий образованный медик,— сухо ответил врач.

— Я не сомневаюсь в вашей компетенции, доктор,— поспешил сказать я.— Но в таком серьезном случае необходима консультация еще с одним специалистом. Думаю, что вы не показывали мистера Годфри никакому другому врачу, так как боялись посвятить еще кого-нибудь в свою тайну?

Мистер Эмсуорд утвердительно кивнул.

— Я предвидел это,— продолжал я.— В экипаже находится мой старинный приятель сэр Джеймс Сондерс, известный специалист по болезням этого рода. Я думаю, мы попросим сэра Джеймса осмотреть больного и высказать свое суждение.

— Кто же не слышал о знаменитом профессоре Сондерсе! — покраснев, воскликнул доктор Кент.— Я буду польщен знакомством с таким замечательным врачом.

— В таком случае, попросим сэра Джеймса пройти сюда,— продолжал я,— и...

Но полковник перебил меня:

— А сами перейдем в мой кабинет, где, я надеюсь, мистер Холмс объяснит нам, каким образом он сумел проникнуть в нашу тайну.

И вот тут-то я понял, как мне недостает верного Уотсона. Но, увы, моего друга со мной не было, и мне пришлось самому обратиться с речью к моей маленькой аудитории, к которой присоединилась и мать Годфри.

— Обычно я начинаю с того, — сказал я, — что исключаю все, что невозможно. То, что остается, должно быть правдой, сколь бы невероятной она ни казалась. При этом каждый из оставшихся вариантов должен быть тщательно продуман и проверен.

Я применил этот принцип и к данному печальному делу. Мне представлялись возможными три объяснения странного случая, о котором мне поведал мистер Додд. Почему молодого человека держали в таком уединении, без всяких контактов с внешним миром?

Прежде всего он мог быть замешан в каком-либо преступлении. Вторая возможность заключалась в том, что он безумен и родители хотят избавить его от пребывания в сумасшедшем доме.

И наконец, третья. Юноша болен такой болезнью, которая требует его безусловной изоляции. Все три возможности были равно вероятны, и каждая из них требовала исчерпывающих доказательств.

Вариант, связанный с преступлением, не выдерживал серьезной критики. Во-первых, я не слышал ни о каком преступлении, совершенном в этих местах. Во-вторых, в таком случае семья мистера Годфри была бы заинтересована в том, чтобы отослать его как можно дальше, а не держать преступника у себя под боком.

Вариант, связанный с безумием, казался мне более вероятным. Он подтверждался тем фактом, что молодой человек жил не один, а под наблюдением какого-то человека, очевидно врача. Помните, мистер Додд, я спрашивал вас, не заметили ли вы, что читал человек, живший с вашим другом? Я надеялся, что вы заметили у него в руках медицинский журнал.

Но против этого варианта говорили следующие факты. Будь молодой Эмсуорд сумасшедшим, вряд ли он имел бы возможность свободно разгуливать по парку, даже ночью. Кроме того, почему вокруг его особы была создана такая сверхъестественная таинственность? В конце концов, нет ничего противозаконного в том, что душевнобольной живет в уединенном павильоне под постоянным наблюдением квалифицированного врача. Нет, теория сумасшествия также не годилась.

Таким образом, оставался третий вариант, правда самый маловероятный из всех, но факты как раз подтверждали его.

Молодой человек воевал в Южной Африке. Проказа — частое заболевание в тех местах. Как поступили бы любящие родители, если бы их сын оказался жертвой страшного заболевания?

Прежде всего требуется строжайшая секретность относительно места пребывания несчастного. По закону больной проказой подлежит немедленному переселению в лепрозорий. Затем его помещают близко от себя, но в достаточно уединенном месте, чтобы он не мог общаться с внешним миром. Далее, с ним поселяют надежного человека, вероятно врача...

В этом случае становится понятным и странное побеление кожи — обычный результат страшного заболевания,— и прогулки несчастного по ночам, и многие другие факты.

Я решил действовать так, как если бы эта теория была доказана. По приезде в усадьбу я заметил еще одну любопытную деталь, которая рассеяла мои последние сомнения. Ральф, который носит еду в павильон, при этом надевает перчатки. Когда он открыл нам дверь, на руках у него были эти перчатки. При моем тонком обонянии я сразу почувствовал запах дезинфицирующих средств, которыми они были пропитаны.

На этом месте мой рассказ был прерван приходом сэра Джеймса. На обычно мрачном лице знаменитого доктора было некоторое подобие улыбки. Он быстрыми шагами подошел к миссис Эмсуорд и крепко пожал ей руку.

— Чаще всего мне приходится быть вестником горя,— обратился сэр Джеймс ко всем нам.— Но сегодня я могу обрадовать вас, господа. У Годфри Эмсуорда, безусловно, нет проказы. О, я вижу, его матушка поражена этой счастливой новостью. Доктор Кент, займитесь, пожалуйста, миссис Эмсуорд. Так вот,— продолжал сэр Джеймс,— побеление кожи — действительно частый результат проказы. Но в данном случае мы имеем дело с заболеванием, вызывающим неправильную пигментацию кожи и называемым псевдопроказой. Эта болезнь упорная и трудно поддающаяся лечению, но, безусловно, не инфекционная и не имеющая ничего общего с настоящей проказой. Интересно, что симптомы необычайно сходны, а причина заболевания неясна. Не исключено, что здесь играют немаловажную роль психологические факторы, о которых мы еще так мало знаем. Возможно, психическая травма, огромное напряжение и страх, которые испытывал молодой человек длительное время, с того самого момента, как он очутился в тесном контакте с прокаженными, и вызвали физические изменения организма, сходные с теми, которых он опасался. Но я вижу,— добавил сэр Джеймс,— что миссис Эмсуорд уже приходит в себя. Как хорошо, что от счастья не умирают!

КАМЕНЬ МАЗАРИНИ

Доктору Уотсону было приятно снова очутиться на Бейкер-стрит, в неприбранной комнате на втором этаже, этой исходной точке стольких замечательных приключений. Он взглянул на таблицы и схемы, развешенные по стенам, на прожженную кислотой полку с химикалиями, скрипку в футляре, прислоненную к стене в углу, ведро для угля, в котором когда-то лежали трубки и табак, и, наконец, глаза его остановились на свежем улыбающемся лице Билли, юного, но очень толкового и сообразительного слуги, которому как будто удалось перекинуть мостик через пропасть отчуждения и одиночества, окружавшую таинственную фигуру великого сыщика.

— У вас тут все по-старому. И вы сами нисколько не изменились. Надеюсь, то же можно сказать и о нем?

Билли с некоторым беспокойством посмотрел на закрытую дверь спальни.

— Он, кажется, спит.

Стояла ясная летняя погода, и было только семь часов вечера, однако предположение Билли не удивило доктора Уотсона: он давно привык к необычному образу жизни своего старого друга.

— Это означает, если не ошибаюсь, что ему поручено дело, не так ли?

— Совершенно верно, сэр. Он сейчас весь поглощен им. Я даже опасаюсь за его здоровье. Он бледнеет и худеет с каждым днем и ничего не ест. Миссис Хадсон его спросила: «Когда вы изволите пообедать, мистер Холмс?» — а он ответил: «В половине восьмого послезавтра». Вы ведь знаете, какой он бывает, когда увлечен делом.

— Да, Билли, знаю.

— Он кого-то выслеживает. Вчера он изображал рабочего, подыскивающего место. А сегодня нарядился старухой. И так похоже, что я совершенно не узнал его, а уж я бы, кажется, должен знать его приемы.

Усмехнувшись, Билли указал на необыкновенно потрепанный зонтик, прислоненный к дивану.

— Это одна из принадлежностей костюма старухи.

— Но какое у него на этот раз дело, Билли?

Билли понизил голос, словно речь шла о великой государственной тайне.

— Вам я, конечно, скажу, сэр. Но, кроме вас, этого никто не должен знать. Это то самое дело о бриллианте короны.

— Вы говорите о похищении камня в сто тысяч фунтов?

— Да, сэр. Они должны разыскать его во что бы то ни стало. И премьер-министр, и министр внутренних дел были у нас и сидели вот на этом самом диване. Мистер Холмс был очень любезен с ними. Он совсем не важничал и пообещал сделать все, что только можно. И потом еще лорд Кантлмир...

— Вот как?

— Да, сэр, вы понимаете, что это значит. Он, если только можно так выразиться, ужасно заносчивый. Я могу иметь дело с премьер-министром и ничего не имею против министра внутренних дел — он производит впечатление воспитанного и любезного человека,— но этого лорда я совершенно не выношу. И мистер Холмс тоже. Дело в том, что он не верит в мистера Холмса и возражал против того, чтобы ему поручили дело. Мне кажется, он был бы даже рад, если бы мистер Холмс с ним не справился.

— И мистер Холмс это знает?

— Не было еще такого случая, чтобы мистер Холмс чего-нибудь не знал.

— Ну, я очень надеюсь, что он справится и лорд Кантлмир будет посрамлен. Послушайте, Билли, зачем эта занавеска на окне?

— Мистер Холмс повесил ее три дня тому назад. У нас там есть кое-что любопытное.— Билли подошел и отдернул занавесь, отделявшую комнату от оконной ниши.

Доктор Уотсон невольно вскрикнул от удивления. Перед ним в глубоком кресле сидела точная копия его старого друга; и халат, и все остальное были в точности как у Холмса, лицо, на три четверти обращенное к окну, было слегка наклонено вниз, словно над невидимой книгой. Билли снял голову с туловища и подержал ее в руках.

— Мы придаем ей различные положения, чтобы было больше похоже на живого человека. Если бы штора не была спущена, я бы, конечно, не решился ее трогать.

Когда штора не задернута, ее видно с той стороны улицы.

— Однажды у нас уже было что-то в этом роде.

— Меня тогда еще здесь не было,— сказал Билли. Он раздвинул шторы и выглянул на улицу.— За нами из того дома ведут наблюдение. Вон в окне человек, хотите посмотреть?

Уотсон сделал шаг вперед, но в это время дверь спальни отворилась, и оттуда появилась худая и длинная фигура Холмса; лицо его осунулось и побледнело, но держался он, как всегда, бодро. Одним прыжком он очутился у окна и поправил штору.

— Довольно, Билли,— сказал он,— вы рисковали жизнью, а как раз сейчас вы мне очень нужны. Рад вас видеть, Уотсон, в вашей старой квартире. Вы явились в критическую минуту.

— Я это чувствую.

— Можете идти, Билли. Не знаю, как быть с этим мальчиком. Насколько я вправе подвергать его опасности.

— Какой опасности, Холмс?

— Опасности внезапной смерти. Я не удивлюсь, если сегодня вечером что-нибудь произойдет.

— Но что именно?

— Например, меня убьют.

— Не может быть, Холмс, вы шутите!

— Даже при моем отсутствии юмора я мог бы придумать лучшую шутку. Но пока что мы можем наслаждаться жизнью, верно? Спиртные напитки вам не противопоказаны? Сифон и сигары на прежнем месте. Надеюсь, вы еще не презираете мой жалкий табак и трубку? В эти дни они должны заменить мне еду.

— Но почему вы отказываетесь от еды?

— Потому что голод обостряет умственные способности. Мой дорогой Уотсон, вы, как врач, должны согласиться, что при пищеварении мозг теряет ровно столько крови, сколько ее требуется для работы желудка. Я сейчас один сплошной мозг. Все остальное — не более чем придаток. Поэтому я прежде всего должен считаться с мозгом.

— Но вы говорили о какой-то опасности, Холмс?

— Ах да, на всякий случай вам, пожалуй, не мешает обременить свою память адресом и именем убийцы. Вы сможете передать эти сведения в Скотленд-Ярд в виде прощального привета от преданного Холмса. Его зовут

Сильвиус, граф Негретто Сильвиус. Запишите: Мурсайд-Гарденс, 136, Норд-Уэст. Готово?

Честное лицо Уотсона нервно подергивалось. Ему было слишком хорошо известно, что Холмс никогда не останавливался ни перед какой опасностью и скорее склонен был недооценивать ее, чем преувеличивать. Уотсон не привык тратить время даром и решительно поднялся.

— Можете располагать мной, Холмс, в ближайшие дни я совершенно свободен.

— В моральном отношении вы нисколько не изменились к лучшему, Уотсон. Ко всем вашим старым порокам добавился еще один — вы научились лгать. Весь ваш вид говорит о том, что вы загруженный работой врач, которого осаждают больные.

— Среди них ни одного сколько-нибудь серьезного. Но разве вы не можете арестовать этого человека?

— Конечно могу, Уотсон, поэтому-то он так и беспокоится.

— Так в чем же дело?

— Дело в том, что я не знаю, где бриллиант.

— Ах да, Билли рассказывал — бриллиант короны.

— Вот именно, огромный желтый камень Мазарини. Я расставил сети, и рыбка уже попалась, но я еще не получил камня. Какой мне толк забирать грабителей? Разумеется, мир станет лучше, если всех их посадить за решетку. Но у меня другая цель — мне нужен камень.

— Так, значит, граф Сильвиус — одна из попавшихся рыбок?

— Да, и при этом акула, которая кусается. Другой — Сэм Мертон, боксер. Сэм — неплохой парень, но граф использует его для своих целей. Он не акула, а всего только глупый большеголовый пескарь. Но все равно он тоже бьется в моих сетях.

— А где этот граф Сильвиус?

— Я сегодня все утро провел у него под самым носом. Вы ведь видели меня в роли старухи. Но так удачно, как в этот раз, у меня еще никогда не получалось. Граф даже поднял мой зонтик со словами: «Позвольте мне, сударыня»; он ведь наполовину итальянец и, как истинный южанин, умеет быть чрезвычайно любезным, если только он в духе, но если не в духе,— это сущий дьявол. Как видите, Уотсон, в жизни случаются прелюбопытные вещи.

— Но это могло кончиться трагически.

— Не спорю. Я шел за ним до мастерской старого

Штраубензе на Майнорис. Ему там изготовили духовое ружье — великолепная штука, и, если не ошибаюсь, сейчас она находится в окне напротив. Вы видели манекен? Ах да, Билли вам показывал. В любой момент в эту прекрасную голову может угодить пуля. В чем дело, Билли?

Билли вошел с карточкой на подносе. Холмс взглянул на карточку; брови его поднялись, и на губах появилась усмешка.

— Он решил пожаловать сюда собственной персоной. Этого я не ожидал. Надо хватать быка за рога, Уотсон. Этот человек способен на все. Вы ведь, наверное, слышали, что граф — знаменитый охотник на крупного зверя. Если ему удастся заполучить в свой ягдташ и меня, это будет достойным и блестящим завершением его спортивной карьеры. Он, конечно, чувствует, что я вот-вот его настигну.

— Пошлите за полицией.

— Вероятно, я так и сделаю, но не сейчас. Поглядите хорошенько, Уотсон, нет ли кого на улице.

Уотсон осторожно выглянул из-за шторы.

— Какой-то верзила стоит около двери.

— Ну так это Сэм Мертон, преданный, но не слишком далекий Сэм. Где же этот джентльмен, Билли?

— В приемной, сэр.

— Когда я позвоню, впустите его.

— Слушаюсь, сэр.

— Если меня не будет в комнате, все равно впустите его.

— Слушаюсь, сэр.

Уотсон подождал, когда закроется дверь, и затем с горячностью обратился к своему собеседнику:

— Послушайте, Холмс, это просто невозможно. Это же отчаянный человек, он ни перед чем не остановится. Может быть, он пришел сюда, чтобы убить вас.

— Что же, я нисколько не удивлюсь.

— В таком случае, я останусь с вами.

— Ваше присутствие может очень помешать.

— Ему?

— Нет, мой дорогой, мне.

— И все-таки я не могу оставить вас одного.

— Нет, Уотсон, вы можете и должны это сделать, вы еще никогда не выходили из игры. Я уверен, что и на этот раз вы доведете ее до конца. Этот человек явился сюда ради своих целей, но, возможно, он останется здесь ради моих.— Холмс вытащил записную книжку и

355

написал несколько строк.— Поезжайте в Скотленд-Ярд и передайте эту записку Югелу из отдела уголовного розыска. Возвращайтесь обратно с полицией, и тогда графа можно будет арестовать.

— Я охотно помогу вам в этом.

— Надеюсь, до вашего возвращения у меня как раз хватит времени, чтобы выяснить, где камень.

Холмс позвонил.

— Пожалуй, нам лучше выйти через спальню. Чрезвычайно удобно иметь второй выход. Я предпочитаю поглядеть на свою акулу так, чтобы она меня не видела, и, вы ведь знаете, для таких случаев у меня кое-что придумано.

Таким образом, когда через минуту Билли впустил Сильвиуса, в комнате никого не было. Знаменитый стрелок, спортсмен и франт был крупный смуглый мужчина, его огромные черные усы прикрывали тонкий жестокий рот, над которым нависал длинный крючковатый нос, напоминавший орлиный клюв. Он был хорошо одет, но его яркий галстук, сверкающая булавка и блестящие кольца слишком резко бросались в глаза. Когда дверь за ним затворилась, он свирепо и вместе с тем испуганно огляделся, словно ожидая на каждом шагу ловушки. Вдруг он вздрогнул, заметив у окна безмятежно склоненную голову и воротник халата, видневшийся из-за спинки кресла. Сначала на его лице выразилось полнейшее изумление. Затем черные глаза убийцы радостно сверкнули. Он еще раз осмотрелся кругом, чтобы убедиться, что его никто не видит, и, приподняв свою тяжелую палку, подкрался на цыпочках к молчаливой фигуре. Он уже присел, чтобы сделать последний прыжок и нанести удар, как вдруг из открывшейся двери спальни его остановил спокойный и насмешливый голос Холмса:

— Смотрите не разбейте ее, граф!

Убийца отступил назад, его перекошенное лицо выражало изумление. Он снова приподнял опущенную было трость, словно желая перенести свою ярость с изображения на оригинал, но в твердом взгляде серых глаз и насмешливой улыбке Холмса было что-то, заставившее его руку снова опуститься.

— Прелестная вещица! Работа французского мастера Таверне. Он так же ловко делает восковые фигуры, как ваш приятель Штраубензе — духовые ружья.

— Духовые ружья? Не понимаю, сэр, что вы хотите этим сказать.

— Положите шляпу и трость на столик. Вот так, благодарю вас. И пожалуйста, присядьте. Быть может, вы заодно вытащите и свой пистолет? Впрочем, если вы предпочитаете сидеть на нем, я не возражаю. Вы пришли очень кстати, мне необходимо с вами поговорить.

Граф угрожающе нахмурил свои густые брови:

— Я тоже хотел сказать вам пару слов, Холмс. Поэтому я и пришел. Не стану отрицать — я только что собирался размозжить вам голову.

Холмс присел на краешек стола.

— Я так и понял, что вам взбрело на ум нечто подобное. Но почему я заслужил такое внимание с вашей стороны?

— А потому, что вы слишком много себе позволяете, мне это начинает действовать на нервы. Потому что вы рассылаете своих приспешников следить за мной.

— Я никого не посылал, даю вам честное слово.

— Не говорите глупостей. Я видел, что за мной следят. Но мы еще посмотрим, кто кого, Холмс.

— Разумеется, это мелочь, граф Сильвиус, но я попросил бы вас обращаться ко мне, соблюдая правила вежливости. Вы понимаете, что по роду своей деятельности мне пришлось бы быть на «ты» с доброй половиной преступников, и согласитесь, что я не могу делать ни для кого исключения, дабы не вводить в соблазн других.

— Ладно, пусть будет м и с т е р Холмс.

— Прекрасно! Однако, уверяю вас, вы ошибаетесь, утверждая, будто бы я пользуюсь агентами.

Граф Сильвиус презрительно рассмеялся:

— Не думайте, что я глупее вас и ничего не замечаю. Вчера это был какой-то спортсмен. Сегодня — старуха. Они ни на минуту не выпускали меня из виду.

— Вы мне льстите, сэр. Старый барон Даусон за день до того, как его повесили, сказал, что театр потерял в моем лице ровно столько же, сколько выиграло правосудие. А сегодня вы расхваливаете меня за мои маленькие перевоплощения.

— Так это... Так это были вы?

Холмс пожал плечами:

— Вон в углу стоит зонтик, который вы, еще ничего не подозревая, так вежливо вручили мне.

— Если бы я знал, вы бы никогда...

— Я бы никогда не увидел этого скромного жилища, хотите вы сказать? Я это хорошо понимал. Всем нам свойственны промахи, о которых мы потом сожалеем.

Но, так или иначе, вы меня не узнали, и вот я сижу перед вами.

Нахмуренные брови графа, из-под которых угрожающе блестели глаза, сдвинулись еще плотнее.

— Что ж, тем хуже. Значит, это не ваши агенты, а вы сами скоморошничаете и суете нос не в свое дело. Вы сами сознаетесь, что следили за мной. Зачем?

— Полноте, граф, вы ведь когда-то охотились на львов в Алжире.

— Ну так что?

— Позвольте вас спросить: зачем?

— Зачем? Ради спорта, ради сильных ощущений, ради риска.

— И кроме того, вы хотели очистить страну от хищников?

— Совершенно верно.

— Теперь вам понятна моя цель?

Граф вскочил, и его рука невольно потянулась к заднему карману.

— Сядьте, сядьте, граф. У меня, кроме этого, есть еще и другая, более конкретная цель. Мне нужен желтый бриллиант!

Зловеще улыбаясь, граф Сильвиус снова опустился на стул.

— Вот как! — произнес он.

— Вы отлично знали, что ради этого я следил за вами, и вы только затем и явились сюда сегодня, чтобы выяснить, много ли мне известно и насколько необходимо меня устранить. Можете мне поверить, что, с вашей точки зрения, это абсолютно необходимо, так как я знаю все, за исключением одного факта, но я рассчитываю узнать о нем от вас.

— Неужели? Интересно, что же это за факт, которого вы не знаете.

— Где находится бриллиант сейчас?

Граф хитро взглянул на собеседника:

— И только-то? Но, черт возьми, как я могу вам это сказать?

— Можете, и вы это сделаете.

— Вы думаете?

— Граф Сильвиус, вам не удастся меня запугать.

Глаза Холмса, устремленные на Сильвиуса, сузились и угрожающе сверкнули, как стальные острия.

— Я вижу вас насквозь, как будто вы стеклянный.

— В таком случае, вы видите, где бриллиант.

Холмс радостно хлопнул в ладоши и затем выразительно поднял палец.

— Итак, вы знаете, где он, вы это сами признали.

— Ничего я не признавал.

— Послушайте, граф, если вы будете благоразумны, мы сможем заключить сделку, а иначе вам не поздоровится.

Граф Сильвиус вперил взор в потолок:

— Кто же кого запугивает — вы меня или я вас?

Холмс посмотрел на него в раздумье, словно гроссмейстер, собирающийся сделать решающий ход. Затем он выдвинул ящик стола и достал оттуда толстый блокнот.

— Знаете, что у меня в этой книжечке?

— Понятия не имею, сэр.

— Вы.

— Я?

— Да, сэр, в ы! Вы тут весь — каждый шаг вашей гнусной и преступной жизни.

— Подите вы к черту, Холмс! — вскочил граф, сверкнув глазами.— Не выводите меня из терпения.

— Тут все записано, граф. Все, что касается смерти старой миссис Гаролд, оставившей вам свое владение в Блимере, которое вы так поспешно проиграли.

— Что за чушь!

— И вся история мисс Минни Уоррендер.

— Бросьте! Вы ничего из этого не выжмете.

— И много еще чего, граф. Ограбление в экспрессе по пути на Ривьеру 13 февраля 1892 года. И подделка чека Лионского банка в том же году.

— Ну уж тут вы ошиблись.

— Значит, я не ошибся во всем остальном. Послушайте, граф, вы ведь играете в карты. Какой смысл продолжать игру, если вы знаете, что у противника все козыри?

— Какое отношение имеет вся эта болтовня к драгоценному камню?

— Терпение, граф. Умерьте свою любознательность! Позвольте уж мне изложить дело со свойственной мне дотошностью. Все это улики против вас. Но помимо этого у меня есть еще неоспоримые улики по делу о бриллианте и против вас, и против вашего телохранителя.

— Какие же это улики?

— Во-первых, показания кебмена, с которым вы ехали на Уайтхолл, и кебмена, который вез вас обратно. Во-вторых, показания швейцара, видевшего вас около витрины. И наконец, у меня есть показания Айки Сандерса, который отказался распилить вам камень. Айки донес на вас, так что игра сыграна.

Вены вздулись на лбу у графа. Стараясь подавить волнение, он судорожно сжимал смуглые волосатые руки. Он попробовал заговорить, но язык не слушался его.

— Вот мои карты. Я все их выложил перед вами. Но одной карты не хватает. Не хватает короля бриллиантов. Я не знаю, где камень.

— И никогда не узнаете.

— Вы так думаете? Ну будьте же благоразумны, граф. Взвесьте все обстоятельства. Вас посадят на двадцать лет. Так же, как и Сэма Мертона. Какой вам прок от камня? Ровно никакого. Но если вы его вернете, я вам обещаю, что дело не дойдет до суда. Ни вы, ни Сэм нам не нужны. Нам нужен камень. Отдайте его, и, если вы будете хорошо себя вести, я гарантирую вам свободу. Но если вы опять попадетесь, то это будет уже конец. А пока что мне поручено раздобыть камень, а не вас.

— А если я не согласен?

— Ну что ж, тогда придется взять вас, а не камень.

Холмс позвонил, и вошел Билли.

— Я полагаю, граф, что неплохо было бы пригласить на это совещание и вашего приятеля Сэма. Он как-никак тоже заинтересованная сторона. Билли, на улице, у подъезда, вы увидите огромного безобразного джентльмена. Попросите его подняться сюда.

— А если он откажется, сэр?

— Никакого насилия, Билли. Не обращайтесь с ним грубо. Если вы скажете, что его зовет граф Сильвиус, он непременно придет.

— Что вы собираетесь делать? — спросил граф, как только Билли вышел.

— Я только что говорил своему другу Уотсону, что в мою сеть попались акула и пескарь. Сейчас я тяну сеть, и обе рыбы показались из воды.

Граф поднялся со стула, держа руку за спиной. Холмс опустил руку в карман халата.

— Вам не суждено умереть в своей постели, Холмс.

— Да, я уже не однажды об этом думал. Но разве это так уж важно? Похоже, что и вы, граф, примете смерть не в горизонтальном, а в вертикальном положении. Впрочем, все эти мрачные прогнозы только портят настроение. Не лучше ли беспечно наслаждаться сегодняшним днем?

Темные враждебные глаза короля преступного мира внезапно вспыхнули, как у настоящего хищника. Вся фигура Холмса выражала напряжение и готовность в любой момент отразить удар; казалось, что от этого он сделался еще выше.

— Не стоит нащупывать револьвер, мой друг,— спокойно произнес он.— Вы очень хорошо знаете, что не осмелитесь пустить его в ход, даже если бы я дал вам время его вытащить. С этими револьверами не оберешься хлопот. От них так много шума, граф. Лучше уж пользоваться духовыми ружьями. А, я, кажется, слышу легкую поступь вашего достойного компаньона. Добрый день, мистер Мертон! Скучновато дожидаться на улице, не правда ли?

Премированный боксер, грузный молодой человек с глупым, упрямым и грубо обтесанным лицом, неловко остановился в дверях, растерянно озираясь по сторонам. Любезный тон Холмса озадачил его, и, хотя Сэм смутно почувствовал в нем враждебность, он не знал, как себя вести. Он повернулся к своему более проницательному товарищу:

— Что тут происходит, граф? Чего ему надо? В чем дело? — Голос его звучал глухо и хрипло.

Граф пожал плечами. Вместо него Сэму ответил Холмс:

— Если говорить кратко, мистер Мертон, ваше дело проиграно.

Боксер продолжал обращаться к своему сообщнику:

— Шутит он, что ли? Так мне сейчас не до шуток.

— Это вполне понятно,— сказал Холмс.— И уверяю вас, что через час-другой вы будете настроены еще менее шутливо. Вот что, граф Сильвиус. Я человек занятой и не могу попусту тратить время. Сейчас я пройду в спальню. Прошу вас не стесняться в мое отсутствие. Без меня вам будет удобнее объяснить своему другу, как обстоит дело. Тем временем я сыграю на скрипке баркаролу из «Сказок Гофмана». Через пять минут я вернусь за окончательным ответом. Надеюсь, вы достаточно ясно уразумели, что вам приходится выбирать одно из двух: или мы заберем вас, или камень.

Холмс удалился, прихватив с собой стоявшую в углу скрипку. Минуту спустя из-за закрытой двери спальни послышались протяжные, жалобные звуки этой самой запоминающейся из мелодий.

— Так в чем дело? — спросил Мертон, когда его приятель повернулся к нему. — Он что, знает про камень?

— Будь он проклят, он знает слишком много, а может быть, и все.

— Черт! — Желтоватое лицо боксера слегка побледнело.

— Нас выдал Айки Сандерс.

— Айки? Ну погоди, я ему сверну шею, хоть бы меня за это повесили.

— Нам от этого легче не станет. Надо решить, что делать.

— Обожди, — сказал боксер, подозрительно глядя на дверь спальни. — С этой хитрой лисицей надо держать ухо востро. Он не подслушивает?

— Как он может подслушивать, когда он играет?

— Это верно. А нет ли кого за занавеской? Слишком уж много тут занавесок.

Боксер стал осматриваться и вдруг в первый раз заметил у окна манекен; в немом удивлении он уставился на него, не в силах произнести ни слова.

— Это восковая кукла, и больше ничего, — объяснил граф.

— Подделка, да? А здорово, мадам Тюссо небось такое и не снилось. Прямо как живой; и халат, и все остальное. Но черт бы побрал эти занавески, граф!

— Шут с ними, с занавесками, мы только зря тратим время, а у нас его не так уж много. Он может арестовать нас из-за этого камня.

— Черта с два!

— Но если мы скажем, где камень, он нас отпустит.

— Еще чего! Отказаться от камня в сто тысяч фунтов?

— Другого выхода нет.

Мертон почесал коротко остриженную голову:

— Послушай, он ведь тут один. Пристукнуть его, и все. Если мы его прикончим, нам нечего будет бояться.

Граф покачал головой:

— У него есть оружие, и он начеку. Если мы его застрелим, нам вряд ли удастся отсюда выбраться. К тому же он наверняка успел сообщить свои сведения полиции. Постой-ка! Что это?

Они услышали слабый звук, который, казалось, доносился со стороны окна. Оба вскочили, но все было тихо. Если не считать странной фигуры в кресле, в комнате, кроме них, никого не было.

— Это на улице,— сказал Мертон.— Ну так слушай, шеф, у тебя есть голова на плечах. Надо что-то придумать. Раз нельзя пустить в ход кулаки, тогда твое дело решать, как быть.

— Я еще и не таких обманывал,— отвечал граф.— Камень-то у меня с собой. В потайном кармане. Я бы ни за что не решился оставить его где-нибудь. Сегодня ночью его можно будет переправить в Амстердам, а там до воскресенья его успеют распилить на четыре части. Он ничего не знает о Ван Седдаре.

— Я думал, Ван Седдар поедет на той неделе.

— Он должен был ехать на той неделе, но теперь ему придется отправиться со следующим же пароходом. Кому-нибудь из нас надо проскользнуть с камнем на Лайм-стрит и предупредить его.

— Второе дно еще не готово.

— Ничего не поделаешь. Придется рискнуть и везти прямо так. Нельзя терять ни минуты.

И снова, как охотник, привыкший быть настороже, он замолчал и пристально посмотрел на окно. Да, этот слабый звук, несомненно, донесся с улицы.

— А Холмса ничего не стоит провести. Этот идиот, чтоб ему было неладно, сказал, что он нас не тронет, если получит камень. Ну так мы пообещаем ему камень. Наведем его на ложный след, а пока он догадается, в чем дело, камень будет уже в Голландии, а мы сами — за границей.

— Вот это здорово! — довольно ухмыльнулся Сэм Мертон.

— Ты пойдешь к голландцу и скажешь, чтобы он поторапливался. А я возьму на себя этого простака и постараюсь заговорить ему зубы. Я скажу ему, что камень в Ливерпуле. Черт бы побрал эту музыку, она мне действует на нервы! Пока Холмс выяснит, что в Ливерпуле его нет, камушек будет поделен на четыре части, а мы будем в открытом море. Поди сюда, а то тебя видно через замочную скважину. Вот он, камушек-то.

— Как ты не боишься носить его с собой?

— Это — самое надежное. Если уж мы ухитрились стащить его с Уайтхолл, из моей квартиры его всякий унесет.

— Дай-ка поглядеть.

Граф Сильвиус, не обращая внимания на протянутую грязную руку, бросил не слишком одобрительный взгляд на своего сообщника.

— Уж не думаешь ли ты, что я собираюсь тебя охмурить? Так вот, имейте в виду, граф, мне начинают надоедать ваши штучки.

— Ну ладно, ладно, Сэм, не обижайся. Нам нельзя сейчас ссориться. Если хочешь как следует разглядеть эту красоту, подойди сюда, к окну. На, держи поближе к свету.

— Благодарю вас.

В мгновение ока Холмс спрыгнул с кресла, на котором раньше сидел манекен, и схватил бриллиант. В одной руке он зажал камень, а другой держал пистолет и целился в голову графа. В полном замешательстве оба мошенника отступили назад. Прежде чем они успели опомниться, Холмс нажал кнопку электрического звонка.

— Не вздумайте сопротивляться! Джентльмены, умоляю вас, поберегите мебель! Вам должно быть ясно, что ваше положение безнадежно. Полиция ждет внизу.

Граф был так ошеломлен, что злоба и страх отступили в эту минуту на второй план.

— Но, черт возьми, каким образом? — прохрипел он.

— Ваше удивление вполне естественно. Вы не знаете, что за этой занавеской есть вторая дверь, ведущая в спальню. Если не ошибаюсь, вы должны были слышать, как я снимал манекен с кресла. Но мне повезло, и я подслушал ваш милый разговор, который мог бы оказаться куда менее откровенным, знай вы о моем присутствии.

Граф стоял с видом человека, сложившего оружие.

— Ваша взяла, Холмс. По-моему, вы сущий дьявол.

— Очень может быть,— ответил Холмс, вежливо улыбаясь.

Туго соображающий Сэм Мертон не сразу понял, что произошло. И только когда на лестнице раздались тяжелые шаги, к нему наконец вернулся дар речи.

— Не иначе как фараон. Но я вот чего не пойму: ведь эта проклятая скрипка все еще пиликает.

— Вы совершенно правы,— ответил Холмс,— пусть ее играет. Эти современные граммофоны — замечательное изобретение.

В комнату ворвалась полиция, щелкнули наручники, и преступников препроводили в ожидающий их кеб. Уотсон остался, чтобы поздравить Холмса еще с одним новым листком, украсившим его лавровый венок. Их разговор снова был прерван появлением невозмутимого Билли с подносом в руках.

— Лорд Кантлмир, сэр.

— Проводите его сюда, Билли. Это знаменитый пэр, представляющий интересы августейших особ,— сказал Холмс.— Человек верноподданный и в своем роде замечательный, но, если так можно выразиться, несколько старорежимный. Заставим его быть повежливее? Позволим себе небольшую вольность, а? Он, разумеется, еще ничего не знает о случившемся.

Дверь открылась, и на пороге появилась тонкая прямая фигура с продолговатым лицом; черные как смоль бакенбарды в средневикторианском стиле не вязались с покатыми плечами и неуверенной, старческой походкой. Холмс с самым любезным видом подошел к вошедшему и пожал его безответную руку.

— Добрый день, лорд Кантлмир. Сегодня довольно прохладно для летнего времени. Но в комнатах очень тепло. Позвольте, я помогу вам снять пальто.

— Благодарю, я не намерен раздеваться.

— Позвольте, я помогу вам! — настойчиво продолжал Холмс, кладя руку на рукав лорда.— Мой друг, доктор Уотсон, подтвердит, что резкие колебания температуры чрезвычайно вредны.

Его светлость раздраженно отдернул руку.

— Мне вполне удобно, и я не собираюсь задерживаться. Я заглянул сюда только для того, чтобы узнать, как продвигается дело, которое вы сами на себя возложили.

— Трудно... очень трудно.

— Я так и знал, что вы это скажете.

В словах и тоне старого лорда явно чувствовалась насмешка.

— Каждый рано или поздно осознает, что его возможности ограниченны, мистер Холмс. Но по крайней мере это излечивает нас от самоуверенности — столь свойственного людям порока.

— Признаюсь, сэр, я совершенно сбит с толку.

— Это вполне естественно.

— В особенности меня смущает одно обстоятельство. Не могу ли я рассчитывать на вашу помощь?

— Вы слишком поздно обратились ко мне за советом. Мне казалось, что вы привыкли полагаться на свой ум во всех случаях жизни. Тем не менее я готов вам помочь.

— Видите ли, лорд Кантлмир, мы, конечно, можем составить обвинение против истинных похитителей камня.

— Когда вы их поймаете.

— Разумеется. Но какие меры воздействия нам следует применить по отношению к укрывателю?

— Не преждевременно ли задаваться подобным вопросом?

— Тем не менее все должно быть продумано заранее. На основании каких улик и кого, по-вашему, следует считать виновным?

— Того, у кого будет обнаружен камень.

— И вы сочли бы это достаточным основанием для ареста?

— Разумеется.

Холмс редко смеялся, но, по словам Уотсона, в эту минуту он был более чем когда-либо близок к смеху.

— В таком случае, дорогой сэр, как это ни прискорбно, я буду вынужден требовать вашего ареста.

— Вы слишком много себе позволяете, мистер Холмс,— не на шутку рассердился лорд Кантлмир, и его желтоватые щеки зарделись давно угасшим пламенем.— За пятьдесят лет моей общественной деятельности мне не приходилось слышать ничего подобного. Я деловой человек, на меня возложены серьезные обязанности, и мне некогда выслушивать глупые шутки. Скажу вам откровенно, сэр, я никогда не верил в ваши таланты, и, по-моему, было бы гораздо лучше, если бы дело поручили официальной полиции. Ваше поведение подтверждает, что я был прав. Имею честь пожелать вам спокойной ночи.

Но Холмс преградил пэру дорогу, встав между ним и дверью.

— Постойте, сэр. Оказаться временным обладателем камня Мазарини — еще куда ни шло. Но если вы выйдете отсюда с камнем, это может повлечь за собой более серьезные обвинения.

— Сэр, это становится невыносимым. Дайте мне пройти.

— Сначала опустите руку в правый карман вашего пальто.

— Что это значит, сэр?

— Не спорьте, сэр, а повинуйтесь.

В следующую секунду пораженный пэр, мигая и бормоча что-то невнятное, стоял перед Холмсом, держа в трясущейся руке огромный желтый бриллиант.

— Но как же... как же так, мистер Холмс?

— Ужасно! Ужасно, лорд Кантлмир! — вскричал Холмс.— Мой старый друг доктор Уотсон скажет вам, что я обожаю подобные мистификации. И кроме того, я питаю слабость к драматическим ситуациям. Я положил камень — разумеется, это была большая вольность с моей стороны — к вам в карман в начале нашего разговора.

Старый пэр перевел взгляд с камня на улыбающееся лицо Холмса.

— Я, право, в замешательстве, сэр. Но это... это в самом деле камень Мазарини. Мы чрезвычайно обязаны вам, мистер Холмс. Быть может, у вас, как вы это сами заметили, несколько своеобразная манера шутить и вы довольно неудачно выбираете время для шуток. Но я полностью беру назад замечания, которые я позволил себе относительно ваших поразительных способностей сыщика. Но каким образом?

— Дело закончено еще только наполовину. Да и подробности не так уж существенны. Я не сомневаюсь, лорд Кантлмир, что удовольствие, которое вам доставит возможность сообщить о счастливом завершении дела в высших кругах, куда вы направляетесь, будет некоторым искуплением моей неуместной шутки. Билли, проводите его светлость и скажите миссис Хадсон, что я буду рад, если она подаст нам обед на двоих, и как можно скорее.

ПРОИСШЕСТВИЕ НА ВИЛЛЕ «ТРИ КОНЬКА»

Мне кажется, ни одно из моих с Шерлоком Холмсом приключений не начиналось столь неожиданно и мелодраматически, как приключение, связанное с виллой «Три конька».

Я несколько дней не виделся с Холмсом и не представлял, по какому новому руслу направлялась тогда его энергия. В то утро мой друг был явно расположен к разговору. Но едва он успел усадить меня в потертое глубокое кресло у камина и удобно расположиться напротив с трубкой во рту, как явился посетитель. Если сказать, что тот вбежал подобно разъяренному быку, — это точнее изобразило бы происшедшее. Дверь распахнулась внезапно, и в комнату ворвался огромный негр. Не окажись он так грозен на вид, его можно было бы назвать комичным — из-за вызывающего костюма в серую клетку и пышного оранжево-розового галстука. Широкое лицо с приплюснутым носом было наклонено вперед, а сердитые темные глаза, в которых горела скрытая угроза, всматривались то в одного из нас, то в другого.

— Который тут Шерлок Холмс, господа? — осведомился он.

Мой друг вяло усмехнулся и поднял вверх свою трубку.

— А, значит, вы? — произнес наш посетитель, обходя стол крадущейся, настораживающей походкой.— Послушайте-ка, масса Холмс, не суйте нос в чужие дела. Пусть люди в Харроу сами управляются с собственными проблемами. Уяснили, масса Холмс?

— Ну, что же вы, продолжайте! — воскликнул мой друг.— Это так интересно.

— Интересно, говорите? — почти крикнул свирепый незнакомец.— Если мне придется вас слегка разукрасить, черта с два вы назовете это интересным. Я уже занимался такими типами, и выглядели они после всего далеко не интересно. Полюбуйтесь-ка, масса Холмс!

И негр помахал перед носом знаменитого сыщика своим внушительным кулаком, напоминавшим обломок скалы. Холмс с нескрываемым интересом осмотрел сжатый кулак.

Возможно, ледяная холодность Холмса или звук, раздавшийся, когда я поднимал кочергу, сделали гостя несколько вежливее.

— Ну ладно! Я честно предупредил вас,— сказал он.— Кое-кто из моих знакомых очень, просто дальше некуда, горит желанием избавиться от вашего вмешательства. Понимаете, что я имею в виду? Я вам, конечно, не указ, но и вы мне тоже. Если сунетесь, я буду поблизости. Помните!

— Давно хотел побеседовать с вами,— сказал Холмс.— Не предлагаю сесть, поскольку не питаю к вам симпатий. Ведь перед нами Стив Дикси, бывший боксер-профессионал, не так ли?

— Да, это я, Стив Дикси. И масса Холмс наверняка почувствует это на собственной шкуре, если попытается морочить мне голову.

— Но ведь именно ею вы и пользуетесь менее всего,— ответил мой друг, пристально глядя на посетителя.— Может, лучше побеседуем об убийстве молодого Перкинса возле бара «Холборн»?

Негр отпрянул, и его лицо побледнело.

— Не терплю подобной болтовни,— сказал он.— Какое мне дело до Перкинса, масса Холмс? Я был в Бирмингеме, около «Булл-ринг»[1], когда этот парень нарвался на неприятности.

— Ну-ну! Об этом вы расскажете судье! Я видел вас с Барни Стокдейлом...

— Да поможет мне Господь! Масса Холмс...

— Довольно! Можете убираться. От меня не скроетесь, все равно найду в случае необходимости.

— До свидания, масса Холмс. Надеюсь, не сердитесь за визит?

— Следовало бы рассердиться, раз не говорите, кому понадобилось посылать вас сюда.

— Тут нет никакого секрета, масса Холмс. Это тот джентльмен, о котором вы только что упомянули.

— А под чью дудку плясал Стокдейл?

— Клянусь, не знаю, масса Холмс. Он просто сказал: «Стив, сходи проведай Шерлока Холмса» — и предупредил: «Если он сунется в Харроу, долго ему не прожить». Вот и все. Я говорю чистую правду.

Не дожидаясь дальнейших расспросов, наш гость выбежал из комнаты. Холмс, тихо усмехнувшись, выбил пепел из трубки.

— К счастью, вам не пришлось испытать на прочность его не слишком разумную голову, Уотсон. От меня не укрылись ваши маневры с кочергой. Но в действительности Дикси — довольно безобидный парень. Просто огромной силы несмышленый хвастливый ребенок. Заметили, как легко удалось его усмирить? Он из шайки Спенсера Джона. Замешан в их последних темных делишках, которые я непременно раскрою. Стивом Дикси командует непосредственно Барни Стокдейл — человек более хитрый. Они занимаются преимущественно запугиванием и избиением. Любопытно, кто стоит за их спинами в данном случае?

— А почему они решили вам угрожать?

— Причиной тому некое происшествие в Харроу. И сегодняшний визит заставляет меня обратить на него особое внимание. Ведь если кто-то так беспокоится, дело должно быть любопытным.

— А что там случилось?

— Я как раз собирался рассказать, когда нас прервал этот нелепый фарс. Миссис Маберли из Харроу прислала вот это письмо. Если вы готовы составить мне компанию, отправим ей ответ телеграфом — и немедленно в путь.

---

[1] Крупный современный торговый центр в Бирмингеме.

Письмо гласило:

«Уважаемый мистер Шерлок Холмс!

Я столкнулась с цепью непонятных событий, касающихся моего дома. Буду очень благодарна за совет. Жду Вас завтра в любое время. Вилла расположена всего в нескольких минутах пути от станции Уильд. Мой покойный супруг, Мортимер Маберли, кажется, был одним из Ваших первых клиентов.

С почтением *Мэри Маберли*».

Обратный адрес — «Три конька», Харроу-Уильд.

— Вот такая ситуация! — вымолвил Холмс.

Непродолжительное путешествие по железной дороге и еще более короткое на автомобиле — и мы оказались перед строением из кирпича и дерева — виллой, окруженной зеленой лужайкой. Лепные изображения над окнами верхнего этажа являли собой неубедительную попытку оправдать название. На заднем плане располагалась наводящая уныние рощица низкорослых сосен. В целом место выглядело невзрачно и оставляло гнетущее впечатление. Однако внутри дом был обставлен со вкусом, а встретившая нас пожилая дама оказалась симпатичной, отмеченной печатью истинной высокой культуры.

— Я хорошо помню вашего мужа, мадам, хотя прошло уже немало лет с тех пор, как он воспользовался моими услугами в одном пустяковом деле,— начал Холмс.

— Вероятно, вам лучше знакомо имя моего сына Дугласа?

Холмс взглянул на хозяйку с возросшим интересом.

— Вот как! Значит, вы — мать Дугласа Маберли? Не скажу, что относился к кругу его близких друзей, но, как любой лондонец, много слышал о нем. Удивительная личность! А где он сейчас?

— Умер, мистер Холмс. Дуглас мертв! Его назначили атташе при нашем посольстве в Риме. В прошлом месяце он скончался там от воспаления легких.

— Простите... Не верится, что смерть властна над такими людьми. Более деятельного и энергичного человека мне не приходилось встречать. Жил в постоянном напряжении, не щадил себя...

— Именно, сэр. Это его и погубило. Помню, каким он был,— сама жизнерадостность и благородство. Немногим довелось увидеть угрюмое, мрачное, озабоченное создание, каким стал мой сын. За какой-то месяц, буквально на глазах, внимательный и почтительный мальчик превратился в усталого циника.

— Несчастная любовь... Женщина?

— Скорее — демон. Только я пригласила вас, мистер Холмс, вовсе не для разговора о покойном сыне.

— Мы с доктором Уотсоном рады помочь вам.

— Здесь в последнее время стали происходить непонятные вещи. Прошло уже больше года с тех пор, как я перебралась на эту виллу. Живу замкнуто, практически не общаясь с соседями. А три дня назад меня посетил человек, назвавшийся агентом по торговле недвижимостью. Он сообщил, что мой дом именно такой, какой необходим одному из клиентов. Тот готов заплатить большие деньги, если я соглашусь уступить «Три конька». Предложение выглядело странным, поскольку поблизости продается несколько вполне приличных вилл, но, естественно, не могло не заинтересовать меня. И я назначила цену на пятьсот фунтов выше той суммы, что заплатила сама. Мужчина не стал торговаться, только сказал о желании клиента одновременно приобрести и обстановку. Кое-что из мебели сохранилось у нас от старых времен, но, можете убедиться сами, всё в хорошем состоянии. Так что сумму я назвала кругленькую. На нее также согласились немедленно. Мне давно хотелось попутешествовать, а сделка была выгодной и позволила бы ни от кого не зависеть до конца моих дней. Вчера агент явился с подготовленным договором. К счастью, я показала документ мистеру Сатро, моему адвокату, живущему здесь же, в Харроу, и тот сказал мне:

«Контракт крайне необычен. Знаете, поставив под ним подпись, вы уже не сможете на законном основании вынести из дома ни единой вещи, включая ваши личные».

Когда вечером агент пришел снова, я указала ему на подобную странность и добавила, что собиралась продать лишь мебель.

«Нет-нет. Именно всё»,— возразил он.

«Ну, а моя одежда, драгоценности?»

«Для личных вещей будут сделаны некоторые исключения. Только без предварительной проверки из дома нельзя забирать ничего. Мой клиент довольно богат и щедр, но у него имеются определенные причуды и своя манера вести дела. Его условие: все или ничего».

«Тогда лучше ничего»,— ответила я.

На том и порешили. Однако происшедшее показалось мне необычным, и я решила...

Тут рассказ миссис Маберли неожиданно оказался прерван. Холмс жестом попросил тишины, затем осторожно пересек комнату и, резко распахнув дверь, втащил внутрь высокую худую женщину, пойманную им за плечо. Та неуклюже сопротивлялась, словно крупный нескладный цыпленок, протестующий, когда его силой вырывают из родного курятника.

— Пустите! Что вы себе позволяете? — вопила она.

— Но в чем дело, Сьюзен? — удивилась хозяйка.

— Понимаете, мадам, я собиралась войти узнать, остаются ли гости к ленчу. А этот господин вдруг схватил меня.

— Я услышал, что кто-то находится за дверью, еще пять минут назад. Просто жаль было прерывать любопытную историю. Страдаете астмой, Сьюзен? Слишком шумно дышите для подобного рода занятий.

Женщина повернула рассерженное и в то же время удивленное лицо к Холмсу, все еще державшему ее в плену.

— Кто вы такой? На каком основании так бросаетесь на людей?

— Просто хотел задать хозяйке один вопрос в вашем присутствии. Вы говорили кому-нибудь о своем намерении обратиться за советом ко мне, миссис Маберли?

— Нет, мистер Холмс, никому.

— А кто отправлял письмо?

— Сьюзен.

— Вот как? Тогда скажите, Сьюзен, кому вы сообщили, что ваша хозяйка ищет помощи у меня?

— Это ложь! Не было ничего подобного!

— Послушайте, Сьюзен. Астматики обычно долго не живут. А говорить неправду, знаете, грешно. Так кого же вы оповестили?

— Сьюзен! — воскликнула миссис Маберли.— Продажное, негодное создание! Припоминаю сейчас, что видела, как вы разговаривали с каким-то мужчиной возле забора.

— Это мое личное дело!

— Положим, имя вашего собеседника мне известно и так. Барни Стокдейл. Так?

— Зачем спрашивать, если знаете?

— Полной уверенности не было, а теперь она появилась. Сьюзен, вы можете заработать десять фунтов, если расскажете, кто стоит за Барни Стокдейлом.

— Человек, способный выложить в сто раз больше денег, чем у вас.

— О, какой богатый мужчина! А, вы рассмеялись... Что, это — женщина? Ну, коли мы докопались до таких тонкостей, очевидно, есть смысл назвать ее и получить свою десятку?

— Катитесь-ка к черту!

— Сьюзен, подбирайте выражения.

— Я ухожу отсюда. Вы мне надоели! За вещами пришлю завтра.— Служанка бросилась к двери.

— Прощайте, Сьюзен. И примите что-нибудь успокоительное.

Но едва за раскрасневшейся, взбешенной женщиной захлопнулась дверь, мой друг продолжил:

— Да, злоумышленники настроены серьезно. Посудите сами, какую рискованную игру они затеяли. На штемпеле письма, полученного мною от вас, стояло время 22.00. Сьюзен сообщила о нем Стокдейлу. Тому пришлось отправиться за инструкциями к своему нанимателю, который (или которая) разрабатывает план действий. Я склонен считать последнее верней из-за усмешки Сьюзен, подметившей мою ошибку. Нанимают чернокожего Стива Дикси, и на следующее же утро бывший боксер приходит запугать меня. Быстрая реакция, верно?

— Но что им нужно?

— В том-то и вопрос! Кто владел этим домом прежде?

— Морской капитан в отставке по фамилии Фергюсон.

— Чем примечателен?

— Насколько мне известно — ничем.

— А не мог ли он что-нибудь закопать здесь? Правда, сейчас сокровища чаще прячут в обычном банке. Но среди людей всегда находятся личности со странностями. Без них мир стал бы просто скучен. Потому на первых порах я подумал о некоем зарытом кладе. Однако в этом случае непонятно, зачем понадобилась мебель. У вас часом нет картины кисти Рафаэля или первого издания Шекспира, о которых вы умалчиваете?

— Не думаю, что обладаю большей редкостью, чем фарфоровый чайный сервиз восемнадцатого века, изготовленный в Дерби.

— Ну, он едва ли способен стать причиной подобных

таинственных событий. А кроме того, почему бы не сказать прямо, что именно им требуется? Если уж они так домогаются вашего чайного сервиза, проще предложить за него приличную цену, а не закупать все имущество целиком. Нет, насколько я понимаю, у вас есть нечто такое, о чем вы даже не подозреваете и с чем не пожелали бы расстаться сознательно.

— Мне тоже так кажется,— вмешался я.

— Если и доктор Уотсон согласен, остановимся на этой версии.

— Но, мистер Холмс, о чем же может идти речь?

— Попробуем выяснить методом логического анализа. Вы живете здесь уже год?

— Почти два.

— Тем более. И за все время никому ничего от вас не требовалось. А в последние три-четыре дня — вдруг такие срочные предложения.

— По-моему, возможен единственный вывод,— ответил я.— Интересующий их объект, чем бы он ни был, только что появился в доме.

— Миссис Маберли, вспомните, имеются у вас какие-нибудь недавно приобретенные вещи?

— В этом году я не покупала решительно ничего.

— В самом деле? Тогда придется подождать дальнейшего развития событий и заодно уточнить некоторые детали. Кстати, ваш адвокат — надежный человек?

— О, на мистера Сатро можно положиться.

— У вас есть еще прислуга кроме прекрасной Сьюзен, только что хлопнувшей парадной дверью?

— Да. Одна молодая девушка.

— Тогда попытайтесь убедить мистера Сатро в необходимости провести ночь-другую в «Трех коньках». Возможно, вам потребуется защита.

— От кого?

— Кто знает! Дело пока темное. Поскольку установить, за чем ведется охота, не удается, попытаемся подойти к проблеме с другой стороны. Агент по торговле недвижимостью оставил свой адрес?

— Нет. Только эту карточку: Хейнз-Джонсон, аукционист и оценщик.

— Не думаю, что нам удастся найти такого в справочнике. Честные люди не скрывают адресов своих контор. Я берусь за ваше дело и доведу его до конца, можете быть спокойны. Все новости немедленно сообщайте мне.

Когда мы уже направлялись к выходу, взгляд Холмса, привыкшего замечать все детали, упал на несколько сундуков и чемоданов, сваленных в углу зала.

— Милан, Люцерн... Они из Италии?

— Это вещи Дугласа.

— Их не распаковывали? Давно они здесь?

— Прибыли на прошлой неделе.

— А вы говорили... Тут как раз и может таиться недостающее звено. Откуда вам известно, что в них нет ничего ценного?

— Там ценного просто быть не должно, мистер Холмс. Мой несчастный сын жил только на жалованье. Откуда взяться дорогим вещам при таком небольшом годовом доходе?

— И все же, миссис Маберли, медлить не следует. Прикажите перенести вещи Дугласа к себе в спальню и осмотрите их как можно скорее. Завтра я приеду узнать о результатах.

Не вызывало сомнений, что вилла «Три конька» под пристальным наблюдением: когда мы, пройдя по аллее, оказались за высокой оградой, увидели знакомого нам боксера. Он словно вырос из-под земли. Его грозная фигура в столь уединенном месте выглядела особенно зловещей, и Холмс поспешил опустить руку в карман.

— Ищете револьвер, масса Холмс?

— Нет, флакон с духами, Стив.

— Вы шутник, масса Холмс, не так ли?

— Вам, Стив, будет не до смеха, если вынудите меня заняться вашими делишками. Я ведь предупреждал сегодня утром.

— Ладно, масса Холмс. Поразмыслив над вашими словами, не желаю продолжать беседу об истории господина Перкинса. Допустим, Стив Дикси не прочь оказать содействие Шерлоку Холмсу.

— Тогда ответьте, кто стоит за вами в этом деле?

— Чтоб мне провалиться, если я знаю, масса Холмс. Я сказал правду. Мой босс Барни просто дал указания, вот и все.

— Довольно! Только помните, Стив: дама, живущая в «Трех коньках», и ее имущество находятся под моей охраной. Не забывайте!

— Хорошо, масса Холмс. Запомню!

Когда мы двинулись дальше, Холмс заметил:

— Он не на шутку испугался за собственную шкуру, Уотсон. Думаю, он выдал бы своего нанимателя, если б знал. К счастью, мне кое-что известно про шайку Спенсера Джона, а Дикси принадлежит к ней. Мне кажется, доктор, что все происходящее в Харроу как раз в компетенции Лангдейла Пайка. Отправляюсь к нему прямо сейчас. Когда вернусь, ситуация должна несколько проясниться.

В тот день мне больше не довелось увидеть Холмса, но я легко мог представить, чем именно занимался мой друг, поскольку Лангдейл Пайк являл собой живой справочник по всем вопросам, касающимся светских скандалов. Это странное, апатичное создание весь период бодрствования проводило у большого окна в клубе на Сент-Джеймс-стрит и служило своеобразным приемником и одновременно передатчиком любых сплетен, какие только имелись в Англии. Поговаривали, что Пайк зарабатывает десятки тысяч за статьи, поставляемые каждую неделю грязным бульварным газетенкам, которые обслуживают любопытствующую публику. Едва только где-то далеко, в мутных глубинах лондонской жизни, возникали необычные водовороты или завихрения, как с механической точностью все они регистрировались на поверхности прибором по имени Лангдейл Пайк. Иногда Холмс предусмотрительно снабжал Лангдейла Пайка соответствующей информацией, и в отдельных случаях тот, в свою очередь, помогал знаменитому сыщику.

Когда на следующее утро я нашел своего друга в кабинете, вид Холмса свидетельствовал, что наши дела не столь уж плохи. Но тем не менее нас ожидал неприятный сюрприз в виде телеграммы следующего содержания:

«Приезжайте немедленно. Ночью ограблен дом клиентки. Полиция приступила расследованию. *Сатро*».

Холмс присвистнул.

— Действие достигло кульминации, и притом гораздо скорее, чем я ожидал. За происшедшим ощущается мощная движущая сила, Уотсон. И это неудивительно, учитывая сведения, полученные от Пайка. Я допустил оплошность, не попросив вас, доктор, подежурить ночью на вилле. Юрист явно не оправдал надежд. Ну да ничего не остается, как вновь отправиться в Харроу-Уильд!

Сразу бросалось в глаза, что на сей раз «Три конька» заметно отличались от образцового дома, каким он был вчера. Перед воротами толпились зеваки. Двое полицейских осматривали окна и клумбы, засаженные геранью. Внутри нас встретил седовласый пожилой мужчина, представившийся адвокатом Сатро. Здесь же суетился румяный инспектор, который поприветствовал Холмса как старинного приятеля.

— Думаю, мистер Холмс, данное дело не для вас! Самое обычное, бесхитростное ограбление. Его вполне способна раскрыть и старомодная полиция. Крупные специалисты тут не требуются.

— Убежден, что расследование находится в надежных руках,— ответил знаменитый сыщик.— Значит, простая кража со взломом, вы говорите?

— Именно! Мы прекрасно осведомлены, чья это работа и где найти преступников. Это совершила банда Барни Стокдейла. В ней состоит негр. Их видели поблизости.

— Великолепно! А что похищено?

— Добыча налетчиков, кажется, оказалась невелика. Миссис Маберли усыпили, а дом... Кстати, вот и сама хозяйка.

В комнату вошла наша вчерашняя знакомая, опиравшаяся на руку девушки-служанки.

— Вы дали мне правильный совет, мистер Холмс,— произнесла миссис Маберли с горькой усмешкой.— Но, к сожалению, я ему не последовала. Не хотела беспокоить мистера Сатро. Вот и оказалась совершенно беззащитной.

— Мне сообщили о случившемся сегодня утром,— пояснил адвокат.

— Мистер Холмс рекомендовал пригласить в дом кого-нибудь из друзей. Я пренебрегла его опытом и поплатилась за это.

— У вас крайне болезненный вид,— начал Холмс.— Сможете рассказать о происшедшем?

— Все уже записано здесь,— вмешался инспектор и похлопал по объемистой записной книжке.

— И тем не менее, если мадам не слишком устала...

— Поверьте, мне почти нечего сообщить. Не сомневаюсь, что злодейка Сьюзен помогла грабителям проникнуть в дом. Они знали расположение комнат как свои пять пальцев. На мгновение я ощутила мокрый лоскут, закрывший мне лицо. Не представляю, сколько лежала без чувств.

— Что они забрали?

— Едва ли исчезло что-то ценное. Я уверена, в сундуках моего сына подобного не было и в помине.

— Неужели бандиты не оставили следов?

— Лишь один листок... Бумажка валялась на полу. Она вся исписана рукой Дугласа.

— Нам от нее мало толку,— подвел итог инспектор.— Вот если бы там оказался почерк преступника...

— Несомненно,— вмешался Холмс.— Непоколебимый здравый смысл! Но все же любопытно взглянуть.

Инспектор достал из записной книжки свернутый лист.

— Никогда не прохожу мимо улик, даже столь ничтожных,— несколько напыщенно произнес он.— Советую и вам поступать так, мистер Холмс. Меня научил этому двадцатипятилетний опыт. Всегда есть шанс обнаружить отпечатки пальцев или еще что-нибудь.

Холмс принялся осматривать бумагу.

— Каково ваше мнение, инспектор?

— По-моему, эта история напоминает окончание старинного романа.

— Да, это вполне может оказаться необычным финалом,— тихо промолвил Холмс.— Вы заметили номер в верхней части страницы? Двести сорок пять! А где остальные двести сорок четыре?

— Полагаю, их унесли грабители. Что и говорить, ценный трофей! Забираться в дом с намерением украсть подобную рукопись — по крайней мере, нелепо.

— А это не наводит вас ни на какие мысли?

— Полагаю, в спешке грабители просто схватили первое, что попало под руки. Все указывает на то. Пусть теперь радуются своей добыче. Видимо, не найдя ничего ценного на нижнем этаже, они решили попытать счастья наверху. Такова моя версия. А как считаете вы, мистер Холмс?

— Тут необходимо хорошенько поразмыслить. Уотсон, подойдите сюда, к окну.

Когда я встал рядом с Холмсом, тот прочел вслух написанное на обрывке листа. Первая фраза начиналась следующим образом:

«...по лицу текла кровь из ран от порезов и ударов. Но это не шло ни в какое сравнение с тем, как обливалось кровью его сердце при виде прекрасного лица, ради которого он готов был пожертвовать даже жизнью. Женщина засмеялась. Да, можно было поклясться чем угодно, что она именно смеялась, как безжалостный демон, в тот момент, когда он взглянул на нее. Мгновенно любовь умерла, и родилась ненависть. Ведь мужчина должен жить ради чего-то. Если не ради вашей взаимности, мадам, то уж наверняка ради моей мести, несущей вам погибель».

— Странное обращение с грамматическими формами,— с усмешкой сказал Холмс, возвращая бумагу инспектору.— Заметили, как «его» вдруг сменилось на «мое». Автор настолько увлекся, что в критический момент поставил себя на место героя.

— Эта писанина кажется до ужаса бездарной,— сказал инспектор, кладя листок в записную книжку.— Қак?! Вы уже уходите, мистер Холмс?

— Полагаю, мне здесь больше нечего делать, поскольку дело расследуется столь компетентно. Кстати, миссис Маберли, помнится, вы упоминали о желании попутешествовать?

— Давно мечтаю об этом, мистер Холмс.

— А куда бы вы хотели отправиться? Қаир, Мадейра, Ривьера?

— О, будь у меня достаточно средств, я совершила бы кругосветное путешествие.

— Вот как! Значит, вокруг света... Ну что ж, до свидания. Не исключена возможность, что я черкну вам пару строк вечером.

Проходя мимо окна, я заметил, как инспектор усмехнулся и покачал головой. Ухмылка его словно говорила: «У ловких малых всегда есть свои заскоки».

Когда мы вновь окунулись в шум города, Холмс произнес:

— Теперь наше приключение подходит к последнему этапу, Уотсон. Думаю, следует, не откладывая, довести расследование до конца.

Мы сели в кеб и поспешили в направлении Гросвенор-сквер. Холмс погрузился в глубокое раздумье, затем, словно внезапно очнувшись, промолвил:

— Уотсон, надеюсь, теперь вам все ясно?

— Не сказал бы. Я понял лишь то, что мы намерены навестить леди, стоящую за происшествием в Харроу.

— Именно! Но разве имя Айседоры Қлейн ни о чем не говорит вам? Известная светская красавица. Тут едва ли кто мог с ней сравниться. Чистокровная испанка, прямая наследница властных конкистадоров. Ее предки правили в Пернамбуко. Вышла замуж за пожилого сахарного короля из Германии — Қлейна — и вскоре оказалась самой богатой и привлекательной вдовой на свете. Настала пора развлечений. У нее было множество поклонников. В их числе оказался и Дуглас Маберли — один из наиболее примечательных мужчин Лондона. По всей вероятности, у него это было серьезно. Не пустой светский кавалер, а человек сильный и гордый, он отдался чувству целиком и требовал того же взамен. А Айседора Клейн представляла собой истинную героиню старинного романа — безжалостную красавицу.

— Значит, герой нашего повествования — он сам?

— О, наконец-то вы начали понимать. Я слышал, Айседора собирается замуж за молодого графа Ломонда. Тот годится ей почти в сыновья. Мать его светлости способна закрыть глаза на разницу в возрасте, но уж не на публичный скандал. Поэтому возникла необходимость... Да вот мы уже и прибыли.

Дом выглядел одним из наиболее изысканных в Уэст-Энде. Лакей, словно некий механизм, принял наши визитные карточки и скоро вернулся сообщить, что леди нет дома.

— Мы ее подождем,— бодро ответил Холмс.

Отлаженный механизм не выдержал.

— «Нет дома» — означает нет для вас,— произнес он.

— Отлично! — сказал мой друг.— Следовательно, нам не придется тратить время на ожидание. Будьте любезны передать хозяйке эту записку.

Он черкнул несколько слов на листке из своего блокнота, свернул и отдал слуге.

— Что вы написали, Холмс? — поинтересовался я.

— Единственную фразу: «Неужели вы предпочитаете полицию?» Думаю, это поможет нам пройти в дом.

Так и случилось. Минуту спустя мы уже были в гостиной, напоминающей сказку «Тысячи и одной ночи»,— огромной и великолепной. Немногочисленные розоватые светильники оставляли комнату в полумраке. Чувствовалось, что леди Клейн уже достигла той поры жизни, когда даже самая надменная красота начинает отдавать предпочтение умеренному освещению.

С небольшого дивана поднялась высокая, величественная женщина с прекрасной фигурой и милым лицом. Удивительные глаза испанки глядели на нас, словно хотели испепелить.

— Как понимать ваше вторжение и оскорбительные намеки? — воскликнула Айседора Клейн, протягивая записку.

— Разве объяснения необходимы, мадам? Я достаточно уважаю ваш ум, чтобы снизойти до них. Правда, последние дни дали мне право несколько усомниться...

— Отчего же?

— Оттого, мадам, что вы решили напугать меня наемными громилами и тем самым отстранить от дела.

Однако не учли вы одного — человек выбирает себе подобный род занятий, если его привлекают именно опасности. Таким образом, вы сами заставили меня заняться расследованием дела Маберли.

— Не понимаю, о чем вы говорите. Какое отношение я имею к бандитам?

— Да, я действительно переоценил вашу сообразительность. Прощайте.

— Постойте! Куда же вы?

— В Скотленд-Ярд.

Мы не успели пройти и половины пути к двери — Айседора Клейн догнала нас и взяла моего друга за руку. В одно мгновение стальная твердость сменилась мягкостью бархата.

— Господа, давайте обсудим ситуацию. Чувствую, что могу говорить с вами откровенно, мистер Холмс. Вы создаете впечатление истинного джентльмена. Инстинкт женщины безошибочен: я вижу в вас друзей.

— Не стану пока утверждать подобное о себе, мадам. Хоть я и не олицетворяю закон, но, насколько мне позволяют ограниченные мои полномочия, я являюсь представителем правосудия. Готов вас выслушать, после чего смогу сообщить, как намерен поступить дальше.

— О, конечно же, попытка запугать столь храброго человека была просто глупостью с моей стороны.

— Но еще неосмотрительней с вашей стороны было то, что вы, мадам, попали в зависимость от шайки злодеев, способных вас шантажировать и даже выдать полиции.

— Ну нет! Я не так проста. Раз уж пообещала быть искренней, то скажу все. Кроме Барни Стокдейла и его жены Сьюзен, никто не имел ни малейшего представления, на кого работал. А что касается тех двоих, им не впервой...

Айседора Клейн улыбнулась с очаровательным кокетством, словно близкому знакомому.

— Понятно! Они уже испытаны вами.

— Да, это верные псы...

— Напрасно вы так верите им. Подобные создания могут и укусить руку, кормящую их. Стокдейлов непременно арестуют за участие в ограблении. Полиция охотится за ними.

— Они готовы принять наказание. За то им и платят. Мое же имя в деле упоминаться не будет.

— Если только я не сочту необходимым...

— О нет! Джентльмены не обходятся так с секрета-
ми, принадлежащими даме.

— Вам следует вернуть рукопись.

Айседора Клейн рассмеялась и подошла к камину,
где возвышалась обугленная черная масса.

— Неужели вот это вам может понадобиться? — ос-
ведомилась она.

Женщина, стоявшая перед нами с вызывающей усмешкой, выглядела дерзкой и одновременно изящной и
привлекательной. Однако Холмс не пошел на поводу у
сентиментальности.

— Тем самым вы решили свою участь, мадам,— холодно произнес он.— Ваши действия отличались быстротой и точностью, но теперь вы зашли слишком далеко.

— Не будьте так безжалостны, мистер Холмс. Я расскажу вам всю историю...

— Думаю, я теперь уже и сам способен сделать это.

— Но попытайтесь взглянуть на все моими глазами,
мистер Холмс. Постарайтесь понять ситуацию, в какую
попала женщина, чьи честолюбивые устремления должны внезапно, в самый последний момент, рухнуть.
Справедливо ли винить ее за попытку защититься? Да,
Дуглас был славным юношей, но совсем не подходил
для моих планов. Он хотел на мне жениться. Я не могла
позволить себе вступить в брак с человеком без титула
и денег. Поскольку сначала я была несколько уступчива,
Дуглас вообразил, что может предъявлять мне претензии. Терпеть это оказалось невыносимым, и, в конце
концов, пришлось развеять его иллюзии...

— ...наняв хулиганов, избивших его прямо у ваших
дверей?

— О, вы и в самом деле производите впечатление
человека информированного. Да, это правда, мистер
Холмс. Барни и его ребята обошлись с Дугласом, готова признать, достаточно грубо. Но что же Дуглас придумал в отместку? Могла ли я ожидать подобного от
джентльмена? Он написал книгу, в которой изобразил
собственную историю. И конечно же, мне отвел в ней
роль хищника, а себе — ягненка. Там рассказывалось
обо всем, только имена, естественно, были вымышленны-
ми. Но разве хоть для одного лондонца истина осталась
бы тайной? Как вы считаете, мистер Холмс?

— Он имел на это полное право.

— Воздух Италии словно вскружил ему голову и
придал безжалостности. Дуглас написал мне письмо и
одновременно прислал экземпляр своего творения. По

его словам, один из двух экземпляров предназначен для меня, другой — для издателя.

— Откуда вам известно, что Дуглас Маберли еще не привел свою угрозу в исполнение?

— Установить имя издателя не составило труда. Как удалось выяснить, из Италии ему пока не поступало ничего. И тут вдруг скоропостижная смерть Дугласа. Я не могла чувствовать себя в безопасности, пока где-то существовал еще один экземпляр рукописи. Скорее всего, рукопись должна была находиться среди его вещей, которые вернули матери, подумала я. И мои люди принялись за работу. Сьюзен устроилась служанкой в дом миссис Маберли. Я намеревалась действовать по справедливости. Поверьте, это так! Попыталась купить дом со всеми вещами. Была готова уплатить любую цену, названную хозяйкой. Но когда сделка сорвалась, пришлось обратиться к иным средствам. Поступить иначе оказалось невозможно, мистер Холмс. На карту было поставлено мое будущее.

— Ладно, — сказал Холмс. — Думаю, в данном случае придется отказаться от судебного преследования и потребовать компенсации. Во сколько обойдется кругосветное путешествие в каюте первого класса?

Айседора Клейн взглянула на моего друга с удивлением.

— Пяти тысяч фунтов достаточно?

— Вполне, мадам, — ответил я.

А Холмс добавил:

— Хорошо, вы подпишете чек на такую сумму, и я сам позабочусь, чтобы миссис Маберли получила деньги. Она заслужила того, чтобы на некоторое время переменить обстановку. Но вот что еще, мадам: будьте осторожнее. Нельзя постоянно играть острыми предметами, не порезав при этом свои нежные ручки.

ВАМПИР В СУССЕКСЕ

Холмс внимательно прочел небольшую, в несколько строк, записку, доставленную вечерней почтой, и с коротким, сухим смешком, означавшим у него веселый смех, перекинул ее мне.

— Право, трудно себе представить более нелепую мешанину из современности и средневековья, трезвейшей прозы и дикой фантазии. Что вы на это скажете, Уотсон?

В записке стояло:

*«Олд-Джюри, 46
19 ноября.*

Касательно вампиров.

Сэр!

Наш клиент мистер Роберт Фергюсон, компаньон торгового дома «Фергюсон и Мюирхед, поставщики чая» на Минсинг-лейн, запросил нас касательно вампиров. Поскольку наша фирма занимается исключительно оценкой и налогообложением машинного оборудования, вопрос этот едва ли относится к нашей компетенции, и мы рекомендовали мистеру Фергюсону обратиться к Вам. У нас свежо в памяти Ваше успешное расследование дела Матильды Бригс.

С почтением, сэр,

Моррисон, Моррисон и Додд».

— Матильда Бригс, друг мой Уотсон, отнюдь не имя молоденькой девушки,— проговорил Холмс задумчиво.— Так назывался корабль. В истории с ним немалую роль сыграла гигантская крыса, обитающая на Суматре. Но еще не пришло время поведать миру те события... Так что же нам известно о вампирах? Или и к нашей компетенции это не относится? Конечно, все лучше скуки и безделья, но, право, нас, кажется, приглашают в сказку Гримма. Протяните-ка руку, Уотсон, посмотрим, что мы найдем под буквой «В».

Откинувшись назад, я достал с полки за спиной толстый справочник. Кое-как приладив его у себя на колене, Холмс любовно, смакуя каждое слово, проглядывал собственные записи своих подвигов и сведений, накопленных им за долгую жизнь.

— «Глория Скотт»...— читал он.— Скверная была история с этим кораблем. Мне припоминается, что вы, Уотсон, запечатлели ее на бумаге, хотя результат ваших трудов не дал мне основания поздравить вас с успехом... «Гила, или ядовитая ящерица»... Поразительно интересное дело. «Гадюки»... «Виктория, цирковая прима»... «Виктор Линч, подделыватель подписей»... «Вигор, Хаммерсмитское чудо»... «Вандербильт и медвежатник»... Ага! Как раз то, что нам требуется. Спасибо старику — не подвел. Другого такого справочника не сыщешь. Слушайте, Уотсон: «Вампиры в Венгрии». А вот еще: «Вампиры в Трансильвании».

С выражением живейшего интереса он листал страницу за страницей, читая с большим вниманием, но вскоре отшвырнул книгу и сказал разочарованно:

— Чепуха, Уотсон, сущая чепуха. Какое нам дело до разгуливающих по земле мертвецов, которых можно загнать обратно в могилу, только вбив им кол в сердце? Абсолютная ерунда.

— Но, позвольте, вампир не обязательно мертвец,— запротестовал я.— Такими делами занимаются и живые люди. Я, например, читал о стариках, сосавших кровь младенцев в надежде вернуть себе молодость.

— Совершенно правильно. Здесь эти сказки тоже упоминаются. Но можно ли относиться к подобным вещам серьезно? Наше агентство частного сыска обеими ногами стоит на земле и будет стоять так и впредь. Реальная действительность — достаточно широкое поле для нашей деятельности, с привидениями к нам пусть не адресуются. Полагаю, что мистера Роберта Фергюсона не следует принимать всерьез. Не исключено, что вот это письмо писано им самим; быть может, оно прольет свет на обстоятельства, явившиеся причиной его беспокойства.

Холмс взял конверт, пришедший с той же почтой и пролежавший на столе незамеченным, пока шло чтение первого письма. Он принялся за второе послание с веселой, иронической усмешкой, но постепенно она уступила место выражению глубочайшего интереса и сосредоточенности. Дочитав до конца, он некоторое время сидел молча, погруженный в свои мысли; исписанный листок свободно повис у него в пальцах. Наконец, вздрогнув, Холмс разом очнулся от задумчивости.

— Чизмен, Лемберли. Где находится Лемберли?

— В Суссексе, к югу от Хоршема.

— Не так уж далеко, а? Ну, а что такое Чизмен?

— Я знаю Лемберли — провинциальный уголок. Сплошь старые, многовековой давности дома, носящие имена первых хозяев — Чизмен, Одли, Харви, Карритон,— сами люди давно забыты, но имена их живут в построенных ими домах.

— Совершенно верно,— ответил Холмс сухо. Одной из странностей этой гордой, независимой натуры была способность с необычайной быстротой запечатлевать в своем мозгу всякое новое сведение, но редко признавать заслугу того, кто его этим сведением обогатил.— К концу расследования мы, вероятно, узнаем очень многое об этом Чизмене в Лемберли. Письмо, как я и предполагал, от Роберта Фергюсона. Кстати, он уверяет, что знаком с вами.

— Со мной?

— Прочтите сами.

Он протянул мне письмо через стол. Адрес отправителя гласил: «Чизмен, Лемберли».

Я стал читать:

«Уважаемый мистер Холмс!

Мне посоветовали обратиться к Вам, но дело мое столь деликатного свойства, что я затрудняюсь изложить его на бумаге. Я выступаю от имени моего друга. Лет пять тому назад он женился на молодой девушке, уроженке Перу, дочери перуанского коммерсанта, с которым познакомился в ходе переговоров относительно импорта нитратов. Молодая перуанка очень хороша собой, но ее иноземное происхождение и чуждая религия привели к расхождению интересов и чувств между мужем и женой, и любовь моего друга к жене стала несколько остывать. Он даже готов был считать их союз ошибкой. Он видел, что некоторые черты ее характера навсегда останутся для него непостижимыми. Все это было особенно мучительно потому, что эта женщина, по-видимому, необычайно любящая и преданная ему супруга.

Перехожу к событиям, которые надеюсь изложить точнее при встрече. Цель этого письма лишь дать общее о них представление и выяснить, согласны ли Вы заняться этим делом. Последнее время жена моего друга стала вести себя очень странно, поступки ее шли совершенно вразрез с ее обычно мягким и кротким нравом. Друг мой женат вторично, и от первого брака у него есть пятнадцатилетний сын — очаровательный мальчик, с нежным, любящим сердцем, несмотря на то что несчастный случай еще в детстве сделал его калекой. Теперешняя жена моего друга дважды и без малейшего повода набрасывалась на бедного ребенка с побоями. Один раз ударила его палкой по руке с такой силой, что от удара остался большой рубец.

Но все это не столь существенно по сравнению с ее отношением к собственному ребенку, прелестному мальчугану, которому не исполнилось и года. Как-то кормилица на несколько минут оставила его в детской одного. Громкий, отчаянный крик младенца заставил ее бегом вернуться назад. И тут она увидела, что молодая мать, прильнув к шейке сына, впилась в нее зубами: на шейке виднелась ранка, из нее текла струйка крови. Кормилица пришла в неописуемый ужас и хотела тотчас позвать хозяина, но женщина умолила ее никому ничего не говорить и даже заплатила пять фунтов за ее молчание. Никаких объяснений засим не последовало, и дело так и оставили.

Но случай этот произвел страшное впечатление на кормилицу. Она стала пристально наблюдать за хозяйкой и не спускала глаз со своего питомца, к которому испытывала искреннюю привязанность. При этом ей казалось, что и хозяйка, в свою очередь, непрерывно за ней следит,— стоило кормилице отойти от ребенка, как мать немедленно к нему кидалась. День и ночь кормилица стерегла дитя, день и ночь его мать сидела в засаде, как волк, подстерегающий ягненка. Конечно, мои слова кажутся Вам совершенно невероятными, но, прошу Вас, отнеситесь к ним серьезно; быть может, от того зависят и жизнь ребенка, и рассудок его отца.

Наконец наступил тот ужасный день, когда стало невозможно что-либо скрывать от хозяина. Нервы кормилицы сдали, она чувствовала, что не в силах выдержать напряжение, и во всем ему призналась. Отцу ребенка ее рассказ показался таким же бредом, каким он, вероятно, кажется и Вам. Мой друг никогда не сомневался, что жена искренне и нежно его любит и что, если не считать этих двух нападений на пасынка, она такая же нежная, любящая мать. Разве могла она нанести рану своему собственному любимому дитяти? Мой друг заявил кормилице, что все это ей померещилось, что ее подозрения — плод больного воображения и что он не потерпит столь злостных поклепов на свою жену. Во время их разговора раздался пронзительный детский крик. Кормилица вместе с хозяином кинулась в детскую. Представьте себе чувства мужа и отца, когда он увидел, что жена, отпрянув от кроватки, поднимается с колен, а на шее ребенка и на простынке — кровь. С криком ужаса он повернул лицо жены к свету — губы ее были окровавлены. Сомнений не оставалось: она пила кровь младенца.

Таково положение дел. Сейчас несчастная сидит, запершись в своей комнате. Объяснения между супругами не произошло. Муж едва ли не потерял рассудок. Он, как и я, плохо осведомлен о вампирах; собственно, кроме самого слова, нам ровно ничего не известно. Мы полагали, что это всего-навсего нелепое, дикое суеверие, не имеющее места в нашей стране. И вдруг в самом сердце Англии, в Суссексе... Все эти происшествия мы могли бы обсудить завтра утром. Согласны ли Вы меня принять? Согласны ли употребить свои необычайные способности в помощь человеку, на которого свалилась такая беда? Если согласны, то, прошу Вас, пошлите телеграмму на имя Фергюсона (Чизмен, Лемберли), и к десяти часам я буду у Вас.

С уважением

Роберт Фергюсон.

P. S. Если не ошибаюсь, Ваш друг Уотсон и я однажды встретились в матче регби: он играл в команде Блэкхита, я — в команде Ричмонда. Это единственная рекомендация, которой я располагаю».

— Отлично помню,— сказал я, откладывая письмо в сторону.— Верзила Боб Фергюсон, лучший трехчетвертной, каким могла похвастать команда Ричмонда. Славный, добродушный малый. Как это похоже на него — так близко принимать к сердцу неприятности друга.

Холмс посмотрел на меня пристально и покачал головой.

— Никогда не знаешь, чего от вас ожидать, Уотсон,— сказал он.— В вас залежи еще не исследованных возможностей. Будьте добры, запишите текст телеграммы: «Охотно беремся расследование вашего дела».

— «Вашего» дела?

— Пусть не воображает, что наше агентство — приют слабоумных. Разумеется, речь идет о нем самом. Пошлите ему телеграмму, и до завтрашнего дня оставим все эти дела в покое.

На следующее утро, ровно в десять часов, Фергюсон вошел к нам в комнату. Я помнил его высоким, поджарым, руки и ноги как на шарнирах, и поразительное проворство, не раз помогавшее ему обставлять коллег из команды противника. Да, грустно встретить жалкое подобие того, кто когда-то был великолепным спортсменом, которого ты знавал в расцвете сил. Могучее, крепко сбитое тело как будто усохло, льняные волосы поредели, плечи ссутулились. Боюсь, я своим видом вызвал в нем те же чувства.

— Рад вас видеть, Уотсон,— сказал он. Голос у него остался прежний — густой и добродушный.— Вы не совсем похожи на того молодца, которого я перебросил за канат прямо в публику в «Старом Оленьем Парке» [1]. Думаю, и я порядком изменился. Но меня состарили последние несколько дней. Из телеграммы я понял, мистер Холмс, что мне нечего прикидываться, будто я выступаю от имени другого лица.

— Всегда лучше действовать напрямик,— заметил Холмс.

— Согласен. Но поймите, каково это — говорить такие вещи о своей жене, о женщине, которой долг твой велит оказывать помощь и покровительство! Что мне предпринять? Неужели отправиться в полицию и все им выложить? Ведь и дети нуждаются в защите! Что же это с ней такое, мистер Холмс? Безумие? Или это у нее в крови? Сталкивались ли вы с подобными случаями? Ради всего святого, подайте совет. Я просто голову потерял.

— Вполне вас понимаю, мистер Фергюсон. А теперь сядьте, возьмите себя в руки и ясно отвечайте на мои вопросы. Могу вас заверить, что я далек от того, чтобы терять голову, и очень надеюсь, что мы найдем способ разрешить ваши трудности. Прежде всего скажите, какие меры вы приняли? Ваша жена все еще имеет доступ к детям?

— Между нами произошла ужасная сцена. Поймите, жена моя — человек добрый, сердечный, на свете не сыщешь более любящей, преданной жены. Для нее было тяжким ударом, когда я раскрыл ее страшную, невероятную тайну. Она даже ничего не пожелала сказать. Ни слова не ответила мне на мои упреки — только глядит, и в глазах дикое отчаяние. Потом бросилась к себе в комнату и заперлась. И с тех пор отказывается меня видеть. У нее есть горничная по имени Долорес, служила у нее еще до нашего брака, скорее подруга, чем служанка. Она и носит жене еду.

— Значит, ребенку не грозит опасность?

— Миссис Мэйсон, кормилица, поклялась, что не оставит его без надзора ни днем ни ночью. Я ей полностью доверяю. Я больше тревожусь за Джека, я вам писал, что на него дважды было совершено настоящее нападение.

— Однако никаких увечий не нанесено?

— Нет. Но ударила она его очень сильно. Поступок вдвойне жестокий, ведь мальчик — жалкий, несчастный калека.— Обострившиеся черты лица Фергюсона как

---

[1] Спортивный клуб в Ричмонде, около Лондона.

будто стали мягче, едва он заговорил о старшем сыне.— Казалось бы, несчастье этого ребенка должно смягчить сердце любого: Джек в детстве упал и повредил себе позвоночник. Но сердце у мальчика просто золотое.

Холмс взял письмо Фергюсона и стал его перечитывать.

— Кроме тех, кого вы назвали, кто еще живет с вами в доме?

— Две служанки, они у нас недавно. В доме еще ночует конюх Майкл. Остальные — это жена, я, старший мой сын Джек, потом малыш, горничная Долорес и кормилица миссис Мэйсон. Больше никого.

— Насколько я понял, вы мало знали вашу жену до свадьбы?

— Мы были знакомы всего несколько недель.

— А Долорес давно у нее служит?

— Несколько лет.

— Значит, характер вашей жены лучше известен горничной, чем вам?

— Да, пожалуй.

Холмс что-то записал в свою книжку.

— Полагаю, в Лемберли я смогу оказаться более полезным, чем здесь. Дело это, безусловно, требует расследования на месте. Если жена ваша не покидает своей комнаты, наше присутствие в доме не причинит ей никакого беспокойства и неудобств. Разумеется, мы остановимся в гостинице.

Фергюсон издал вздох облегчения.

— Именно на это я и надеялся, мистер Холмс. С вокзала Виктория в два часа отходит очень удобный поезд — если это вас устраивает.

— Вполне. Сейчас в делах у нас затишье. Я могу целиком посвятить себя вашей проблеме. Уотсон, конечно, поедет тоже. Но прежде всего я хотел бы уточнить некоторые факты. Итак, несчастная ваша супруга нападала на обоих мальчиков — и на своего собственного ребенка, и на вашего старшего сынишку?

— Да.

— Но по-разному. Вашего сына она только избила.

— Да, один раз палкой, другой раз била прямо руками.

— Она вам объяснила свое поведение в отношении пасынка?

— Нет. Сказала только, что ненавидит его. Все повторяла: «Ненавижу, ненавижу...»

— Ну, с мачехами это случается. Ревность задним

числом, если можно так выразиться. А как она по натуре — ревнивая?

— Очень. Она южанка, ревность у нее такая же яростная, как и любовь.

— Но мальчик — ведь ему, вы сказали, пятнадцать лет, и если физически он неполноценен, тем более, вероятно, высоко его умственное развитие,— разве он не дал вам никаких объяснений?

— Нет. Сказал, что это без всякой причины.

— А какие отношения у них были прежде?

— Они всегда друг друга недолюбливали.

— Вы говорили, что мальчик ласковый, любящий.

— Да, трудно найти более преданного сына. Он буквально живет моей жизнью, целиком поглощен тем, чем я занят, ловит каждое мое слово.

Холмс снова что-то записал себе в книжку. Некоторое время он сосредоточенно молчал.

— Вероятно, вы были очень близки с сыном до вашей второй женитьбы — постоянно вместе, все делили?

— Мы почти не разлучались.

— Ребенок с такой чувствительной душой, конечно, свято хранит память матери?

— Да, он ее не забыл.

— Должно быть, очень интересный, занятный мальчуган. Еще один вопрос касательно побоев. Нападение на младенца и на старшего мальчика произошло в один и тот же день?

— В первый раз да. Ее словно охватило безумие, и она обратила свою ярость на обоих. Второй раз пострадал только Джек, со стороны миссис Мэйсон никаких жалоб относительно малыша не поступало.

— Это несколько осложняет дело.

— Не совсем вас понимаю, мистер Холмс.

— Возможно. Видите ли, обычно сочиняешь себе временную гипотезу и выжидаешь, пока полное знание положения вещей не разобьет ее вдребезги. Дурная привычка, мистер Фергюсон, что и говорить, но слабости присущи человеку. Боюсь, ваш старый приятель Уотсон внушил вам преувеличенное представление о моих научных методах. Пока я могу вам только сказать, что ваша проблема не кажется мне неразрешимой и что к двум часам мы будем на вокзале Виктория.

Был тусклый, туманный ноябрьский вечер, когда, оставив наши чемоданы в гостинице «Шахматная доска» в Лемберли, мы пробирались через суссекский глинозем по длинной, извилистой дороге, приведшей нас в конце концов к старинной ферме, владению Фергюсона,— широкому, расползшемуся во все стороны дому, с очень древней средней частью и новехонькими боковыми пристройками. На остроконечной крыше, сложенной из хоршемского горбыля и покрытой пятнами лишайника, поднимались старые, тюдоровские трубы. Ступени крыльца покривились, на старинных плитках, которыми оно было вымощено, красовалось изображение человека и сыра — «герб» первого строителя дома [1]. Внутри под потолками тянулись тяжелые дубовые балки, пол во многих местах осел, образуя глубокие кривые впадины. Всю эту старую развалину пронизывали запахи сырости и гнили.

Фергюсон провел нас в большую, просторную комнату, помещавшуюся в центре дома. Здесь в огромном старомодном камине с железной решеткой, на которой стояла дата «1670», полыхали толстые поленья.

Осмотревшись, я увидел, что в комнате царит смесь различных эпох и мест. Стены, до половины обшитые дубовой панелью, относились, вероятно, к временам фермера-йомена, построившего этот дом в семнадцатом веке. Но по верхнему краю панели висело собрание со вкусом подобранных современных акварелей, а выше, там, где желтая штукатурка вытеснила дуб, расположилась отличная коллекция южноамериканской утвари и оружия — ее, несомненно, привезла с собой перуанка, что сидела сейчас запершись наверху, в своей спальне. Холмс быстро встал и с живейшим любопытством, присущим его необыкновенно острому уму, внимательно рассмотрел всю коллекцию. Когда он снова вернулся к нам, выражение лица у него было серьезное.

— Эге, а это что такое? — воскликнул он вдруг. В углу в корзине лежал спаниель. Теперь собака с трудом поднялась и медленно подошла к хозяину. Задние ее ноги двигались как-то судорожно, хвост волочился по полу. Она лизнула хозяину руку.

— В чем дело, мистер Холмс?

— Что с собакой?

— Ветеринар ничего не мог понять. Что-то похожее на паралич. Предполагает менингит. Но пес поправляется, скоро будет совсем здоров, правда, Карло?

Опущенный хвост спаниеля дрогнул в знак согласия.

---

[1] *Чизмен* (cheeseman) — сыровар.

Печальные собачьи глаза глядели то на хозяина, то на нас. Карло понимал, что разговор идет о нем.

— Это произошло внезапно?

— В одну ночь.

— И давно?

— Месяца четыре назад.

— Чрезвычайно интересно. Наталкивает на определенные выводы.

— Что вы тут усмотрели, мистер Холмс?

— Подтверждение моим догадкам.

— Ради Бога, мистер Холмс, скажите, что у вас на уме? Для вас наши дела, быть может, всего лишь занятная головоломка, но для меня это вопрос жизни и смерти. Жена в роли убийцы, ребенок в опасности... Не играйте со мной в прятки, мистер Холмс. Для меня это слишком важно.

Высоченный регбист дрожал всем телом. Холмс мягко положил ему на плечо руку.

— Боюсь, мистер Фергюсон, при любом исходе дела вас ждут впереди новые страдания,— сказал он.— Я постараюсь щадить вас, насколько то в моих силах. Пока больше ничего не могу добавить. Но надеюсь, прежде чем покинуть этот дом, сообщить вам что-то определенное.

— Дай-то Бог! Извините меня, джентльмены, я поднимусь наверх, узнаю, нет ли каких перемен.

Он отсутствовал несколько минут, и за это время Холмс возобновил свое изучение коллекции на стене. Когда наш хозяин вернулся, по выражению его лица было ясно видно, что все осталось в прежнем положении. Он привел с собой высокую, тоненькую смуглую девушку.

— Чай готов, Долорес,— сказал Фергюсон.— Последи, чтобы твоя хозяйка получила все, что пожелает.

— Хозяйка больная, сильно больная! — выкрикнула девушка, негодующе сверкая глазами на своего господина.— Еда не ест, сильно больная. Надо доктор. Долорес боится быть одна с хозяйка, без доктор.

Фергюсон посмотрел на меня вопросительно.

— Очень рад быть полезным.

— Узнай, пожелает ли твоя хозяйка принять доктора Уотсона.

— Долорес поведет доктор. Не спрашивает можно. Хозяйка надо доктор.

— В таком случае я готов идти немедленно.

Я последовал за дрожащей от волнения девушкой по

лестнице и дальше, в конец ветхого коридора. Там находилась массивная, окованная железом дверь. Мне пришло в голову, что, если бы Фергюсон вздумал силой проникнуть к жене, это было бы ему не так легко. Долорес вынула из кармана ключ, и тяжелые дубовые створки скрипнули на старых петлях. Я вошел в комнату, девушка быстро последовала за мной и тотчас повернула ключ в замочной скважине.

На кровати лежала женщина, несомненно, в сильном жару. Она была в забытьи, но при моем появлении вскинула на меня свои прекрасные глаза и смотрела, не отрываясь, со страхом. Увидев, что это посторонний, она как будто успокоилась и со вздохом снова опустила голову на подушку. Я подошел ближе, сказал несколько успокаивающих слов; она лежала не шевелясь, пока я проверял пульс и температуру. Пульс оказался частым, температура высокой, однако у меня сложилось впечатление, что состояние женщины вызвано не какой-либо болезнью, а нервным потрясением.

— Хозяйка лежит так один день, два дня. Долорес боится, хозяйка умрет,— сказала девушка.

Женщина повернула ко мне красивое пылающее лицо.

— Где мой муж?

— Он внизу и хотел бы вас видеть.

— Не хочу его видеть, не хочу...— Тут она как будто начала бредить: — Дьявол! Дьявол!.. О, что мне делать с этим исчадием ада?..

— Чем я могу помочь вам?

— Ничем. Никто не может помочь мне. Все кончено. Все погибло... И я не в силах ничего сделать, все, все погибло!..

Она явно находилась в каком-то непонятном заблуждении; я никак не мог себе представить милягу Боба Фергюсона в роли дьявола и исчадия ада.

— Сударыня, ваш супруг горячо вас любит,— сказал я.— Он глубоко скорбит о случившемся.

Она снова обратила на меня свои чудесные глаза.

— Да, он любит меня. А я, разве я его не люблю? Разве не люблю я его так сильно, что готова пожертвовать собой, лишь бы не разбить ему сердца?.. Вот как я его люблю... И он мог подумать обо мне такое... мог так говорить со мной...

— Он преисполнен горя, но он не понимает...

— Да, он не в состоянии понять. Но он должен верить!

— Быть может, вы все же повидаетесь с ним?

— Нет, нет! Я не могу забыть те жестокие слова, тот взгляд... Я не желаю его видеть. Уходите. Вы ничем не можете мне помочь. Скажите ему только одно: я хочу, чтобы мне принесли ребенка. Он мой, у меня есть на него права. Только это и передайте мужу.

Она повернулась лицом к стене и больше не произнесла ни слова.

Я спустился вниз. Фергюсон и Холмс молча сидели у огня. Фергюсон угрюмо выслушал мой рассказ о визите к больной.

— Ну, разве могу я доверить ей ребенка? — сказал он.— Разве можно поручиться, что ее вдруг не охватит опять то ужасное, неудержимое желание... Разве могу я забыть, как она тогда поднялась с колен и вокруг ее губ — кровь?

Он вздрогнул, вспоминая страшную сцену.

— Ребенок с миссис Мэйсон, там он в безопасности, там он и останется.

Элегантная горничная, самое современное явление, какое мы доселе наблюдали в этом доме, внесла чай. Пока она хлопотала у стола, дверь распахнулась, и в комнату вошел подросток весьма примечательной внешности — бледнолицый, белокурый, со светло-голубыми беспокойными глазами, которые так и вспыхнули от волнения и радости, едва он увидел отца. Мальчик кинулся к нему, с девичьей нежностью обвил его шею руками.

— Папочка, дорогой! — воскликнул он.— Я и не знал, что ты уже приехал! Я бы вышел тебя встретить. Как я рад, что ты вернулся!

Фергюсон мягко высвободился из объятий сына; он был несколько смущен.

— Здравствуй, мой дружок,— сказал он ласково, гладя льняные волосы мальчика.— Я приехал раньше потому, что мои друзья, мистер Холмс и мистер Уотсон, согласились поехать со мной и провести у нас вечер.

— Мистер Холмс? Сыщик?

— Да.

Мальчик поглядел на нас испытующе и, как мне показалось, не очень дружелюбно.

— А где второй ваш сын, мистер Фергюсон? — спросил Холмс.— Нельзя ли нам познакомиться и с младшим?

— Попроси миссис Мэйсон принести сюда малыша,— обратился Фергюсон к сыну. Тот пошел к двери странной, ковыляющей походкой, и мой взгляд хирурга тотчас определил повреждение позвоночника. Вскоре мальчик вернулся, за ним следом шла высокая, сухопарая женщина, неся на руках очаровательного младенца, черноглазого, золотоволосого — чудесное скрещение рас, саксонской и латинской. Фергюсон, как видно, обожал и этого сынишку, он взял его на руки и нежно приласкал.

— Только представить себе, что у кого-то может хватить злобы обидеть такое существо,— пробормотал он, глядя на небольшой ярко-красный бугорок на шейке этого амура.

И тут я случайно взглянул на моего друга и подивился напряженному выражению его лица — оно словно окаменело, словно было вырезано из слоновой кости. Взгляд Холмса, на мгновение задержавшись на отце с младенцем, был прикован к чему-то, находящемуся в другом конце комнаты. Проследив за направлением этого пристального взгляда, я увидел только, что он обращен на окно, за которым стоял печальный, поникший под дождем сад. Наружная ставня была наполовину прикрыта и почти заслоняла собой вид, и тем не менее глаза Холмса неотрывно глядели именно в сторону окна. И тут он улыбнулся и снова посмотрел на младенца. Он молча наклонился над ним и внимательно исследовал взглядом красный бугорок на мягкой детской шейке. Затем схватил и потряс махавший перед его лицом пухлый, в ямочках кулачок.

— До свидания, молодой человек. Вы начали свою жизнь несколько бурно. Миссис Мэйсон, я хотел бы поговорить с вами с глазу на глаз.

Они встали поодаль и несколько минут о чем-то серьезно беседовали. До меня долетели только последние слова: «Надеюсь, всем вашим тревогам скоро придет конец». Кормилица, особа, как видно, не слишком приветливая и разговорчивая, ушла, унеся ребенка.

— Что представляет собой миссис Мэйсон? — спросил Холмс.

— Внешне она, как видите, не очень привлекательна, но сердце золотое, и так привязана к ребенку.

— А тебе, Джек, она нравится?

И Холмс круто к нему повернулся.

Выразительное лицо подростка как будто потемнело. Он затряс отрицательно головой.

— У Джека очень сильны и симпатии и антипатии,— сказал Фергюсон, обнимая сына за плечи.— По счастью, я отношусь к первой категории.

Мальчик что-то нежно заворковал, прильнув головой к отцовской груди. Фергюсон мягко его отстранил.

— Ну, беги, Джекки,— сказал он и проводил сына любящим взглядом, пока тот не скрылся за дверью.— Мистер Холмс,— обратился он к моему другу,— я, кажется, заставил вас проехаться попусту. В самом деле, ну что вы можете тут поделать, кроме как выразить сочувствие? Вы, конечно, считаете всю ситуацию слишком сложной и деликатной.

— Деликатной? Безусловно,— ответил мой друг, чуть улыбнувшись.— Но не могу сказать, что поражен ее сложностью. Я решил эту проблему методом дедукции. Когда первоначальные результаты дедукции стали пункт за пунктом подтверждаться целым рядом не связанных между собой фактов, тогда субъективное ощущение стало объективной истиной. И теперь можно с уверенностью заявить, что цель достигнута. По правде говоря, я решил задачу еще до того, как мы покинули Бейкер-стрит,— здесь, на месте, оставалось только наблюдать и получать подтверждение.

Фергюсон провел рукой по нахмуренному лбу.

— Ради Бога, Холмс,— сказал он хрипло,— если вы в чем-то разобрались, не томите меня. Как обстоит дело? Как следует поступить? Мне безразлично, каким путем вы добились истины, мне важны сами результаты.

— Конечно, мне надлежит дать вам объяснение, и вы его получите. Но позвольте мне вести дело согласно собственным моим методам. Скажите, Уотсон, в состоянии ли миссис Фергюсон выдержать наше посещение?

— Она больна, но в полном сознании.

— Прекрасно. Окончательно все выяснить мы сможем только в ее присутствии. Поднимемся наверх.

— Но ведь она не хочет меня видеть! — воскликнул Фергюсон.

— Не беспокойтесь, захочет,— сказал Холмс. Он начеркал несколько слов на листке бумаги.— Во всяком случае, у вас, Уотсон, есть официальное право на визит к больной. Будьте так любезны, передайте мадам эту записку.

Я вновь поднялся по лестнице и вручил записку Долорес, осторожно открывшей дверь на мой голос. Через минуту я услышал за дверью возгласы, одновременно радостные и удивленные. Долорес выглянула из-за двери и сообщила:

— Она хочет видеть. Она будет слушать.

По моему знаку Фергюсон и Холмс поднялись наверх. Все трое мы вошли в спальню. Фергюсон шагнул было к жене, приподнявшейся в постели, но она вытянула руку вперед, словно отталкивая его. Он опустился в кресло. Холмс сел рядом с ним, предварительно отвесив поклон женщине, глядевшей на него широко раскрытыми, изумленными глазами.

— Долорес, я думаю, мы можем отпустить...— начал было Холмс.— О, сударыня, конечно, если желаете, она останется, возражений нет. Ну-с, мистер Фергюсон, должен сказать, что человек я занятой, а посему предпочитаю зря время не тратить. Чем быстрее хирург делает разрез, тем меньше боли. Прежде всего хочу вас успокоить. Ваша жена — прекрасная, любящая вас женщина, несправедливо обиженная.

С радостным криком Фергюсон вскочил с кресла.

— Докажите мне это, мистер Холмс, докажите, и я ваш должник по гроб жизни!

— Докажу, но при этом буду вынужден причинить вам новые страдания.

— Все остальное безразлично, лишь бы была оправдана моя жена. По сравнению с этим ничто не имеет значения.

— В таком случае разрешите мне изложить вам ход моих умозаключений еще там, на Бейкер-стрит. Мысль о вампирах я почел абсурдной. В практике английской криминалистики подобные случаи места не имели. И в то же время, Фергюсон, вы действительно видели, как ваша жена отпрянула от кроватки сына, видели кровь на ее губах.

— Да, да.

— А вам не пришло в голову, что из ранки высасывают кровь не только для того, чтобы ее пить? Вам не вспоминается некая английская королева, которая высасывала кровь из раны для того, чтобы извлечь из нее яд?

— Яд?

— В доме, где хозяйство ведется на южноамериканский лад, должна быть коллекция оружия — инстинкт подсказал мне это прежде, чем я увидел ее собственными глазами. Мог быть использован, конечно, и какой-либо другой яд, но это первое, что пришло мне на ум. Когда я заметил пустой колчан возле небольшого охотничьего лука, я увидел именно то, что ожидал увидеть. Если младенец был ранен одной из его стрел, смоченных соком кураре или каким-либо другим дьявольским зельем, ему грозила неминуемая смерть, если не высосать яд из ранки.

И потом собака. Тот, кто задумал пустить в ход такой яд, сперва непременно испытал бы его, чтобы проверить, не утратил ли он свою силу. Случая с собакой я не предвидел, но смысл его разгадал, и этот факт занял свое место в моем логическом построении.

Ну, теперь-то вы поняли? Ваша жена страшилась за младенца. Нападение произошло при ней, и она спасла своему ребенку жизнь. Но она не захотела открыть вам правду, зная, как сильно вы любите мальчика, зная, что это разобьет вам сердце.

— Джекки!..

— Я наблюдал за ним, когда вы ласкали младшего. Его лицо ясно отражалось в оконном стекле там, где закрытая ставня создавала темный фон. Я прочел на этом лице выражение такой ревности, такой жгучей ненависти, какую мне редко доводилось видеть.

— Мой Джекки!

— Отнеситесь к этому мужественно, Фергюсон. Особенно печально, что причина, толкнувшая мальчика на такой поступок, кроется в чрезмерной, нездоровой, маниакальной любви к вам и, возможно, к покойной матери. Душу его пожирает ненависть к этому великолепному ребенку, чье здоровье и красота — прямой контраст с его собственной немощностью.

— Боже правый! Просто невозможно поверить!

— Я сказал правду, сударыня?

Женщина рыдала, зарывшись лицом в подушки. Но вот она повернулась к мужу.

— Как могла я рассказать тебе это, Боб? Нанести тебе такой удар! Я предпочла ждать, пока чьи-нибудь другие уста, не мои, откроют тебе истину. Когда этот джентльмен — он настоящий маг и волшебник — написал, что все знает, я так обрадовалась!

— Мой рецепт юному Джекки — год путешествия по морю,— сказал Холмс, поднимаясь со стула.— Одно мне не совсем ясно, сударыня. Ваш гнев, обрушившийся на Джекки, вполне понятен. И материнскому терпению есть предел. Но как вы решились оставить младенца на эти два дня без своего надзора?

— Я надеялась на миссис Мэйсон. Она знает правду, я ей все сказала.

— Так я и предполагал.

Фергюсон стоял возле кровати, дыхание у него прерывалось, протянутые к жене руки дрожали.

— Теперь, Уотсон, я полагаю, нам пора удалиться со сцены,— шепнул мне Холмс.— Если вы возьмете не в меру преданную Долорес за один локоток, я возьму ее за другой. Ну-с,— продолжал он, когда дверь за нами закрылась,— я думаю, мы можем предоставить им самим улаживать свои отношения.

Мне осталось лишь познакомить читателя с еще одной запиской — Холмс отправил ее в ответ на то послание, с которого этот рассказ начался. Вот она:

*«Бейкер-стрит
21 ноября.*

Касательно вампиров

Сэр!
В ответ на Ваше письмо от 19 ноября сообщаю, что я взял на себя ведение дела мистера Роберта Фергюсона из торгового дома «Фергюсон и Мюирхед, поставщики чая» на Минсинг-лейн, и расследование оного дела дало удовлетворительные результаты.

С благодарностью за рекомендацию
остаюсь, сэр,
Ваш покорный слуга
Шерлок Холмс».

ТРИ ГАРРИДЕБА

Историю эту можно в равной мере назвать как трагедией, так и комедией. В результате ее один человек лишился рассудка, второму — вашему покорному слуге — досталось небольшое «кровопускание», третий угодил за решетку. И все же у нее есть и комическая сторона. Впрочем, судите сами.

Я могу указать точную дату случившегося, ибо все это произошло в тот месяц, когда Холмс отказался от дворянского звания, пожалованного ему за услуги, которые, быть может, еще будут описаны. Пока я об этом упоминаю лишь вскользь: положение партнера и доверенного лица вынуждает меня остерегаться малейшей нескромности. Но, повторяю, именно этот факт позволяет мне установить дату: самый конец июня тысяча девятьсот второго года, вскоре после окончания бурской войны. Холмс несколько дней не вставал с постели,— с ним это часто бывало. Однако в то утро он вышел из спальни, держа в руке большой исписанный лист бумаги; в строгих серых глазах Холмса плясали веселые искорки.

— Уотсон, вам предоставляется возможность недурно заработать,— сказал он.— Слыхали вы такую фамилию — Гарридеб?

Я ответил, что не слыхал.

— Ну так вот, если сумеете откопать одного-единственного Гарридеба, положите в карман кругленькую сумму.

— Каким образом?

— А, это длинная история, к тому же весьма любопытная. Мы с вами ломали головы над множеством сложных, путаных задач, но такой оригинальной нам, кажется, еще не попадалось. С минуты на минуту должен явиться тот, кого нам с вами предстоит подвергнуть допросу. До его прихода не стану ничего рассказывать. Пока займемся самим именем.

Телефонная книга лежала на столе у меня под рукой. Я полистал страницы, не слишком надеясь на успех, и, к своему удивлению, тут же нашел в соответствующем месте эту странную фамилию.

— Есть! — воскликнул я торжествующе.— Вот, пожалуйста, получайте!

Холмс взял книгу у меня из рук.

— «Н. Гарридеб, Вест-Энд, Литл-Райдер-стрит, 136»,— прочел он вслух.— Должен вас разочаровать, Уотсон, но это уже известный мне Гарридеб. Видите, вот его адрес на письме. Нам нужен второй Гарридеб, под пару первому, понимаете?

Вошла миссис Хадсон, неся на подносике визитную карточку. Я заглянул в нее.

— Смотрите-ка, вот и второй! — воскликнул я в изумлении.— Все данные другие: «Джон Гарридеб, адвокат. США, Канзас, Мурвилл».

Пробежав глазами карточку, Холмс улыбнулся.

— Боюсь, Уотсон, вам придется сделать еще одну попытку. Этот джентльмен уже участвует в игре, хотя, признаться, я не рассчитывал увидеть его так скоро. Надеюсь, нам удастся кое-что от него выведать.

В следующую минуту мистер Джон Гарридеб, адвокат, стоял у нас в комнате — коренастый, мощного сложения мужчина с гладко выбритым круглым свежим лицом, какие часто встречаешь у американских дельцов. Особенно примечательна была необыкновенная, почти детская пухлость этого лица, с которого не сходила широкая улыбка,— создавалось впечатление, что это еще совсем молодой человек. Но глаза у него были поразительные. Редко случалось мне видеть пару человеческих глаз, столь явно свидетельствующих о необычайно напряженной внутренней жизни их обладателя,— так они были ярки, так настороженны, так мгновенно отражали малейшее движение мысли. Выговор у мистера Джона Гарридеба был американский, но речь правильная, без развязных американизмов.

— Мистер Холмс? — проговорил он, поочередно обводя нас взглядом.— А, ну да, конечно. Вас нетрудно узнать по фотографиям, сэр, если разрешите заметить. Вы, надо полагать, уже получили письмо от моего тезки, мистера Натана Гарридеба?

— Садитесь, прошу вас,— сказал Шерлок Холмс.— Нам предстоит кое-что обсудить.— Он взял со стола исписанный лист.— Вы, разумеется, мистер Джон Гарридеб, упоминаемый в письме,— мистер Джон Гарридеб из Америки. Но, позвольте, вы ведь уже давно живете в Англии?

— С чего вы взяли?

Мне показалось, что в выразительных глазах американца я прочел подозрение.

— Все, что на вас надето,— английского производства.

Мистер Гарридеб принужденно рассмеялся.

— Я читал про ваши фокусы, мистер Холмс, но никак не думал, что вы станете проделывать их на мне. Как это вы сообразили?

— Покрой плеч вашего пиджака, носки ботинок — разве тут можно ошибиться?

— Вот уж не знал, что выгляжу таким заправским англичанином. Да, верно. Не так давно дела вынудили меня перебраться сюда, потому-то почти все, что на мне, куплено в Лондоне, как вы подметили. Но время ваше, надо полагать, дорого стоит, и мы собрались здесь не для того, чтобы обсуждать фасон моей обуви. Как насчет того, чтобы перейти к бумаге, что у вас в руках?

Холмс чем-то вызвал раздражение у нашего посетителя, и пухлое его лицо в значительной степени утратило свою приветливость.

— Терпение, терпение, мистер Гарридеб,— проговорил мой друг успокаивающим тоном.— Доктор Уотсон может вас заверить, что мои небольшие отклонения от главного в конце концов часто оказываются в прямой с ним связи. Но почему мистер Натан Гарридеб не пришел вместе с вами?

— И какого дьявола втянул он вас в наши дела? — неожиданно вскипел американский адвокат.— Какое, черт возьми, имеете вы к ним касательство? Два джентльмена обсуждают личные свои отношения, и, нате вам, одному из них вдруг зачем-то понадобилось приглашать сыщика! Сегодня утром захожу к старику и узнаю, какую дурацкую шутку он со мной сыграл. По этой причине я и явился сюда. В общем, его затея мне очень не по нутру.

— Она не бросает никакой тени на вас, мистер Гарридеб. Мистер Натан Гарридеб всего лишь проявил усердие для достижения цели, одинаково важной для вас обоих, насколько я понял. Зная, что я располагаю средствами добывать нужные сведения, он, естественно, обратился именно ко мне.

Рассерженное лицо нашего посетителя постепенно прояснилось.

— Тогда дело другое,— сказал он.— Я, как только узнал, что старый чудак вздумал просить подмоги у сыщика, сразу взял у него адрес — и прямо к вам. Не желаю, чтобы полиция совала нос в наши частные дела. Но если вы действительно беретесь разыскать необходимого нам человека,— что ж, я не возражаю.

— Все именно так и обстоит,— сказал Холмс.— А теперь, сэр, раз уж вы здесь, мы бы хотели услышать из ваших собственных уст перечень основных фактов. Моему другу совершенно неизвестны подробности.

Мистер Гарридеб окинул меня не слишком дружелюбным взглядом.

— А зачем ему знать? — спросил он.

— Обычно мы работаем вместе.

— Ну что ж, у меня нет причины держать мои дела в секрете. Выложу вам всё и как можно короче. Будь вы родом из Канзаса, мне было бы незачем объяснять, кто такой Александр Гамильтон Гарридеб. Он сколотил себе состояние на недвижимом имуществе и еще спекулировал пшеницей на чикагской бирже. А деньги тратил на одно: скупал земли по берегам Арканзас-ривер, к западу от Форт-Доджа. Столько их накупил, что хватило бы на любое ваше графство,— пастбища, строевой лес, пашни, рудники — все, что способно приносить доллары их владельцу.

Ни родни, ни близких у Александра Гарридеба не было, я, во всяком случае, ни об одном не слышал. Но старика прямо-таки распирала гордость оттого, что у него такая диковинная фамилия. Это-то нас и свело.

Я тогда адвокатствовал в Топеке, и как-то раз старик является ко мне. До чего же он обрадовался, что встретил однофамильца! У него это стало настоящим пунктиком, и он решил во что бы то ни стало разузнать, существуют ли еще где-нибудь другие Гарридебы. «Сыщите мне хоть одного!» — упрашивал он меня. Я сказал, что я человек занятой, некогда мне рыскать по белу свету, охотиться за Гарридебами. «Ничего, ничего,— сказал он,— именно этим вы и займетесь, если выгорит у меня то, что я затеял». Я, конечно, подумал, что старик просто дурачится, но оказалось — в словах его скрывался очень и очень большой смысл, в чем я скоро убедился.

Года не прошло, как он, видите ли, умер и оставил завещание такое чудно́е, каких в Канзасе регистрировать еще не приходилось. Все свое состояние старик разделил на три части и одну завещал мне на том условии, что я раздобуду еще пару Гарридебов,— они тоже получат наследство, каждый свою долю. Это выходит ровнехонько по пяти миллионов на брата! Но ни один из нас не увидит ни гроша, пока не соберется вся наша тройка вместе.

Это было так заманчиво, что я забросил свою адвокатуру и принялся за поиски Гарридебов. В Соединенных Штатах их нет. Я прочесал страну, сэр, можно сказать, самым частым гребнем, но не нашел ни одного. Тогда я двинулся в Англию. И что же? В лондонской телефонной книге стоит это имя, Натан Гарридеб! Два дня тому назад я зашел к нему, рассказал, как обстоит дело. Старик один-одинешенек, вроде меня, то есть родня у него где-то есть, но всё только женщины, ни одного мужчины. А по завещанию требуется трое мужчин. Так что, как видите, одно место еще свободно, и если вы поможете нам его заполнить, мы готовы оплатить ваши услуги.

— Ну как, Уотсон,— обратился ко мне Холмс, улыбаясь,— не говорил ли я, что это прелюбопытная история? Я полагаю, сэр, вам первым долгом следует поместить в газетах объявление о розысках.

— Уже проделано, мистер Холмс. Все попусту.

— Нет, в самом деле, история весьма курьезная. Пожалуй, займусь ею на досуге. Кстати, это интересно, что вы из Топеки. Я когда-то вел переписку с одним из тамошних жителей — его звали доктор Лизандер Старр. В 1890 году он был мэром.

— Славный был старик доктор Старр. Его имя и сейчас у нас в почете. Так вот, мистер Холмс, сдается мне, нам нужно держать с вами связь. Что ж, будем сообщать, как подвигаются наши поиски. Думаю, через день-два дадим о себе знать.

Заверив нас в этом, наш американский знакомец поклонился и вышел.

Холмс раскурил трубку и некоторое время сидел молча. На лице его блуждала странная улыбка.

— Ну? — спросил я наконец.

— Любопытно, Уотсон, чрезвычайно любопытно.

— Что именно?

Холмс вынул трубку изо рта.

— А вот что: с какой целью этот джентльмен наплел нам столько небылиц? Я чуть не спросил его об этом прямо: иной раз грубая атака — наилучшая тактика, — но потом решил оставить его в приятном заблуждении, пусть думает, что одурачил нас. Человек в пиджаке английского покроя да еще с протертыми локтями и в брюках, которые от годовалой носки лежат на коленях мешком, оказывается, если верить письму и собственному его заявлению, американским провинциалом, только что прибывшим в Англию. Никаких объявлений о розысках в газетах не появлялось. Вы знаете, я никогда их не пропускаю, они служат мне прикрытием, когда требуется поднять дичь. Неужели я прозевал бы подобного фазана? И никакого доктора Лизандера Старра из Топеки я не знаю. В общем, куда ни поверни, все сплошная фальшь. Вероятно, он действительно американец, но почти утратил акцент, прожив несколько лет в Лондоне. Что за всем этим скрывается, каковы подлинные мотивы нелепых розысков людей с фамилией Гарридеб? Да, этим субъектом следует заняться. Если он мошенник, то, безусловно, весьма изобретательный и хитроумный. Необходимо выяснить: может быть, и автор письма такая же дутая личность. Позвоните-ка ему, Уотсон.

Я позвонил. На другом конце провода послышался жидкий, дрожащий голос:

— Да-да, говорит Натан Гарридеб. Нет ли поблизости мистера Холмса? Я бы очень хотел с ним поговорить.

Холмс взял трубку, и я услышал обычные обрывки разговора:

— Да, он заходил к нам. Кажется, вы не слишком хорошо его знаете? Знакомы недавно? Всего два дня?.. Да-да, конечно, перспективы заманчивые... Вы сегодня вечером дома? А ваш однофамилец не обещал зайти?..

Нет? Отлично, мы придем, я как раз хотел поболтать с вами не в его присутствии... Со мной будет доктор Уотсон... Из вашего письма я понял, что вы редко отлучаетесь из дому... Так, значит, мы будем у вас около шести. Американского адвоката оповещать о том не стоит. Всего хорошего, до скорой встречи.

Спускались чудесные весенние сумерки, и даже Литл-Райдер-стрит, крохотная улочка, отходящая от Эджуэрроуд неподалеку от недоброй памяти Тайберн-Три[1], дышала прелестью и казалась совсем золотой от косых лучей заходящего солнца. Мы нашли нужный нам дом — приземистое, старомодное здание времени первых Георгов; ровный кирпичный фасад его украшали лишь два окна-фонаря на первом этаже, выступавшие глубоко вперед. Именно на этом этаже и жил наш клиент, оба эти окна, как выяснилось, принадлежали огромной комнате, где он проводил свои дни. Мы подошли к двери, и Холмс обратил мое внимание на небольшую медную дощечку, на которой стояло знакомое нам странное имя: Гарридеб.

— Находится здесь уже несколько лет,— заметил Холмс, указывая на потускневшую медь.— Во всяком случае, *этот* не самозванец. Следует учесть.

Лестница в доме была одна, общая, и на стенах холла мы увидели немалое количество писанных краской названий контор и фамилий жильцов. Квартир для семейных в доме не имелось, он скорее служил кровом для холостяков богемного образа жизни. Наш клиент сам открыл дверь, в чем и принес извинения, объяснив, что прислуга уходит домой в четыре часа. Мистер Натан Гарридеб оказался долговязым, тощим, сутулым и лысым джентльменом лет шестидесяти. Кожа на его изможденном лице была тусклая, будто неживая, как это часто встречается у людей, ведущих сидячий, неподвижный образ жизни. Большие круглые очки, узкая козлиная бородка, согбенные плечи — все это, вместе взятое, сразу наводило на мысль, что перед вами человек крайне пытливый и любознательный.

Впрочем, общее впечатление создавалось приятное: чудак, конечно, но чудак симпатичный.

Комната выглядела такой же оригинальной, как ее владелец. Она походила на миниатюрный музей. Большая, квадратная, а по стенам полки, шкафы и шкафчи-

---

[1] *Тайберн-Три* («Тайбернское дерево») — виселица в приходе Тайберн, где до конца XVIII века совершались публичные казни.

ки, уставленные всевозможными предметами, имеющими отношение к геологии и анатомии. По бокам двери висели ящики с коллекциями мотыльков и бабочек. Посреди комнаты на широком столе лежала груда образцов различных горных пород, и из нее торчала высокая медная трубка мощного микроскопа. Я оглядел все вокруг и подивился разносторонности интересов старика: здесь ящик со старинными монетами, там собрание древних кремневых орудий. У стены, по другую сторону стола, помещался большой шкаф, где хранились какие-то окаменелости, а на верху его выстроились в ряд гипсовые черепа с подписями: «неандерталец», «гейдельбергский человек», «кроманьонец» и тому подобное. Как видно, мистер Натан Гарридеб посвятил себя не одной, а нескольким отраслям науки. Стоя перед нами, он протирал куском замши какую-то монету.

— Сиракузская, лучшего периода,— пояснил он, указывая на монету.— Позже они очень деградировали. Лучшие их образцы я считаю непревзойденными, хотя некоторые специалисты отдают предпочтение александрийской школе. Мистер Холмс, для вас найдется стул. Разрешите мне снять с него эти кости... А вы, сэр... ах да, доктор Уотсон. Будьте так любезны, доктор Уотсон, отодвиньте японскую вазу подальше. Здесь, в этой комнате, сосредоточены все мои жизненные интересы. Доктор бранит меня за то, что я не бываю на воздухе, но зачем уходить от того, что так к себе тянет? Смею вас уверить, подробная классификация содержимого любого из этих шкафов потребует от меня не меньше трех месяцев.

Холмс с любопытством осмотрелся.

— Правильно ли я вас понял, сэр, вы действительно никогда не выходите из дому?

— Время от времени я совершаю поездку к Сотби или Кристи[1]. А вообще-то я очень редко покидаю свою комнату. Здоровье у меня не из крепких. Научные исследования поглощают все мои силы. Можете себе представить, мистер Холмс, каким потрясением — радостным, и все же потрясением,— явилось для меня известие о столь невероятно счастливом повороте судьбы! Чтобы довести дело до конца, необходим еще один Гарридеб. Уж конечно мы его разыщем. У меня был брат, он умер, а женская родня в счет не идет. Но, безусловно, на свете есть и другие Гарридебы. Я слышал, что вы брались

_____

[1] *Сотби, Кристи* — лондонские аукционные залы.

за очень сложные, трудные проблемы, и решил прибегнуть к вашей помощи. Мой американский тезка, конечно, совершенно прав, мне следовало сперва посоветоваться с ним, но я действовал из лучших побуждений.

— Вы поступили весьма осмотрительно,— сказал Холмс.— А вам и в самом деле не терпится стать американским землевладельцем?

— Разумеется, нет, сэр. Ничто не заставит меня расстаться с моими коллекциями. Но этот американский адвокат обещал выкупить мою долю, как только мы утвердимся в правах наследства. Сумма, предназначенная каждому из нас,— пять миллионов долларов. Как раз в настоящее время имеется возможность сделать несколько ценных приобретений. Как это восполнило бы пробелы в моих коллекциях! Сейчас я ничего не могу приобрести, у меня нет необходимых для этого нескольких сотен фунтов. Подумайте, сколько я накуплю на пять миллионов! Мое собрание ляжет в основу нового национального музея, я стану Гансом Слоуном[1] нашего века!

Глаза его за стеклами очков блестели. Было ясно, что мистер Натан Гарридеб не пожалеет усилий, чтобы раздобыть недостающего однофамильца.

— Я зашел только, чтобы познакомиться, ни в коем случае не хочу мешать вашим занятиям,— сказал Холмс.— Когда я вступаю с человеком в деловые отношения, я всегда предпочитаю личное с ним знакомство. Мне почти не о чем вас спрашивать, мистер Гарридеб,— в кармане у меня ваше письмо с очень толковым изложением основных фактов, и кое-что я еще уточнил во время визита американского джентльмена. Насколько я понял, до этой недели вы и не подозревали о его существовании?

— Абсолютно. Он явился ко мне в прошлый вторник.

— Он вам уже рассказал о нашей встрече?

— Да. Он пришел сюда прямо от вас. Как он тогда на меня рассердился, когда узнал о моем письме!

— За что ему, собственно, было сердиться?

— Он почему-то воспринял это как личное оскорбление. Но от вас он вернулся повеселевшим.

— Он предлагал какой-нибудь план действий?

— Нет, сэр.

— Получал он от вас деньги или, может, просил их?

— Нет, сэр, ни разу!

---

[1] *Слоун* Ганс (1660—1753) — английский врач, натуралист и коллекционер. Собранные им рукописи, картины, книги и пр. легли в основу Британского музея.

— Вы не заметили, не преследует ли он каких-либо особых целей?

— Никаких. Ничего, кроме той, о которой он мне сообщил.

— Вы сказали ему, что мы с вами договорились по телефону о встрече?

— Да, сэр, я поставил его в известность.

Холмс глубоко задумался. Я видел, что он недоумевает, что-то ускользает от его понимания.

— Нет ли в ваших коллекциях каких-либо особо ценных предметов?

— Нет, сэр, я человек небогатый. Коллекции мои хороши, но большой материальной ценности собой не представляют.

— И грабителей вы не опасаетесь?

— Нисколько!

— Давно вы занимаете эту квартиру?

— Почти пять лет.

Разговор был прерван повелительным стуком в дверь. Наш хозяин едва успел отодвинуть задвижку, как в комнату буквально влетел американский адвокат.

— Вот, смотрите! — воскликнул он, размахивая над головой сложенной газетой.— Я так и думал, что застану вас здесь. Мистер Натан Гарридеб, примите мои поздравления. Вы богаты, сэр. Наши хлопоты счастливо завершились, все улажено. А вы, мистер Холмс... Нам остается лишь выразить сожаление, что вас потревожили попусту.

Он передал газету нашему клиенту. Не отрывая изумленного взгляда, старик читал отмеченное в ней объявление. Мы с Холмсом наклонились вперед и, заглядывая через плечо мистера Натана Гарридеба, прочли:

«Говард Гарридеб,
конструктор сельскохозяйственных машин.
Сноповязалки, жнейки, ручные и паровые плуги, сеялки, бороны, фургоны, дровяные ко́злы и пр. Расчеты по артезеанским колодцам.

*Бирмингем, Астон,
Гровнер-билдинг».*

— Великолепно! — воскликнул наш хозяин, задыхаясь от волнения.— Найден третий!

— Я наводил справки в Бирмингеме,— сказал американец,— и мой тамошний агент прислал это объявление — вырезал его из местной газеты. Надо, не мешкая, доводить дело до конца. Я написал этому конструктору, что завтра в четыре часа вы будете у него в конторе.

— Я? Вы хотите, чтобы поехал именно я?

— А вы как считаете, мистер Холмс? Вам не кажется, что так оно разумнее? Представьте себе, являюсь я, никому не известный американец, и рассказываю волшебные сказки. С чего это вдруг станет он мне верить? А вы, мистер Натан Гарридеб, вы англичанин, человек солидный, вас он, уж конечно, выслушает. Если желаете, я могу вас сопровождать, но, признаться, завтра у меня куча дел. Знаете что, если возникнут какие-нибудь осложнения, я мигом примчусь туда следом за вами.

— Понимаете, я уже многие годы не совершал таких длительных поездок...

— А, пустяки, мистер Гарридеб. Я все для вас выяснил. Вы едете двенадцатичасовым поездом, в начале третьего будете на месте. К вечеру успеете вернуться обратно. И все, что от вас требуется,— это повидать нашего однофамильца, изложить ему суть дела и получить письменное подтверждение того, что он действительно существует. Боже ты мой,— добавил он с горячностью,— если вспомнить, что я ехал в такую даль, добирался сюда из самого сердца Америки, то, право, с вас спрашивают не так уж много — проехать сотню миль, чтобы все наконец счастливо устроилось.

— Безусловно,— сказал Холмс.— Я считаю, что этот джентльмен рассуждает резонно.

Мистер Натан Гарридеб уныло пожал плечами.

— Ну, раз вы настаиваете, хорошо, я поеду,— сказал он.— Конечно, мне трудно отказать вам в чем бы то ни было — вам, принесшему в мою жизнь радость надежды.

— Значит, решено,— сказал Холмс.— И при первой возможности известите меня о ходе дела.

— Я об этом позабочусь,— сказал американец.— Ну, мне пора,— добавил он, глянув на свои часы.— Завтра, мистер Натан, я зайду за вами и посажу вас на поезд до Бирмингема. Нам не по пути, мистер Холмс? Нет? В таком случае, позвольте распрощаться. Завтра к вечеру вы, вероятно, уже получите от нас добрые вести.

Я заметил, что едва американец вышел из комнаты, как лицо моего друга просветлело, недоуменное выражение на нем исчезло.

— Мне бы очень хотелось взглянуть на ваши коллекции, мистер Гарридеб,— сказал Холмс.— При моей профессии мне могут пригодиться самые неожиданные сведения, а ваша комната — неистощимый их кладезь.

Наш клиент просиял от удовольствия, глаза его за стеклами больших очков заблестели.

— Я много наслышан, сэр, о вашей высокой интеллектуальности,— сказал он.— Могу хоть сейчас показать все что угодно.

— К сожалению, сейчас я не располагаю временем. Но все экспонаты снабжены ярлыками и отлично классифицированы, едва ли требуются еще и личные ваши пояснения. Что, если я загляну к вам завтра? Вы ничего не имеете против, если я в ваше отсутствие полюбуюсь на эти сокровища?

— Разумеется, прошу вас. Квартира будет, конечно, заперта, но я оставлю ключ у миссис Сандерс. До четырех часов она не уйдет, вы разыщете ее внизу. Она вам отопрет.

— Завтра днем я как раз свободен. Будет очень хорошо, если вы поговорите с миссис Сандерс относительно ключа. Кстати, где помещается контора ваших квартирных агентов?

Неожиданный вопрос явно удивил нашего клиента.

— На Эджуэр-роуд. А в чем дело?

— Видите ли, по части архитектуры я сам немного специалист,— сказал Холмс смеясь.— И вот никак не могу решить, к какому периоду относится ваш дом: царствование королевы Анны? Или уже более позднее время, Георг I?

— Георг, безусловно.

— Вы так думаете? А я бы отнес его к несколько более раннему времени. Впрочем, это легко уточнить. Итак, мистер Гарридеб, до свидания. Позвольте пожелать вам удачной поездки.

Контора жилищного агентства была рядом, но оказалась уже закрытой, и мы с Холмсом отправились к себе на Бейкер-стрит. Только после обеда Холмс вернулся к нашей теме.

— Эта маленькая история движется к развязке,— сказал он.— Вы, конечно, уже мысленно начертали себе ход ее развития.

— Не вижу в ней ни конца, ни начала.

— Ну, начало ее уже достаточно хорошо обрисовано, а конец увидим завтра. Вы не заметили ничего странного в этом газетном объявлении?

— Заметил. В слово «артезианский» вкралась орфографическая ошибка.

— Ага, значит, заметили? Поздравляю, Уотсон, вы делаете успехи. Но это не типографская ошибка, слово напечатали так, как оно было написано тем, кто давал объявление. И кстати, артезианские колодцы более характерны для Америки, чем для Англии. И фургоны тоже. В общем, типичное американское объявление, но якобы исходящее от английской фирмы. Ваше мнение по этому поводу, Уотсон?

— Мне кажется, американский адвокат составил и поместил его сам. Но с какой целью, решительно не догадываюсь.

— Возможны различные мотивы. Но ясно одно — ему надо было спровадить в Бирмингем нашего симпатичного старичка. Это вне сомнений. Я мог бы сказать бедняге, что его гонят искать ветра в поле, но рассудил, что лучше очистить место действия. Пусть едет. Завтра — завтра, Уотсон, само за себя скажет.

Холмс встал рано и куда-то ушел. К завтраку он вернулся, и я увидел, что лицо у него хмурое и сосредоточенное.

— Дело серьезнее, чем я предполагал,— сказал он.— Я должен предупредить вас об этом, Уотсон, хотя наперед знаю — это только подстрекнет ваше стремление лезть туда, где есть шанс сломать себе шею. Мне ли не знать моего друга Уотсона? Но опасность действительно есть, предупреждаю.

— Она будет не первой, которую мы с вами разделяем, и, надеюсь, не последней. В чем же она заключается на сей раз?

— Дело очень не простое, рискованное. Я установил личность адвоката из Америки. Он не кто иной, как «Убийца Эванс» — опаснейший преступник.

— Боюсь, я по-прежнему плохо понимаю, что к чему.

— Ну да, людям вашей профессии не свойственно держать в памяти «Ньюгетский календарь» [1]. Я заходил в Скотленд-Ярд к нашему приятелю Лестрейду. У них там иной раз, быть может, недостает воображения и интуиции, но что касается тщательности и методичности — им нет равных. Мне пришло в голову порыться в их «Галерее мошенников» — вдруг набреду на след нашего американского молодчика? И что же, я и в самом деле наткнулся на его пухлую, улыбающуюся физиономию. Под фотографией я прочел: «Джеймс Уинтер, он же

---

[1] Издававшийся с XVIII века справочник о заключенных Ньюгетской тюрьмы (Лондон) с биографическими данными о них и описанием совершенных ими преступлений.

Маркрофт, он же „Убийца Эванс"».— Холмс вынул из кармана конверт: — Я кое-что выписал из его досье. «Возраст 46 лет, уроженец Чикаго. Известно, что совершил три убийства в Соединенных Штатах. Бежал из тюрьмы с помощью влиятельных лиц. В 1893 году появился в Лондоне. В январе 1895 года в игорном доме на Ватерлоо-роуд стрелял в своего партнера. Тот скончался, но свидетели показали, что именно убитый был зачинщиком ссоры. Труп был опознан. Оказалось, что это Роджер Прескотт, знаменитый чикагский фальшивомонетчик. В 1901 году «Убийца Эванс» вышел из тюрьмы. Состоит под надзором полиции и, насколько это известно, ведет честный образ жизни. Очень опасный преступник, обычно имеет при себе оружие и, не задумываясь, пускает его в ход». Вот какова наша птичка, Уотсон. Довольно бедовая, надо признать.

— Но что он затевает?

— План его постепенно становится ясен. Я заходил в контору жилищного агентства. Там мне подтвердили, что наш клиент живет в данной квартире пять лет. До него она год стояла пустая. Предыдущий жилец был некий джентльмен по имени Уолдрон. Внезапно он исчез, и больше о нем не было ни слуху ни духу. Внешность Уолдрона в конторе хорошо запомнили: высокий, бородатый, смуглый мужчина. Так вот, Уотсон, согласно описаниям Скотленд-Ярда, человек, застреленный «Убийцей Эвансом», был высокий, смуглый и с бородой. В качестве рабочей гипотезы предположим, что именно Прескотт, американский преступник, проживал в той комнате, которую мистер Натан Гарридеб, невинная душа, отвел под свой музей. Таким образом, мы, как видите, первое звено уже имеем.

— А следующее?

— Отправимся на его поиски.

Холмс вытащил из ящика стола револьвер и протянул его мне:

— Берите. Мой всегдашний спутник при мне. Если наш приятель с Дикого Запада попытается оправдать свою кличку, нам надо быть наготове. Сосните часок, Уотсон, а затем, я думаю, пора нам будет отправиться на Райдер-стрит,— посмотрим, что нас там ждет.

Было ровно четыре часа, когда мы снова очутились в любопытной квартире Натана Гарридеба. Миссис Сандерс, поденная уборщица, собиралась уже уходить, но впустила нас не колеблясь: замок в двери защелкивался автоматически, и Холмс обещал, что перед уходом проверит дверь и все будет в порядке. Вскоре затем мы услышали, как хлопнула входная дверь, за окном проплыла шляпка миссис Сандерс,— теперь на первом этаже никого, кроме нас, не оставалось. Холмс быстро осмотрел помещение. В темном углу, несколько отступя от стены, стоял шкаф — за ним мы и спрятались. Холмс шепотом изложил мне план действий.

— Совершенно ясно, что ему было необходимо выпроводить нашего уважаемого клиента, но так как старик никогда не выходит из дому, «американскому адвокату» пришлось сочинить повод. Вся эта сказка про трех Гарридебов, очевидно, только эту цель и преследует. Должен сказать, Уотсон, в ней чувствуется прямо-таки дьявольская изобретательность, пусть даже необычная фамилия жильца дала ему в руки неожиданный козырь. План свой он разработал чрезвычайно хитроумно.

— Но зачем все это ему нужно?

— Для того мы и сидим здесь, чтобы это узнать. Насколько я разобрался в ситуации, к нашему клиенту это не имеет никакого отношения. Тут что-то связано с человеком, которого Эванс застрелил,— возможно, они были сообщниками. Эта комната хранит какую-то преступную тайну. Сперва я заподозрил, что у нашего почтенного друга имеется в коллекции что-нибудь очень значительное, чему он сам не знает цены,— нечто достойное внимания мошенника. Но тот факт, что недоброй памяти Роджер Прескотт занимал когда-то это самое помещение, указывает на иные, более глубокие причины. А сейчас, Уотсон, наберемся терпения, подождем, пока пробьет решительный час.

Ждать пришлось недолго. Мы замерли, услышав, как открылась и тут же захлопнулась входная дверь. Щелкнул ключ в двери, ведущей в комнату, и появился наш американец. Тихо притворив за собой дверь, он острым взглядом окинул все вокруг и, убедившись, что опасности нет, сбросил пальто и пошел прямо к столу, стоявшему посреди комнаты,— шел он уверенно, как человек, точно знающий, что и как ему надо делать. Отодвинув стол и сдернув лежавший под ним ковер, он вытащил из кармана ломик, опустился на колени и стал энергично действовать этим ломиком на полу. Вскоре мы услышали, как стукнули доски, и тут же в полу образовалась квадратная дыра. «Убийца Эванс» чиркнул спичкой, зажег огарок свечи и скрылся из виду.

Теперь пришло время действовать нам. Холмс подал знак, слегка коснувшись моей руки, и мы подкрались к открытому подполу. Как ни осторожно мы двигались, старые доски, очевидно, все же издали скрип у нас под ногами — из черной дыры неожиданно показалась голова американца. Он повернулся в нашу сторону — и лицо его исказилось бессильной яростью. Но постепенно оно смягчилось, на нем даже появилось подобие сконфуженной улыбки, когда он увидел два револьверных дула, нацеленных ему в голову.

— Ну ладно, ладно, — сказал он с полным хладнокровием и стал вылезать наверх. — Видно, с вами, мистер Холмс, мне не тягаться. Сразу разгадали всю мою махинацию и оставили меня в дураках. Ну, признаю, сэр, ваша взяла, а раз так...

В мгновение ока он выхватил из-за пазухи револьвер и дважды выстрелил. Я почувствовал, как мне обожгло бедро, словно к нему приложили раскаленный утюг. Послышался глухой удар — это Холмс обрушил свой револьвер на череп бандита. Я смутно видел, что Эванс лежит, распростершись на полу, и с лица у него стекает кровь, а Холмс ощупывает его в поисках оружия. Затем я почувствовал, как крепкие, словно стальные руки моего друга подхватили меня — он оттащил меня к стулу.

— Вы не ранены, Уотсон? Скажите, ради Бога, вы не ранены?

Да, стоило получить рану, и даже не одну, чтобы узнать глубину заботливости и любви, скрывавшейся за холодной маской моего друга. Ясный, жесткий взгляд его на мгновение затуманился, твердые губы задрожали. На один-единственный миг я ощутил, что это не только великий мозг, но и великое сердце... Этот момент душевного раскрытия вознаградил меня за долгие годы смиренного и преданного служения.

— Пустяки, Холмс. Простая царапина.

Перочинным ножом он разрезал на мне брюки сверху донизу.

— Да, правда, слава Богу! — воскликнул он с глубоким вздохом облегчения. — Только кожу задело. — Потом лицо его ожесточилось. Он бросил гневный взгляд на нашего пленника, который приподнялся и ошарашенно смотрел перед собой. — Счастье твое, негодяй, не то, клянусь... Если бы ты убил Уотсона, ты бы живым отсюда не вышел. Ну, сэр, что вы можете сказать в свое оправдание?

Но тому нечего было сказать в свое оправдание. Он лежал и хмурил физиономию. Я оперся о плечо Холмса, и вместе с ним мы заглянули в подпол, скрывавшийся за подъемной крышкой. В подполе еще горела свеча, которую прихватил с собой Эванс. Взгляд наш упал на какую-то проржавевшую машину, толстые рулоны бумаги, целую кучу бутылок. А на небольшом столе мы увидели несколько аккуратно разложенных маленьких пачек.

— Печатный станок... Весь арсенал фальшивомонетчика,— сказал Холмс.

— Да, сэр,— проговорил наш пленник. Медленно, пошатываясь, он поднялся на ноги и тут же опустился на стул.— Здесь работал величайший артист, какого только знал Лондон. Вон то — его станок, а пачки на столе — две тысячи ассигнаций работы Прескотта. Каждая стоимостью в сотню и пригодна к обращению в любом месте. Ну что ж, забирайте, джентльмены, все ваше. А меня отпустите...

Холмс рассмеялся:

— Мы такими делами не занимаемся. Нет, мистер Эванс, в Англии вам укрыться негде. Убийство Прескотта чьих рук дело?

— Да, сэр, это я его прихлопнул, верно. Ну что ж, я за то отсидел пять лет, а свару-то затеял он сам. Пять лет! А меня следовало бы наградить медалью размером с тарелку! Ни одна живая душа не могла отличить ассигнацию работы Прескотта от тех, что выпускает Английский банк, и, не прикончи я парня, он наводнил бы своими бумажками весь Лондон. Кроме меня, никто на свете не знал, где он их фабрикует. И что ж удивительного, что меня тянуло добраться до этого местечка? А когда я проведал, что этот выживший из ума собиратель козявок, можно сказать, сидит на самом тайнике и никогда носа из комнаты не высовывает, что ж удивительного, что я стал из кожи вон лезть, придумывать, как бы выпихнуть его из дому? Может, оно было бы поумнее прихлопнуть старика — и все, и труда бы никакого. Но такой уж я человек, сердце у меня мягкое, не могу стрелять в безоружного. А скажите-ка, мистер Холмс, на каком основании думаете вы отдать меня под суд? Что я совершил преступного? Денег не брал, старикана пальцем не тронул. Прицепиться не к чему!

— Не к чему? Конечно! Всего-навсего вооруженное покушение на жизнь,— сказал Холмс.— Но мы вас, Эванс, судить не собираемся, это — дело не наше, этим займутся другие. Пока нам требуется только сама ваша очаровательная особа. Уотсон, позвоните-ка в Скотленд-Ярд. Наш звонок, я полагаю, не будет для них сюрпризом.

Таковы факты, связанные с делом «Убийцы Эванса» и его замечательной выдумкой о трех Гарридебах. Позже мы узнали, что бедный старичок ученый не вынес удара: мечты его оказались развеяны, воздушный замок рухнул, и он пал под его обломками. Последние вести о бедняге были из психиатрической лечебницы в Брикстоне. А в Скотленд-Ярде был радостный день, когда извлекли наконец всю аппаратуру Прескотта. Хотя полиции было известно, что она где-то существует, однако после смерти фальшивомонетчика, сколько ее ни искали, найти не могли. Эванс в самом деле оказал немалую услугу и многим почтенным особам из уголовного розыска дал возможность спать спокойнее. Ведь фальшивомонетчик — это совсем особая опасность для общества. В Скотленд-Ярде все охотно сложились бы на медаль размером с тарелку, о которой говорил «американский адвокат», но неблагодарные судьи придерживались менее желательной для него точки зрения, и «Убийца Эванс» вновь ушел в мир теней, откуда только что было вынырнул.

ЗАГАДКА ТОРСКОГО МОСТА

Где-то в подвалах банка «Кокс и К°» на Чаринг-Кросс лежит потертая курьерская сумка с моим именем на крышке: «Джон Х. Уотсон, доктор медицины, бывший военнослужащий индийской армии». Сумка набита бумагами: это записи необычных дел, которые Холмс когда-то расследовал. Некоторые из дел, и довольно интересные, окончились полной неудачей, и поэтому едва ли стоит о них писать: задача без решения может заинтересовать специалиста, а у случайного читателя вызовет лишь раздражение. Среди таких незаконченных дел — история мистера Джемса Филимора, который, вернувшись домой за зонтиком, бесследно исчез. Не менее замечательна история катера «Алисия»: однажды вечером он вошел в полосу тумана и пропал навсегда — никто более не слышал ни о нем, ни о его экипаже. Третье дело, достойное упоминания,— случай с Айседором Персано, знаменитым журналистом и дуэлянтом: он помешался на том, что в спичечной коробке, которую он постоянно держал в руках, находится редчайший червь, по его словам еще не известный науке.

Не считая этих «темных дел», есть несколько таких, которые затрагивают семейные тайны, настолько интимные, что сама мысль о возможности их оглашения вызвала бы переполох во многих высокопоставленных домах. Нет нужды говорить, что это исключено, и теперь, когда у моего друга есть время и силы, подобные записи будут отобраны и уничтожены.

Остается значительное число дел, более или менее интересных, о которых я мог бы написать раньше, если бы не боялся пресытить читателя и тем самым повредить репутации человека, которого чту больше всех.

Я был участником некоторых из этих дел и потому могу говорить о них как очевидец. К их числу относится и описанное ниже.

Был ветреный октябрьский день. Я одевался и следил, как кружились в воздухе сорванные ветром последние листья одинокого платана, который украшал двор позади нашего дома. Спускаясь к завтраку, я ожидал застать моего друга подавленным: натура артистическая, он легко поддавался влиянию окружающей обстановки. Напротив, он кончал завтракать в особенно веселом настроении того несколько зловещего оттенка, который был характерен для него в минуты душевного подъема.

— У вас есть дело, Холмс?— заметил я.

— Ваша способность к дедукции поистине поразительна, Уотсон,— ответил он.— Она помогла вам раскрыть мою тайну. Да, у меня есть дело. После месяца незначительных происшествий и застоя колесо завертелось снова.

— Я мог бы принять участие в этом деле?

— Пока не в чем, но мы обсудим этот вопрос, когда вы уничтожите два крутых яйца, которыми нас сегодня удостоила наша новая кухарка. Степень их съедобности находится в прямой связи с очередным номером «Семейной газеты», которую я видел вчера на столе в гостиной: даже такое пустяковое дело, как варка яиц, требует внимания, точного ощущения времени и несовместимо с чтением романа, напечатанного в этом отличном периодическом издании.

Через четверть часа со стола убрали, и мы остались одни. Холмс вытащил из кармана письмо.

— Вы слышали о Нейле Гибсоне, Золотом Короле?— спросил он.

— Вы имеете в виду американского сенатора?

— Ну да, он был когда-то сенатором от одного из западных штатов, но больше известен как крупнейший в мире золотопромышленник.

— Да, знаю: он некоторое время жил в Англии, и его имя пользовалось определенной популярностью.

— Он купил солидное поместье в Хэмпшире лет пять тому назад. Вы, вероятно, уже слышали о трагической гибели его жены?

— Конечно. Я теперь вспоминаю — вот почему его имя мне известно. Правда, я не знаю подробностей.

Холмс указал на бумаги, лежащие на стуле:

— Мои химические опыты по получению экстрактов еще не окончены, а тут эта история. С виду пахнет сенсацией, но, мне кажется, разобраться здесь нетрудно. Улики явные — таково мнение и экспертизы и полиции. Сейчас дело передано на рассмотрение выездной сессии суда в Уинчестере. Боюсь, что это неблагодарная работа. Я могу обнаружить факты, но не могу их изменить! Пока не появятся какие-либо новые данные, не вижу, на что может надеяться мой клиент.

— Ваш клиент?

— Ах, я забыл вам рассказать! Я, кажется, перенял вашу привычку, Уотсон, рассказывать историю с конца. Лучше прочтите сначала вот это.

Он передал мне письмо. Оно было написано четким, уверенным почерком и гласило:

«Отель „Кларидж", 3 октября.

Уважаемый мистер Шерлок Холмс!

Мне тяжело быть свидетелем того, как самая лучшая на Земле женщина идет навстречу своей гибели. Я сделаю все, что в моих силах, для ее спасения. Я ничего не могу объяснить, не могу даже попытаться сделать это, но я ничуть не сомневаюсь, что мисс Данбэр невиновна. Вы знаете факты — кто их не знает?— об этом сплетничают по всей Англии. И ни один голос не поднялся в ее защиту — какая чудовищная несправедливость! Эта женщина и мухи не обидит!

Одним словом, я буду у Вас завтра в 11 часов. Посмотрим, сможете ли Вы что-нибудь прояснить в этой темной истории. Во всяком случае, все, чем я располагаю,— к Вашим услугам, только спасите ее. Умоляю Вас, приложите все свое умение и энергию!

С совершенным почтением

Дж. Нейл Гибсон».

— Вот, извольте.— Шерлок Холмс выбил пепел из трубки, которую курил после завтрака, и снова не спеша набил табаком.—Этого джентльмена я как раз и жду. Что касается самой истории, то за недостатком времени я перескажу вам ее вкратце, если вы доверяете официальным отчетам о ходе следствия. Человек этот — крупный финансовый магнат. Насколько я понимаю, он крайне вспыльчив и страшен во гневе. Он женился на женщине, жертве этой трагедии,— о ней я пока не знаю ничего, кроме того, что она была уже не первой молодости. Дело осложняется еще и тем, что воспитание их двоих детей было поручено молодой и весьма привлекательной гувернантке. Вот три человека — участники события, происшедшего в старинном английском поместье.

Теперь о самой трагедии. Труп был найден в парке, примерно в полумиле от дома. Убитая была одета к обеду, с шалью на плечах. Пуля, выпущенная из револьвера, пробила ее голову навылет. Около трупа не нашли никакого оружия, никаких следов убийства. Заметьте, Уотсон, никакого оружия! Преступление, по-видимому, было совершено поздно вечером, а труп обнаружен лесником около одиннадцати часов. Затем врач и полиция осмотрели убитую, после чего перенесли ее в дом... Может быть, я излагаю слишком сжато, или вам ясны все обстоятельства этого происшествия?

— Абсолютно все ясно. А почему подозревают гувернантку?

— Во-первых, есть некоторые прямые улики: револьвер с одним разряженным гнездом в барабане (калибр оружия соответствует найденной пуле) был обнаружен на дне ее платяного шкафа.

Холмс уставился в одну точку и раздельно повторил:

— На... дне... ее... платяного... шкафа...— Затем он погрузился в раздумье, и я понял, что, с моей стороны, было бы глупо прерывать его.

Вдруг он снова оживился:

— Да, Уотсон, найден револьвер. Здорово изобличает, а? Таково мнение двоих понятых. На убитой найдена записка с предложением встретиться на том самом месте, где произошло убийство; записка подписана гувернанткой. Ну как? К тому же и мотивы убийства налицо: сенатор Гибсон — личность привлекательная, и, если его жена умрет, кому занять ее место, как не юной леди, которая, по общим отзывам, уже давно пользовалась исключительным вниманием со стороны хозяина. Любовь, деньги, власть — а на пути к этому стоит немолодая жена Гибсона! Плохо дело, Уотсон, очень плохо!

— Да, Холмс, это так.

— И алиби она не может представить. Напротив, гувернантка вынуждена признать, что примерно в то время, когда это случилось, она находилась как раз около Торского моста (это — место трагедии). Отрицать этот факт бессмысленно, ибо несколько проходивших мимо крестьян ее там видели.

— Да, вопрос ясен!

— И все же, Уотсон, не будем спешить с выводами! Давайте разберемся. Мост, о котором идет речь, представляет собой один широкий каменный пролет с парапетом по краям. Он построен для переправы через самую узкую часть длинного глубокого водоема, заросшего тростником. Это так называемый Торский пруд. У входа на мост лежала мертвая женщина. Таковы факты... Но что это? Если я не ошибаюсь, наш клиент пришел значительно раньше условленного времени.

Билли, слуга Холмса, открыл дверь, но имя, которое он объявил, было неизвестно нам обоим: «Мистер Марлоу Бейтс». Нашему взору предстал худощавый субъект с испуганными глазами и судорожными, неуверенными манерами — этакий комок нервов. На мой взгляд врача-профессионала, этот человек находился на грани полного расстройства нервной системы.

— Вы, кажется, возбуждены, мистер Бейтс,— сказал Холмс.— Прошу вас, садитесь. Боюсь, что могу уделить вам очень мало времени: у меня в одиннадцать часов свидание.

— Я знаю о нем.— Наш посетитель выпаливал короткие фразы, словно ему не хватало воздуха.— Сюда идет Гибсон — мой хозяин. Я управляющий его имением. Холмс, знайте: он негодяй, жуткий негодяй!

— Крепко сказано, мистер Бейтс.

— Я вынужден так говорить, ибо у меня мало времени. Я не хочу встречаться с ним у вас. Он вот-вот придет. Была причина, не позволившая мне прийти раньше: его секретарь мистер Фергюсон, только сегодня утром рассказал о предстоящей встрече Гибсона с вами.

— Так вы его управляющий?

— Я подал заявление об уходе. Через несколько недель я избавлюсь от этого проклятого рабства. Гибсон — тяжелый человек. Эти благотворительные дела — лишь ширма, прикрывающая дурные стороны его личной жизни. Его жена пала жертвой, Он был груб с ней, да-да, сэр, груб! Не знаю, как она погибла, но уверен, что он превратил ее жизнь в мучение. Она была типичная южанка, бразилианка по рождению,— вы, конечно, знаете это?

— Нет, это обстоятельство ускользнуло от меня.

— Южанка по рождению и по натуре. Дитя солнца и страсти. Она любила его, как могут любить такие женщины. Но когда увяла ее красота (говорят, когда-то она была прекрасна), ничто уже не привязывало к ней мужа. Нам всем она нравилась, мы ей сочувствовали и ненавидели его за то, как он с ней обращался. Но он хитер и умеет внушать доверие. Это все, что я должен сказать вам. Не судите о нем по внешнему виду, смотрите глубже. Ну, я пойду. Нет-нет, не удерживайте меня! Он сейчас придет!

Наш странный посетитель испуганно взглянул на часы и буквально вылетел из комнаты.

— Ну-ну!— сказал Холмс после небольшой паузы.— Я вижу, у мистера Гибсона довольно «преданные» домочадцы. Хорошо что Бейтс предупредил нас; теперь подождем самого хозяина.

Точно в назначенное время раздались тяжелые шаги на лестнице, и знаменитый миллионер вошел в комнату. Взглянув на него, я понял причину страха и антипатии его управляющего, да и проклятий, которые обрушивали на его голову многие конкуренты по бизнесу. Если бы я был скульптором и хотел олицетворить преуспевающего бизнесмена с железными нервами и без совести, я выбрал бы в качестве натурщика мистера Нейла Гибсона. Его высокая, худощавая, словно высеченная из камня фигура выражала алчность хищника; ну прямо-таки Авраам Линкольн, но обративший свою энергию на достижение низменных целей,— вот как можно было бы определить этого человека. Его лицо, твердое, безжалостное, было изрыто глубокими морщинами — следами бурно прожитой жизни.

Гибсон оглядел нас по очереди с ног до головы холодными серыми глазами, коварно поблескивающими из-под ощетинившихся бровей. Когда Холмс упомянул мое имя, он небрежно поклонился, затем властным жестом хозяина подвинул стул вплотную к стулу моего друга и сел, почти касаясь его своими худыми коленями.

— Позвольте мне сразу же сказать, мистер Холмс,— начал он,— что деньги в данном случае не имеют для меня значения. Вы можете жечь их, если это сколько-нибудь поможет вам осветить путь к истине. Женщина невиновна и должна быть оправдана, а сделать это предстоит вам. Назовите вашу цену.

— Размер моего гонорара точно установлен,— холодно сказал Холмс.— Я не меняю его, за исключением тех случаев, когда вообще отказываюсь от оплаты.

— Ну ладно, раз доллары не имеют для вас значения, подумайте о репутации. Если вы выиграете это дело, все газеты в Англии и в Америке поднимут шум вокруг вашего имени. О вас будут говорить на обоих континентах.

— Благодарю вас, мистер Гибсон. Право же, я не нуждаюсь в рекламе. Возможно, вас это удивит, но я предпочитаю работать инкогнито, и в деле меня привлекает именно сама проблема. Однако мы теряем время. Обратимся к фактам.

— Я полагаю, что вы знаете все главные факты из сообщений прессы. Не знаю, смогу ли добавить что-либо полезное для вас. Но если хотите, чтобы я лучше осветил некоторые моменты,— я к вашим услугам.

— Хорошо. Меня интересует только один момент.

— Какой именно?

— Каковы в действительности ваши отношения с мисс Данбэр?

Сильно вздрогнув, Золотой Король приподнялся со стула. Затем к нему вновь вернулись спокойствие и солидность.

— Полагаю, что ваше право и, может быть, ваш долг — задавать такие вопросы, мистер Холмс.

— Допустим,— сказал Холмс.

— Тогда могу заверить вас, что отношения ничем не отличаются от обычных отношений между хозяином и молодой леди, с которой он видится лишь в обществе своих детей.

Холмс встал.

— Я довольно занятой человек, мистер Гибсон,— сказал он,— и не имею ни времени, ни склонности к бесплодным разговорам. Всего хорошего!

Наш посетитель также встал; он высокомерно возвышался над Холмсом, словно башня; глаза вспыхнули злобой, желтоватые щеки слегка окрасились румянцем.

— Черт побери, что вы хотите этим сказать, мистер Холмс? Вы отказываетесь от моего дела?

— Да, мистер Гибсон, по крайней мере, я отказываюсь от вас. Полагаю, что выразился ясно.

— Довольно ясно, но что за этим кроется? Хотите набить себе цену? Боитесь взяться за это дело? Или что другое? Я имею право требовать объяснений.

— Возможно,— сказал Холмс.— Я объясню вам. Прежде всего это дело и так запутано, незачем его еще осложнять ложной информацией.

— То есть я лгу?

— Ну, я пытался выразиться как можно деликатнее, но, если вы настаиваете на такой формулировке, не возражаю.

Я вскочил, ибо у нашего гостя страшно напряглись мускулы лица и он поднял громадный кулак.

Вяло улыбнувшись, Холмс протянул руку за трубкой.

— Не шумите, мистер Гибсон. Я понимаю, что после завтрака даже незначительный спор выбивает из колеи. Поэтому я думаю, что прогуляться и спокойно подумать на свежем воздухе будет в высшей степени полезно для вас.

Золотой Король с трудом сдерживал свою ярость. Я не мог не восхищаться им: проявив незаурядное самообладание, он вмиг подавил вспышку гнева, и теперь на его лице можно было прочесть лишь высокомерное безразличие.

— Ну, это ваше дело. Я не могу заставить вас взяться за расследование, если вы сами этого не хотите. Но имейте в виду, мистер Холмс, вы сейчас совершили ошибку, ибо я побеждал более сильных людей, чем вы. Не было еще человека, который, встав на моем пути, стал бы победителем!

— Многие говорили то же самое, однако я жив-здоров, чего и вам желаю. До свидания, мистер Гибсон. Вам предстоит еще многому научиться.

Наш посетитель с шумом захлопнул дверь. Холмс невозмутимо курил, уставив в потолок мечтательный взгляд.

— Ваше мнение, Уотсон? — спросил он наконец.

— Когда я подумал о том, что этот человек на самом деле способен смести любое препятствие на своем пути, и когда я вспомнил, что его жена могла быть таким препятствием и объектом неприязни, как сказал этот Бейтс, мне показалось, что...

— Верно. И мне тоже...

— Но каковы его действительные отношения с гувернанткой и почему вы спросили его об этом?

— Чепуха, Уотсон, чепуха! Когда я обратил внимание на нешаблонный, неделовой тон его письма, а затем сопоставил это с его замкнутостью и внешним обликом, мне стало совершенно ясно, что обвиняемая вызывает у него более глубокое чувство, чем просто жертва. Мы должны выяснить истинные взаимоотношения этих трех людей, если хотим докопаться до истины. Вы видели, как я атаковал его в лоб и как спокойно он отразил атаку. Затем я начал его запугивать, делая вид, что все знаю, тогда как на самом деле у меня одни подозрения.

— Быть может, он вернется?

— Он обязательно вернется. Он должен вернуться. Он не может так оставить дело. Ха! Не звонок ли это? Да, это его шаги. Так вот, мистер Гибсон, я только что сказал доктору Уотсону, что вы слегка запаздываете.

На этот раз Золотой Король был более спокоен. В его возмущенном взгляде еще сквозило уязвленное самолюбие, но здравый смысл подсказывал, что он должен уступить, если хочет достичь своей цели.

— Мистер Холмс, я чувствую, что погорячился, обидевшись на ваши замечания. Вы имеете полное право устанавливать факты, каковы бы они ни были; я переменил к лучшему свое мнение о вас. Однако уверяю вас, что отношения между мисс Данбэр и мной, конечно, не касаются этого дела.

— Это уж я сам решу, ладно?

— Да, я понимаю. Вы похожи на врача, который должен знать все симптомы, чтобы поставить диагноз.

— Вот именно. Это определение подходит. И если пациент скрывает симптомы своей болезни, значит, он хочет обмануть врача.

— Допустим так, но вы должны признать, мистер Холмс, что любой бы на моем месте растерялся, если напрямик спросить о его отношениях с женщиной. Конечно, в том случае, если речь идет о сколь-нибудь серьезном чувстве. Думаю, что у большинства людей где-то в глубине души есть тайный уголок, куда не пускают незваных гостей. А вы вдруг ворвались туда. Но цель оправдывает ваши действия: надо попытаться спасти девушку. Итак, ставки снижены, завеса приоткрыта, и вы можете начать исследовать. Что вам нужно знать?

— Правду.

Золотой Король сделал небольшую паузу, как бы собираясь с мыслями. Его мрачное, изрытое глубокими морщинами лицо помрачнело еще больше.

— Я могу сообщить правду в нескольких словах, мистер Холмс,— наконец сказал он.— Есть некоторые вещи, которые тяжело пережить и так же трудно о них говорить. Поэтому я не буду углубляться больше, чем нужно. Я встретил свою жену, когда искал золото в Бразилии. Мария Пинто была дочерью крупного правительственного чиновника в Манаусе [1]. Она была очень красива. Я тогда был молод и горяч, но даже теперь, глядя

---

[1] Порт на реке Амазонке.

на все более хладнокровно и критически, я понимаю, что она была необыкновенно красива. Это была глубокая натура, страстная, цельная, по-южному неуравновешенная. Она резко отличалась от тех американок, которых я знал. Короче говоря, я полюбил ее, и мы поженились. И только когда любовь прошла — а это случилось не сразу,— я понял, что между нами не было ничего, решительно ничего общего. Моя любовь прошла. Если бы у нее было так же, нам обоим было бы легче. Но вы же знаете женщин: как ни стараешься их оттолкнуть — ничего не получается. Я был с ней груб, даже жесток, как говорят некоторые. И это потому, что я знал: стоит мне убить в ней любовь или обратить ее в ненависть, как нам обоим будет легче.

Однако ничто не помогало: она обожала меня так же, как и двадцать лет назад. Что бы я ни делал, она по-прежнему была мне предана.

...Затем появилась мисс Данбэр. Она пришла по объявлению и стала воспитывать наших детей. Вы, наверное, видели ее портрет в газетах и согласитесь с общим мнением, что она настоящая красавица.

Я не притворяюсь моралистом, как другие, и признаюсь, что, живя под одной крышей с такой женщиной и ежедневно с ней общаясь, я не мог не испытывать к ней пылких чувств. Вы не осуждаете меня за это?

— Я не осуждаю вас за то, что вы испытываете такие чувства, но я бы сурово осудил вас, если бы вы признались в них мисс Данбэр,— ведь эта женщина была в известном смысле у вас на содержании.

— Хорошо, пусть будет так.— Он был задет упреком: его глаза сверкнули злобой.— Я не хочу казаться лучше, чем есть. Всю свою жизнь я брал то, что мне было нужно. Однако никогда я так не жаждал любви женщины, как теперь. Я об этом сказал ей.

— Как, вы это сделали?!— Когда Холмс волновался, взгляд его был страшен.

— Я сказал мисс Данбэр, что если бы мог, то женился бы на ней. Но это было не в моей власти. Я сказал, что, не считаясь с затратами, сделаю все, чтобы она была счастлива и довольна.

— Весьма благородно с вашей стороны,— съязвил Холмс.

— Послушайте, мистер Холмс, я пришел к вам давать показания, а не выслушивать нравоучения. Я не нуждаюсь в вашей критике.

— Только ради девушки я вообще берусь за ваше дело,— сурово сказал Холмс.— Я не уверен, что то, в чем ее обвиняют, хуже того, что вы себе позволяете: вы пытались обесчестить беззащитную девушку, жившую в вашем доме. Некоторым из вас, богачей, надо бы зарубить себе на носу, что есть вещи, которые не купишь за деньги.

К моему удивлению, Золотой Король хладнокровно принял упрек.

— Да, теперь я это понимаю. Благодарю Бога, что мои намерения не осуществились. Она бы ни за что не согласилась; в тот момент она хотела сразу уехать.

— Почему же она не сделала этого?

— Во-первых, у нее были на иждивении родные, нелегко ей было подвести их, пожертвовав своим жалованьем. Когда я поклялся — да-да поклялся!— что не буду больше никогда ее домогаться, она согласилась остаться. Но у нее были и другие соображения: она знала, что имеет на меня влияние большее, чем кто бы то ни было. Она хотела это влияние употребить во благо.

— Каким образом?

— Ну, она знала кое-что о моих делах. Это большие дела, настолько большие, что обыкновенному человеку покажутся невероятными. Я властен создать и разрушить, обычно разрушаю. Это касается не только людей, это касается дорог, городов, даже народов. Бизнес — жестокая игра. Здесь слабый погибает. Я вел игру, чего бы это мне ни стоило. Я никогда не хныкал сам и не обращал внимания, если хныкал другой. Но она смотрела на все это иначе, и, я думаю, она права. Она уверена в том, что несправедливо, если один имеет больше, чем ему нужно, а десять тысяч разорены и оставлены без средств к существованию. Вот как она смотрела на вещи и, мне кажется, видела кое-что поважнее долларов. Она убедилась, что я прислушиваюсь к ее словам, и верила, что оказывает услугу обществу, влияя на мои поступки. Все было хорошо, как вдруг случилась эта история.

— Можете вы что-нибудь прояснить в ней?— спросил Холмс.

Золотой Король молчал, опустив голову на руки и глубоко задумавшись.

— Девушка предстает в очень дурном свете — не отрицаю. Однако женщины живут своей духовной жизнью, и мужчина иногда не может истолковать их поступков. Сначала я был захвачен врасплох и так напуган, что подумал было: она могла быть выведена из равновесия каким-то необычным образом (хотя это совершенно не в ее характере). Мне на ум приходит одно объяснение — хотите верьте, хотите нет. Безусловно, моя жена терзалась мучительной ревностью. Существует ревность духовного порядка, она может быть столь же безумной, как и обычная, «физическая» ревность. И хотя жена не имела повода для последней — я думаю, она понимала это, — все же она знала, что эта молодая англичанка оказывала на мой разум и действия такое влияние, какого она никогда на меня не имела. Тот факт, что влияние было хорошим, не улучшало дела. Жена обезумела от ненависти. Может быть, она задумала убить мисс Данбэр или, скажем, пригрозив ей револьвером, заставить ее покинуть наш дом. Могла произойти драка. Револьвер выстрелил и убил женщину, которая держала его.

— О такой возможности я уже думал, — сказал Холмс. — Ибо в самом деле это единственная версия, противоположная версии о предумышленном убийстве.

— Но мисс Данбэр полностью отрицает эту версию.

— Ну, это еще не все, правда? Ведь можно представить, что женщина в таком ужасном положении могла поспешить домой, бессознательно держа в руках револьвер; она могла даже бросить его среди своей одежды, едва сознавая, что делает, а когда нашли револьвер, могла попытаться найти выход из положения, полностью все отрицая. Кто может опровергнуть это предположение?

— Сама мисс Данбэр.

— Допускаю.

Холмс взглянул на часы.

— Я не сомневаюсь, что мы получим разрешение на свидание с ней и вечерним поездом отправимся в Уинчестер. Когда я увижу девушку, то, может быть, окажусь более полезным в вашем деле, хотя не могу обещать, что мои выводы будут непременно соответствовать вашим предположениям.

Со служебными пропусками произошла задержка, и вместо Уинчестера мы в тот день поехали к Торскому мосту, в хэмпширское имение мистера Нейла Гибсона. Сам он не поехал, но у нас был адрес сержанта местной полиции Ковентри, который начал следствие. Это был высокий, худой мужчина с мертвенно-бледным лицом. У него был несколько таинственный вид, словно он хотел показать, что знает гораздо больше, чем говорит. К тому же он имел привычку понижать голос до шепота, будто напал на что-то крайне важное, хотя все, что он сообщал, было довольно обычной информацией. А вообще это был честный малый: он не стыдился признаться, что ему не одолеть этого дела и что он нуждается в помощи.

— Как бы там ни было, мистер Холмс, но лучше вы, чем Скотленд-Ярд. Когда приглашаешь людей оттуда, теряешь всякую надежду на удачу, да еще и выговор схватишь. Вы же, как я слышал, ведете честную игру.

— Мне вообще не стоит фигурировать в деле,— ответил Холмс, к явному удовольствию нашего меланхоличного знакомого.— Если я все выясню, то прошу моего имени не упоминать в газетах.

— Очень благородно с вашей стороны. А вашему другу, доктору Уотсону, доверять можно, я знаю. Так вот, мистер Холмс, прежде чем мы дойдем до места происшествия, я хочу получить ответ на вопрос, который не задавал еще ни одному человеку: вы не думаете, что придется возбудить дело об убийстве против самого Гибсона?

— Я думал об этом.

— Вы просто не видели мисс Данбэр — она удивительная женщина во всех отношениях. У Гибсона, наверное, было сильное желание убрать жену с дороги. А эти американцы куда проворнее нас, когда дело доходит до револьвера... Знаете, это его револьвер...

— Точно установлено?

— Да, сэр. Это один из двух, что принадлежат ему.

— Один из двух? Где же другой?

— Видите ли, у него много огнестрельного оружия всех видов. Мы никак не можем подобрать похожий револьвер, а ящик сделан для двух. Мы вытащили все револьверы, что были в доме. Если хотите, можете их осмотреть.

— Потом. Сначала взглянем на место происшествия.

Разговор наш происходил в маленькой прихожей скромного коттеджа сержанта Ковентри — коттедж этот служил местным полицейским участком.

Пройдя примерно полмили через пустошь, всю золотую от увядшего папоротника, мы подошли к боковой калитке, ведущей на территорию Торской усадьбы. Тропинка шла через фазаний заповедник. С опушки открывался вид на усадьбу: на гребне холма широко раскинулся дом с колоннами и портиком. Мы шли мимо длинного пруда, заросшего тростником; в середине он сужался — здесь через каменный мост проходила дорога.

Наш гид остановился у входа на мост и показал на землю:

— Здесь лежало тело миссис Гибсон. Я отметил место вон тем камнем.

— Я полагаю, вы успели прийти сюда до того, как тело сдвинули с места?— спросил Холмс.

— Да, за мной сразу послали.

— Кто?

— Сам мистер Гибсон. Как только была поднята тревога, он с людьми прибежал из дому и распорядился, чтобы ничего не трогали до прибытия полиции.

— Это разумно. Из газетного сообщения я понял, что выстрел был произведен с близкого расстояния.

— Так точно, сэр, с очень близкого.

— Рана около правого виска?

— Как раз сзади виска.

— Как лежало тело?

— На спине, сэр. Никаких следов борьбы. Никаких отпечатков, никакого оружия. В левой руке убитой была зажата краткая записка от мисс Данбэр.

— Вы сказали, «зажата»?

— Да, сэр, мы едва разжали кулак.

— Это чрезвычайно важно, ибо исключает мысль, что кто-то мог положить записку после смерти, чтобы запутать следы. Черт возьми! Записка, я вспоминаю, была совсем короткой: «Буду на Торском мосту в 9 часов. Г. Данбэр». Так или нет?

— Точно, сэр.

— Мисс Данбэр призналась, что писала это?

— Да, сэр.

— Какое объяснение она дала?

— Она сохранила за собой право выступить с оправданием на выездной сессии суда. Сейчас она ничего не скажет.

— Задача действительно очень интересна. Смысл письма очень неясный, не правда ли?

— Как вам сказать, сэр. Простите за смелость, но, на мой взгляд, это единственно по-настоящему ясный момент во всем деле.

Холмс покачал головой:

— Если допустить, что письмо подлинное, то миссис Гибсон получила его несколько ранее, скажем, за час или два. Почему же она еще сжимала его в левой руке? Почему она так старалась держать его при себе? Ей ведь не нужно было ссылаться на него при свидании. Не кажется ли это странным?

— Да, сэр, если вас послушать, вроде бы так.

— Мне бы хотелось спокойно посидеть несколько минут и обдумать все это.— Он уселся на каменный парапет моста, и я заметил, что его живые серые глаза вопросительно оглядывают все вокруг. Вдруг он снова вскочил, подбежал к противоположному парапету, выхватил из кармана лупу и начал рассматривать каменную кладку.

— Любопытно!— сказал он.

— Да, сэр. Мы видели щербину на парапете. Я думаю, это дело рук какого-нибудь прохожего.

Кладка была из серых камней, но в этом месте было белое пятно, размером не более шестипенсовой монеты. При внимательном рассмотрении можно было заметить, что поверхность выщерблена, как при резком ударе.

— Потребовалось известное усилие, чтобы сделать это,— задумчиво сказал Холмс. Он ударил тростью по парапету несколько раз, но следов не осталось.— Да, это был резкий удар. И к тому же в странном месте: он был нанесен не сверху, а снизу — видите, след на нижнем краю парапета.

— Но до тела по крайней мере пятнадцать футов!

— Да, пятнадцать футов. Может быть, это и не имеет отношения к делу, но заслуживает внимания. Думаю, что нам здесь нечего делать. Вы сказали, отпечатков ног не было?

— Земля тверда как камень. На ней вообще не видно никаких следов.

— Тогда можно идти. Сначала осмотрим оружие, о котором вы говорили. Затем поедем в Уинчестер: перед дальнейшим расследованием я хотел бы повидаться с мисс Данбэр.

Нейл Гибсон еще не вернулся из города, но мы встретились с нервным мистером Бейтсом, который заходил к нам утром. Со зловещим видом он показал нам огромное количество огнестрельного оружия различных образцов и размеров, которое его хозяин накопил в течение своей полной приключений жизни.

— У Гибсона много врагов, как и можно ожидать, зная его характер и методы,— сказал он.— Когда он спит, рядом с постелью в ящике лежит заряженный револьвер. У хозяина крутой нрав, его боятся. Уверен, что его жена не была исключением.

— Вы когда-нибудь видели, чтобы он оскорблял ее действием?

— Не могу сказать. Но презрительные слова, которыми он называл ее, не стесняясь слуг, граничили с оскорблением действием.

— Кажется, наш миллионер не блещет в личной жизни,— заметил Холмс по дороге на станцию.— Ну, Уотсон, фактов прибавилось, некоторые из них новые, однако я еще довольно далек от окончательных выводов. Несмотря на весьма очевидную неприязнь Бейтса к своему хозяину, он сказал мне, что, когда подняли тревогу, Гибсон был в библиотеке. Обед закончился в половине девятого, и до этого времени все было в порядке. Верно, тревога была поднята несколько позже, но трагедия, безусловно, произошла около девяти; этот час указан и в записке. Нет никаких доказательств, что после своего возвращения из города в пять часов Гибсон вообще выходил из дому. С другой стороны, мисс Данбэр, как я понял, признаёт, что у нее было назначено свидание с хозяйкой на мосту. Помимо этого она ничего не скажет, поскольку адвокат посоветовал ей отложить свое оправдание до суда. Мы должны задать этой девушке несколько вопросов, очень важных, и я не успокоюсь, пока мы не повидаем ее. Я признаюсь вам, Уотсон: дело показалось бы мне безнадежным для нее, если бы не одна вещь.

— Какая же?

— Револьвер в ее шкафу.

— Господь с вами, Холмс! Это же самая важная улика против нее!

— Нет, Уотсон. Даже при первом, поверхностном ознакомлении с делом это обстоятельство показалось мне очень странным, а теперь, когда я непосредственно изучил все факты, для меня это единственный довод в пользу невиновности мисс Данбэр. Во всем надо искать логику. Где ее недостает, надо подозревать обман.

— Я не понимаю вас.

— Так вот, Уотсон: представьте себя на месте женщины, которая, хладнокровно продумав все заранее, собирается избавиться от соперницы. Вы составили план. Написали записку. Жертва явилась. У вас есть оружие. Преступление совершено, все проделано мастерски.

Но, вместо того, чтобы швырнуть оружие в пруд, где оно будет похоронено навеки, вы осторожно понесете его домой и положите в свой платяной шкаф — именно туда, где его будут искать! Даже зная, что вы далеко не опытный преступник, я все же не могу себе представить, чтобы вы сработали так грубо.

— В минутном возбуждении...

— Нет-нет, Уотсон, даже не допускаю такой возможности. Когда преступление хладнокровно продумано заранее, тогда продумано, как замести следы. Нет, Уотсон, здесь недоразумение.

— Но при этой версии потребуется так много объяснений!

— Хорошо, приступим к объяснению. Стоит только измениться вашей точке зрения, как именно то, что ранее казалось изобличающей уликой, станет ключом к разгадке. Так и с этим револьвером. Мисс Данбэр утверждает, что вообще не знает ни о каком револьвере. По нашей новой теории, в этом случае она говорит правду. Значит, к ней в шкаф его подложили. Кто? Некто, стремившийся обвинить ее в преступлении. Не является ли это лицо фактическим преступником? Видите, наши поиски сразу стали намного плодотворнее!

...Мы были вынуждены провести ночь в Уинчестере, так как еще не были завершены необходимые формальности, но на следующее утро мы получили разрешение на свидание с мисс Данбэр. Оно состоялось в ее камере в присутствии мистера Джойса Кэммингса, начинающего адвоката, которому поручили защиту мисс Данбэр.

Я ожидал увидеть красивую женщину, но впечатление, произведенное на меня мисс Данбэр, превзошло все мои ожидания. Нет ничего удивительного, что властный миллионер попал под ее влияние, найдя в ней что-то более сильное, чем он сам. К тому же при взгляде на ее волевое, ясно очерченное и в то же время нежное лицо чувствовалось, что, если она и могла совершить отчаянный поступок, все равно присущее ей благородство оказывало на Гибсона положительное влияние.

Мисс Данбэр была высокой брюнеткой, с благородной и внушительной осанкой, но взгляд ее темных глаз выражал трогательную беспомощность зверька, попавшего в ловушку. Теперь, когда она ощутила поддержку моего знаменитого друга, ее глаза заблистали надеждой, бледные щеки слегка окрасились румянцем.

— Вероятно, мистер Гибсон кое-что рассказал о наших взаимоотношениях?— Ее низкий голос слегка дрожал от возбуждения.

— Да, но вам не стоит этого касаться. Это огорчит вас. Познакомившись с вами, я готов согласиться с мистером Гибсоном как относительно вашего влияния на него, так и относительно чистоты ваших отношений. Но почему вы сами не рассказали об этом на следствии?

— Мне казалось невероятным, что такое обвинение

может быть доказано. Я думала, если подождать, то все выяснится без вмешательства суда в тягостные подробности жизни этой семьи. Теперь я поняла, что дело еще более запуталось.

— Дорогая моя! — горячо воскликнул Холмс. — Я прошу вас не строить никаких иллюзий на этот счет! Мистер Кэммингс может подтвердить, что сейчас всё против нас, и было бы жестоким обманом делать вид, что вам не грозит большая опасность. Помогите же мне разобраться в этом деле.

— Я от вас ничего не скрою.

— Тогда расскажите о ваших истинных взаимоотношениях с женой мистера Гибсона.

— Она ненавидела меня, мистер Холмс. Она ненавидела меня со всей страстью южанки. Она была женщиной, которая ничего не делает наполовину, и мера ее любви к мужу была мерой ненависти ко мне. Она превратно истолковывала наши отношения. Я не желала ей ничего дурного, но она любила своего мужа так пылко и так безотчетно, что едва могла понять его духовную привязанность ко мне. И не могла представить себе, что только желание направить его энергию на добрые дела удерживало меня в их доме.

— Теперь, мисс Данбэр, — сказал Холмс, — я прошу вас точно рассказать нам, что произошло в тот вечер.

— Я могу сказать только то, что я знаю, мистер Холмс, но я не в состоянии ничего доказать. А некоторые моменты, чрезвычайно важные, я к тому же не могу объяснить.

— Если вы изложите факты, может быть, другие люди найдут объяснение?

— Вот как я оказалась на Торском мосту в тот вечер. Утром я получила от миссис Гибсон записку. (Я нашла ее на столе в классной комнате.) Миссис Гибсон умоляла меня встретиться на мосту после обеда, чтобы сообщить нечто важное, и просила оставить ответ на солнечных часах в саду, поскольку не желала никого посвящать в нашу тайну. Я не видела смысла в такой конспирации, но сделала, как она просила, и согласилась на свидание. Она просила меня уничтожить ее записку, я сожгла ее в печке: она очень боялась, что муж, который грубо с ней обращался (за что я часто упрекала его), узнает о нашей встрече.

— Однако она весьма бережно сохранила ваш ответ?

— Да. Я была удивлена, услышав, что она держала его в руке, уже будучи мертвой.

434

— Ну и что же произошло потом?

— Я пришла, как и обещала. Когда я подходила к мосту, она ждала меня. Только теперь я почувствовала, как бедняжка ненавидит меня. Она словно обезумела — я думаю, что она действительно была сумасшедшая, но притом чрезвычайно коварная и хитрая. Как же иначе она могла спокойно видеть меня, в душе испытывая такую бешеную ненависть? Я не могу повторить, что́ она тогда мне сказала. Она выплеснула всю свою жгучую ярость в ужасных словах. Я даже не отвечала — не могла. Страшно было ее видеть. Я заткнула уши и бросилась бежать. Когда я убегала, она еще стояла у входа на мост, выкрикивая проклятия по моему адресу.

— Там же ее и нашли потом?

— В нескольких ярдах от этого места.

— И несмотря на то что она была убита вскоре после вашего ухода, вы не слышали выстрела?

— Нет, я ничего не слышала, мистер Холмс, я была так возбуждена и напугана этой страшной вспышкой гнева, что торопилась скорее укрыться в своей комнате и была не в состоянии что-либо заметить.

— Вы сказали, что вернулись к себе в комнату. Вы выходили из нее?

— Да, когда подняли тревогу, я выбежала вместе с другими.

— Вы видели мистера Гибсона?

— Да, он как раз вернулся с моста и послал за доктором и полицией.

— Вам показалось, что он очень взволнован?

— Мистер Гибсон очень волевой человек. Кажется, он никогда не выражает открыто своих чувств. Но я, зная его достаточно хорошо, заметила, что он был сильно взволнован.

— Теперь перейдем к самому важному пункту. Этот револьвер, что найден у вас в комнате, — вы видели его раньше?

— Никогда, клянусь.

— Когда его нашли?

— На следующее утро, когда полиция вела обыск.

— Среди вашей одежды?

— Да. На дне моего платяного шкафа, под одеждой.

— Вы не могли бы определить, сколько времени он там лежал?

— Накануне утром его там не было.

— Откуда вы знаете?

— Потому что я убирала в шкафу.

— Понятно. Кто-то вошел в вашу комнату и положил туда револьвер с целью обвинить вас в убийстве.

— Должно быть, так.

— Когда же?

— Это могло быть только во время еды или когда я была с детьми в классной комнате.

— Как раз когда вы обнаружили записку?

— Да.

— Благодарю вас, мисс Данбэр. Можете ли вы еще чем-нибудь помочь следствию?

— Пожалуй, нет.

— На каменном парапете моста имеется след — совершенно свежая выбоина, как раз против места, где лежал труп. Что это, по-вашему?

— Должно быть, просто совпадение.

— Странно, мисс Данбэр, очень странно. Почему же этот след появился именно в момент трагедии и на этом самом месте?

— Что же могло оставить след? Для этого надо приложить большое усилие.

Холмс не отвечал. Его бледное энергичное лицо внезапно приняло какое-то отсутствующее выражение: я уже знал, что его мозг осенила гениальная догадка. Это было столь очевидно, что никто из нас не решался заговорить; мы — адвокат, мисс Данбэр и я — сидели и сосредоточенно наблюдали за ним, сохраняя полную тишину. Вдруг Холмс вскочил со стула, дрожа от нервного напряжения и жажды немедленно действовать.

— Идем, Уотсон, скорей!— воскликнул он.

— Что такое, мистер Холмс?— спросила мисс Данбэр.

— Не беспокойтесь, дорогая. Мистер Кэммингс, я напишу вам. Я раскрою преступление, которое прогремит на всю Англию. Вы получите известия к завтрашнему дню, мисс Данбэр, а пока знайте, что тучи рассеиваются, и я верю, что справедливость восторжествует.

Из Уинчестера до Торского имения ехать было недолго, но я не мог дождаться, когда же мы приедем. Холмсу же, я видел, путь казался бесконечным: он не мог усидеть на месте и все время расхаживал по вагону или садился и начинал барабанить своими длинными, чувствительными пальцами по спинке сиденья. Когда мы уже подъезжали, он вдруг уселся против меня (мы были одни в купе) и, положив руку мне на колено, пристально посмотрел на меня. Взгляд был озорным, как у бесенка.

— Уотсон,— сказал он,— я припоминаю, что, отправляясь в наше путешествие, вы взяли с собой револьвер.

Я это сделал скорее для него, ибо он мало заботился о своей безопасности, когда углублялся в решение проблемы, так что не раз мой револьвер выручал нас в беде. Я напомнил ему об этом.

— Да-да. Я немного рассеян в таких делах. Так он у вас при себе?

Я вытащил из заднего кармана небольшой, но очень удобный револьвер. Он открыл затвор, высыпал патроны и внимательно осмотрел его.

— Такой тяжелый, прямо удивительно...— сказал он.

— Да, солидная штучка.

Холмс задумался.

— Знаете, Уотсон, я полагаю, что ваш револьвер скоро окажется в очень тесной связи с тайной, которую мы раскрываем.

— Дорогой Холмс, вы шутите.

— Нет, Уотсон. Я очень серьезен. Нам предстоит провести один опыт. Если он удастся, все будет ясно. И исход его зависит от этого маленького оружия... Один патрон долой... Теперь вложим обратно остальные пять и поставим на предохранитель... Так! Это увеличит вес и лучше воспроизведет подлинную обстановку.

Я даже отдаленно не представлял себе, что у него на уме, а он меня об этом не информировал и сидел, погруженный в раздумье, пока мы не подъехали к маленькой станции в Хэмпшире. Там наняли старую двуколку и через четверть часа оказались в доме нашего коллеги — сержанта.

— Нашли ключ к разгадке, мистер Холмс? Расскажите.

— Все зависит от поведения револьвера доктора Уотсона,— сказал мой друг.— Вот он. Теперь скажите, сержант, у вас найдется десять ярдов бечевки?

В деревенской лавке мы достали клубок прочной бечевки.

— По-моему, это все, что нам понадобится,— сказал Холмс.— Теперь, если позволите, мы отправимся на место, и я надеюсь, что это последний этап нашего путешествия.

Солнце садилось, и в его лучах поросшие вереском холмы Хэмпшира были прекрасны. Сержант брел рядом с нами, критически поглядывая на моего спутника, словно он глубоко сомневался в его здравом рассудке. Когда мы подходили к мосту, я заметил, что мой друг, несмотря на все внешнее хладнокровие, на самом деле был сильно возбужден.

— Да,— сказал он в ответ на мое замечание,— вы видели, как я сделал промах, Уотсон. У меня есть нюх на такие вещи, и, однако, он меня иногда подводит. Догадка промелькнула в моем сознании еще в уинчестерской тюрьме. Но в том и недостаток активного ума, что он мгновенно предлагает противоположное объяснение, которое часто наводит на ложный след. И все же, все же... Ладно, Уотсон, попытаемся.

Он уже успел крепко привязать один конец веревки к рукоятке револьвера. Мы подошли к месту трагедии. С помощью полицейского Холмс весьма тщательно отметил точное местонахождение тела. Затем он отыскал в зарослях вереска солидный камень. Его он прикрепил к другому концу бечевки и перекинул через парапет моста, так что камень свободно раскачивался над водой. Затем, держа в руке мой револьвер, Холмс встал на некотором расстоянии от парапета моста, так, чтобы бечевка натянулась.

— Готово!— воскликнул он.

С этими словами он поднес пистолет к голове, а затем разжал руку. В то же мгновение под действием веса камня револьвер быстро пронесся в воздухе, резко стукнулся о парапет и, перелетев через барьер, упал в воду. Не успел он погрузиться, как Холмс уже стоял на коленях около парапета и радостным возгласом дал понять, что его предположения оправдались.

— Может ли быть лучшее доказательство? — воскликнул он.— Видите, Уотсон, ваш револьвер разрешил проблему!

Он показал на каменный борт моста: на нижнем его краю образовалась выбоина, точно такого же размера и формы, как и первая.

— Мы заночуем в гостинице.— Он встал и поглядел в лицо изумленному сержанту.— Вы, конечно, достанете багор и легко вытащите револьвер моего друга. Рядом с ним вы также найдете револьвер, веревку и грузило, при помощи которых эта мстительная женщина пыталась скрыть свое собственное преступление и обвинить в убийстве невинного человека. Можете передать мистеру Гибсону, что я встречусь с ним утром, и тогда мы примем меры к реабилитации мисс Данбэр.

Поздно вечером, когда мы сидели в деревенской гостинице и курили трубки, Холмс дал краткий обзор всему происшедшему.

— Боюсь, Уотсон, что, добавив к вашему архиву дело о тайне Торского моста, вы не укрепите моей репутации. Мне не хватило быстроты реакции и того сочетания воображения и ощущения реальности, которые являются основой моего ремесла. Должен признаться, что выбоина на парапете вполне могла послужить ключом к верному решению, и я стыжусь, что не пришел к нему сразу. Надо признать, что эта несчастная женщина обладала незаурядным умом и хитростью, поэтому было не так-то просто распутать ее интригу. Погибшая никак не могла примириться с тем, что мисс Данбэр была ее соперницей. Нет сомнения, что она считала эту невинную девушку причиной всех оскорблений со стороны мужа, который пытался таким образом охладить слишком явную любовь жены. Первым ее решением было покончить с собой. Затем она решила сделать это так, чтобы подвергнуть соперницу страданиям гораздо более мучительным, чем внезапная смерть. Можно проследить ее поступки, и все они свидетельствуют о необычайной хитрости. Очень искусно «вытянуто» у мисс Данбэр письмо, из которого должно явствовать, что именно та выбрала место свидания. В своем стремлении подчеркнуть это миссис Гибсон немного перестаралась, зажав записку в руке. Одно это уже могло раньше возбудить мои подозрения.

Затем она взяла один из револьверов ее мужа — как вы видели, в доме их целый арсенал — и держала его у себя для своих целей. Другой такой же револьвер она спрятала в шкафу мисс Данбэр, предварительно разрядив один патрон, что легко можно было сделать в лесу, не привлекая ничьего внимания. Затем она придумала этот хитрый способ избавиться от оружия и для этого пришла на мост. Когда мисс Данбэр появилась, она собралась с последними силами и излила на нее всю свою ненависть, а затем, когда та была далеко и не могла слышать, осуществила свой ужасный замысел.

Теперь все звенья на своих местах, и цепь событий полностью восстановлена. Газеты могут задавать вопросы, почему сразу не прочесали драгой дно пруда, но все они задним умом крепки; во всяком случае, такое огромное озеро, заросшее тростником, не так-то легко прочесать, не имея ясного представления, что и где искать.

Ну, Уотсон, мы оказали помощь обаятельной женщине и заодно грозному мужчине. Если они объединят в будущем свои усилия (что вполне вероятно), то финансовый мир может считать, что мистер Нейл Гибсон кое-чему научился в той классной комнате, где Скорбь преподает нам уроки земной жизни.

ЧЕЛОВЕК НА ЧЕТВЕРЕНЬКАХ

Мистер Шерлок Холмс всегда придерживался того мнения, что мне следует опубликовать поразительные факты, связанные с делом профессора Пресбери, для того хотя бы, чтобы раз и навсегда положить конец темным слухам, которые лет двадцать назад всколыхнули университет и до сих пор повторялись на все лады в лондонских научных кругах. По тем или иным причинам, однако, я был долго лишен такой возможности, и подлинная история этого любопытного происшествия так и оставалась погребенной на дне сейфа вместе с многими и многими записями о приключениях моего друга. И вот мы наконец получили разрешение предать гласности обстоятельства этого дела, одного из самых последних, которые расследовал Холмс перед тем, как оставить практику. Но и теперь еще, делая их достоянием широкой публики, приходится соблюдать известную сдержанность и осмотрительность.

Как-то воскресным вечером в начале сентября 1903 года я получил от Холмса характерное для него лаконическое послание: «Сейчас же приходите, если можете. Если не можете, приходите все равно. *Ш. Х.*».

У нас с ним в ту пору установились довольно своеобразные отношения. Он был человек привычек, привычек прочных и глубоко укоренившихся, и одной из них стал я. Я был где-то в одном ряду с его скрипкой, крепким табаком, его дочерна обкуренной трубкой, справочниками и другими, быть может более предосудительными, привычками. Там, где речь шла об активных действиях и ему нужен был товарищ, на выдержку которого можно более или менее спокойно положиться, моя роль была очевидна. Но для меня находилось и другое применение: на мне он оттачивал свой ум, я как бы подстегивал его мысль. Он любил думать вслух в моем присутствии. Едва ли можно сказать, что его рассуждения были адресованы мне,— многие из них могли бы с не меньшим успехом быть обращены к его кровати,— и тем не менее, сделав меня своей привычкой, он стал ощущать известную потребность в том, чтобы я слушал его и вставлял свои замечания. Вероятно, его раздражали неторопливость и обстоятельность моего мышления, но оттого лишь ярче и стремительней вспыхивали догадки и заключения в его собственном мозгу. Такова была моя скромная роль в нашем дружеском союзе.

Прибыв на Бейкер-стрит, я застал его в глубоком раздумье: он сидел в своем кресле нахохлившись, высоко подняв колени, и хмурился, посасывая трубку. Ясно было, что он поглощен какой-то сложной проблемой. Он знаком пригласил меня сесть в мое старое кресло и в течение получаса ничем более не обнаруживал, что замечает мое присутствие. Затем он вдруг встряхнулся, словно сбрасывая с себя задумчивость, и с обычной своей иронической улыбкой сказал, что рад вновь приветствовать меня в доме, который когда-то был и моим.

— Надеюсь, вы извините мне некоторую рассеянность, милый Уотсон,— продолжал он.— За последние сутки мне сообщили довольно любопытные факты, которые, в свою очередь, дали пищу для размышлений более общего характера. Я серьезно подумываю написать небольшую монографию о пользе собак в сыскной работе.

— Но позвольте, Холмс, что же тут нового? — возразил я.— Ищейки, например...

— Нет-нет, Уотсон, эта сторона вопроса, разумеется, очевидна. Но есть и другая, куда более тонкая. Вы помните, быть может, как в том случае, который вы в вашей сенсационной манере связали с Медными буками, я смог, наблюдая за душевным складом ребенка, вывести заключение о преступных наклонностях его в высшей степени солидного и положительного родителя?

— Да, превосходно помню.

— Подобным же образом строится и ход моих рассуждений о собаках. В собаке как бы отражается дух, который царит в семье. Видели вы когда-нибудь игривого пса в мрачном семействе или понурого в счастливом? У злобных людей злые собаки, опасен хозяин — опасен и пес. Даже смена их настроений может отражать смену настроений у людей.

Я покачал головой:

— Полноте, Холмс, это уж чуточку притянуто за волосы.

Он набил трубку и снова уселся в кресло, пропустив мои слова мимо ушей.

— Практическое применение того, о чем я сейчас говорил, самым тесным образом связано с проблемой, которую я исследую в настоящее время. Это, понимаете ли, запутанный клубок, и я ищу свободный конец, чтобы ухватиться и распутать всю веревочку. Одна из возможностей найти его лежит в ответе на вопрос: отчего овчарка профессора Пресбери, верный пес по кличке Рой, норовит искусать хозяина?

Я разочарованно откинулся на спинку кресла: и по такому пустяку меня оторвали от работы? Холмс метнул на меня быстрый взгляд.

— Все тот же старый Уотсон! — произнес он.— Как вы не научитесь понимать, что в основе серьезнейших выводов порой лежат сущие мелочи! Вот посудите сами: не странно ли, когда степенного, пожилого мудреца... Вы ведь слыхали, конечно, про знаменитого Пресбери, физиолога из Кэмфорда? Так вот, не странно ли, когда такого человека дважды пытается искусать его собственная овчарка, которая всегда была ему самым верным другом? Как вы это объясните?

— Собака больна, и только.

— Что ж, резонное соображение. Но она больше ни на кого не кидается, да и хозяина, судя по всему, не трогает, кроме как в совершенно особых случаях. Любопытно, Уотсон, весьма любопытно. Но вот и звонок — видно, молодой Беннет явился раньше времени. Я рассчитывал потолковать с вами подольше, до того как он придет.

На лестнице послышались быстрые шаги, в дверь отрывисто постучали, и секунду спустя новый клиент Холмса уже стоял перед нами.

Это был высокий, красивый молодой человек лет тридцати, со вкусом одетый, элегантный; впрочем, что-то в его манере держаться выдавало скорей застенчивость ученого, чем самоуверенность светского человека. Он обменялся рукопожатием с Холмсом и затем чуть растерянно взглянул на меня.

— Дело это очень щепетильное, мистер Холмс,— сказал он.— Не забудьте, какими отношениями я связан с профессором Пресбери — как в личной жизни, так и по службе. Я решительно не считаю себя вправе вести разговор в присутствии третьего лица.

— Не бойтесь, мистер Беннет. Доктор Уотсон — сама деликатность, а кроме того, смею вас уверить, что в таком деле мне, вероятнее всего, потребуется помощник.

— Как вам будет угодно, мистер Холмс. Вы, несомненно, поймете, отчего я несколько сдержан в этом вопросе.

— Поймете и вы, Уотсон, когда я скажу, что этот джентльмен, мистер Джон Беннет, работает у профессора ассистентом, живет с ним под одной крышей и помолвлен с его единственной дочерью. Нельзя не согласиться, что знаменитый ученый имеет все основания рассчитывать на его преданность. Но, пожалуй, лучший способ ее доказать — принять все меры к тому, чтобы раскрыть эту удивительную тайну.

— И я так полагаю, мистер Холмс. Я только этого и добиваюсь. Известно ли доктору Уотсону положение вещей?

— Я не успел познакомить его с обстановкой.

— Тогда, быть может, мне стоит еще раз изложить основные факты, прежде чем говорить о том, что произошло нового?

— Я лучше сам,— сказал Холмс.— Кстати, проверим, правильно ли я запомнил последовательность событий. Итак, Уотсон. Профессор — человек с европейским именем. В его жизни главное место всегда занимала наука. Репутация его безупречна. Он вдовец, у него есть дочь по имени Эдит. Характер у него, насколько я мог заключить, решительный и властный, пожалуй, можно даже сказать, воинственный. Так обстояли дела до последнего времени.

Но вот каких-нибудь несколько месяцев назад привычное течение его жизни было нарушено. Несмотря на свой возраст — а профессору шестьдесят один год,— он сделал предложение дочери профессора Морфи, своего коллеги по кафедре сравнительной анатомии, причем все это, как я понимаю, больше напоминало не рассудочное ухаживание пожилого человека, а пламенную страсть юноши. Никто не мог бы выказать себя более пылким влюбленным. Элис Морфи, молодая особа, о которой идет речь,— девица весьма достойная, умна и хороша собой, так что увлечение профессора вполне понятно. Тем не менее в его собственной семье к этому отнеслись не слишком одобрительно.

— Нам показалось, что все это немножко слишком,— вставил наш клиент.

— Вот именно. Немножко слишком бурно и не совсем естественно. А между тем профессор Пресбери — человек состоятельный, и со стороны отца его нареченной возражений не возникло. У дочери, правда, были другие виды: на ее руку уже имелись претенденты, быть может не столь завидные с житейской точки зрения, зато более подходящие ей по возрасту. Профессор, несмотря на свою эксцентричность, судя по всему, нравился ей. Мешало только одно: возраст.

Примерно в это время в налаженной жизни профессора произошло не совсем понятное событие. Он совершил нечто такое, чего никогда не делал прежде: уехал из дому и никому не сказал куда. Пробыв в отсутствии две недели, он воротился утомленный, словно после долгой дороги. О том, где он побывал, он не обмолвился ни словом, хотя обычно это был предельно откровенный человек.

Случилось так, однако, что наш с вами клиент, мистер Беннет, получил письмо из Праги от одного своего коллеги; тот писал, что имел удовольствие видеть профессора Пресбери, хотя поговорить им не довелось. Только так домашние узнали, где он был.

Теперь я подхожу к главному. Начиная с этого времени с профессором произошла удивительная перемена. Окружающих не оставляло чувство, что перед ними не тот, кого они знали прежде: на него словно нашло какое-то затмение, подавившее в нем все высокие начала. Интеллект его, впрочем, не пострадал. Его лекции были блистательны, как всегда. Но в нем самом постоянно чувствовалось что-то новое, что-то недоброе и неожиданное. Его дочь, которая души в нем не чает, всячески пыталась наладить с ним прежние отношения, заглянуть под маску, которую он надел на себя. Вы, сэр, как я понимаю, со своей стороны, делали то же самое, но тщетно. А теперь, мистер Беннет, расскажите нам сами про эпизод с письмами.

— Надо вам сказать, доктор Уотсон, что у профессора не было от меня секретов. Будь я ему сын или младший брат, я и тогда не мог бы пользоваться бо́льшим доверием. Ко мне, как его секретарю, попадали все поступавшие на его имя бумаги; я вскрывал и разбирал его письма. Вскоре по его возвращении все это изменилось. Он сказал, что, возможно, будет получать письма из Лондона, помеченные крестиком под маркой. Эти письма мне надлежало откладывать, а читать их будет только он сам. И действительно, несколько таких писем прошло через мои руки; на каждом был лондонский штемпель, и надписаны они были почерком малограмотного человека. Быть может, профессор и отвечал на них, но ни ко мне, ни в корзинку, куда складывается вся наша корреспонденция, они не попадали.

— И еще шкатулка,— напомнил Холмс.

— Ах да, шкатулка. Из своей поездки профессор привез маленькую деревянную шкатулочку. Это единственный предмет, по которому можно предположить, что он побывал на континенте: одна из этих оригинальных резных вещиц, которые сразу наводят на мысль о Германии. Поставил он ее в шкаф с инструментами. Однажды, разыскивая пробирку, я взял шкатулку в руки. К моему удивлению, он очень рассердился и в самых несдержанных выражениях отчитал меня за излишнее любопытство. Такого раньше никогда не случалось; я был глубоко задет. Я попытался объяснить, что взял шкатулку по чистой случайности, но весь вечер чувствовал на себе его косые взгляды и знал, что этот эпизод не выходит у него из головы.— Мистер Беннет вынул из кармана записную книжечку.— Это случилось второго июля,— добавил он.

— Вы просто образцовый свидетель,— заметил Холмс.— Кое-какие даты, которые вы у себя пометили, могут мне пригодиться.

— Методичности, как и всему прочему, я научился у профессора. С того момента, как я заметил отклонения от нормы в его поведении, я понял, что мой долг разобраться, что с ним происходит. Итак, у меня тут значится, что в тот же самый день, второго июля, когда профессор выходил из кабинета в холл, на него бросился Рой. Такая же сцена повторилась одиннадцатого июля и затем, как у меня отмечено, еще раз — двадцатого. После этого собаку пришлось изгнать в конюшню. Милейший был пес, ласковый... Впрочем, боюсь, я утомил вас.

Это было сказано укоризненным тоном, так как Холмс явно его не слушал. Он сидел с застывшим лицом, устремив невидящий взгляд в потолок. При последних словах он с усилием вернулся к действительности.

— Интересно! Крайне интересно,— пробормотал он.— Эти подробности я слышу впервые, мистер Беннет. Ну-с, первоначальную картину мы восстановили достаточно полно, не так ли? Но вы упомянули о каких-то новых событиях.

На симпатичное, открытое лицо нашего гостя набежала тень мрачного воспоминания.

— То, о чем я говорил, случилось позавчера ночью,— сказал он.— Я лежал в постели, но заснуть не мог. Часа в два ночи из коридора донеслись какие-то приглушенные, неясные звуки. Я открыл дверь и выглянул наружу. Надо сказать, что спальня профессора находится в конце коридора...

— Число, простите? — спросил Холмс.

Рассказчик был явно задет, что его перебили таким маловажным вопросом.

— Я уже сказал, сэр, что это случилось позапрошлой ночью, стало быть, четвертого сентября.

Холмс кивнул и улыбнулся.

— Продолжайте, пожалуйста,— сказал он.

— Спальня профессора в конце коридора, и, чтобы попасть на лестницу, ему надо пройти мимо моей двери. Поверьте, мистер Холмс, это была жуткая сцена. Нервы у меня, кажется, не хуже, чем у других, но то, что я увидел, ужаснуло меня. В коридоре было темно, и только против одного окна на полпути лежало пятно света. Видно было, как по направлению ко мне что-то движется, что-то черное и сгорбленное. Но вот оно внезапно вошло в полосу света, и я увидел, что это профессор. Он продвигался ползком, мистер Холмс, да-да, ползком! Точнее, даже на четвереньках, потому что он опирался не на колени, а на полную ступню, низко свесив голову между руками. При этом двигался он, казалось, с легкостью. Я так оцепенел от этого зрелища, что, лишь когда он поравнялся с моей дверью, нашел в себе силы шагнуть вперед и спросить, не нужна ли ему моя помощь. Реакция была неописуема. Он разом выпрямился, прорычал мне в лицо чудовищное ругательство, метнулся мимо меня и ринулся вниз по лестнице. Я прождал не меньше часа, но он все не шел. Видимо, он вернулся к себе в комнату уже на рассвете.

— Ну, Уотсон, что вы на это скажете? — спросил Холмс с видом патолога, описавшего редкий в его практике случай.

— Люмбаго, скорей всего. Я знал больного, который во время жестокого приступа был вынужден передвигаться точно так же, причем нетрудно представить себе, как это должно действовать на нервы.

— Превосходно, Уотсон! С вами всегда стоишь обеими ногами на земле. И все-таки едва ли можно допустить, что это люмбаго: ведь он тут же смог распрямиться.

— Со здоровьем у него как нельзя лучше,— сказал Беннет.— Не помню, чтобы за эти годы он когда-нибудь лучше себя чувствовал. Вот, мистер Холмс, таковы факты. Это не тот случай, чтобы можно было обратиться в полицию, а между тем мы буквально ума не приложим, как нам быть; мы чувствуем, что на нас надвигается какая-то неведомая беда. Эдит — я хочу сказать, мисс Пресбери — считает, как и я, что сидеть сложа руки и ждать больше невозможно.

— Случай, безусловно, прелюбопытный и заслуживающий внимания. Ваше мнение, Уотсон?

— Как врач могу сказать, что это, судя по всему, случай для психиатра,— отозвался я.— Бурное увлечение повлияло на мозговую деятельность старого профессора. Поездку за границу он совершил в надежде исцелиться от своей страсти. Письма же и шкатулка, возможно, имеют отношение к личным делам совершенно иного характера — скажем, получению долговой расписки или покупке акций, которые и хранятся в шкатулке.

— А овчарка, разумеется, выражает свое неодобрение по поводу этой финансовой сделки? Ну нет, Уотсон, здесь дело обстоит сложнее. И единственное, что я мог бы тут предложить...

Что именно собирался предложить Шерлок Холмс, навсегда осталось загадкой, ибо в этот самый миг дверь распахнулась и нам доложили о приходе какой-то молодой дамы. Едва она показалась на пороге, как мистер Беннет, вскрикнув, вскочил и бросился к ней с протянутыми руками. Она тоже протянула руки ему навстречу.

— Эдит, милая! Надеюсь, ничего не случилось?

— Я не могла не поехать за вами. Ах, Джек, как мне было страшно! Какой ужас быть там одной!

— Мистер Холмс, это и есть та молодая особа, о которой я вам говорил. Моя невеста.

— Мы уже начали об этом догадываться, правда, Уотсон? — с улыбкой отозвался Холмс.— Насколько я понимаю, мисс Пресбери, произошло что-то новое и вы решили поставить нас об этом в известность?

Наша гостья, живая, миловидная девушка чисто английского типа, ответила Холмсу улыбкой, усаживаясь возле мистера Беннета.

— Когда оказалось, что мистера Беннета нет в гостинице, я сразу подумала, что, наверное, застану его у вас. Он, конечно, говорил мне, что хочет к вам обратиться. Скажите, мистер Холмс, умоляю вас, можно как-нибудь помочь моему бедному отцу?

— Надеюсь, да, мисс Пресбери, хотя в деле еще много непонятного. Быть может, что-то прояснится после того, как мы выслушаем вас.

— Это произошло вчера ночью, мистер Холмс. Весь день отец был какой-то странный. Я уверена, что временами он просто сам не помнит, что делает. Живет как во сне. Вчера как раз выдался такой день. Человек, с которым я находилась под одной крышей, был не мой отец, а кто-то другой. Внешняя оболочка оставалась та же, но на самом деле это был не он.

— Расскажите мне, что случилось.

— Ночью меня разбудил неистовый лай собаки. Бедный Рой, его теперь держат на цепи у конюшни! Надо вам сказать, что на ночь я запираю свою комнату, потому что мы все — вот и Джек... то есть мистер Беннет, может подтвердить — живем с таким чувством, что над нами нависла опасность. Моя комната на третьем этаже. Случилось так, что жалюзи на моем окне остались подняты, а ночь была лунная. Я лежала с открытыми глазами, глядя на освещенный квадрат окна и слушая, как заливается лаем собака, и вдруг, к ужасу своему, увидела прямо перед собой лицо отца. Знаете, мистер Холмс, я чуть не умерла от изумления и страха. Да, это было его лицо, прижавшееся к оконному стеклу: он глядел на меня, подняв руку, словно пытаясь открыть окно. Если бы ему это удалось, я, наверное, сошла бы с ума. Не подумайте, будто мне это померещилось, мистер Холмс. Не обманывайте себя. Пожалуй, добрых полминуты я пролежала не в силах шевельнуться, глядя на это лицо. Затем оно исчезло, и все-таки я никак, ну никак не могла заставить себя встать с кровати и посмотреть, куда оно делось. Так и пролежала до утра, дрожа от озноба. За завтраком отец был резок и раздражен, но о ночном эпизоде даже не заикнулся. Я — тоже. Я только выдумала предлог, чтобы отлучиться в город, и вот я здесь.

Рассказ мисс Пресбери, судя по всему, глубоко удивил Холмса.

— Вы говорите, милая барышня, что ваша комната на третьем этаже. Есть в саду большая лестница?

— Нет, мистер Холмс, то-то и странно. До окна никак не достать, и тем не менее он все-таки забрался туда.

— И было это пятого сентября,— сказал Холмс.— Это, бесспорно, усложняет дело.

Теперь настала очередь мисс Пресбери сделать удивленное лицо.

— Вы уже второй раз заговариваете о датах, мистер Холмс,— заметил Беннет.— Неужели это существенно в данном случае?

— Возможно, и даже очень. Впрочем, пока что я не располагаю достаточно полным материалом.

— Уж не связываете ли вы приступы помрачения рассудка с фазами луны?

— Нет, уверяю вас. Моя мысль работает в совершенно ином направлении. Вы не могли бы оставить мне вашу записную книжку? Я бы сверил числа. Ну, Уотсон, по-моему, наш с вами план действия предельно ясен. Эта юная дама сообщила нам — а на ее чутье я полагаюсь безусловно,— что ее отец почти не помнит того, что происходит с ним в определенные дни. Вот мы и нанесем ему визит под тем предлогом, что якобы в один из таких дней условились с ним о встрече. Он припишет это своей забывчивости. Ну, а мы, открывая нашу кампанию, сможем для начала хорошенько рассмотреть его на короткой дистанции.

— Превосходная мысль! — сказал мистер Беннет.— Только должен предупредить вас, что профессор бывает по временам вспыльчив и буен.

Холмс улыбнулся:

— И все же есть причины — притом, если мои предположения верны, причины очень веские,— чтобы мы поехали к нему тотчас же. Завтра, мистер Беннет, мы, безусловно будем в Кэмфорде. В гостинице «Шахматная доска», если мне память не изменяет, очень недурен портвейн, а постельное белье выше всяких похвал. Право же, Уотсон, наша судьба на ближайшие несколько дней складывается куда как завидно.

В понедельник утром мы уже сидели в поезде, направляясь в знаменитый университетский городок. Холмсу, вольной птице, ничего не стоило сняться с места, мне же потребовалось лихорадочно менять свои планы, так как моя практика в то время была весьма порядочна. О деле Холмс заговорил лишь после того, как мы оставили чемоданы в той самой старинной гостинице, которую он похвалил накануне.

— Я думаю, Уотсон, мы застанем профессора дома. В одиннадцать у него лекция, а в перерыве он, конечно, завтракает.

— Но как мы объясним наш визит?

Холмс заглянул в свою записную книжечку.

— Один из приступов беспокойного состояния приходится на 26 августа. Будем исходить из того, что в такие дни он не вполне ясно представляет себе, что делает. Если мы твердо скажем, что договорились о приезде заранее, думаю, он едва ли отважится это отрицать. Хватит ли только у вас духу на такое нахальство?

— Риск — благородное дело.

— Браво, Уотсон! Не то стишок для самых маленьких, не то поэма Лонгфелло. Девиз фирмы: «Риск —

благородное дело». Какой-нибудь дружественный туземец наверняка покажет нам дорогу.

И действительно, вскоре один из них, восседая на козлах щегольского кеба, уже мчал нас мимо старинных университетских зданий и, наконец, свернув в аллею, остановился у подъезда прелестного особняка, окруженного газонами и увитого пурпурной глицинией. Все говорило о том, что профессор Пресбери живет в полном комфорте, и даже более того — в роскоши. В тот самый миг, как мы подъехали к дому, в одном окне появилась чья-то седая голова, и глаза в больших роговых очках устремили на нас пронзительный взгляд из-под косматых бровей. Еще минута, и мы очутились в святая святых — в кабинете, а перед нами собственной персоной стоял таинственный ученый, чьи странные выходки привели нас сюда из Лондона. Впрочем, ни его внешний вид, ни манера держаться не выдавали и тени эксцентричности: это был представительный мужчина в сюртуке, высокий, важный, с крупными чертами лица и полной достоинства осанкой, отличающей опытного лектора. Замечательнее всего были его глаза: зоркие, острые и умные, дьявольски умные.

Он взглянул на наши визитные карточки.

— Садитесь, пожалуйста, джентльмены. Чем могу служить?

Холмс подкупающе улыбнулся:

— Именно этот вопрос я собирался задать вам, профессор.

— Мне, сэр?

— Возможно, произошла какая-то ошибка, но мне передали через третье лицо, что профессор Пресбери из Кэмфорда нуждается в моих услугах.

— Ах вот как! — Мне почудилось, что в серых внимательных глазах профессора вспыхнул злобный огонек.— Передали, стало быть? А позвольте спросить, кто именно?

— Простите, профессор, но разговор был конфиденциальный. Если я и ошибся, беда невелика. Мне останется лишь принести свои извинения.

— Ну нет. Я не намерен так оставлять это дело. Вы возбудили мой интерес. Можете вы привести какое-нибудь письменное доказательство в подтверждение ваших слов — письмо, телеграмму, записку, наконец?

— Нет.

— Не возьмете же вы на себя смелость утверждать, будто я сам вас вызвал?

— Я предпочел бы не отвечать ни на какие вопросы.

— Еще бы! — насмешливо отозвался профессор.— Ничего, на этот-то вопрос легко получить ответ и без вашей помощи.

Он повернулся и подошел к звонку. На зов явился наш лондонский знакомец — мистер Беннет.

— Входите, мистер Беннет. Вот эти два джентльмена приехали из Лондона в уверенности, что их сюда вызвали. Вы ведаете всей моей корреспонденцией. Значится у вас где-нибудь адресат по имени Холмс?

— Нет, сэр,— вспыхнув, ответил Беннет.

— Это решает вопрос,— отрезал профессор, свирепо воззрившись на моего спутника.— Ну-с, сэр,— он подался вперед всем телом, опершись руками на стол,— положение у вас, на мой взгляд, довольно-таки двусмысленное.

Холмс пожал плечами:

— Я могу только еще раз извиниться за наше напрасное вторжение.

— Маловато, мистер Холмс! — пронзительно взвизгнул старик, и его лицо исказилось неописуемой злобой. Он преградил нам путь к двери, неистово потрясая кулаками.— Сомневаюсь, чтобы вам удалось так легко выкрутиться!

С перекошенным лицом, он в дикой ярости гримасничал, выкрикивая бессвязные угрозы. Я убежден, что нам пришлось бы пробиваться к двери силой, если б не вмешательство мистера Беннета.

— Дорогой профессор, вспомните о вашем положении! — вскричал он.— Подумайте, что будут говорить в университете! Мистер Холмс — человек известный. Нельзя допустить такую неучтивость по отношению к нему.

Наш не слишком гостеприимный хозяин хмуро отступил от двери. Как приятно было вырваться из его дома и снова очутиться в тиши тенистой аллеи! Холмса это происшествие, казалось, немало позабавило.

— У нашего ученого друга пошаливают нервы,— произнес он.— Быть может, мы и впрямь вторглись к нему чуточку слишком бесцеремонно, зато получили возможность вступить с ним в непосредственный контакт, что мне и требовалось. Но погодите, Уотсон! Так и есть, он мчится в погоню! Злодей еще не отступился от нас.

Слышно было, как кто-то бежит вслед за нами, но, к моему облегчению, вместо грозного профессора из-за поворота аллеи показался его ассистент. Переводя дыхание, он остановился возле нас.

— Мне так неприятно, мистер Холмс! Я хотел извиниться перед вами.

— Зачем, дорогой мой? Для человека моей профессии все это в порядке вещей.

— Я никогда не видел его в таком взвинченном состоянии. С ним становится просто страшно. Вы понимаете теперь, отчего мы с его дочерью в такой тревоге? А между тем ум его совершенно ясен.

— Слишком ясен! — отозвался Холмс.— В этом-то и заключался мой просчет. Очевидно, его память работает куда более точно, чем я полагал. Кстати, нельзя ли нам, пока мы здесь, посмотреть на окно мисс Пресбери?

Мистер Беннет, раздвигая кусты, вывел нас на такое место, откуда особняк был виден сбоку.

— Вон оно. Второе слева.

— Ого, до него как будто и не добраться. Впрочем, обратите внимание: внизу вьется плющ, а выше торчит водосточная труба. Как-никак точка опоры.

— Мне бы, честно говоря, не влезть,— заметил мистер Беннет.

— Вполне допускаю. Для любого нормального человека это, несомненно, была бы опасная затея.

— Я вам еще кое-что хотел сказать, мистер Холмс. Я достал адрес того человека, которому профессор шлет письма в Лондон. Одно он, по-видимому, отправил сегодня утром, и я списал адрес с бювара. Недостойный прием для личного секретаря, но что поделаешь!

Холмс пробежал глазами бумажку с адресом и спрятал в карман.

— Дорак — занятное имя! Славянское, как я понимаю. Что ж, это — важное звено. Мы возвращаемся в Лондон сегодня же, мистер Беннет. Не вижу смысла оставаться. Арестовать профессора мы не можем: он не совершил никакого преступления; поместить его под наблюдение тоже нельзя, потому что нельзя доказать, что он сумасшедший. Действовать пока рано.

— Да, но как же быть?

— Немножко терпения, мистер Беннет. События начнут назревать в самом скором времени. Либо я ничего не понимаю, либо во вторник можно ждать кризиса. В этот день мы, естественно, будем в Кэмфорде. При всем том нельзя отрицать, что обстановка в доме не из приятных, и если мисс Пресбери имеет возможность продлить свое отсутствие...

— Это нетрудно.

— Тогда пусть побудет в Лондоне, пока мы не сможем заверить ее, что всякая опасность миновала. Ну, а пока пусть профессор делает что хочет, не перечьте ему. Лишь бы он был в добром расположении духа, и все обойдется.

— Смотрите, вон он! — испуганно шепнул Беннет, и мы увидели из-за ветвей, как в дверях дома показалась высокая, осанистая фигура. Профессор стоял, чуть подавшись вперед, покачивая руками прямо перед собой, и озирался по сторонам, поворачивая голову то вправо, то влево. Его секретарь, помахав нам на прощание рукой, исчез за деревьями, и вскоре мы увидели, как он подошел к своему шефу и оба направились в дом, горячо, можно сказать, даже ожесточенно, обсуждая что-то.

— Видимо, почтенный джентльмен смекнул что к чему,— говорил Холмс по дороге в гостиницу.— От этой короткой встречи у меня осталось впечатление, что он человек на редкость ясного и логического ума. Вспыльчив как порох, не спорю, а впрочем, его можно понять: поневоле вспылишь, если к тебе приставили сыщиков, причем, как ты подозреваешь, не кто иной, как твои собственные домочадцы. Боюсь, нашему Беннету сейчас приходится несладко.

По пути Холмс завернул на почту, чтобы отправить кому-то телеграмму. Ответ пришел вечером, и Холмс протянул его мне.

«Был на Коммершл-роуд, видел Дорака. Пожилой чех, очень учтив. Владелец большого универсального магазина.

Мерсер».

— Мерсера при вас еще не было,— объяснил Холмс.— Я ему поручаю всякую черновую работу. Важно было разузнать кое-что про человека, с которым у нашего профессора такая секретная переписка. Он чех — тут есть связь с поездкой в Прагу.

— Слава Богу, наконец у чего-то с чем-то обнаружилась связь,— сказал я.— Пока что, кажется, перед нами целый набор необъяснимых событий, не имеющих ни малейшего отношения друг к другу. Каким образом, например, можно связать злобный нрав овчарки с поездкой в Чехию или то и другое — с человеком, который ночами разгуливает по коридору на четвереньках? А самое необъяснимое — эти ваши даты.

Холмс усмехнулся и потер руки. Замечу, кстати, что этот разговор происходил в старинном холле гостиницы

«Шахматная доска» за бутылкой знаменитого портвейна, о котором давеча вспоминал мой друг.

— Ну что ж, тогда давайте и поговорим прежде всего об этих датах,— произнес он, сомкнув кончики пальцев с видом учителя, который обращается к классу.— Из дневника этого милого молодого человека явствует, что нелады с профессором начались второго июля и с тех пор — насколько я помню, с одним-единственным исключением — повторяются через каждые девять дней. Вот и последний приступ, тот, что случился в пятницу, падает на третье сентября, а предпоследний — на двадцать шестое августа. Ясно, что о простом совпадении речи быть не может.

Я был вынужден согласиться.

— А потому условимся исходить из того, что каждый девятый день профессор принимает какое-то средство, оказывающее кратковременное, но очень сильное действие. Под его влиянием природная несдержанность профессора усугубляется. Рекомендовали ему это снадобье, когда он был в Праге, теперь же снабжают им через посредника-чеха из Лондона. Все сходится, Уотсон!

— Ну, а собака, а лицо в окне, а человек на четвереньках?

— Ничего-ничего, лиха беда — начало. Не думаю, чтобы до вторника произошло что-нибудь новое. А пока что нам остается не терять связь с нашим другом Беннетом и вкушать тихие радости этого прелестного городка.

Утром к нам заглянул мистер Беннет, чтобы сообщить последние новости. Как и предполагал Холмс, ему пришлось довольно туго. Профессор, хоть и не обвиняя его прямо в том, что это он подстроил наш визит, разговаривал с ним крайне грубо, неприязненно и явно был глубоко уязвлен. Наутро, впрочем, он держался как ни в чем не бывало и, по обыкновению, блистательно прочел лекцию в переполненной аудитории.

— Если б не эти странные припадки,— закончил Беннет,— я бы сказал, что он никогда еще не был так энергичен и бодр, а ум его так светел. И все же это не он, это все время не тот человек, которого мы знали.

— Я думаю, по крайней мере неделю вам опасаться нечего,— сказал Холмс.— Я человек занятой, а доктора Уотсона ждут пациенты. Условимся так: во вторник в это же время мы с вами встречаемся здесь, и я более чем уверен, что, прежде чем снова расстаться, мы будем в состоянии обнаружить и, быть может, устранить причину ваших невзгод. Ну, а пока пишите и держите нас в курсе событий.

Вслед за тем я несколько дней не виделся с моим другом, но в понедельник вечером получил от него коротенькую записку, в которой он просил меня встретиться с ним завтра на вокзале. По дороге в Кэмфорд он рассказал, что там пока все тихо, ничто не нарушало покой в профессорском доме и сам хозяин вел себя вполне нормально. Это подтвердил и мистер Беннет, навестивший нас вечером все в том же номере «Шахматной доски».

— Сегодня он получил от того человека из Лондона письмо и небольшой пакет. Оба помечены крестиком, и я их не вскрывал. Больше ничего не было.

— Может статься, что и этого более чем достаточно,— угрюмо заметил Холмс.— Итак, мистер Беннет, думаю, нынешней ночью мы добьемся какой-то ясности. Если ход моих рассуждений верен, у нас будет возможность ускорить развязку, но для этого необходимо держать профессора под наблюдением. А потом я рекомендовал бы вам не спать и быть начеку. Случись вам услышать, что он крадется мимо вашей двери, не останавливайте его и следуйте за ним, только как можно осторожнее. Мы с доктором Уотсоном будем неподалеку. Кстати, где хранится ключ от той шкатулочки, о которой вы рассказывали?

— Профессор носит его на цепочке от часов.

— Мне сдается, что разгадку нам следует искать именно в этом направлении. В крайнем случае замо́к, вероятно, не так уж трудно взломать. Есть там у вас еще какой-нибудь крепкий мужчина?

— Есть еще Макфейл, наш кучер.

— Где он ночует?

— В комнате над конюшней.

— Возможно, он нам понадобится. Ну-с, делать пока больше нечего, посмотрим, как будут развиваться события. До свидания. Впрочем, думаю, мы с вами еще увидимся до утра.

Незадолго до полуночи мы заняли позицию в кустах прямо напротив парадной двери профессорского особняка. Ночь была ясная, но холодная, и мы порадовались, что надели теплые пальто. Налетел ветерок; по небу, то и дело закрывая серп луны, заскользили тучи. Наше бдение оказалось бы весьма унылым, если б не лихорадочное нетерпение, которым мы были охвачены, и не уверенность моего спутника в том, что вереница загадочных событий, овладевших нашими умами, вероятно, скоро кончится.

— Если девятидневный цикл не будет нарушен, профессор должен сегодня предстать перед нами во всей красе,— сказал Холмс.— Все факты указывают единое направление: и то, что профессор начал вести себя странно после поездки в Прагу, и то, что у него секретная переписка с торговцем-чехом, который живет в Лондоне, но, по-видимому, действует по поручению кого-то из Праги, и, наконец, то, что как раз сегодня профессор получил от него посылку. Чтó именно он принимает и зачем, пока еще выше нашего понимания, но что все это каким-то образом исходит из Праги, не вызывает сомнений. Снадобье он принимает в соответствии с четкими указаниями — каждый девятый день. Это обстоятельство как раз и бросилось мне в глаза прежде всего. Но вот симптомы, которые оно вызывает,— это нечто поразительное. Вы обратили внимание, какие у него суставы на пальцах?

Я вынужден был сознаться, что нет.

— Утолщенные, мозолистые — ничего подобного в моей практике не встречалось. Всегда первым долгом смотрите на руки, Уотсон. Затем на манжеты, колени брюк и ботинки. Да, прелюбопытные суставы. Такие можно нажить, лишь передвигаясь на...— Холмс осекся и вдруг хлопнул себя ладонью по лбу.— Ах ты Господи, Уотсон, что же я был за осел! Трудно поверить, но разгадка именно такова! Все сразу встает на свои места. Как это я мог не уловить логику событий? И суставы — суставы как ухитрился проглядеть? Ну да, и собака! И плющ! Нет, мне положительно настало время удалиться на маленькую ферму, о которой я давно мечтаю... Но тихо, Уотсон! Вот и он! Сейчас сами убедимся.

Дверь дома медленно отворилась, и мы увидели в освещенном проеме высокую фигуру профессора Пресбери. Профессор был в халате. Он стоял на пороге, чуть наклонясь вперед и свесив перед собою руки, как и в прошлый раз.

Но вот он сошел с крыльца, и с ним произошла разительная перемена. Он опустился на четвереньки и двинулся вперед, то и дело подскакивая на ходу, словно от избытка сил и энергии, прошел таким образом вдоль фасада и повернул за угол. Едва он скрылся, как из двери выскользнул Беннет и крадучись последовал за ним.

— Идем, Уотсон, скорее! — шепнул Холмс, и мы, стараясь не шуметь, устремились сквозь кусты к тому месту, откуда видна была боковая стена особняка, увитая плющом и залитая светом молодой луны. Мы ясно разглядели скрюченную фигуру профессора и вдруг увидели, как он начал с непостижимым проворством карабкаться вверх по стене. Он перелетал с ветки на ветку, уверенно переставляя ноги, цепко хватаясь руками, без всякой видимой цели, просто радуясь переполнявшей его силе. Полы его халата развевались в воздухе, и он был похож на гигантскую летучую мышь, темным квадратом распластавшуюся по освещенной луной стене его собственного дома. Вскоре эта забава наскучила ему, он спустился вниз, перескакивая с ветки на ветку, опять встал на четвереньки и все тем же странным способом направился к конюшне.

Овчарка уже выскочила на улицу, захлебываясь бешеным лаем, а завидев хозяина, и вовсе осатанела. Она рвалась с цепи, дрожа от злобы и возбуждения. Профессор приблизился к ней и, присев на корточки, совсем близко, но с таким расчетом, чтобы она не могла его достать, принялся дразнить ее на все лады. Он собирал камешки и полными горстями бросал их псу в морду, тыкал его палкой, поднятой с земли, размахивал руками прямо у разинутой собачьей пасти — короче говоря, всячески старался подстегнуть и без того неудержимую ярость животного. За все наши похождения я не припомню более дикого зрелища, чем эта бесстрастная и еще не утратившая остатков достоинства фигура, по-лягушечьи припавшая к земле перед беснующейся, разъяренной овчаркой и обдуманно, с изощренной жестокостью старающаяся довести ее до еще большего исступления.

И тут — в мгновение ока — свершилось! Нет, не цепь лопнула: соскочил ошейник, рассчитанный на мощную шею ньюфаундленда. Мы услышали лязг упавшего металла, и в тот же миг собака и человек, сплетенные в тесный клубок, покатились по земле: первая — с яростным рыком, второй — с пронзительным, неожиданно визгливым воплем ужаса. Профессор был буквально на волосок от гибели. Рассвирепевшее животное вцепилось ему в горло, глубоко вонзив в него клыки, и профессор потерял сознание еще до того, как мы успели подбежать и разнять их. Это могло бы оказаться опасной процедурой, но присутствия Беннета и одного его окрика оказалось довольно, чтобы мгновенно унять огромного пса. На шум из комнаты над конюшней выскочил заспанный, перепуганный кучер.

— Ничего удивительного,— сказал он, качая головой.— Я и раньше видел, что он тут вытворяет. Я так и знал, что рано или поздно собака до него доберется.

Роя снова посадили на цепь, а профессора мы вчетвером отнесли к нему в комнату, и Беннет, медик по образованию, помог мне наложить повязку на его истерзанное горло. Рана оказалась тяжелой: острые клыки едва не задели сонную артерию, и профессор потерял много крови. Через полчаса непосредственная опасность была устранена, я ввел пострадавшему морфий, и он погрузился в глубокий сон.

Теперь, и только теперь, мы смогли взглянуть друг на друга и обсудить обстановку.

— Я считаю, что его нужно показать первоклассному хирургу,— сказал я.

— Боже избави! — воскликнул Беннет.— Пока об этой скандальной истории знают только домашние, никто о ней не проговорится. Стоит слухам просочиться за пределы этого дома, и пересудам не будет конца. Нельзя забывать о положении, которое профессор занимает в университете, о том, что он ученый с европейским именем, о чувствах его дочери.

— Совершенно справедливо,— сказал Холмс.— И я думаю, теперь, когда у нас не связаны руки, мы вполне можем найти способ избежать огласки и в то же время предотвратить возможность повторения чего-либо подобного. Снимите ключ с цепочки, мистер Беннет. Макфейл посмотрит за больным и даст нам знать, если что-нибудь случится. Поглядим, что же спрятано в таинственной шкатулке профессора.

Оказалось, немногое, но и этого было достаточно: два флакона, один пустой, другой едва початый, шприц да несколько писем, нацарапанных неразборчивым почерком иностранца. По крестикам на конвертах мы поняли, что это те самые, которые запрещалось вскрывать секретарю; все были посланы с Коммершл-роуд и подписаны «А. Дорак». В одних конвертах были только сообщения о том, что профессору Пресбери отправлен очередной флакон с препаратом, в других — расписки в получении денег. Был здесь и еще один конверт — с австрийской маркой, проштемпелеванный в Праге и надписанный более грамотной рукой.

— Вот то, что нам надо! — вскричал Холмс, выхватывая из него письмо.

«Уважаемый коллега! — прочли мы.— После Вашего визита я много думал о Вашем случае, и хотя в таких обстоятельствах, как Ваши, имеются особо веские причины прибегнуть к моему средству, я все же настоятельно рекомендовал бы Вам проявлять осмотрительность, так как пришел к выводу, что оно небезвредно.

Возможно, нам лучше было бы воспользоваться сывороткой антропоида. Черноголовый хульман, как я уже объяснял Вам, был избран мною лишь потому, что была возможность достать животное, но ведь хульман передвигается на четырех конечностях и живет на деревьях, меж тем как антропоиды принадлежат к двуногим и во всех отношениях стоят ближе к человеку.

Умоляю Вас соблюдать все меры предосторожности, дабы избежать преждевременной гласности. У меня есть еще один пациент в Англии; наш посредник — тот же Дорак.

Вы весьма обяжете меня, присылая Ваши отчеты еженедельно.

С совершенным почтением, Ваш *Г. Ловенштейн».*

Ловенштейн! При этом имени мне вспомнилось коротенькое газетное сообщение о каком-то безвестном ученом, который ставит загадочные опыты с целью постичь тайну омолаживания и изготовить эликсир жизни. Ловенштейн, ученый из Праги! Ловенштейн, который открыл чудо-сыворотку, дарующую людям силу, и которому другие ученые объявили бойкот за отказ поделиться с ними секретом своего открытия!

В нескольких словах я рассказал, что запомнил. Беннет достал с полки зоологический справочник.

— «Хульман,— прочел он.— Большая черноголовая обезьяна, обитает на склонах Гималаев, самая крупная и близкая к человеку из лазающих обезьян». Далее следуют многочисленные подробности. Итак, мистер Холмс, сомнений нет: благодаря вам мы все-таки обнаружили корень зла.

— Истинный корень зла, — сказал Холмс, — это, разумеется, запоздалая страсть на склоне лет, внушившая нашему пылкому профессору мысль, что он сможет добиться исполнения своих желаний, лишь став моложе. Тому, кто пробует поставить себя выше матери-Природы, нетрудно скатиться вниз. Самый совершенный представитель рода человеческого может пасть до уровня животного, если свернет с прямой дороги, предначертанной всему сущему. — Он помолчал, задумчиво разглядывая наполненный прозрачной жидкостью флакон, который держал в руке. — Я напишу этому человеку, что он совершает уголовное преступление, распространяя свое зелье, и нам больше не о чем будет тревожиться. Но рецидивы не исключены. Найдутся другие, они будут действовать искуснее. Здесь кроется опасность для человечества, и очень грозная опасность. Вы только вдумайтесь, Уотсон: стяжатель, сластолюбец, фат — каждый из них захочет продлить свой никчемный век. И только человек одухотворенный устремится к высшей цели. Это будет противоестественный отбор! И какой же зловонной клоакой станет тогда наш бедный мир! — Внезапно мечтатель исчез, вернулся человек действия. Холмс вскочил со стула. — Ну, мистер Беннет, я думаю, мы обо всем поговорили, и разрозненные, казалось бы, факты легко теперь связать воедино. Собака, естественно, почуяла перемену гораздо раньше вас: на то у нее и тонкий нюх. Не на профессора бросился Рой — на обезьяну, и не профессор, а обезьяна дразнила его. Ну, а лазать для обезьяны — сущее блаженство, и к окну вашей невесты ее, как я понимаю, привела чистая случайность. Скоро отходит лондонский поезд, Уотсон, но, я думаю, мы еще успеем до отъезда выпить чашку чая в гостинице.

ЛЬВИНАЯ ГРИВА

Удивительно, что одна из самых сложных и необычайных задач, с которыми я когда-либо встречался в течение моей долгой жизни сыщика, встала передо мной, когда я уже удалился от дел; все разыгралось чуть ли не на моих глазах. Случилось это после того, как я поселился в своей маленькой суссекской вилле и целиком погрузился в мир и тишину природы, о которых так мечтал в течение долгих лет, проведенных в туманном, мрачном Лондоне. В описываемый период добряк Уотсон почти совершенно исчез с моего горизонта. Он лишь изредка навещал меня по воскресеньям, так что на этот раз мне приходится быть собственным историографом. Не то как бы он расписал столь редкостное происшествие и все трудности, из которых я вышел победителем! Увы, мне придется попросту и без затей, своими словами рассказать о каждом моем шаге на сложном пути раскрытия тайны Львиной гривы.

Моя вилла расположена на южном склоне возвышенности Даунз, с которой открывается широкий вид на Ла-Манш. В этом месте берег представляет собой стену из меловых утесов; спуститься к воде можно по единственной длинной извилистой тропке, крутой и скользкой. Внизу тропка обрывается у пляжа шириной примерно в сто ярдов, покрытого галькой и голышом и не заливаемого водой даже в часы прилива. Однако в нескольких местах имеются заливчики и выемки, представляющие великолепные бассейны для плавания и с каждым приливом заполняющиеся свежей водой. Этот чудесный берег тянется на несколько миль в обе стороны и прерывается только в одном месте небольшой бухтой, по берегу которой расположена деревня Фулворт.

Дом мой стоит на отшибе, и в моем маленьком владении хозяйничаем только я с моей экономкой да пчелы. В полумиле отсюда находится знаменитая школа Гарольда Стэкхерста, занимающая довольно обширный дом, в котором размещены человек двадцать учеников, готовящихся к различным специальностям, и небольшой штат педагогов. Сам Стэкхерст, в свое время знаменитый чемпион по гребле, — широко эрудированный ученый. С того времени, как я поселился на побережье, нас с ним связывали самые дружеские отношения, настолько близкие, что мы по вечерам заходили друг к другу, не нуждаясь в особом приглашении.

В конце июля 1907 года был сильный шторм, ветер дул с юго-запада, и прибой докатывался до самого подножия меловых утесов, а когда начинался отлив, на берегу оставались большие лагуны. В то утро, с которого я начну свой рассказ, ветер стих, и все в природе дышало чистотой и свежестью. Работать в такой чудесный день не было никаких сил, и я вышел перед завтраком побродить и подышать изумительным воздухом. Я шел по дорожке, ведущей к крутому спуску на пляж. Вдруг меня кто-то окликнул, и, обернувшись, я увидел Гарольда Стэкхерста, весело машущего мне рукой.

— Что за утро, мистер Холмс! Так я и знал, что встречу вас.

— Я вижу, вы собрались купаться.

— Опять взялись за старые фокусы, — засмеялся он, похлопывая по своему набитому карману. — Макферсон уже вышел спозаранку, я, наверное, встречу его здесь.

Фицрой Макферсон — видный, рослый молодой человек — преподавал в школе естественные науки. Он страдал пороком сердца вследствие перенесенного ревматизма, но, будучи природным атлетом, отличался в любой спортивной игре, если только она не требовала от него чрезмерных физических усилий. Купался он и зимой и летом, а так как я и сам завзятый купальщик, то мы часто встречались с ним на берегу.

В описываемую минуту мы увидели самого Макферсона. Его голова показалась из-за края обрыва, у которого кончалась тропка. Через мгновение он появился во весь рост, пошатываясь как пьяный. Затем вскинул руки и со страшным воплем упал ничком на землю. Мы со Стэкхерстом бросились к нему — он был от нас ярдах в пятидесяти — и перевернули его на спину. Наш друг был по всем признакам при последнем издыхании. Ничего иного не могли означать остекленевшие, ввалившиеся глаза и посиневшее лицо. На одну секунду в его глазах мелькнуло сознание, он исступленно силился предостеречь нас. Он что-то невнятно, судорожно прокричал, но я расслышал в его вопле всего два слова: «львиная грива». Эти слова ничего мне не говорили, но ослышаться я не мог. В то же мгновение Макферсон приподнялся, вскинул руки и упал на бок. Он был мертв.

Мой спутник остолбенел от неожиданного страшного зрелища; у меня же, разумеется, все чувства мгновенно обострились, и не зря: я сразу понял, что мы оказались свидетелями какого-то совершенно необычайного происшествия. Макферсон был в одних брюках и в накинутом на голое тело макинтоше, а на ногах у него были незашнурованные парусиновые туфли. Когда он упал, пальто соскользнуло, обнажив торс. Мы онемели от удивления. Его спина была располосована темно-багровыми рубцами, словно его исхлестали плетью из тонкой проволоки. Макферсон был, видимо, замучен и убит каким-то необычайно гибким инструментом, потому что длинные резкие рубцы закруглялись со спины и захватывали плечи и ребра. По подбородку текла кровь из прикушенной от невыносимой боли нижней губы.

Я опустился на колени, а Стэкхерст, стоя, склонился над трупом, когда на нас упала чья-то тень, и, оглянувшись, мы увидели, что к нам подошел Ян Мэрдок. Мэрдок преподавал в школе математику; это был высокий, худощавый брюнет, настолько нелюдимый и замкнутый, что не было человека, который мог бы назвать себя его другом. Казалось, он витал в отвлеченных сферах иррациональных чисел и конических сечений, мало чем интересуясь в повседневной жизни. Он слыл среди учеников чудаком и мог бы легко оказаться посмешищем, не будь в его жилах примеси какой-то чужеземной крови, проявлявшейся не только в черных как уголь глазах и смуглой коже, но и во вспышках ярости, которые нельзя было назвать иначе, как дикими. Однажды на него набросилась собачонка Макферсона; Мэрдок схватил ее и вышвырнул в окно, разбив зеркальное стекло; за такое поведение Стэкхерст, конечно, не преминул бы его уволить, не дорожи он им как отличным преподавателем. Такова характеристика странного, сложного человека, подошедшего к нам в эту минуту. Казалось, он был вполне искренне потрясен видом мертвого тела, хотя случай с собачонкой вряд ли мог свидетельствовать о большой симпатии между ним и покойником.

— Бедняга! Бедняга! Не могу ли я что-нибудь сделать? Чем мне помочь вам?

— Вы были с ним? Не расскажете ли вы, что здесь произошло?

— Нет, нет, я поздно встал сегодня. И еще не купался. Я только иду из школы. Чем я могу быть вам полезен?

— Бегите скорее в Фулворт и немедленно известите полицию.

Не сказав ни слова, Мэрдок поспешно направился в Фулворт, а я тотчас же принялся изучать место происшествия, в то время как потрясенный Стэкхерст остался у тела. Первым моим делом было, конечно, убедиться, нет ли еще кого-нибудь на пляже. С обрыва, откуда спускалась тропка, берег, видимый на всем протяжении, казался совершенно безлюдным, если не считать двух-трех темных фигур, шагавших вдалеке по направлению к Фулворту. Закончив осмотр берега, я начал медленно спускаться по тропке. Почва здесь была с примесью глины и мягкого мергеля, и то тут, то там мне попадались следы одного и того же человека, идущие и под гору и в гору. Никто больше по тропке в это утро не спускался. В одном месте я заметил отпечаток ладони с расположенными вверх по тропе пальцами. Это могло значить только, что несчастный Макферсон упал, поднимаясь в гору. Я заметил также круглые впадины, позволявшие предположить, что он несколько раз падал на колени. Внизу, где тропка обрывалась, была довольно большая лагуна, образованная отступившим приливом. На берегу этой лагуны Макферсон разделся: тут же, на камне, лежало его полотенце. Оно было аккуратно сложено и оказалось сухим, так что, судя по всему, Макферсон не успел окунуться. Кружа во всех направлениях по твердой гальке, я обнаружил на пляже несколько песчаных проплешин со следами парусиновых туфель и голых ступней Макферсона. Последнее наблюдение показывало, что он должен был вот-вот броситься в воду, а сухое полотенце говорило, что он этого сделать не успел.

Тут-то и коренилась загадка всего происшествия — самого необычайного из всех, с которыми я когда-либо сталкивался. Человек пробыл на пляже самое большее четверть часа. В этом не могло быть сомнения, потому что Стэкхерст шел вслед за ним от самой школы. Человек собрался купаться и уже разделся, о чем свидетельствовали следы голых ступней. Затем внезапно он снова натянул на себя макинтош, не успев окунуться или, во всяком случае, не вытеревшись. Он не смог выполнить свое намерение и выкупаться потому, что был каким-то необъяснимым и нечеловеческим способом исхлестан и истерзан так, что до крови прикусил от невыносимой боли губу, и у него еле достало сил, чтобы отползти от воды и умереть. Кто был виновником этого зверского убийства? Правда, у подножия утесов были небольшие гроты и пещеры, но они были хорошо освещены низко стоявшим утренним солнцем и не могли служить убежищем. Кроме того, как я уже сказал, вдалеке на берегу виднелось несколько темных фигур. Они были слишком далеко, чтобы их можно было заподозрить в причастности к преступлению, и к тому же их отделяла от Макферсона широкая, подходившая к самому подножию обрыва лагуна, в которой он собирался купаться. Недалеко в море виднелись две-три рыбачьи лодки. Я мог хорошо разглядеть сидевших в них людей. Итак, мне открывалось несколько путей расследования дела, но ни один из них не сулил успеха.

Когда я в конце концов вернулся к трупу, я увидел, что вокруг него собралась группа случайных прохожих.

Тут же находился, конечно, и Стэкхерст, и только что подоспевший Ян Мэрдок в сопровождении сельского констебля Андерсона — толстяка с рыжими усами, низкорослой суссекской породы, наделенного под неповоротливой, угрюмой внешностью незаурядным здравым смыслом. Он выслушал нас, записал наши показания, потом отозвал меня в сторону.

— Я был бы признателен вам за совет, мистер Холмс. Одному мне с этим сложным делом не справиться, а если я что напутаю, мне влетит от Льюиса.

Я посоветовал ему, во-первых, послать за своим непосредственным начальником, во-вторых, до прибытия начальства не переносить ни тела, ни вещей и, по возможности, не топтаться зря у трупа, чтобы не путать следов. Сам я тем временем обыскал карманы покойного. Я нашел в них носовой платок, большой перочинный нож и маленький бумажник. Из бумажника выскользнул листок бумаги, который я развернул и вручил констеблю. На листке небрежным женским почерком было написано: «Не беспокойся, жди меня. Моди». Судя по всему, это была любовная записка, но в ней не указывалось ни время, ни место свидания. Констебль вложил записку обратно в бумажник и вместе с прочими вещами водворил в карман макинтоша. Затем, поскольку никаких новых улик не обнаруживалось, я пошел домой завтракать, предварительно распорядившись о тщательном обследовании подножия утесов.

Часа через два ко мне зашел Стэкхерст и сказал, что тело перенесено в школу, где будет производиться дознание. Он сообщил мне несколько весьма важных и знаменательных фактов. Как я и ожидал, в пещерках под обрывом ничего не нашли, но Стэкхерст просмотрел бумаги в столе Макферсона и среди них обнаружил несколько писем, свидетельствующих о взаимной склонности между покойным и некой мисс Мод Беллами из Фулворта. Таким образом стало известно, кто писал записку, найденную в кармане Макферсона.

— Письма у полиции,— пояснил Стэкхерст,— я не смог принести их. Они, несомненно, свидетельствуют о серьезном романе. Но я не вижу оснований связывать эти отношения со страшным происшествием, если не считать того, что дама назначила ему свидание.

— Вряд ли, однако, свидание было назначено на берегу, где вы обычно купаетесь,— заметил я.

— Да, это чистая случайность, что Макферсона не сопровождали несколько учеников.

— Такая ли уж случайность?

— Их задержал Ян Мэрдок,— сказал Стэкхерст.— Он настоял на проведении перед завтраком занятий по алгебре. Бедный малый, он страшно подавлен случившимся!

— Хотя, сколько мне известно, они не были особенно дружны.

— Да, первое время, но вот уже год или больше того, как Мэрдок сошелся с Макферсоном, насколько он вообще только способен с кем-нибудь сойтись. Он не очень-то общителен по природе.

— Так я и думал. Я припоминаю ваш рассказ о том, как он расправился с собачонкой покойного.

— Ну, это — дело прошлое.

— Но такой поступок мог, пожалуй, вызвать мстительные чувства.

— Нет, нет, я уверен в их искренней дружбе.

— Ну что ж, тогда перейдем к сердечным делам. Знакомы ли вы с дамой?

— Ее знают все. Она славится своей красотой по всей нашей округе, она писаная красавица, Холмс, кого ни спроси. Я знал, что она нравится Макферсону, но не предполагал, что дело зашло так далеко, как это явствует из писем.

— Кто же она?

— Дочь старого Тома Беллами, владельца всех прогулочных лодок и купален в Фулворте. Начал он с простого рыбака, а теперь он человек с положением. В деле ему помогает его сын Уильям.

— Не сходить ли нам в Фулворт повидать их?

— Под каким предлогом?

— О, предлог легко найти. Не мог же в конце концов наш несчастный друг покончить с собой, прибегнув к такому страшному способу самоубийства! Ведь плеть, которой он исстеган, должна была находиться в чьей-то руке, если допустить, что убийство совершено с помощью плети. Круг знакомых Макферсона в этом малолюдном месте, конечно, невелик. Давайте займемся всеми его знакомыми, и, досконально изучив их, мы, наверное, нащупаем мотив преступления, а это, в свою очередь, поможет нам найти преступника.

Что могло бы быть для нас приятнее прогулки по

холмам, заросшим душистым чебрецом, не будь мы так потрясены страшной трагедией, разыгравшейся на наших глазах! Деревня Фулворт расположена в небольшой впадине, полукругом опоясывающей бухту. За рядом старых домишек, вверх по склону, построено несколько современных домов. К одному из таких домов и подвел меня Стэкхерст.

— Вот и «Гавань», как называет свой участок Беллами. Вон тот дом, с угловой башенкой и с черепичной крышей. Неплохо для человека, начавшего с ничего... Посмотрите-ка! Это еще что такое?

Садовая калитка «Гавани» открылась, и из нее вышел человек. Трудно было бы не признать в его высокой, угловатой фигуре математика Яна Мэрдока. Через минуту мы столкнулись с ним на дороге.

— Хэлло! — окликнул его Стэкхерст.

Мэрдок кивнул, искоса глянул на нас проницательными темными глазами и хотел было пройти мимо, но директор школы задержал его.

— Что вы здесь делали? — спросил он.

Мэрдок вспыхнул:

— Сэр, я подчинен вам в вашей школе. Но мне кажется, я не обязан давать вам отчет в своих личных делах.

После всего пережитого нервы Стэкхерста были натянуты как струна. При других обстоятельствах он бы сдержался. Теперь же он вышел из себя:

— Ваш ответ, мистер Мэрдок, в настоящих условиях — чистейшая дерзость.

— Не меньшей дерзостью кажется мне ваш вопрос.

— Мне уже не в первый раз приходится терпеть ваши грубости. Сегодняшняя ваша выходка будет последней. Я попрошу вас подыскать себе другое место, и как можно скорее.

— Это вполне соответствует моим желаниям. Сегодня я потерял единственного человека, который как-то скрашивал мое существование у вас в школе.

И Мэрдок решительно зашагал по дороге, а Стэкхерст яростно глядел ему вслед.

— Какой трудный, какой невыносимый человек! — воскликнул он.

Меня больше всего поразило, что мистер Ян Мэрдок воспользовался первым же подвернувшимся предлогом, чтобы сбежать с места преступления. Зародившиеся во мне догадки, до сих пор смутные и неопределенные, становились отчетливее. «Может быть, знакомство с семейством Беллами прольет свет на это дело?» — подумал я. Стэкхерст успокоился, и мы направились к дому.

Мистер Беллами оказался мужчиной средних лет, с огненно-рыжей бородой. Вид у него был очень взволнованный, лицо пылало не меньше бороды.

— Увольте, сэр, я не желаю знать никаких подробностей. И мой сын,— он указал на богатырского сложения молодого человека с тяжелым, угрюмым лицом,— совершенно согласен со мной, что поведение мистера Макферсона компрометировало Мод. Да, сэр, он ни разу не произнес слова «брак», хотя была переписка, были свидания и много всякого другого, чего никто из нас не одобрял. У Мод нет матери, и мы ее единственные защитники. Мы решили...

Это словоизвержение было внезапно прервано появлением самой девушки. Никто не стал бы отрицать, что она могла послужить украшением любого общества. И кто бы подумал, что столь редкостной красоты цветок вырастет на такой почве и в подобной атмосфере! Я мало увлекался женщинами, ибо сердце мое всегда было в подчинении у головы, но, глядя на прекрасные тонкие черты, на нежный свежий цвет лица, типичный для этих краев, я понимал, что ни один молодой человек, увидев ее, не мог бы остаться равнодушным. Такова была девушка, которая теперь стояла перед Гарольдом Стэкхерстом, открыто и решительно глядя ему в глаза.

— Я уже знаю, что Фицрой скончался, — сказала она.— Не бойтесь, я в состоянии выслушать любые подробности.

— Тот ваш джентльмен уже все рассказал нам, — пояснил отец.

— У вас нет никаких оснований замешивать в эту историю мою сестру,— пробурчал молодой человек.

— Это — мое дело, Уильям, — сказала сестра, метнув на него горячий, уничтожающий взгляд. — Будь добр, позволь мне вести себя, как я сочту нужным. Ясно, что совершено страшное преступление. Если я смогу помочь раскрыть убийцу, я хотя бы исполню этим свой долг перед умершим.

Она выслушала краткое сообщение моего спутника сдержанно, с сосредоточенным вниманием, тем доказав, что наряду с красотой она обладала сильным характером. Мод Беллами навсегда запомнится мне как одна из самых красивых и самых достойных женщин.

468

Она, по-видимому, уже знала меня в лицо, потому что сразу же обратилась ко мне.

— Привлеките их к ответу, мистер Холмс,— сказала она.— Кто бы ни был убийца, все мои симпатии и моя помощь на вашей стороне.

Мне показалось, что при этих словах она с вызовом посмотрела на отца и брата.

— Благодарю вас,— сказал я.— Я очень ценю в таких делах женскую интуицию. Но вы сказали — «их». Вы думаете, что в этом деле повинен не один человек?

— Я достаточно хорошо знала мистера Макферсона, чтобы утверждать, что он был человеком мужественным и сильным. Один на один с ним никто бы не справился.

— Не могу ли я сказать вам несколько слов с глазу на глаз?

— Говорю тебе, Мод, не вмешивайся ты в эти дела! — раздраженно крикнул отец.

Она беспомощно взглянула на меня:

— Как же мне быть?

— Теперь дело все равно получит огласку,— сказал я,— так что никакой беды не будет, если мы поговорим с вами при всех. Я предпочел бы, конечно, разговор наедине, но раз вашему отцу это неугодно, он может принять участие в нашей беседе.

И я рассказал ей о записке, найденной в кармане покойного.

— Она, конечно, будет фигурировать на дознании. Могу я попросить вас дать объяснения по поводу этой записки?

— У меня нет причин что-либо скрывать,— ответила девушка.— Мы были женихом и невестой и собирались пожениться, но мы не оглашали нашей помолвки из-за дяди Фицроя: он старый, по слухам, смертельно болен, и он мог бы лишить Фицроя наследства, женись он против его воли. Никаких других причин скрываться у нас не было.

— Ты могла бы сказать нам об этом раньше, — проворчал Беллами.

— Я бы так и сделала, отец, если бы видела с вашей стороны доброжелательное отношение.

— Я не хочу, чтобы моя дочь связывалась с людьми другого круга!

— Из-за этого вашего предубеждения против Фицроя я и не могла ничего вам рассказать. Что же касается моей записки, то она была ответом вот на это...—

И она, пошарив в кармане платья, протянула мне смятую бумажку.

«Любимая (гласила записка)!

Я буду на обычном месте на берегу тотчас после захода солнца, во вторник. Это — единственное время, когда я смогу выбраться. Ф. М.».

— Сегодня вторник, и я предполагала встретиться с ним сегодня вечером.

Я рассматривал письмо.

— Послано не по почте. Каким образом вы его получили?

— Я предпочла бы не отвечать на этот вопрос. Каким образом я получила письмо, право же, не имеет никакого отношения к делу. А про все, что связано с вашим расследованием, я вам охотно расскажу.

И она сдержала слово, но ее показания не смогли натолкнуть нас на чей-либо след. Она не допускала мысли, что у ее жениха были тайные враги, однако признала, что пламенных поклонников у нее было несколько.

— Не принадлежит ли к их числу мистер Ян Мэрдок?

Она покраснела и как будто смутилась.

— Так мне казалось одно время. Но когда он узнал о наших отношениях с Фицроем, его чувства изменились.

Мои подозрения относительно этого человека принимали все более определенный характер. Надо было ознакомиться с его прошлым, надо было негласно обыскать его комнату. Стэкхерст будет мне в этом содействовать, потому что у него зародились те же подозрения. Мы вернулись от Беллами в надежде, что держим в руках хотя бы один конец этого запутанного клубка.

Прошла неделя. Дознание не привело ни к чему и было приостановлено впредь до нахождения новых улик. Стэкхерст навел негласные справки о своем подчиненном, в комнате Мэрдока был произведен поверхностный обыск, не давший никакого результата. Я лично еще раз шаг за шагом — на деле и в уме — проследил все этапы трагического события, но ни к какому выводу не пришел. Во всей моей практике читатель не запомнит случая, когда я так остро ощущал бы свое бессилие. Даже воображение не могло подсказать мне разгадку тайны. Но тут вскоре произошел случай с собакой.

Первой услышала об этом моя старая экономка благодаря своеобразному беспроволочному телеграфу, с помощью которого эти люди получают информацию о всех происшествиях в округе.

— Что за грустная история, сэр, с этой собакой мистера Макферсона! — сказала как-то вечером моя экономка.

Я не люблю поощрять подобную болтовню, но на этот раз ее слова пробудили мой интерес.

— Что же такое случилось с собакой мистера Макферсона?

— Подохла, сэр. Подохла с тоски по хозяину.

— Откуда вы это знаете?

— Как же не знать, когда все только об этом и говорят. Собака страшно тосковала, целую неделю ничего в рот не брала. А сегодня два молодых джентльмена из школы нашли ее мертвой внизу, на берегу, на том самом месте, где случилось несчастье с ее хозяином.

«На том самом месте»! Эти слова словно врезались в мой мозг. Во мне родилось какое-то смутное предчувствие, что гибель собаки поможет распутать дело. То, что собака подохла, следовало, конечно, объяснить преданностью и верностью всей собачьей породы. Но «на том самом месте»? Почему этот пустынный берег играет такую зловещую роль? Возможно ли, чтобы и собака пала жертвой какой-то кровной мести? Возможно ли?.. Догадка была смутной, но она начинала принимать все более определенные формы. Через несколько минут я шел по дороге к школе. Я застал Стэкхерста в его кабинете. По моей просьбе он послал за Сэдбери и Блаунтом — двумя учениками, нашедшими собаку.

— Да, она лежала на самом краю лагуны,— подтвердил один из них. — Она, по-видимому, пошла по следам своего умершего хозяина.

Я осмотрел труп маленького преданного создания из породы эрдельтерьеров, лежавший на подстилке в холле. Он одеревенел, застыл, глаза были выпучены, конечности скрючены. Все его очертания выдавали страшную муку.

Из школы я прошел вниз, к лагуне. Солнце зашло, и на воде, тускло мерцавшей, как свинцовый лист, лежала черная тень большого утеса. Место было безлюдно; кругом не было ни признака жизни, если не считать двух чаек, с резкими криками кружившихся надо мной. В меркнущем свете дня я смутно различал маленькие следы собачьих лап на песке вокруг того самого камня, на котором лежало тогда полотенце ее хозяина. Я долго стоял в глубокой задумчивости, в то время как вокруг становилось все темнее и темнее. В голове моей вихрем проносились мысли. Так бывает в кошмарном сне, когда вы ищете какую-то страшно нужную вещь и знаете, что она где-то здесь, рядом, а она все-таки остается неуловимой и недоступной. Именно такое чувство охватило меня, когда я в тот вечер стоял в одиночестве на роковом берегу. Потом я наконец повернулся и медленно пошел домой.

Я как раз успел подняться по тропке на самый верх обрыва, когда меня вдруг как молния поразило воспоминание о том, что я так страстно и тщетно искал. Если только Уотсон писал не понапрасну, вам должно быть известно, читатель, что я располагаю большим запасом современных научных познаний, приобретенных вполне бессистемно и вместе с тем служащих мне большим подспорьем в работе. Память моя похожа на кладовку, битком набитую таким количеством всяческих свертков и вещей, что я и сам с трудом представляю себе ее содержимое. Я чувствовал, что там должно быть что-то, касающееся этого дела. Сначала это чувство было смутно, но в конце концов я начал догадываться, чем оно подсказано. Это было невероятно, чудовищно, и все-таки это открывало какие-то перспективы. И я должен был окончательно проверить свои догадки.

В моем домике есть огромный чердак, заваленный книгами. В этой-то завали я и барахтался и плавал целый час, пока не вынырнул с небольшим томиком шоколадного цвета с серебряным обрезом. Я быстро разыскал главу, содержание которой мне смутно запомнилось. Да, что говорить, моя догадка была неправдоподобной, фантастичной, но я уже не мог успокоиться, пока не выясню, насколько она основательна. Было уже поздно, когда я лег спать, с нетерпением предвкушая завтрашнюю работу.

Но работа эта наткнулась на досадное препятствие. Только я проглотил утреннюю чашку чаю и хотел отправиться на берег, как ко мне пожаловал инспектор Бардл из Суссекского полицейского управления — коренастый мужчина с задумчивыми, как у вола, глазами, которые сейчас смотрели на меня с самым недоуменным выражением.

— Мне известен ваш огромный опыт, сэр,— начал он.— Я, конечно, пришел совершенно неофициально, и о моем визите никто знать не обязан. Но я что-то запутался в деле с Макферсоном. Просто не знаю, арестовать мне его или нет.

— Вы имеете в виду мистера Яна Мэрдока?

— Да, сэр. Ведь больше и подумать не на кого. Здешнее безлюдье — огромное преимущество. Мы имеем возможность ограничить наши поиски. Если это сделал не он, то кто же еще?

— Что вы имеете против него?

Бардл, как выяснилось, шел по моим стопам. Тут был и характер Мэрдока, и тайна, которая, казалось, окружала этого человека. И его несдержанность, проявившаяся в случае с собачонкой. И ссоры его с Макферсоном в прошлом, и вполне основательные догадки об их соперничестве в отношении к мисс Беллами. Он перебрал все мои аргументы, но ничего нового не сказал, кроме того, что Мэрдок как будто готовится к отъезду.

— Каково будет мое положение, если я дам ему улизнуть при наличии всех этих улик? — Флегматичный толстяк был глубоко встревожен.

— Подумайте-ка, инспектор, в чем основной промах ваших рассуждений,— сказал ему я.— Он, конечно, сможет без труда доказать свое алиби в утро убийства. Он был со своими учениками вплоть до последней минуты и подошел к вам почти тотчас после появления Макферсона. Потом имейте в виду, что он один, своими руками, не мог бы так расправиться с человеком не менее сильным, чем он сам. И наконец, вопрос упирается в орудие, которым было совершено убийство.

— Что же это могло быть, как не плеть или какой-то гибкий кнут?

— Вы видели раны?

— Да, видел. И доктор тоже.

— А я рассматривал их очень тщательно в лупу. И обнаружил некоторые особенности.

— Какие же, мистер Холмс?

Я подошел к своему письменному столу и достал увеличенный снимок.

— Вот мой метод в таких случаях,— пояснил я.

— Что говорить, мистер Холмс, вы вникаете в каждую мелочь.

— Я не был бы Холмсом, если бы работал иначе. А теперь давайте посмотрим вот этот рубец, который опоясывает правое плечо. Вам ничего не бросается в глаза?

— Да нет.

— А вместе с тем совершенно очевидно, что рубец неровный. Вот тут — более глубокое кровоизлияние, здесь вот — вторая такая же точка. Такие же места видны и на втором рубце, ниже. Что это значит?

— Понятия не имею. А вы догадываетесь?

— Может быть, догадываюсь. А может быть, и нет. Скоро я смогу подробнее высказаться по этому поводу. Разгадка причины этих кровоизлияний должна кратчайшим путем подвести нас к раскрытию виновника убийства.

— Мои слова, конечно, могут показаться нелепыми, — сказал полицейский, — но если бы на спину Макферсона была брошена докрасна раскаленная проволочная сетка, то эти более глубоко посаженные точки появились бы в местах пересечения проволок.

— Сравнение необычайно меткое. Можно также предположить применение жесткой плетки-девятихвостки с небольшими узлами на каждом ремне.

— Честное слово, мистер Холмс, мне кажется, вы близки к истине.

— А может быть, мистер Бардл, раны были нанесены еще каким-нибудь способом. Как бы то ни было, всех ваших догадок недостаточно для ареста. Кроме того, мы должны помнить о последних словах покойника — «львиная грива».

— Я подумал, не хотел ли он назвать имя...

— И я думал о том же. Если бы второе слово звучало хоть сколько-нибудь похоже на «Мэрдок» — но нет. Я уверен, что он выкрикнул слово «грива».

— Нет ли у вас других предположений, мистер Холмс?

— Может, и есть. Но я не хочу их обсуждать, пока у меня не будет более веских доказательств.

— А когда они у вас будут?

— Через час; возможно, и раньше.

Инспектор почесал подбородок, недоверчиво поглядев на меня.

— Хотел бы я разгадать ваши мысли, мистер Холмс. Может быть, ваши догадки связаны с теми рыбачьими лодками?

— О нет, они были слишком далеко.

— Ну, тогда это, может быть, Беллами и его дылда сын? Они здорово недолюбливали Макферсона. Не могли они убить его?

— Да нет же; вы ничего у меня не выпытаете, пока я не готов,— сказал я, улыбаясь.— А теперь, инспектор, нам обоим пора вернуться к нашим обязанностям. Не могли бы вы зайти ко мне часов в двенадцать?..

Но тут нас прервали, и это было началом конца дела об убийстве Макферсона.

Наружная дверь распахнулась, в передней послышались спотыкающиеся шаги, и в комнату ввалился Ян Мэрдок. Он был бледен, растрепан, костюм его был в страшнейшем беспорядке; он цеплялся костлявыми пальцами за стулья, чтобы только удержаться на ногах!

— Виски! Виски! — прохрипел он и со стоном рухнул на диван.

Он был не один. Вслед за ним вбежал Стэкхерст, без шляпы, тяжело дыша, почти в таком же состоянии невменяемости, как и его спутник.

— Скорее, скорее виски! — кричал он.— Мэрдок чуть жив. Я еле дотащил его сюда. По пути он дважды терял сознание.

Полкружки спиртного оказали поразительное действие. Мэрдок приподнялся на локте и сбросил с плеч пиджак.

— Ради Бога, — прокричал он, — масла, опиума, морфия! Чего угодно, лишь бы прекратить эту адскую боль!

Мы с инспектором невольно вскрикнули от изумления. Плечо Мэрдока было располосовано такими же красными, воспаленными, перекрещивающимися рубцами, как и тело Фицроя Макферсона.

Невыносимые боли пронизывали, по-видимому, всю грудную клетку несчастного; дыхание его то и дело прерывалось, лицо чернело, и он судорожно хватался рукой за сердце, а со лба скатывались крупные капли пота. Он мог в любую минуту умереть. Но мы вливали ему в рот виски, и с каждым глотком он оживал. Тампоны из ваты, смоченной в прованском масле, казалось, смягчали боль от страшных ран. В конце концов его голова тяжело упала на подушку. Измученное тело припало к последнему источнику жизненных сил. Был ли то сон или беспамятство, но, во всяком случае, он избавился от боли.

Расспрашивать его было немыслимо, но как только мы убедились в том, что жизнь его вне опасности, Стэкхерст повернулся ко мне.

— Господи Боже мой, Холмс, — воскликнул он, — что же это такое? Что это такое?

— Где вы его подобрали?

— Внизу, на берегу. В точности в том же самом месте, где пострадал несчастный Макферсон. Будь у Мэрдока такое же слабое сердце, ему бы тоже не выжить. Пока я вел его к вам, мне несколько раз казалось, что он отходит. До школы было слишком далеко, поэтому я и приволок его сюда.

— Вы видели его на берегу?

— Я шел по краю обрыва, когда услышал его крик. Он стоял у самой воды, шатаясь, как пьяный. Я сбежал вниз, набросил на него какую-то одежду и втащил наверх. Холмс, умоляю вас, сделайте все, что в ваших силах, не пощадите трудов, чтобы избавить от проклятия наши места, иначе жить здесь будет невозможно. Неужели вы, со всей вашей мировой славой, не можете нам помочь?

— Кажется, могу, Стэкхерст. Пойдемте-ка со мной! И вы, инспектор, тоже! Посмотрим, не удастся ли нам предать убийцу в руки правосудия.

Предоставив погруженного в беспамятство Мэрдока заботам моей экономки, мы втроем направились к роковой лагуне. На гравии лежал ворох одежды, брошенной пострадавшим. Я медленно шел у самой воды, а мои спутники следовали гуськом за мной. Лагуна была совсем мелкая, и только под обрывом, где залив сильнее врезался в сушу, глубина воды достигала четырех-пяти футов. Именно сюда, к этому великолепному, прозрачному и чистому, как кристалл, зеленому водоему, конечно, и собирались пловцы. У самого подножия обрыва вдоль лагуны тянулся ряд камней; я пробирался по этим камням, внимательно всматриваясь в воду. Когда я подошел к самому глубокому месту, мне удалось наконец обнаружить то, что я искал.

— Цианея! — вскричал я с торжеством. — Цианея! Вот она, Львиная грива!

Странное существо, на которое я указывал, и в самом деле напоминало спутанный клубок, выдранный из гривы льва. На каменном выступе под водой на глубине каких-нибудь трех футов лежало странное волосатое чудовище, колышущееся и трепещущее; в его желтых космах блестели серебряные пряди. Все оно пульсировало, медленно и тяжело растягиваясь и сокращаясь.

— Достаточно она натворила бед! — вскричал я. — Настал ее последний час. Стэкхерст, помогите мне! Пора прикончить убийцу!

Над выступом, где притаилось чудовище, лежал огромный валун: мы со Стэкхерстом навалились на него и столкнули в воду, подняв целый фонтан брызг. Когда волнение на воде улеглось, мы увидели, что валун лег куда следовало. Выглядывавшая из-под него судорожно трепещущая желтая перепонка свидетельствовала о том, что мы попали в цель. Густая маслянистая пена сочилась из-под камня, мутя воду и медленно поднимаясь на поверхность.

— Потрясающе! — воскликнул инспектор. — Но что же это было, мистер Холмс? Я родился и вырос в этих краях и никогда не видывал ничего подобного. Такого в Суссексе не водится.

— К счастью для Суссекса, — заметил я. — Ее, по-видимому, занесло сюда юго-западным шквалом. Приглашаю вас обоих ко мне, и я покажу вам, как описал встречу с этим чудовищем человек, однажды столкнувшийся с ним в открытом море и надолго запомнивший этот случай.

Когда мы вернулись в мой кабинет, мы нашли Мэрдока настолько оправившимся, что он был в состоянии сесть. Он все еще не мог прийти в себя от пережитого потрясения и то и дело содрогался от приступов боли. В несвязных словах он рассказал нам, что понятия не имеет о том, что с ним произошло, что он помнит только, как почувствовал нестерпимую боль и как у него еле хватило сил выползти на берег.

— Вот книжка, — сказал я, показывая шоколадного цвета томик, заронивший во мне догадку о виновнике происшествия, которое иначе могло бы остаться для нас окутанным вечной тайной. — Заглавие книжки — «Встречи на суше и на море», ее автор — исследователь Дж. Дж. Вуд. Он сам чуть не погиб от соприкосновения с этой морской тварью, так что ему можно верить. Полное латинское название ее Cyanea capillata. Она столь же смертоносна, как кобра, а раны, нанесенные ею, болезненнее укусов этой змеи. Разрешите мне вкратце прочесть вам ее описание:

«Если купальщик заметит рыхлую круглую массу

из рыжих перепонок и волокон, напоминающих львиную гриву с пропущенными полосками серебряной бумаги, мы рекомендуем ему быть начеку, ибо перед ним одно из самых опасных морских чудовищ — Cyanea capillata». Можно ли точнее описать нашу роковую находку?

Дальше автор рассказывает о собственной встрече с одним из этих чудищ, когда он купался у кентского побережья. Он установил, что эта тварь распускает тонкие, почти невидимые нити на расстояние в пятьдесят футов, и всякий, кто попадает в пределы досягаемости этих ядовитых нитей, подвергается смертельной опасности. Даже на таком расстоянии встреча с этим животным чуть не стоила Вуду жизни. «Ее бесчисленные тончайшие щупальца оставляют на коже огненно-багровые полосы, которые при ближайшем рассмотрении состоят из мельчайших точек или крапинок, словно от укола раскаленной иглой, проникающей до самого нерва». Как пишет автор, местные болевые ощущения далеко не исчерпывают этой страшной пытки. «Я свалился с ног от боли в груди, пронизавшей меня, словно пуля. У меня почти исчез пульс, а вместе с тем я ощутил шесть-семь сердечных спазм, как будто вся кровь моя стремилась пробиться вон из груди».

Вуд был поражен почти насмерть, хотя он столкнулся с чудовищем в морских волнах, а не в узенькой спокойной лагуне. Он пишет, что еле узнал сам себя, настолько лицо его было бескровно, искажено и изборождено морщинами. Он выпил залпом целую бутылку виски, и только это, по-видимому, его и спасло. Вручаю эту книжку вам, инспектор, и можете не сомневаться в том, что здесь дано точное описание всей трагедии, пережитой несчастным Макферсоном.

— И чуть было не обесчестившей меня,— заметил Мэрдок с кривой усмешкой. — Я не обвиняю ни вас, инспектор, ни вас, мистер Холмс, — ваши подозрения были естественны. Я чувствовал, что меня вот-вот должны арестовать, и своим оправданием я обязан только тому, что разделил судьбу моего бедного друга.

— Нет, нет, мистер Мэрдок. Я уже догадывался, в чем дело, и если бы меня не задержали сегодня утром дома, мне, возможно, удалось бы избавить вас от страшного переживания.

— Но как же вы могли догадаться, мистер Холмс?

— Я всеядный читатель и обладаю необычайной

478

памятью на всякие мелочи. Слова «львиная грива» не давали мне покоя. Я знал, что где-то уже встречал их в совершенно неожиданном для меня контексте. Вы могли убедиться, что они в точности характеризуют внешний вид этой твари. Я не сомневаюсь, что она всплыла на поверхность, и Макферсон ее ясно увидел, потому что никакими другими словами он не мог предостеречь нас от животного, оказавшегося виновником его гибели.

— Итак, я, во всяком случае, обелен, — сказал Мэрдок, с трудом вставая с дивана.— Я тоже должен в нескольких словах объяснить вам кое-что, ибо мне известно, какие справки вы наводили. Я действительно любил Мод Беллами, но с той минуты, как она избрала Макферсона, моим единственным желанием стало содействовать их счастью. Я сошел с их пути и удовлетворялся ролью посредника. Они часто доверяли мне передачу писем; и я же поторопился сообщить Мод о смерти нашего друга именно потому, что любил ее и мне не хотелось, чтобы она была извещена человеком чужим и бездушным. Она не хотела говорить вам, сэр, о наших отношениях, боясь, что вы их истолкуете неправильно и не в мою пользу. А теперь я прошу вас отпустить меня в школу, мне хочется скорее добраться до постели.

Стэкхерст протянул ему руку.

— У всех нас нервы расшатаны, — сказал он.— Простите, Мэрдок. Впредь мы будем относиться друг к другу с бо́льшим доверием и пониманием.

Они ушли под руку, как добрые друзья. Инспектор остался и молча вперил в меня свои воловьи глаза.

— Здорово сработано! — вскричал он.— Что говорить, я читал про вас, но никогда не верил. Это же чудо!

Я покачал головой. Принять такие дифирамбы значило бы унизить собственное достоинство.

— Вначале я проявил медлительность, непростительную медлительность, — сказал я.— Будь тело обнаружено в воде, я догадался бы скорее. Меня подвело полотенце. Бедному малому не пришлось вытереться, а я из-за этого решил, что он не успел и окунуться. Поэтому мне, конечно, не пришло в голову, что он подвергся нападению в воде. В этом пункте я и дал маху. Ну что ж, инспектор, мне часто приходилось подтрунивать над вашим братом — полицией, зато теперь Cyanea capillata отомстила мне за Скотленд-Ярд.

ДЕЛО НЕОБЫЧНОЙ КВАРТИРАНТКИ

Шерлок Холмс активно занимался расследованием преступлений на протяжении двадцати трех лет. В течение семнадцати из них мне посчастливилось помогать ему и вести записи. Поэтому вполне понятно, что сейчас в моем распоряжении огромный материал, и самое сложное — не найти, а выбрать. Ежегодные хроники занимают целую полку. Имеются и объемистые папки с документами. Все это, вместе взятое, представляет ценнейший источник сведений не только для лиц, изучающих преступность, но и для тех, кого интересуют скандальные происшествия в общественной и политической сферах периода заката викторианской эпохи. Но я могу заверить авторов полных отчаяния писем, умоляющих сохранить репутацию семьи и честное имя предков: у них нет оснований для опасений. Осмотрительность и высокое понимание профессионального долга, всегда отличавшие моего друга, играют решающую роль при отборе дел для моих воспоминаний. Злоупотреблять доверием мы не станем. Я резко осуждаю недавние попытки добраться до этих документов и уничтожить их. Нам известно, от кого они исходили, и Холмс уполномочил меня сообщить: если подобные посягательства повторятся, то все обстоятельства дела, касающегося политического деятеля, маяка и дрессированного баклана, будут немедленно преданы огласке. Тот, кому адресовано данное предупреждение, поймет меня.

Было бы неверным полагать, что всякое дело давало Холмсу возможность продемонстрировать удивительный дар наблюдательности и интуиции, которые я пытался подчеркнуть в своих мемуарах. Порой ему требовались значительные усилия, чтобы добраться до истины, а иногда разгадка приходила к нему внезапно. По правде говоря, ужасающие людские трагедии чаще всего не давали особого простора для раскрытия талантов Холмса. К подобным делам следует отнести и то, о котором я собираюсь рассказать. Излагая его, я изменил лишь некоторые имена и названия, а в остальном все соответствует действительности.

Однажды незадолго до полудня — это было в конце 1896 года — я получил записку от Холмса: он срочно вызывал меня к себе. Когда я приехал на Бейкер-стрит, в полном табачного дыма кабинете уже сидела, расположившись в кресле напротив него, пожилая дама, по виду располневшая хозяйка пансиона или гостиницы.

— Это миссис Меррилоу из Южного Брикстона, — сказал Холмс, указывая рукой в ее сторону.— Если и вы не в силах бороться со своими вредными привычками, Уотсон, можете курить, наша гостья не возражает. Она расскажет любопытную историю, которая в дальнейшем может привести к такому развитию событий, когда ваше присутствие станет необходимым.

— Сделаю все, что в моих силах.

— Видите ли, миссис Меррилоу, если я соглашусь навестить миссис Рондер, мне хотелось бы иметь свидетеля. Надеюсь, вы разъясните ей это, прежде чем мы к ней придем.

— Благослови вас Господь, мистер Холмс! — воскликнула наша посетительница. — Она так жаждет встретиться с вами, что можете приводить с собой хоть толпу.

— В таком случае, мы приедем сегодня сразу же после полудня. А теперь давайте разберемся, правильно ли я уяснил ситуацию. Вы сказали, что миссис Рондер является вашей квартиранткой вот уже семь лет, но за это время вы только раз видели ее лицо?

— Лучше бы мне вообще его не видеть! — ответила миссис Меррилоу.

— Итак, оно сильно изуродовано.

— Знаете, мистер Холмс, то, что я увидела, вообще едва ли можно назвать лицом. Однажды наш торговец молоком заметил его в окне и уронил свой бидон, разлив молоко по всему саду перед домом. Так оно выглядело. Когда я случайно застала миссис Рондер врасплох, она поспешила закрыться, а затем сказала: «Теперь, миссис Меррилоу, вы знаете, почему я никогда не снимаю вуаль».

— Вам известно хоть что-нибудь о ее прошлом?

— Ничего.

— Ее кто-то рекомендовал вам?

— Нет, сэр. У нее было много денег. Она, не торгуясь, выложила плату за три месяца вперед. В наше время такая бедная женщина, как я, не позволит себе упустить подобную клиентку.

— Она объяснила, почему выбрала именно ваш дом?

— Мой дом скромен и невелик, стоит он далеко от дороги и расположен в отдалении от других домов. Кроме того, она выяснила, что я беру всего одного квартиранта, а своей семьи у меня нет. Полагаю, она смотрела несколько домов, но мой подошел ей больше других. Миссис Рондер искала одиночества и покоя и была согласна за них платить.

— Так, вы говорите, она не открывала своего лица все то время, что прожила у вас, исключая тот единственный случай? Да, это довольно занимательно. И неудивительно, что вы, в конце концов, захотели во всем разобраться.

— Дело даже не в том, мистер Холмс. Для меня вполне было бы достаточно того, что она исправно платит за квартиру. Более спокойного жильца — а она не доставляла мне никаких неудобств — трудно найти.

— В чем же тогда дело?

— Меня волнует ее здоровье, мистер Холмс. Она просто тает на глазах. Видимо, ее мучает нечто ужасное. Она вскрикивает во сне. А однажды ночью я слышала, как она кричала: «Жестокий! Зверь! Чудовище!» Это было так жутко. Утром я зашла к ней и сказала: «Миссис Рондер, ведь с вами что-то происходит. Если на душе у вас неспокойно, обратитесь в полицию или к священнику. Возможно, кто-то сумеет вам помочь».— «О, только не полицейские! — сказала она.— Да и от священнослужителей я проку не жду. Но тем не менее мне станет гораздо легче, если перед смертью я расскажу правду хоть кому-нибудь». — «Уж коли вы не хотите иметь дело со Скотленд-Ярдом, существует ведь знаменитый частный сыщик, о котором столько пишут». Прошу прощения, мистер Холмс. Миссис Рондер буквально ухватилась за мое предложение. «Именно он-то мне и нужен! — воскликнула она.— Как же мне раньше не пришло в голову? Умоляю, приведите его сюда, миссис Меррилоу. А если он станет отказываться, скажите ему, что я жена Рондера, циркового укротителя хищников. И еще скажите: Аббас Парва.— Вот она сама написала: А-б-б-а-с П-а-р-в-а.— Это должно заставить мистера Холмса прийти, если только он таков, как я о нем думаю».

— Хорошо, миссис Меррилоу,— задумчиво произнес Холмс.— Я приду со своим другом мистером Уотсоном. Часам к трем ждите нас у себя в Брикстоне. А сейчас нам необходимо с ним побеседовать, и это как раз займет время до полудня.

Едва наша посетительница успела выкатиться из комнаты — по-иному невозможно определить манеру миссис Меррилоу передвигаться, — как Шерлок Холмс с яростной энергией принялся перебирать кипу тетрадей, сваленных в углу, пока наконец не провозгласил с удовлетворением: «Нашел! Нашел то, что искал!» Холмс был так возбужден, что и не подумал вернуться в кресло, а уселся прямо тут же, на полу, словно Будда, скрестив ноги. Объемистые тетради для записей были разбросаны вокруг, а одна из них лежала открытой на коленях у моего друга.

— В свое время случай в Аббас Парва привлек мое внимание, дорогой мой Уотсон. Вот видите — здесь на полях заметки, которые свидетельствуют об этом. Должен признаться, мне так и не удалось найти тогда разгадку. Правда, я был убежден в ошибочности выводов судебного следователя. Неужели вы не помните трагедию, происшедшую в Аббас Парва?

— Нет, Холмс.

— А ведь в то время мы жили еще вместе. Конечно, и мои собственные впечатления довольно поверхностны. Информации оказалось явно недостаточно, ни одна из сторон не пожелала воспользоваться моими услугами. Прочитайте записи сами, если хотите.

— Может, вы просто напомните основные моменты?

— Это совсем не сложно. Надеюсь, мой рассказ пробудит вашу память. Имя Рондера, естественно, вам известно. По популярности он соперничал с Уомбеллом и Сангером — знаменитыми владельцами цирковых аттракционов. Однако Рондер начал много пить, и его дела покатились под уклон. Вот тогда-то и случилась та страшная трагедия. Караван фургонов его передвижного цирка заночевал в Аббас Парва — небольшой деревушке в Беркшире. Цирк направлялся в Уимблдон и остановился здесь на ночлег. Представления не давали. Деревушка была так мала, что располагаться в ней основательно не имело смысла. Кроме прочих зверей в труппе имелся прекрасный североафриканский лев по кличке Король Сахары. Рондер и его жена работали с ним в его клетке. Вот, поглядите, снимок их выступления, позволяющий увидеть, каким чудищем был сам Рондер и какой необыкновенной красавицей — его жена. В ходе следствия удалось установить, что на каком-то этапе лев стал опасен. Но, видимо, привычность риска породила небрежность, и внимания на это не обратили. Льва кормили по ночам либо сам Рондер, либо его жена. Иногда — оба. Никому другому кормление не доверялось: хищник должен твердо знать своих благодетелей. Так вот, в ту ночь, семь лет назад, когда они вдвоем вошли в клетку, чтобы покормить питомца, разыгралась кровавая драма. Около полуночи весь цирковой лагерь оказался разбужен громким ревом хищника и пронзительными женскими криками. Все служители цирка выбежали из палаток с фонарями, в свете которых их глазам предстало ужасающее зрелище. Метрах в десяти от открытой клетки распростерлось тело Рондера с проломленным черепом и глубокими ссадинами на голове. Возле распахнутой двери навзничь лежала его жена. Разъяренный зверь рвал женщине лицо, и казалось, его не остановить. Несколько артистов цирка, в том числе силач Леонардо и клоун Григс, шестами кое-как оттеснили льва. Им удалось загнать его в клетку. Как все это могло произойти? В свидетельских показаниях не содержалось ничего интересного. Правда, кто-то сказал, что миссис Рондер, когда ее переносили в вагончик, кричала в бреду: «Предатель! Трус!» Прошло шесть месяцев, прежде чем она смогла дать показания. Но тем не менее дознание было проведено и завершилось вынесением вердикта: смерть в результате несчастного случая.

— Предполагать что-то иное было бы нелепо,— вмешался я.

— Возможно, вы были бы и правы, друг мой, только некоторые обстоятельства тогда насторожили молодого следователя Эдмундса из беркширской полиции. О, это был проворный малый! Потом он уехал работать в Индию. От него я и услышал подробности этого дела, когда он однажды зашел ко мне отдохнуть и выкурить трубку.

— Кажется, я его помню: худощавый мужчина с абсолютно белыми волосами.

— Именно! Я полагаю, скоро вы всё вспомните.

— Ну а что же его смущало?

— Восстановить ход событий оказалось дьявольски трудно. Представьте себе: лев вырывается на свободу, делает несколько прыжков и оказывается рядом с Рондером. Укротитель обращается в бегство — ведь следы когтей были на затылке. Но лев сбивает его с ног и, вместо того чтобы бежать дальше, возвращается к женщине, находившейся возле самой клетки, и раздирает ей лицо. Как вы считаете, может насторожить такое поведение зверя? Может! Да еще эти восклицания женщины в полубредовом состоянии, которые, видимо, должны были означать, что муж подвел миссис Рондер. Но есть и кое-что более любопытное. В деле имелись показания, утверждавшие, что именно в тот момент, когда зарычал лев и в ужасе закричала женщина, раздался испуганный крик мужчины.

— Без сомнения, это был Рондер.

— Ну, знаете, человек с проломленным черепом едва ли способен кричать. Однако по крайней мере двое свидетелей утверждали, что слышали мужской голос одновременно с женским.

— Вероятно, к тому времени крики уже неслись по всему лагерю. Что же касается остальных пунктов, вызывающих настороженность, то, думаю, смогу предложить разгадку.

— Буду рад услышать.

— Супруги находились шагах в десяти от клетки, когда лев вырвался на свободу. Муж обратился в бегство, но был сбит с ног. Жена решила укрыться в клетке и захлопнуть дверцу,— это было бы для нее единственным спасением. Она бросилась туда и уже почти достигла цели, когда зверь ринулся за ней, догнал и повалил на землю. Действия мужа, который своим бегством возбудил ярость хищника, вызвали справедливый гнев женщины. Вдвоем они могли попытаться усмирить льва. Потому она и воскликнула: «Трус!»

— Блестяще, Уотсон! Правда, в вашей жемчужине имеется существенный изъян.

— Что за изъян, Холмс?

— Если они оба находились на расстоянии десяти шагов от клетки, каким же образом зверю удалось освободиться? И почему он так свирепо набросился на них? Ведь Король Сахары привык работать с хозяевами в клетке и выполнять различные трюки.

— Скорее всего, кто-то непонятным образом разъярил хищника.

Холмс задумался, потом сказал:

— Видите ли, Уотсон, некоторые факты говорят в поддержку вашей версии. Врагов у Рондера было предостаточно. Эдмундс рассказывал мне, каким страшным человеком он становился, когда напивался. Именно воспоминания о покойном, я полагаю, и являлись причиной ночных криков о чудовище, про которое упоминала наша посетительница. Однако пока любые предположения беспочвенны. Вон там на буфете стоит бутылка хорошего вина и холодная куропатка. Нам следует немного подкрепиться, прежде чем отправиться в путь.

Когда экипаж доставил нас к дому, принадлежавшему миссис Меррилоу, дородная хозяйка скромного уединенного жилища ждала у распахнутых дверей. Не вызывало сомнений, что ее главным образом беспокоила перспектива потерять выгодную квартирантку. Поэтому, прежде чем провести нас наверх, миссис Меррилоу попросила не говорить и не делать ничего, способного привести к столь нежелательным последствиям. Успокоив хозяйку, мы последовали за ней наверх по лестнице, застеленной недорогим ковром, и оказались в комнате, где жила таинственная незнакомка.

Прежде эта женщина держала в неволе диких зверей, а теперь судьба ее самое превратила в существо, загнанное в клетку. Миссис Рондер сидела в продавленном кресле, расположенном в темном углу. Долгие годы бездействия сделали ее фигуру тяжелой, а ведь наверняка в прежние времена она была очень хороша. Лицо квартирантки скрывалось за плотной вуалью, опускавшейся до верхней губы. Открытыми оставались только красивый рот и изящный подбородок. Да, это была незаурядной красоты женщина. И голос у нее оказался ровным и приятным.

— Мое имя, конечно, известно вам, мистер Холмс, — произнесла она.— Я знала, что, услышав его, вы непременно приедете ко мне.

— Совершенно верно, мадам. Хотя, право, не понимаю, откуда вам известно о моем интересе к вашему делу?

— После выздоровления меня допрашивал мистер Эдмундс из местной полиции. Мне пришлось обмануть его. Возможно, сказать всю правду было разумней?

— В любом случае скрывать истину нехорошо. Но почему же вы ее скрыли?

— Потому что от этого зависела судьба другого человека. Он оказался существом никчемным, я знаю, но мне не хотелось сознательно губить его. Мы были так близки с ним!

— А разве теперь этого препятствия не существует?

— Нет, сэр. Мужчина, о котором я говорю, уже мертв.

— Тогда почему бы сейчас не сообщить полиции все, что вам известно?

— Я обязана думать еще об одном человеке — о себе. Публичного скандала и сплетен, которые неминуемо вызовет новое полицейское разбирательство, мне не вынести. Жить и так осталось совсем мало. Хочется умереть спокойно. Но в то же время просто необходимо

486

найти справедливого, рассудительного человека и доверить ему мою печальную историю, чтобы он смог все разъяснить, когда меня не станет.

— Вы мне льстите, мадам. Но у меня есть свои принципы. Не стану заранее обещать, что после вашего рассказа не сочту своим долгом передать дело в руки полиции.

— Думаю, этого не потребуется, мистер Холмс. Я достаточно хорошо изучила ваши методы работы, поскольку на протяжении семи последних лет слежу за уголовной хроникой. Судьба оставила мне единственное удовольствие — чтение, и я интересуюсь практически всем. Итак, рискну рассказать о своей трагедии.

— Мы готовы внимательно выслушать вас.

Женщина подошла к комоду и достала из ящика фотографию. Человек, изображенный на ней, очевидно, был акробатом. Настоящий атлет удивительного телосложения, снятый со скрещенными на могучей груди огромными руками и улыбкой, пробивающейся сквозь густые усы,— самодовольной улыбкой мужчины, одержавшего множество побед.

— Это Леонардо,— сказала она.— А это... мой муж.

Второе лицо было ужасным, так явственно выделялись в нем звериные черты. Такой, как у него, отвратительный рот легко представить постоянно чавкающим, с пеной ярости на губах. Во взгляде узких злых глазок ощущалась неприкрытая враждебность, обращенная на весь мир. Обрюзгшая физиономия, на которой словно начертано: грубиян, негодяй, чудовище.

— Эти два фото помогут вам, джентльмены, понять историю бедной цирковой девчонки, выросшей на арене. В десять лет я уже прыгала сквозь обруч, а когда подросла и повзрослела, Рондер влюбился в меня, если так можно сказать о его низменной страсти. В недобрый час мы заключили брачный союз, и с того дня я словно в ад попала. Он стал дьяволом, постоянно мучившим меня. В цирке все знали, как муж ко мне относился. Бросал меня ради других женщин. А если я начинала протестовать, связывал мне руки и ноги и истязал хлыстом. Меня тайком жалели, его осуждали, но сделать ничего не могли — боялись. Рондер вызывал у окружающих страх, а когда напивался — в нем просыпалась кровожадность. Время от времени его судили за оскорбление действием, угрозы или жестокое обращение с животными, но штрафы ровно ничего для него не значили: денег у него было много. От нас ушли лучшие артисты, и авторитет цирка заметно пошатнулся. Былую славу немного поддерживали только Леонардо, я да наш клоун, малыш Джимми Григс, который старался, как мог, сохранить программу, хотя у него тоже не имелось особых поводов для веселья.

Со временем Леонардо стал все больше и больше входить в мою жизнь. Вы видели, каким он был. Потом-то я узнала, какая мелкая душонка скрывалась за великолепной внешностью. Однако по сравнению с мужем силач казался мне сущим ангелом. Он жалел меня и помогал чем мог. В конце концов наши отношения переросли в любовь — глубокую и страстную, такую, о какой я лишь мечтала. Муж подозревал нас, но Леонардо был единственным в цирке человеком, которого он побаивался. И Рондер мстил, мучая меня больше обычного. Однажды вечером мои крики услышал Леонардо и прибежал к дверям нашего вагончика. Трагедии тогда едва удалось избежать, но скоро я и Леонардо, мой любимый Леонардо, поняли, что иного выхода нет: мой муж должен умереть.

Леонардо обладал ясным умом, он-то и придумал все. Говорю это не для того, чтобы обвинить сейчас только его. Я готова была идти с ним на что угодно. Просто на такой план у меня не хватило бы воображения. Мы... Леонардо изготовил тяжелую дубинку и на ее свинцовой головке укрепил пять длинных стальных гвоздей с остриями, торчащими наподобие выпущенных стальных когтей на львиной лапе. Ею и собирались нанести Рондеру смертельный удар, а оставленный след свидетельствовал бы о том, что все совершил лев, которого мы собирались выпустить из клетки.

Когда муж и я, по обыкновению, отправились кормить своего Короля, стояла кромешная тьма. В оцинкованном ведре мы несли сырое мясо. Леонардо прятался за углом большого фургона, мимо которого лежал наш путь к клетке. Он замешкался и не успел нанести удар, когда Рондер проходил рядом с ним. Тогда Леонардо на цыпочках последовал за нами, и я услышала, как его дубинка проломила мужу череп. Подбежав к клетке, я открыла защелку.

А затем случилось непредвиденное. Вы, вероятно, знаете, как хорошо чувствуют хищники человеческую кровь. Некий неведомый нам инстинкт мгновенно сработал. И едва решетчатая дверь оказалась приоткрытой, зверь выскочил на свободу и в тот же миг ринулся на меня. Леонардо мог прийти на помощь, но расте-

488

рялся и с воплем ужаса бросился прочь. Я видела все своими глазами. Тут страшные клыки сомкнулись на моем лице. Попыталась руками оттолкнуть огромную окровавленную пасть и позвать на помощь, затем услышала, что наш лагерь пришел в движение. От горячего зловонного дыхания я почти лишилась чувств и уже не ощущала боли. Смутно помню нескольких подбежавших мужчин. Среди них там были Леонардо и Григс. Больше в моем сознании не сохранилось ничего, мистер Холмс. Долгие месяцы прошли в беспамятстве. Когда же наконец я пришла в себя и увидела в зеркале свое лицо... о ужас, что со мной было! Я проклинала своего Короля за то, что он оставил мне жизнь. Хорошо, что я имела деньги и могла позволить себе уединенную жизнь. Словно раненое жалкое животное, я забилась в нору, чтобы ждать своей смерти. Таков конец Эжени Рондер.

Несчастная женщина завершила свой рассказ, и мы долго сидели молча. Потом Холмс протянул руку и ободряюще похлопал ее по плечу с выражением такого участия, которое я редко наблюдал у него.

— Сочувствую вам, — произнес он. — Судьба обошлась с вами жестоко. Что же стало потом с Леонардо?

— С тех пор я не виделась с ним, но не осуждала его, потому что знала, во что превратил меня зверь. Я продолжала любить, хотя Леонардо, бросив меня в когтях льва, затем покинул вообще. И все-таки я не могла отправить его на каторгу. Поверьте мне, мистер Холмс, вовсе не из страха наказания, грозившего мне самой. Разве есть что-нибудь ужаснее, чем существование, подобное моему?

— А теперь он мертв?

— Да, месяц назад утонул во время купания где-то возле Маргейта. Сообщение о его гибели я прочитала в газете.

— Куда делась дубинка с пятью когтями? Именно она является самым необычным и неповторимым моментом во всей этой истории.

— Не могу сказать, мистер Холмс.

— Ну хорошо. Сейчас это не имеет особого значения. Дело-то уже закрыто.

— Да, — ответила женщина, — теперь дело закрыто наверняка.

Мы поднялись, чтобы уйти, но что-то в голосе женщины насторожило Холмса. Он поспешно повернулся к ней:

— Помните, миссис Рондер: жизнь, какой бы она ни была, прекрасна. Жизнь — это судьба, и от судьбы своей нельзя отрекаться.

— А кому она нужна, такая жизнь? Или судьба, как вы говорите.

— Образец терпения, с которым переносят страдания, — сам по себе полезный урок нашего беспокойного мира, дорогая Эжени Рондер.

Ее реакция на эти слова оказалась просто страшной. Она подняла вуаль и кинулась к свету.

О, это было ужасно! Никакие слова не способны выразить то, что мы увидели. Прекрасные живые глаза печально глядели с обезображенного лица, и взгляд их был страшен.

Когда два дня спустя я зашел к своему другу, он с гордостью указал на небольшой пузырек на каминной полке. Я взял его в руки. Красная этикетка, какие бывают на ядах. Открыв флакон, я почувствовал приятный миндальный запах.

— Синильная кислота, — определил я.

— Именно. Пришла по почте. Записка гласила: «Посылаю Вам свое искушение. Последую Вашему совету». Думаю, нам не составит труда угадать имя отправителя, Уотсон.

ПОМЕСТЬЕ ШОСКОМБ

Шерлок Холмс уже довольно долго сидел, склонившись над микроскопом. Наконец он выпрямился и торжествующе повернулся ко мне.

— Это клей, Уотсон! — воскликнул он. — Несомненно, это столярный клей. Взгляните-ка на эти частички!

Я наклонился к окуляру и подстроил фокусировку.

— Волоски — это ворсинки с пальто из твида. Серые комочки неправильной формы — пыль. Ну а коричневые маленькие шарики в центре — не что иное, как клей.

— Допустим, — сказал я с усмешкой. — Готов поверить вам на слово! И что из этого вытекает?

— Но это же прекрасное доказательство, — ответил Холмс. — Вы, вероятно, помните дело Сент-Панкраса: рядом с убитым полицейским найдено кепи. Обвиняемый отрицает, что кепи принадлежит ему. Однако он занимается изготовлением рам для картин и постоянно имеет дело с клеем.

— А разве вы взялись за это дело?

— Мой приятель Меривейл из Ярда попросил ему помочь. С тех пор как я вывел на чистую воду фальшивомонетчика, найдя медные и цинковые опилки в швах на его манжетах, полиция начала осознавать важность микроскопических исследований.

Холмс нетерпеливо поглядел на часы:

— Ко мне должен прийти новый клиент, но что-то задерживается. Кстати, Уотсон, вы что-нибудь понимаете в скачках?

— Еще бы! Я отдал за это почти половину своей пенсии по ранению.

— В таком случае, использую вас в качестве справочника. Вам ни о чем не говорит имя сэра Роберта Норбертона?

— Почему же? Он живет в старинном поместье Шоскомб. Я как-то провел там лето и хорошо знаю те места. Однажды Норбертон вполне мог попасть в сферу наших интересов.

— Каким образом?

— Он избил хлыстом Сэма Бруэра, известного ростовщика с Керзон-стрит. Еще немного, и он убил бы его.

— И часто он позволяет себе такое?

— Ну вообще-то его считают опасным человеком. Это один из самых бесстрашных наездников в Англии. Он из тех, кто родился слишком поздно: во времена регентства это был бы истинный денди — спортсмен, боксер, лихой кавалерист, ценитель женской красоты и, по всей видимости, так запутан в долгах, что уже никогда из них не выберется.

— Превосходно, Уотсон! Хороший портрет. Я словно увидел этого человека. А не могли бы вы теперь рассказать что-нибудь о самом поместье Шоскомб?

— Только то, что оно расположено среди Шоскомбского парка и известно своей скаковой конюшней.

— А главный тренер там — Джон Мейсон,— неожиданно сказал Холмс.— Не следует удивляться моим познаниям, Уотсон, потому что в руках у меня письмо от него. Но давайте еще немного поговорим о Шоскомбе. Кажется, мы напали на неисчерпаемую тему.

— Еще стоит упомянуть о шоскомбских спаниелях,— продолжил я.— О них можно услышать на каждой выставке собак. Одни из самых породистых в Англии — гордость хозяйки поместья.

— Супруги сэра Роберта?

— Сэр Роберт никогда не был женат. Он живет вместе с овдовевшей сестрой, леди Беатрис Фолдер.

— Вы хотели сказать, что она живет у него?

— Нет-нет. Поместье принадлежало ее покойному мужу, сэру Джеймсу. У Норбертона нет на него никаких прав. Поместье дает небольшую ежегодную ренту.

— И эту ренту, я полагаю, тратит братец Роберт?

— Наверное, так. Человек он очень тяжелый, и жизнь с ним для нее нелегка. Но я слышал, леди Беатрис привязана к брату. Так что же произошло в Шоскомбе?

— Это я и сам хотел бы узнать. А вот, кажется, и тот человек, который сможет нам все рассказать.

Дверь открылась, и мальчик-слуга провел в комнату высокого, отменно выбритого человека со строгим выражением лица, какое встречается лишь у людей, привыкших держать в повиновении лошадей или мальчишек. Он холодно и сдержанно поздоровался и сел в предложенное Холмсом кресло.

— Вы получили мое письмо, мистер Холмс?

— Да, но оно ничего не объясняет.

— Я считаю дело слишком щепетильным, чтобы излагать подробности на бумаге. И к тому же слишком запутанным. Предпочитаю сделать это с глазу на глаз.

— Прекрасно! Мы в вашем распоряжении.

— Прежде всего, мистер Холмс, я думаю, что мой хозяин, сэр Роберт, сошел с ума.

Холмс вопросительно вскинул брови.

— Но ведь я сыщик, а не психиатр,— произнес он.— А кстати, почему вам это показалось?

— Видите ли, сэр, если человек поступает странно один раз, другой, то, возможно, этому можно найти и иное объяснение. Но если странным выглядит все, что он делает, это наводит на определенные мысли. Мне кажется, Принц Шоскомба и дерби помутили его рассудок.

— Принц — это жеребец, которого вы тренируете?

— Лучший во всей Англии, мистер Холмс. Уж кому, как не мне, знать об этом! Буду откровенен с вами, так как чувствую, что вы люди слова и все сказанное здесь не выйдет за пределы вашей комнаты. Сэр Роберт просто обязан выиграть дерби. Он по уши в долгах, и это его последний шанс. Все, что он смог собрать и занять, поставлено на этого коня. Сейчас ставки на Принца — один к сорока. Прежде же он шел чуть ли не один к ста.

— Почему цена упала, если конь так хорош?

— Никто пока не знает этого, но сэр Роберт перехитрил всех, тайком собирающих сведения о лошадях. Он выводит на прогулки единокровного брата Принца. Внешне их невозможно отличить, но на скачках уже через двести метров Принц обгонит его на два корпуса. Сэр Роберт думает только о дерби и Принце Шоскомба. От этого сейчас зависит вся его жизнь. Кредиторов удалось уговорить подождать до дня скачек, но, если Принц подведет, Норбертон — человек конченый.

— Да, игра рискованная, но при чем же тут сумасшествие?

— Ну, во-первых, достаточно просто посмотреть на него. Не думаю, что он спит ночью, почти все время он проводит в конюшне. А взгляд у него просто дикий. И еще — его поведение по отношению к леди Беатрис! Они всегда были очень дружны: у них один вкус, одни пристрастия. Леди любила лошадей не меньше, чем ее брат. Каждый день в одно и то же время она приезжала поглядеть на них. Принц Шоскомба нравился ей больше других. А Принц настораживал уши, заслышав скрип колес, и выбегал навстречу, чтобы получить непременный кусочек сахара. Но сейчас все изменилось. Она потеряла всякий интерес к лошадям. Вот уже целую неделю она проезжает мимо конюшни и ни с кем не здоровается!

— Вы полагаете, они поссорились?

— И притом не на шутку. Иначе почему бы он избавился от ее любимца спаниеля, к которому она относилась как к ребенку? Несколько дней назад сэр Роберт отдал собаку старому Барнесу, владельцу «Зеленого дракона» в Крендалле, в трех милях от поместья.

— Вот это действительно странно.

— Конечно, из-за больного сердца и водянки леди Беатрис передвигалась с трудом и не могла совершать с братом прогулки, но сэр Роберт ежевечерне проводил два часа в ее комнате. Он старался сделать для нее все, что мог, и она относилась к брату с любовью. Но все это уже в прошлом. Теперь он и близко к ней не подходит. А она это переживает. Даже начала пить, мистер Холмс, пить как сапожник. Бутылку за вечер может выпить. Мне об этом рассказал Стивенс, наш дворецкий. Так что изменилось многое, мистер Холмс. И в этом есть что-то ужасное. Да к тому же сэр Роберт уходит ночами в склеп под старой церковью. Что он там делает? С кем встречается?

Холмс удовлетворенно потер руки:

— Продолжайте, мистер Мейсон. Дело становится все более интересным.

— Дворецкий видел, как сэр Роберт шел туда в полночь под проливным дождем. На следующую ночь я спрятался за домом и видел, как он шел туда опять. Мы со Стивенсом двинулись за ним, но очень осторожно. Ох, как бы нам не поздоровилось, если бы он заметил! В гневе он ужасен. Сэр Роберт направлялся именно к склепу, и там его ждал какой-то человек.

— А что представляет собой этот склеп?

— Понимаете, сэр, в парке стоит полуразвалившаяся древняя часовня — никто не знает, сколько ей лет. Под часовней имеется склеп, пользующийся дурной славой. Там пустынно, сыро и темно даже днем. А ночью не многие решаются пойти туда. Хозяин, правда, смел и никогда ничего не боялся. Но все равно, что ему там делать ночью?

— Подождите,— вмешался Холмс.— Вы сказали — там был и другой человек. Вероятно, кто-то из домашней прислуги или с конюшни?

— Он не из наших!

— Почему вы так думаете?

— Потому что сам видел его вблизи, мистер Холмс, в ту вторую ночь. Когда сэр Роберт шел мимо нас обратно, мы со Стивенсом дрожали в кустах, точно два кролика, так как ночь была лунная и он мог нас заметить. Потом послышались шаги того, другого. Его-то мы не боялись. И едва сэр Роберт отошел подальше, мы поднялись, и, притворившись, что просто гуляем при луне, вроде бы случайно приблизились к незнакомцу. «Здорово, приятель! — говорю я ему.— Ты кто такой?» Он не заметил, как мы подошли, и здорово испугался. На обратившемся в нашу сторону лице застыл такой ужас, словно перед ним появился сам сатана. Он громко вскрикнул и бросился бежать. И надо отдать ему должное, бегать он умел! В одно мгновение скрылся из виду.

— Но вы хоть хорошо разглядели его в свете луны?

— Да. Готов поклясться, что опознал бы это отвратительное лицо. Типичный бродяга. Что у него могло быть общего с сэром Робертом?

— Кто прислуживает леди Беатрис Фолдер? — спросил Холмс в некоторой задумчивости.

— Горничная Керри Ивенс. Она у нее уже пять лет.

— Конечно же предана хозяйке?

Мейсон неловко заерзал на месте.

— Предана-то предана, — ответил он. — Правда, трудно сказать кому.

— О! — только и вымолвил Холмс.

— Мне не хотелось бы выносить сор из избы...

— Понимаю вас, мистер Мейсон. Ситуация деликатная. Судя по описанию сэра Роберта, данному доктором Уотсоном, я могу сделать вывод: перед ним не устоит ни одна женщина. А не кажется ли вам, что в этом может крыться и причина размолвки между братом и сестрой?

— Их отношения были очевидными давно.

— Но возможен вариант, что Беатрис прежде не замечала этого. А когда узнала, решила избавиться от горничной, но брат не позволил. Больная женщина со слабым сердцем, лишенная к тому же возможности свободно передвигаться, не смогла настоять на своем. Служанка, которую она так возненавидела, остается при ней. Леди Беатрис перестает разговаривать, грустит, начинает пить. Брат в гневе отбирает у нее любимого спаниеля. Разве здесь не все сходится?

— Все это вполне правдоподобно, но как быть с остальным? Как связать это с ночными визитами в старый склеп? Они не укладываются в нашу схему. И еще есть одно, что в нее не укладывается. Зачем сэру Роберту понадобилось доставать мертвое тело?

Холмс резко выпрямился.

— Да-да, мы обнаружили его только вчера, уже после того как я отправил вам письмо. Сэр Роберт уехал в Лондон, и мы со Стивенсом отправились в склеп. Там все было, как обычно, мистер Холмс, только в одном из углов лежали останки человека.

— Я полагаю, вы сообщили в полицию?

Наш посетитель мрачно усмехнулся:

— Думаю, они едва ли заинтересовались бы, потому что, сэр, это была уже высохшая мумия.

— И что же вы сделали?

— Оставили все, как было.

— Разумно. Вы говорили, что сэр Роберт был вчера в отъезде. Он уже вернулся?

— Ждем его сегодня.

— А когда сэр Роберт отдал собаку сестры?

— Ровно неделю назад. Бедное создание спаниель выл ночью возле старого колодца, чем вызвал у Роберта приступы гнева. Утром он поймал собаку, и вид у него был такой, что я решил: убьет! Но он отдал спаниеля Сэнди Бейну, нашему наезднику, и велел отвезти к старику Барнесу в «Зеленый дракон», потому что не желал его больше видеть.

Некоторое время Холмс сидел молча и размышлял, раскуривая свою старую закопченную трубку.

— Мистер Мейсон, — произнес он наконец, — я не совсем понимаю, что от меня требуется.

— Вероятно, вот это позволит сделать некоторые уточнения, мистер Холмс,— ответил наш посетитель. Он вытащил из кармана небольшой сверток и, осторожно развернув бумагу, достал обуглившийся кусок кости.

Холмс с интересом принялся изучать.

— Где вы это взяли?

— В подвале дома, прямо под комнатой леди Беатрис, расположена печь центрального отопления. Некоторое время ею не пользовались, но как-то сэр Роберт пожаловался на холод и приказал начать топить. Обязанности истопника сейчас выполняет Харвей, один из моих парней. Он-то и принес мне эту кость сегодня утром. Нашел в золе, которую выгребал из печи. Ему не понравилось все это, и он...

— Мне тоже не нравится,— произнес Холмс.— Что вы думаете по этому поводу?

Кость обгорела почти дочерна, но форма ее сохранилась.

— Это верхняя часть человеческой берцовой кости,— ответил я.

Холмс внезапно посерьезнел:

— А когда этот ваш парень обычно топит печь?

— Харвей растапливает ее вечером, а потом уходит спать...

— Значит, ночью в подвал мог зайти кто угодно?

— Да, сэр.

— Можно ли попасть туда со двора?

— Да. Одна дверь выходит прямо на улицу, другая — на лестницу, которая ведет в коридор перед комнатой леди Беатрис.

— Дело зашло далеко, мистер Мейсон, и принимает скверный оборот. Вы говорили, что этой ночью сэра Роберта не было в поместье?

— Да, сэр.

— Значит, кости сжигал в печи не он.

— Совершенно справедливо, сэр.

— Как называется гостиница, которую вы упоминали?

— «Зеленый дракон».

— А есть где порыбачить в той части Беркшира?

По лицу нашего гостя, не умевшего скрывать свои чувства, было видно: он убежден, что превратности жизни свели его еще с одним сумасшедшим.

— Говорят, в небольшой речушке, той, что выше мельницы, водится форель, а в озере Холл есть щука.

— Этого вполне достаточно. Мы с Уотсоном заядлые рыболовы, не правда ли, доктор? В случае необходимости вы сможете найти нас в «Зеленом драконе». Мы будем там уже сегодня вечером. Я думаю, вы понимаете, мистер Мейсон, что приходить туда вам не следует. Лучше послать записку. А если вы нам понадобитесь, я разыщу вас. Как только нам удастся продвинуться хоть немного вперед с расследованием, я сообщу вам о выводах.

И вот прекрасным майским вечером мы с Холмсом ехали в вагоне первого класса к небольшой станции Шоскомб, где поезда останавливались только по требованию. Мы сошли на нужной станции и очень скоро добрались до старомодной маленькой гостиницы. Ее владелец, Джошуа Барнес, как истинный спортсмен, охотно принялся помогать нам составлять план истребления всей рыбы в округе.

— А как насчет озера Холл? Есть шанс поймать там щуку?

На лице хозяина гостиницы отразилось беспокойство.

— Ничего из этого не выйдет, сэр. Там опасно.

— Но почему же?

— Сэр Роберт терпеть не может, когда кто-то тайком собирает сведения о лошадях. И если вы, двое незнакомых людей, вдруг окажетесь рядом с его конюшнями, он обязательно набросится на вас. Сэр Роберт не хочет рисковать! Да, совсем не хочет.

— Говорят, у него есть конь, который заявлен для участия в дерби?

— Да, славный жеребец. На него поставлены наши денежки, да и сэра Роберта тоже.— Тут Джошуа Барнес испытующе взглянул на нас.— Надеюсь, вы сами не имеете отношения к скачкам?

— Абсолютно никакого! Мы всего лишь два усталых лондонца, которым просто необходим ваш чудесный беркширский воздух.

— Ну тогда вы правильно выбрали место. Свежего воздуха здесь сколько угодно. Только помните, что я сказал вам насчет сэра Роберта. Он не из тех, кто много разговаривает, он сразу пускает в ход кулаки. Не подходите близко к парку.

— Хорошо, мистер Барнес. Мы внемлем вашему совету. Между прочим спаниель, повизгивающий у вас в зале, очень красив.

— Это самый настоящий шоскомбский спаниель. Лучших нет во всей Англии.

— Я большой любитель собак, — продолжал Холмс.— Хочу задать вам не совсем деликатный вопрос. Сколько может стоить подобный пес?

— Намного больше, чем я в состоянии заплатить, сэр. Этого красавца мне недавно подарил сэр Роберт. Я постоянно держу его на привязи, потому что он сбежит домой в ту же секунду, как только я его отпущу.

— Итак, мы уже получили несколько козырей, Уотсон, — сказал мне Холмс, когда владелец гостиницы ушел.— Правда, даже с ними пока не так просто выиграть.

— У вас есть версия, Холмс?

— Я знаю только то, что примерно неделю назад в Шоскомбе произошло нечто, круто изменившее всю жизнь поместья. Что же именно? Могу лишь предположить. Обратимся еще раз к нашим фактам. Брат перестает навещать свою дорогую тяжелобольную сестру. Он избавляется от ее любимой собаки. Ее собаки. Уотсон, это вам ни о чем не говорит?

— Нет. Разве что о его сильной злости.

— Ну что ж, это вполне вероятно. Продолжим обзор событий, происшедших после ссоры, если она вообще была. Леди Беатрис практически все время проводит у себя в комнате, показывается на людях, только выезжая на прогулку вместе со служанкой, больше не останавливается возле конюшни поглядеть на своего любимца — Принца Шоскомба и, вероятно, начинает пить. Вот, пожалуй, и все. Не так ли?

— За исключением того, что касается склепа.

— Это относится уже к другой цепи событий. Я попросил бы их не смешивать. Цепь «А», касающаяся леди Беатрис, имеет довольно зловещий оттенок.

— Я не понимаю...

— Ладно. Перейдем тогда к цепи «Б», связанной с сэром Робертом. Он буквально помешан на выигрыше в дерби. Он попал в лапы к ростовщикам, и в любой момент его имущество может пойти с молотка, включая лошадей и конюшни. Человек он решительный, жить привык на деньги сестры. Горничная сестры — послушное орудие в его руках. Ну что, доктор? Мне кажется, что пока идет все как по маслу.

— Ну а склеп?

— Да... склеп! Давайте-ка чисто теоретически предположим, что сэр Роберт убил свою сестру.

— Но, Холмс, друг мой, об этом не может быть и речи!

— Послушайте, Уотсон. По происхождению Норбертоны — люди почтенные. Но и в хорошее стадо может затесаться паршивая овца. Так что не стоит отметать эту версию, не обсудив ее. Без денег Роберт Норбертон бежать за границу не может, а обладателем денег он может стать, только если удастся его затея с Принцем Шоскомба. Поэтому он вынужден пока оставаться в поместье. Роль сестры будет пока исполнять служанка — в этом нет ничего сложного. А тело старой леди можно перенести в склеп, куда вообще никто не заглядывает, или же тайно уничтожить ночью в печи. Так вот и могла остаться улика, подобная имеющейся в нашем распоряжении. Что вы на это скажете, доктор?

— Все довольно правдоподобно, если, конечно, согласиться с чудовищным исходным предположением.

— Кажется, я придумал небольшой эксперимент, Уотсон. Мы поставим его завтра же, чтобы прояснить дело. А сейчас, дабы выглядеть теми, за кого мы себя выдаем, предлагаю пригласить хозяина гостиницы и повести светский разговор об угрях и плотве за стаканом его лучшего вина. Это самый краткий путь добиться расположения мистера Барнеса. А уж по ходу беседы мы можем услышать полезную местную сплетню.

...На следующее утро Холмс обнаружил, что мы не взяли блесну на молодую щуку, поэтому вместо рыбалки нам пришлось пойти гулять. Мы вышли около одиннадцати. Холмс получил разрешение взять с собой прекрасного спаниеля.

— Вот мы и пришли,— произнес мой друг, когда мы приблизились к высоким воротам парка, которые венчались фигурами сказочных грифонов родового герба.— От мистера Барнеса нам известно, что старая леди выезжает на прогулку около полудня. Ее экипаж должен здесь остановиться и стоять, пока будут открывать ворота. Вы, Уотсон, задержите кучера каким-нибудь вопросом, едва он окажется за воротами. Действуйте, а я спрячусь за куст и стану наблюдать.

Ждать пришлось недолго. Четверть часа спустя мы увидели большую открытую коляску желтого цвета, направляющуюся по главной аллее в нашу сторону. В нее были запряжены два прекрасных серых рысака. Холмс вместе с собакой спрятался за кустом, а я встал на дороге, безразлично помахивая тростью. Охранник распахнул ворота.

Коляска двигалась совсем медленно, и я мог разглядеть всех, кто в ней находился. Слева сидела румяная молодая женщина с золотистыми волосами и дерзким взглядом. По правую руку от нее — сгорбленная пожилая дама, плотно закутанная в многочисленные шали. Как только лошади вышли из ворот на дорогу, я поднял руку и, когда кучер остановил экипаж, осведомился, дома ли сейчас сэр Роберт.

В этот миг Холмс покинул свое укрытие и спустил с поводка спаниеля. С радостным визгом пес бросился к коляске и вскочил на подножку. Но тут же его радостный лай стал злобным и яростным, и он вцепился зубами в черную юбку старой леди.

— Пшел! Пшел вон! — услышали мы грубый голос.

Кучер хлестнул лошадей, и мы остались на дороге одни.

— Теперь все ясно, — сказал Холмс, пристегивая поводок к ошейнику еще не успевшего успокоиться спаниеля.

— Но ведь голос был мужской! — воскликнул я.

— Вот именно, Уотсон. У нас появился еще один козырь, однако играть нужно все равно осторожно.

У Шерлока Холмса не было планов на остаток дня, и мы воспользовались своими рыболовными снастями. В результате имели на ужин целое блюдо форели. После ужина мой друг начал опять проявлять признаки активности.

Мы вновь оказались на той же дороге, что и утром, и подошли к воротам парка. Возле них стоял высокий человек, оказавшийся не кем иным, как мистером Мейсоном — тренером из Шоскомба, приезжавшим к нам в Лондон.

— Добрый вечер, джентльмены, — поздоровался он. — Я получил вашу записку, мистер Холмс. Роберт Норбертон еще не вернулся. Но его ожидают сегодня к ночи.

— А далеко ли склеп от дома? — осведомился Холмс.

— Метрах в четырехстах.

Ночь была не лунная и очень темная, но Мейсон уверенно вел нас по заросшим травой лужайкам, пока впереди не начали вырисовываться неясные очертания часовни. Когда мы подошли к часовне, наш проводник, спотыкаясь о груды камней, нашел в полной тьме путь к тому месту, откуда лестница вела вниз, прямо в склеп. Спустившись, он чиркнул спичкой, осветил мрачное и зловещее помещение с замшелыми, осыпающимися стенами и рядами гробниц, свинцовых и каменных. Холмс зажег свой фонарь, бросивший сноп ярко-желтого цвета. Лучи отражались от металлических пластинок на гробницах, украшенных изображением короны и грифонов — герба древнего рода, сохранявшего свое величие до смертного порога.

— Вы говорили о найденных вами здесь костях, мистер Мейсон. Покажите нам, где они, и можете возвращаться.

— Они здесь, вот в этом углу.

Тренер прошел в противоположный угол склепа и остановился в немом удивлении, когда луч нашего фонаря осветил указанное место.

— Но они исчезли!.. — с трудом вымолвил он.

— Я этого ожидал, — сказал Холмс с довольной усмешкой. — Полагаю, золу от них можно найти в печи, которая уже поглотила часть из них.

— Но зачем сжигать кости человека, умершего десять веков назад? — изумился Джон Мейсон.

— Мы и пришли сюда, чтобы выяснить это, — ответил Холмс. — Полагаю, до утра нам удастся найти ответ. А вас не станем больше задерживать.

Мейсон удалился, и Холмс принялся тщательно осматривать все гробницы, начиная с самых древних, вероятно еще саксонского периода, продвигаясь от центра склепа вдоль длинного ряда нормандских Гуго и Одо, пока не достиг наконец Вильяма и Дениса Фолдеров из восемнадцатого столетия. Прошел час, а может и больше, прежде чем Холмс добрался до свинцового саркофага, стоявшего у самого входа в склеп. Я услышал его удовлетворенное восклицание и по торопливым, но целеустремленным и точным движениям понял, что мой друг нашел то, что искал. При помощи увеличительного стекла он тщательно осмотрел края тяжелой крышки, затем достал из кармана небольшой ломик, каким обычно вскрывают сейфы, просунул его в щель и стал отжимать крышку, которая скреплялась лишь парой скоб. Та подалась со скрежетом рвущегося металла, едва приоткрыв содержимое, когда наши занятия неожиданно оказались прерваны.

В часовне, прямо над нами, послышались шаги — быстрые, но твердые, как у человека, идущего с определенной целью и хорошо знающего дорогу. По ступеням лестницы заструился свет, и мгновение спустя в проеме готической арки показался мужчина с фонарем в руках. Выглядел он устрашающе: крупная фигура, грозный вид. Большой керосиновый фонарь, который он держал перед собой, освещал его тяжелую усатую физиономию и злые глаза. Он внимательно осматривал каждый закуток склепа и наконец остановился на нас.

— Кто вы такие, черт бы вас побрал? — взорвался он.— И что вам понадобилось в моей усадьбе?

Холмс ничего ему не ответил. Тот сделал несколько шагов в нашу сторону и поднял вверх тяжелую палку.

— Вы меня слышите? — крикнул он.— Кто вы? Что делаете?

Его палка подрагивала в воздухе. Но вместо того чтобы отступить, Холмс двинулся ему навстречу.

— У нас тоже имеется вопрос к вам, сэр Роберт,— произнес мой друг суровым тоном.— Кто это?

Повернувшись, Холмс сорвал с саркофага свинцовую крышку. В свете фонаря я увидел тело и лицо злой колдуньи.

Баронет вскрикнул и, отшатнувшись, прислонился к каменной гробнице.

— Ну что вы лезете не в свое дело?

— Я Шерлок Холмс,— ответил мой друг. — Возможно, вам знакомо мое имя? Мои обязанности и долг — помогать правосудию. Боюсь, что отвечать вам придется за многое.

Сэр Роберт свирепо поглядел на нас, но спокойный голос и уверенные манеры Холмса подействовали на него.

— Поверьте, мистер Холмс, я не преступник, клянусь,— сказал он.— Это только кажется, что все факты против меня. Я просто не мог поступить иначе.

— Рад был бы поверить вам, но, полагаю, объяснение с полицией неизбежно.

— Ну что ж! Неизбежно так неизбежно. А сейчас давайте пройдем в дом. Там вы сможете разобраться в происшедшем сами.

Спустя четверть часа мы сидели в комнате, которая,

судя по рядам ружей, поблескивающих за стеклами витрин, являлась оружейной в старинном здании. Обставлена она была довольно уютно. На несколько минут сэр Роберт оставил нас одних. Когда он вернулся, его сопровождали двое: цветущая молодая женщина, которую мы уже видели сегодня в коляске, и невысокий мужчина с неприятной внешностью и раздражающе осторожными манерами. На лицах — полное недоумение. Очевидно, баронет не успел объяснить, какой оборот приняли события.

— Это мистер и миссис Норлетт,— сказал сэр Роберт.— Под своей девичьей фамилией — Ивенс — миссис Норлетт была доверенной служанкой моей сестры вот уже несколько лет. Я чувствую, что лучше объяснить вам истинное положение вещей, потому и привел сюда ее с мужем. Это единственные люди, способные подтвердить мои слова.

— А нужно ли это, сэр Роберт? Вы хорошо всё обдумали? — воскликнула женщина.

— Что касается меня, я полностью снимаю с себя ответственность,— добавил ее муж.

Сэр Роберт бросил на него презрительный взгляд и сказал:

— Отвечать за все буду я! А теперь, мистер Холмс, позвольте изложить вам основные факты. Вы, понятно, достаточно осведомлены о моем положении, иначе не оказались бы там, где я вас нашел. По всей вероятности, вы уже знаете и то, что я хочу выставить на дерби свою лошадку и от результата будет зависеть очень многое. Если я выиграю, проблемы решаются сами собой. Если же проиграю... Но об этом лучше и не думать.

— Ситуация вполне понятна, — перебил баронета Холмс.

— В финансовом отношении я в полной зависимости от сестры, леди Беатрис. А я крепко запутался в сетях ростовщиков. И вот, представьте себе: как только умирает сестра, мои кредиторы тотчас набрасываются на наше имущество. Все попадает в их руки, конюшни и лошади — тоже. Так вот, мистер Холмс, леди Беатрис действительно скончалась неделю назад.

— И вы никому не сообщили?

— А что еще мог я придумать? Иначе мне грозило полное разорение. Если же отсрочить развитие событий всего на три недели, дела, возможно, устроились бы как нельзя лучше. Вот этот человек, муж горничной, — актер по профессии. И нам, то есть мне, пришло в голову, что он может исполнять роль моей сестры. Для этого следовало ежедневно появляться в коляске во время прогулки. В комнату к сестре никто не входил, кроме горничной. Леди Беатрис умерла от водянки, которой страдала очень давно.

— Это решит коронер.

— Ее врач подтвердит, что в течение нескольких месяцев все симптомы предвещали скорый конец.

— Как дальше развивались события?

— В первую же ночь мы с Норлеттом тайно перенесли тело моей сестры в домик над старым колодцем, которым теперь совсем не пользуются. Однако ее любимый спаниель пришел туда следом за нами и начал выть под дверью. Я решил подыскать более безопасное место. Избавившись от собаки, мы перенесли тело в склеп под древней часовней. Не вижу в том никакого пренебрежения или непочтения, мистер Холмс. Уверен, что не оскорбил покойную.

— Все равно ваше поведение невозможно оправдать, сэр Роберт!

Баронет раздраженно покачал головой:

— Вам легко проповедовать, а в моем положении вы, верно, думали бы иначе. Видеть, как все твои надежды и планы вдруг рушатся в последний момент, и не пытаться спасти их — невозможно. Я не усмотрел ничего недостойного в том, чтобы поместить сестру на некоторое время в одну из гробниц, где захоронены предки ее мужа. Вот и вся история, мистер Холмс.

— В вашем рассказе есть одно слабое место, сэр Роберт! Даже если бы кредиторы захватили все имущество, разве это могло повлиять на выигрыш в дерби и на ваши надежды, связанные с ним?

— Но Принц Шоскомба тоже часть имущества. Вполне вероятно, его вообще не выставили бы на скачки. Какое им дело до моих ставок! Все еще усугубляется тем, что главный кредитор — к несчастью, мой злейший враг, отпетый негодяй Сэм Бруэр, которого мне однажды пришлось ударить хлыстом. Вы полагаете, он пошел бы мне навстречу?

— Видите ли, сэр Роберт, — ответил Холмс, вставая,— вам необходимо обо всем сообщить властям. Моя обязанность — только установить истину. И я это сделал. Что же касается моральной стороны ваших поступков и соблюдений приличий, то не мне судить вас. Уже почти полночь, Уотсон. Я думаю, нам пора возвращаться в наше скромное пристанище.

Сейчас уже известно, что эти невероятные события закончились для Норбертона даже более удачно, чем он того заслуживал. Принц Шоскомба все-таки выиграл дерби, а его владелец заработал на этом восемьдесят тысяч фунтов. Кредиторы, в руках которых он находился до окончания заезда, получили все сполна, и у сэра Роберта осталась еще вполне достаточная сумма, чтобы восстановить свое положение в высшем свете.

И полиция, и коронер снисходительно отнеслись к поступкам Норбертона, так что он выпутался из затруднительной ситуации, отделавшись лишь мягким порицанием за несвоевременную регистрацию кончины старой леди. Хотя все происшедшее и бросило легкую тень на репутацию баронета, это нисколько не повлияло на его карьеру, которая обещает быть благополучной в почтенном возрасте.

МОСКАТЕЛЬЩИК НА ПОКОЕ

В то утро Шерлок Холмс был настроен на философско-меланхолический лад. Его живой, деятельной натуре свойственны были такие резкие переходы.

— Видели вы его? — спросил он.

— Кого? Старичка, который только что вышел от вас?

— Его самого.

— Да, мы с ним столкнулись в дверях.

— И что вы о нем скажете?

— Жалкое, никчемное, сломленное существо.

— Именно, Уотсон. Жалкое и никчемное. Но не такова ли и сама наша жизнь? Разве его судьба — не судьба всего человечества в миниатюре? Мы тянемся к чему-то. Мы что-то хватаем. А что остается у нас в руках под конец? Тень. Или того хуже: страдание.

— Это один из ваших клиентов?

— Пожалуй, что так. Его направили ко мне из Скотленд-Ярда. Знаете, как врачи иной раз посылают неизлечимо больных к знахарю. Они рассуждают так: сами мы ничего больше сделать не можем, а больному все равно хуже не будет.

— Что же у него стряслось?

Холмс взял со стола не слишком чистую визитную карточку.

— Джошуа Эмберли. В прошлом, по его словам,— младший компаньон фирмы «Брикфол и Эмберли», изготовляющей товары для художников. Вы могли видеть эти имена на коробках с красками. Эмберли сколотил небольшое состояние и, когда ему исполнился шестьдесят один год, вышел из дела, купил дом в Люишеме и поселился там, чтобы насладиться отдыхом после долгих лет неустанного труда. Всякий сказал бы, что этого человека ждет обеспеченная и мирная старость.

— Да, верно.

Холмс взял конверт, на котором были сделаны его рукой какие-то пометки, и пробежал их глазами.

— Ушел на покой в 1896 году, Уотсон. В начале 1897-го женился. Жена на двадцать лет моложе его, притом недурна собой, если не лжет фотография. Достаток, жена, досуг — казалось бы, живи да радуйся. Но не проходит двух лет, и он, как вы сами видели, становится самым несчастным созданием, какое только копошится под солнцем.

— Но что случилось?

— Старая история, Уотсон. Вероломный друг и ветреная жена. У этого Эмберли, насколько можно судить, есть одна-единственная страсть в жизни: шахматы. В Люишеме, неподалеку от него, живет некий молодой врач, тоже завзятый шахматист. Я вот записал его имя: доктор Рэй Эрнест. Эрнест был частый гость в его доме, и если у него завязались близкие отношения с миссис Эмберли, это только естественно,— вы согласитесь, что наш незадачливый клиент не может похвастаться внешней привлекательностью, каковы бы ни были его скрытые добродетели. На прошлой неделе парочка скрылась в неизвестном направлении. Мало того, в качестве ручного багажа неверная супруга прихватила шкатулку старика, в которой хранилась львиная доля всех его сбережений. Можно ли сыскать беглянку? Можно ли вернуть деньги? Поглядеть, так банальная проблема, но для Джошуа Эмберли — проблема жизненной важности.

— Как же вы будете действовать?

— Видите ли, мой милый Уотсон, при создавшемся положении вещей надо прежде всего решить, как будете действовать вы, если, конечно, вы согласны заменить меня. Вы знаете, что я сейчас всецело занят делом двух коптских старейшин и сегодня как раз жду его развязки. Мне, право же, не выкроить времени на поездку в Люишем, а ведь улики, собранные по свежим следам, имеют особую ценность. Старик всячески уговаривал меня приехать, но я объяснил ему, в чем трудность. Он готов принять вас вместо меня.

— Я весь к вашим услугам,— ответил я.— Честно говоря, не думаю, чтобы от меня была особая польза, но я рад буду сделать все, что в моих силах.

Вот так и случилось, что в один прекрасный летний день я отправился в Люишем, совсем не подозревая, что не пройдет и недели, как событие, которое я ехал расследовать, будет с жаром обсуждать вся Англия.

Лишь поздно вечером я вернулся на Бейкер-стрит с отчетом о своей поездке. Худая фигура Холмса покоилась в глубоком кресле, над его трубкой медленно свивалась кольцами струя едкого табачного дыма, глаза были лениво полузакрыты — можно было подумать, что он дремлет, но стоило мне запнуться или допустить неточность в рассказе, как опущенные веки приподнимались и серые глаза, сверкающие и острые, как рапиры, пронизывали меня пытливым взглядом.

— Усадьба мистера Джошуа Эмберли зовется «Уютное»,— начал я.— Я думаю, Холмс, она возбудила бы ваш интерес. Дом похож на обедневшего аристократа, который вынужден ютиться среди простолюдинов. Вам ведь такие места знакомы: однообразные кирпичные дома, унылые провинциальные улицы, и вдруг прямо в гуще всего этого — такая старинная усадьба, крохотный островок древней культуры и уюта за высокой, растрескавшейся от солнца стеной, испещренной лишайниками и покрытой мхом, стеной, которая...

— Без поэтических отступлений, Уотсон,— строго перебил меня Холмс.— Все ясно: высокая кирпичная стена.

— Совершенно верно. Мне бы не догадаться, что это и есть «Уютное», да благо я спросил какого-то зеваку, который прохаживался по улице и курил. Высокий такой брюнет, с большими усами и военной выправкой. В ответ он кивком указал нужный мне дом и почему-то окинул меня пристальным, испытующим взглядом. Это припомнилось мне немного спустя. Едва ступив за ворота, я увидел, что ко мне спешит по аллее мистер Эмберли. Еще утром я заметил в нем что-то необычное, хотя видел его лишь мельком, теперь же, при свете дня, его внешность показалась мне еще более странной.

— Я, разумеется, и сам постарался изучить ее, — вставил Холмс.— Но все-таки интересно узнать, каковы ваши впечатления.

— Он выглядит так, будто забота в буквальном смысле слова пригнула его к земле. Спина его сгорблена, словно под бременем тяжкой ноши. Однако он вовсе не так немощен, как кажется на первый взгляд: плечи и грудь у него богатырские, хотя поддерживают этот мощный торс сухие, тонкие ноги.

— Левый ботинок морщит, правый — девственно гладок.

— Этого я не заметил. Вы, разумеется, нет. Зато от меня не укрылось, что у него искусственная нога. Однако продолжайте.

— Меня поразили эти пряди сивых волос, которые змеились из-под его ветхой соломенной шляпы, это исступленное, неистовое выражение изрезанного глубокими морщинами лица.

— Очень хорошо, Уотсон. Что он говорил?

— Он принялся взахлеб рассказывать мне историю своих злоключений. Мы шли вдвоем по аллее, и я, разумеется, во все глаза смотрел по сторонам. Сад совершенно не ухожен, весь заглох, все растет как придется, повинуясь велению природы, а не искусству садовника. Как только приличная женщина могла терпеть такое положение вещей — ума не приложу. Дом тоже запущен до последней степени. Бедняга, видно, и сам это чувствует и пытается как-то поправить дело. Во всяком случае, у него в левой руке была толстая кисть, а посреди холла стояла большая банка с зеленой краской. До моего прихода он занимался тем, что красил двери и оконные рамы.

Он провел меня в свой обшарпанный кабинет, и мы долго беседовали. Конечно, он был огорчен, что вы не приехали сами. Он сказал: «Да я и не слишком надеялся, в особенности после того, как понес столь тяжелый материальный урон, что моя скромная особа сможет серьезно привлечь к себе внимание такого знаменитого человека, как мистер Шерлок Холмс».

Я стал уверять его, что финансовая сторона вопроса тут вовсе ни при чем.

— «Да, конечно, — отозвался он, — он этим занимается из любви к искусству, но, возможно, в моем деле для него как раз нашлось бы кое-что интересное.

Хотя бы в смысле изучения человеческой природы, доктор Уотсон. Ведь какая черная неблагодарность! Разве я хоть раз отказал ей в чем-нибудь? Разве есть еще женщина, которую бы так баловали? А этот молодой человек — я бы и к собственному сыну так не относился. Он был здесь, как у себя дома. И посмотрите, как они со мной обошлись! Ах, доктор Уотсон, какой это ужасный, страшный мир!»

В таком духе он изливался мне час, а то и больше. Он, оказывается, ничего не подозревал об интрижке. Жили они с женой одиноко, только служанка приходила каждое утро и оставалась до шести часов. В тот памятный день старик Эмберли, желая доставить удовольствие жене, взял два билета в театр «Хеймаркет», на балкон. В последний момент миссис Эмберли пожаловалась на головную боль и отказалась ехать. Он поехал один. Сомневаться в том, что это правда, по-видимому, нет оснований: он показывал мне неиспользованный билет, который предназначался жене.

— Любопытно, весьма любопытно,— заметил Холмс, слушавший, казалось, с возрастающим интересом. — Продолжайте, Уотсон, прошу вас. Я нахожу ваш рассказ крайне интересным. Вы видели этот билет собственными глазами? Номер места случайно не запомнили?

— Представьте себе, запомнил,— не без гордости ответил я. — Номер оказался тот же, что был у меня когда-то в школьной раздевалке: тридцать первый. Вот он и застрял у меня в голове.

— Великолепно, Уотсон! У него самого, стало быть, место было либо тридцатое, либо тридцать второе?

— Ну конечно, — чуть озадаченно подтвердил я. — В ряду «Б».

— Просто прекрасно. Что еще он вам говорил?

— Он показал мне свою, как он выразился, кладовую. Кладовая самая настоящая, как в банке. Железная дверь, железная штора на окне, никакому взломщику не забраться, как он утверждает. Но у жены оказался второй ключ, и она вместе со своим возлюбленным унесла оттуда ни много ни мало — тысяч семь фунтов в ассигнациях и ценных бумагах.

— Ценных бумагах? Как же они смогут обратить их в деньги?

— Эмберли сказал, что оставил в полиции опись этих бумаг и надеется, что продать их не удастся. В тот день он вернулся из театра около двенадцати ночи и увидел, что кладовая ограблена, дверь и окно открыты, а беглецов и след простыл. Никакого письма, никакой записки — и ни слуху ни духу с тех пор. Он сразу же дал знать в полицию.

Холмс на несколько минут погрузился в раздумье.
— Вы говорите, он что-то красил. в доме. Что именно?

— При мне он красил коридор. А дверь и деревянные части комнаты, о которой я говорил, уже закончил.

— Вам не кажется, что для человека в подобной ситуации это несколько необычное занятие?

— «Надо же чем-то занять себя, чтобы сердце не так саднило» — это его собственное объяснение. Разумеется, это странный способ отвлечься, так ведь на то он и вообще человек со странностями. При мне разорвал фотографию своей жены — разорвал яростно, в совершенном беспамятстве, с воплем: «Чтобы глаза мои больше не видели ее мерзкое лицо!»

— И это все, Уотсон?

— Нет, есть еще одна вещь, и она поразила меня больше всего. Обратно я уезжал со станции Блэкхит. Сел в поезд, и только он тронулся, как я увидел, что в соседний вагон вскочил какой-то мужчина. Вы знаете, Холмс, какая у меня память на лица. Так вот, это определенно был тот высокий брюнет, к которому я обратился на улице. На Лондонском мосту я заметил его снова, а потом он затерялся в толпе. Но я уверен, что он меня выслеживал.

— Да-да! — сказал Холмс.— Конечно! Так вы говорите, высокий брюнет с большими усами и в очках с дымчатыми стеклами?

— Холмс, вы чародей. Он действительно был в дымчатых очках, но ведь я об этом не говорил!

— А в галстуке — масонская булавка?

— Холмс!

— Это так просто, милый Уотсон. Впрочем, перейдем к тому, что имеет непосредственное отношение к делу. Должен вам признаться: эта история, на первый взгляд до того простая, что мне вряд ли стоило ею заниматься, с каждой минутой приобретает совсем иной характер. Правда, во время вашей поездки все самое важное осталось вами не замеченным, но даже то, что само бросилось вам в глаза, наводит на серьезные размышления.

— Что осталось незамеченным?

— Не обижайтесь, дружище. Вы знаете, я совершенно беспристрастен. Вы справились со своей задачей как нельзя лучше. Многие и этого бы не сумели. Но кое-какие существенные частности вы явно упустили. Что думают об этом Эмберли и его жене соседи? Разве это не важно? Какой славой пользуется доктор Эрнест? Что он, и впрямь такой отчаянный ловелас? При вашем врожденном обаянии, Уотсон, каждая женщина вам сообщница и друг. Почему я не слышу, что думает барышня на почте и супруга зеленщика? Как естественно вообразить себе такую картину: вы нашептываете комплименты молодой кельнерше из «Синего якоря», а взамен получаете сухие факты. И все это пропало втуне.

— Это еще не поздно сделать.

— Это уже сделано. С помощью телефона и Скотленд-Ярда я обычно имею возможность узнавать самое необходимое, не выходя из этой комнаты. Кстати сказать, полученные мною сведения подтверждают рассказ старика. В городишке он слывет скрягой, с женой был требователен и строг. Что он держал в этой своей кладовой крупную сумму денег — святая правда. Правда и то, что доктор Эрнест, молодой холостяк, играл с Эмберли в шахматы, а с его женой, вероятно, играл в любовь. Кажется, все яснее ясного и больше говорить не о чем, и все-таки... все-таки!..

— В чем же тут загвоздка?

— В моем воображении, быть может. Что ж, пусть она там и останется, Уотсон. А мы с вами спасемся от серой повседневности этого мира сквозь боковую дверцу — музыку. В Альберт-Холле сегодня поет Карина. Мы как раз успеем переодеться, пообедать и предадимся наслаждению.

Наутро я встал рано, но крошки от гренков и скорлупа от пары яиц на столе свидетельствовали о том, что мой друг поднялся еще раньше. Здесь же, на столе, я обнаружил второпях нацарапанную записку:

«Милый Уотсон! Мне хотелось бы навести еще кое-какие справки относительно мистера Джошуа Эмберли. Когда я их получу, мы со спокойной душой будем считать это дело законченным, а быть может и нет. Я только просил бы вас быть поблизости часа в три, так как не исключено, что Вы мне можете понадобиться.

Ш. Х.».

Полдня я не видел Холмса, но в назначенный час он вернулся, серьезный, озабоченный, занятый своими мыслями. В такие минуты лучше было к нему не подступаться.

— Эмберли еще не приходил?

— Нет.

— Значит, придет. Я его жду.

Ждать пришлось недолго: старик не замедлил явиться; на хмуром лице его явственно обозначились тревога и недоумение.

— Я тут получил телеграмму, мистер Холмс, и что-то никак не могу в ней разобраться.

Он протянул Холмсу телеграмму, и тот прочел ее вслух:

«Немедленно приезжайте. Располагаю сведениями вашей недавней пропаже.

Элман. Дом священника».

— Отправлена в два десять из Малого Пэрлингтона,— сказал Холмс.— Малый Пэрлингтон находится, если не ошибаюсь, в Эссексе, недалеко от Фринтона. Что ж, надо ехать не откладывая. Пишет явно лицо ответственное, как-никак приходский священник. Минуточку — где мой Крокфорд[1]? Ага, вот он: «Дж. К. Элман, магистр искусств, объединенный приход Моссмур — Малый Пэрлингтон». Посмотрите расписание поездов, Уотсон.

— Ближайший — в пять двадцать с Ливерпул-стрит.

— Превосходно. Вам бы тоже лучше съездить с ним, Уотсон. Ему может понадобиться помощь или совет. Ясно, что близится решающий момент в этой истории.

Наш клиент, однако, не выказывал ни малейшей охоты отправиться в путь.

— Но это же совершенная нелепость, мистер Холмс,— сказал он.— Что может знать о случившемся этот человек? Напрасная трата времени и денег.

— Если б ему не было что-то известно, он не стал

---

[1] Выдержавший много изданий справочник по английскому духовенству и церквам.

бы посылать вам телеграмму. Немедленно сообщите ему, что выезжаете.

— Я, вероятно, все-таки не поеду.

Холмс принял самый суровый вид, на какой был способен.

— И у полиции и у меня, мистер Эмберли, создастся самое неблагоприятное впечатление, если вы откажетесь воспользоваться возможностью, которая сама идет к вам в руки. Нам может показаться, что вы не слишком заинтересованы в успешном исходе расследования.

Это предположение, видимо, привело нашего клиента в ужас.

— Господи, если вы так на это смотрите, я непременно поеду! — воскликнул он. — Просто на первый взгляд глупо рассчитывать, что этот пастор что-нибудь может знать. Но раз вы так считаете...

— Да, считаю,— многозначительно сказал Холмс, и вопрос был решен. Прежде чем мы вышли из комнаты, Холмс отвел меня в сторону и дал краткое наставление, из которого видно было, что он придает серьезное значение этой поездке.

— Во что бы то ни стало,— сказал он,— проследите за тем, чтобы он действительно поехал. Если он, паче чаяния, улизнет или вернется с дороги, бегите на ближайший телефон и передайте мне одно-единственное слово: «Удрал». Я распоряжусь, чтобы мне сообщили, где бы я ни находился.

До местечка Малый Пэрлингтон не так-то просто добраться: оно расположено на боковой ветке. От дороги у меня остались не слишком приятные воспоминания: погода стояла жаркая, поезд полз медленно, мой попутчик был угрюм и молчалив, и если раскрывал рот, то лишь затем, чтобы отпустить язвительное замечание насчет того, в какую пустую затею мы ввязались. Когда мы наконец сошли с поезда, пришлось ехать еще две мили до пасторского дома, где нас принял в своем кабинете представительный, важный, слегка напыщенный священник. Перед ним лежала наша телеграмма.

— Итак, джентльмены, чем могу быть полезен? — спросил он.

— Мы приехали в ответ на вашу телеграмму,— объяснил я.

— Телеграмму? Я никакой телеграммы не посылал.

— Я говорю о телеграмме, которую вы прислали мистеру Джошуа Эмберли насчет его жены и денег.

— Если это шутка, сэр, то весьма в дурном вкусе, — сердито сказал пастор. — Я никогда не слышал про джентльмена, чье имя вы назвали, и никому не посылал телеграммы.

Мы с Эмберли обменялись удивленными взглядами.

— Быть может, произошла ошибка, — настаивал я. — У вас случайно не два прихода? Вот телеграмма: подпись — «Элман», адрес — «Дом священника».

— Здесь только один приход, сэр, и только один пастор. Что же до вашей телеграммы, то это возмутительная фальшивка, происхождением которой непременно займется полиция. А пока не вижу причин затягивать далее нашу беседу.

Так мы с мистером Эмберли очутились на обочине дороги в деревушке Малый Пэрлингтон, захолустнее которой, наверное, не сыскать во всей Англии. Мы направились на телеграф, но там было уже закрыто. К счастью, в маленькой привокзальной гостинице оказался телефон, и я связался с Холмсом, который был удивлен не меньше нас, узнав об исходе нашей поездки.

— Поразительно! — сказал далекий голос в трубке. — В высшей степени странно! Я очень боюсь, милый Уотсон, что сегодня обратного поезда уже нет. Сам того не желая, я обрек вас на муки захолустной гостиницы. Но ничего, Уотсон, зато вы побудете на лоне природы. Природа и Джошуа Эмберли — вы сможете вполне насладиться общением с ними. — Я услышал его суховатый смешок, прежде чем нас разъединили.

Я очень быстро убедился, что мой попутчик недаром слывет скрягой. Сначала он сетовал на дорожные расходы, настоял, чтобы мы ехали третьим классом, а теперь шумно возмущался тем, что придется платить еще и за гостиницу. Когда на другое утро мы наконец прибыли в Лондон, трудно сказать, кто из нас был в худшем расположении духа.

— Советую вам зайти по дороге на Бейкер-стрит, — сказал я. — Мистер Холмс, возможно, захочет дать какие-то новые указания.

— Если в них столько же проку, сколько в старых, они не много стоят, — злобно огрызнулся Эмберли.

Тем не менее он последовал за мной. Я заблаговременно уведомил Холмса телеграммой о времени нашего приезда, но он оставил нам записку, что уехал в Люишем и будет дожидаться нас там. Это была неожиданность, а еще большая ждала нас в гостиной нашего клиента: Холмс оказался не один. Рядом с ним сидел строгий мужчина с непроницаемым лицом — брюнет в дымчатых очках и с большой масонской булавкой в галстуке.

— Это мой друг мистер Баркер, — представил его Холмс. — Он тоже занимался вашим делом, мистер Джошуа Эмберли, хотя и независимо от меня. Но оба мы хотим задать вам один и тот же вопрос.

Мистер Эмберли тяжело опустился на стул. Он почуял недоброе. Я понял это по тому, как у него забегали глаза и судорожно задергалось лицо.

— Какой вопрос, мистер Холмс?

— Только один: куда вы дели трупы?

Эмберли с хриплым воплем вскочил на ноги, судорожно хватая воздух костлявыми руками. Рот у него открылся; он был похож сейчас на какую-то жуткую хищную птицу. В мгновение ока Джошуа Эмберли предстал перед нами в своем истинном обличье: злобным чудовищем, с душой такой же уродливой, как тело. Он рухнул обратно на стул и прикрыл рот ладонью, как бы подавляя кашель. Холмс, словно тигр, прыгнул на него и вцепился ему в глотку, силой пригнув его голову вниз. Из разомкнувшихся в удушье губ выпала белая таблетка.

— Не пытайтесь сократить себе путь, Джошуа Эмберли. Дела надо делать пристойно, в установленном порядке. Что скажете, Баркер?

— Я оставил кеб у ворот, — отозвался наш немногословный знакомец.

— До участка всего несколько сот ярдов. Отправимся вдвоем. Вы можете остаться здесь, Уотсон. Я вернусь через полчаса.

В мощном теле старого москательщика таилась львиная сила, но в руках таких опытных конвоиров он был беспомощен. Как он ни извивался, стараясь вырваться, его втащили в кеб, и я остался нести одинокую вахту в этом зловещем доме. Но и получаса не прошло, как вернулся Холмс в сопровождении молодого щеголеватого инспектора полиции.

— Я оставил Баркера завершить все формальности, — сказал Холмс. — Вы ведь в первый раз видите

Баркера, Уотсон. Это мой ненавистный соперник и конкурент с того берега Темзы. Когда вы упомянули про высокого брюнета, мне уже нетрудно было довершить картину. У него на счету не одно удачное дело, верно, инспектор?

— Да, он не раз встречался на нашем пути,— сдержанно отозвался инспектор.

— Не отрицаю, он использует недозволенные методы, как и я сам. Недозволенное, знаете, порой очень выручает. Вам, например, с вашим непременным предупреждением: «Все, что бы вы ни сказали, может быть использовано против вас»,— ни за что не удалось бы фактически вырвать у этого прохвоста признание.

— Быть может, и так, мистер Холмс. Но мы все равно добиваемся своего. Неужели вы думаете, что мы не составили собственного мнения об этом деле и не настигли бы преступника? Вы уж извините, но как нам не чувствовать себя задетыми, когда вы с вашими запретными для нас методами вырываетесь вперед и пожинаете все лавры!

— Ничего подобного не произойдет, Маккиннон. Обещаю вам, что с этой минуты я буду держаться в тени, а что касается Баркера, он делал лишь то, что я ему указывал.

Инспектор заметно повеселел.

— Это очень благородно с вашей стороны, мистер Холмс. Для вас осуждение и похвала значат очень мало, а ведь мы совсем в другом положении, особенно когда нам начинают задавать вопросы газетчики.

— Совершенно справедливо. Но так как задавать вам вопросы они наверняка будут в любом случае, то не мешает иметь наготове ответы. Что вы скажете, например, если какой-нибудь смышленый и расторопный репортер спросит, какие именно улики пробудили в вас подозрение и в конце концов дали возможность установить подлинные факты?

Инспектор замялся.

— Подлинными фактами мы пока что не располагаем, мистер Холмс. Вы говорите, что арестованный в присутствии трех свидетелей покушался на самоубийство и тем самым фактически признал себя виновным в убийстве своей жены и ее возлюбленного. Вам известны еще какие-нибудь факты?

— Вы отдали приказ произвести обыск?

— Сейчас прибудут три полисмена.

— Тогда скоро в вашем распоряжении будет самый бесспорный из всех фактов. Трупы, несомненно, где-то поблизости. Осмотрите погреба и сад. На то, чтобы проверить наиболее подозрительные места, вам потребуется не так уж много времени. Дом старый, водопроводные трубы новые. Где-то должен быть заброшенный колодец. Попытайте счастья там.

— Но как вы обо всем узнали? И как он это сделал?

— Сначала я расскажу, как он это сделал, а уж потом дам объяснение, на которое вправе рассчитывать и вы, и в еще большей степени мой долготерпеливый друг, оказавший мне неоценимую помощь. Но прежде всего мне хотелось бы дать вам представление о том, каков склад ума этого человека. Он очень необычен — настолько, что преступника, по всей вероятности, ждет не виселица, а Бродмур [1]. Эмберли в избытке наделен такими чертами натуры, которые, в нашем представлении, гораздо более свойственны средневековому итальянцу, нежели англичанину наших дней. Это был жалкий скупец, он так замучил жену своим крохоборством, что она стала легкой добычей для любого искателя приключений, каковой и не замедлил явиться в образе этого медикуса-шахматиста Эрнеста. Эмберли играл в шахматы превосходно — характерная примета человека, способного замышлять хитроумные планы, Уотсон. Как все скупцы, он был ревнив, и ревность переросла у него в манию. Были на то основания, нет ли, но он заподозрил измену. Он задался целью отомстить и принялся с дьявольской изобретательностью строить план мести. Подойдите-ка сюда!

Уверенно, словно это был его собственный дом, Холмс повел нас по коридору и остановился у открытой двери кладовой.

— Фу! Как ужасно пахнет краской! — воскликнул инспектор.

— Это обстоятельство и послужило нам первой уликой,— сказал Холмс.— Можете поблагодарить доктора Уотсона, который его заметил, не сумев, правда, сделать должные выводы. Оно-то и навело меня на верный след. Зачем было этому человеку в такое неподходящее время разводить в доме вонь? Очевидно, для того, чтобы заглушить какой-то другой запах, который мог выдать

---

[1] Психиатрическая больница для преступников (в графстве Беркшир).

вину, возбудить подозрение. Затем явилась мысль о комнате, вот этой самой, с железной дверью и железной шторой,— комнате, которую можно закрыть герметически. Сопоставьте эти два факта — куда они ведут? Это я мог установить, только осмотрев дом самолично. В том, что здесь кроется что-то серьезное, я уже не сомневался, потому что успел навести справки в театре «Хеймаркет» и — опять-таки благодаря наблюдательности доктора Уотсона — выяснить, что в тот вечер ни тридцатое, ни тридцать второе кресло в ряду «Б» на балконе не было занято. Следовательно, Эмберли в театре не был, и его алиби рухнуло. Он допустил грубый промах, позволив моему дальновидному другу заметить номер места, на котором должна была сидеть его жена. Теперь возник вопрос, как осмотреть дом. Я послал своего агента в самую глухую деревушку, какая была мне известна, и вызвал туда Эмберли в такой час, чтобы он заведомо не успел вернуться. На случай, если что-то пойдет не так, я дал ему в попутчики доктора Уотсона. Имя достойного пастора было, разумеется, взято из моего Крокфорда. Я говорю достаточно ясно?

— Это неподражаемо,— благоговейным голосом произнес инспектор.

— Теперь можно было не бояться, что мне помешают, и спокойно лезть в чужой дом. Профессия взломщика всегда меня соблазняла, и, вздумай я ее избрать, не сомневаюсь, что мне удалось бы выдвинуться на этом поприще. Что же я обнаружил? Видите — вдоль плинтуса тянется газовая труба. Прекрасно. Она поднимается вдоль стены, а вон там, в углу, имеется кран. Труба, как вы видите, проведена в кладовую и доходит до вон той лепной розы в центре потолка, где ее не видно под лепниной. Конец ее оставлен открытым. В любой момент, открыв наружный кран, комнату можно наполнить газом. Стоит повернуть рычаг до предела, и любой, кто окажется в этой тесной комнатке при закрытой двери и спущенной шторе, не продержится в сознании даже двух минут. Какой дьявольской хитростью он заманил их сюда, я не знаю, но, едва переступив порог, они оказались в его власти.

Инспектор с интересом рассматривал газовую трубу.

— Кто-то из наших людей говорил, что в доме пахнет газом,— сказал он.— Но окно и дверь были, конечно, открыты, да и краской уже попахивало. Он-то утверждал, будто начал красить накануне происшествия. Но что же дальше, мистер Холмс?

— Дальше произошел инцидент, несколько неожиданный для меня самого. Рано на рассвете я уже спускался в сад из окна буфетной, как вдруг чья-то рука схватила меня за шиворот и чей-то голос произнес: «А ну, мошенник, чем ты здесь занимаешься?» Когда мне удалось повернуть голову, передо мной блеснули дымчатые очки моего друга и соперника мистера Баркера. Это была забавная встреча, и мы оба не могли сдержать улыбки. Выяснилось, что по просьбе родственников доктора Эрнеста он тоже предпринял расследование и тоже пришел к выводу, что дело нечисто. Он уже несколько дней наблюдал за домом и взял на заметку доктора Уотсона как явно подозрительное лицо, посетившее усадьбу. Арестовать Уотсона он не мог, но, когда у него на глазах какой-то субъект вылез в сад из окна буфетной, он не выдержал. Я, разумеется, рассказал ему, как обстоят дела, и мы продолжали вести дело сообща.

— Почему с ним? Почему не с нами?

— Потому что я предполагал подвергнуть Эмберли небольшому испытанию, которое и удалось так блестяще. Боюсь, что вы не согласились бы зайти так далеко.

Инспектор улыбнулся:

— Что ж, быть может, и нет. Итак, мистер Холмс, если я верно вас понял, вы совершенно устраняетесь от участия в этом деле и передаете нам весь ваш материал.

— Разумеется. Это — мое обычное правило.

— Тогда я приношу вам благодарность от имени полиции. Случай, как вы его толкуете, ясный. Трупы мы, вероятно, обнаружим без труда.

— Я покажу вам небольшое, но страшное вещественное доказательство,— продолжал Холмс.— Я уверен, что Эмберли его не заметил. Чтобы добиться успеха, инспектор, надо всегда стараться поставить себя на место другого и вообразить, как поступили бы вы сами. Тут требуется известная доля фантазии, но это окупается. Допустим, например, что вы заперты в этой комнатке, что жить вам осталось не более двух минут, но вы хотите расквитаться с извергом, который, возможно, еще издевается над вами там, за дверью. Что бы вы в этом случае сделали?

— Оставил бы письмо.

— Правильно. Вы захотели бы рассказать людям о том, как вы погибли. Писать на бумаге бессмысленно. Убийца найдет записку. Но если написать на стене, это может прочесть кто-то другой. Так глядите же! Над самым плинтусом красным химическим карандашом выведено: «Нас у...» — и все.

— О чем же это говорит?

— Видите — от пола до надписи не более фута. Бедняга писал это, лежа на полу, умирая. И, не успев дописать, лишился сознания.

— Он хотел написать: «Нас убили».

— Именно так я и истолковал эту надпись. Так что, если вы найдете у убитого химический карандаш...

— Поищем, можете не сомневаться. Ну, а как насчет ценных бумаг? Ведь ясно, что никакой кражи не было. А между тем эти акции у него действительно имелись. Мы проверили.

— Он их надежно припрятал, будьте покойны. Когда вся история с бегством стала бы забываться, он бы внезапно обнаружил их и объявил, что виновники раскаялись и прислали украденное обратно, а не то так обронили где-то по дороге.

— Да, у вас на любой трудный вопрос готов ответ,— сказал инспектор.— Одного я не могу понять: ну, к нам он так или иначе вынужден был обратиться, но зачем ему было идти к вам?

— Из чистого бахвальства! — ответил Холмс. — Он мнил себя таким умником, был так уверен в себе, что вообразил, будто его никому не побить. А потом он смог бы сказать недоверчивому соседу: «Посмотрите — чего я только не предпринимал! Я обратился не только в полицию, но даже к Шерлоку Холмсу».

Инспектор рассмеялся.

— Придется простить вам это «даже», мистер Холмс,— сказал он.— Такой искусной работы я не припомню.

Несколько дней спустя мой друг бросил мне на колени номер выходящей два раза в месяц «Норд Суррей Обзервер». В ней под множеством леденящих кровь заголовков — от «Упырь из „Уютного"» до «Блестящий успех полицейского сыска» — шел целый столбец, в котором впервые давалось последовательное изложение этого дела. По заключительному абзацу можно судить о стиле, в котором оно было написано:

«Редкостная проницательность, которую выказал инспектор Маккиннон, заключив, что запах краски, возможно, призван заглушить какой-то иной запах, например, запах газа, дерзкое предположение, что кладовая могла оказаться камерой смерти, а также последующее расследование, увенчавшееся находкой трупов в заброшенном колодце, искусно замаскированном собачьей конурой, будут жить в истории сыска как убедительный пример высокого мастерства нашей полиции».

— Ну ничего, Маккиннон — славный малый, — со снисходительной усмешкой промолвил Холмс. — Советую присовокупить это к нашим архивам, Уотсон. Когда-нибудь можно будет рассказать правду об этой истории.

СОДЕРЖАНИЕ

Литературно-художественное издание

КОНАН ДОЙЛ
Артур

ВЕСЬ ШЕРЛОК ХОЛМС

Финал

Заведующий редакцией А. И. Белинский
Редактор А. Г. Казакова
Художественный редактор В. В. Быков
Технические редакторы Г. В. Преснова, Л. П. Никитина
Корректор Т. П. Гуренкова

ИБ № 6277

Лицензия ЛР № 010246 от 28.05.92

Сдано в набор 24.11.93. Подписано к печати 21.03.94. Формат 84×108¹/₃₂.
Гарн. литерат. Печать высокая. Усл. печ. л. 27,72. Усл. кр.-отт. 28,77.
Уч.-изд. л. 30,39. Тираж 50 000 экз. Заказ № 523. С 335.

ГИПК «Лениздат», 191023, Санкт-Петербург, Фонтанка, 59. Типография им.
Володарского Лениздата, 191023, Санкт-Петербург, Фонтанка, 57.

Конан Дойл Артур

К64   Весь Шерлок Холмс. Финал/Пер. с англ.—
СПб.: Лениздат, 1994.— 523 с., ил.

    ISBN 5-289-01800-X

    В настоящее издание включены произведения, в которых описывается последний период деятельности знаменитого сыщика,— повесть «Долина Страха» и два цикла рассказов: «Его прощальный поклон» и «Архив Шерлока Холмса».

К $\dfrac{4703010100-089}{M171(03)-94}$ без объявл.   84.4 Англ.

В 1994 году
в ЛЕНИЗДАТЕ

выходит однотомник
новых переводов романов
Агаты КРИСТИ

НАЗНАЧЕНО — УМЕРЕТЬ

В однотомник признанной королевы детектива английской писательницы Агаты Кристи (1890—1976) вошли новые переводы ее романов. В двух произведениях этого сборника читатель вновь встретится со знаменитым бельгийским сыщиком Эркюлем Пуаро. В романе «Назначено — умереть» (1938 г.) Пуаро расследует причину смерти американской туристки в Иерусалиме. В другом романе, «Часы» (1963 г.), он, не покидая своего кабинета и лишь изучая наблюдения очевидца, сумел нарисовать подлинную картину загадочного и очень запутанного преступления.

В романе «Одним пальцем» (1943 г.) события разворачиваются в провинциальном английском городке, сохранившем традиции викторианской эпохи. Полиция оказывается бессильной при расследовании убийства, и в действие вступает мисс Джейн Марпл. Любознательная старушка из Сент-Мэри-Мид, известная как «знаменитый детектив в масштабе деревни», полностью восстанавливает справедливость.

В 1994 году
в ЛЕНИЗДАТЕ

выходит однотомник произведений
Д. Д. КАРРА

ВНЕ ПОДОЗРЕНИЙ

По мнению современных исследователей, в царстве детектива, где королева — Агата Кристи, роль премьер-министра бесспорно принадлежит Джону Диксону Карру.

Истории, выдуманные замечательным английским писателем, увлекательны и таинственны, события невероятны. Автор одинаково преуспевает как в создании атмосферы ужаса, которая роднит его произведения с готическим романом, так и в блестящем веселом и остроумном диалоге, отличающем его цикл о Патрике Батлере.

В романах, вошедших в однотомник, — «Уснувший сфинкс», «Черные очки» и «Вне подозрений» — читатели вновь встретятся с любимыми героями автора — адвокатом Патриком Батлером и доктором Гидеоном Феллом.

Прекрасно выполненные переводы достойно представляют английского мастера, удачно передают его юмор, своеобразие языка и стиля.

В ЛЕНИЗДАТЕ

впервые на русском языке
роман вышел в свет
Кена КИЗИ

ПОРОЮ НЕСТЕРПИМО ХОЧЕТСЯ...

Роман «Порою нестерпимо хочется...» — это своеобразный эпос XX столетия, соединивший в себе и подытоживший рефлексии, поиски, символы веры и упования современного человечества, мечущегося между первобытным фетишизмом и утонченным самоанализом.

Могучие старики, яростные мужчины, магические женщины семейного клана Стамперов — герои этой книги.

Упрямо движущийся к поставленной цели отец, предающий своих детей, страсть мачехи к пасынку, соперничество и месть двух братьев — сюжетная канва этого романа.

Конфликт жизни и смерти, пространства и времени — философский смысл этого произведения, выраженный с непревзойденным для Кена Кизи психологическим рисунком поведения каждого героя, полифонизмом повествования, сочетанием пронзительного лиризма с эпическим величием.

Читайте
лучший роман
современной американской литературы!

Впервые на русском языке!

Кен КИЗИ
«ПОРОЮ НЕСТЕРПИМО ХОЧЕТСЯ...»

Роман

Санкт-Петербург, Лениздат